WALTER KLAIBER

Rechtfertigung und Gemeinde

Eine Untersuchung zum paulinischen Kirchenverständnis

GÖTTINGEN · VANDENHOECK & RUPRECHT · 1982

Forschungen zur Religion und Literatur
des Alten und Neuen Testaments
Herausgegeben von
Wolfgang Schrage und Ernst Würthwein
127. Heft der ganzen Reihe

CIP-Kurztitelaufnahme der Deutschen Bibliothek

Klaiber, Walter:
Rechtfertigung und Gemeinde : e. Unters. zum Paulin.
Kirchenverständnis / Walter Klaiber. — Göttingen : Van-
denhoeck und Ruprecht, 1982.
   (Forschungen zur Religion und Literatur des Alten und
   Neuen Testaments ; H. 127)
   ISBN 3-525-53296-2
NE: GT

VORWORT

Die vorliegende Arbeit ist eine Neufassung meiner Dissertation über das Thema „Die Bedeutung der iustificatio impii für die Ekklesiologie des Paulus", die im Wintersemester 1971/72 vom Fachbereich Evangelische Theologie der Universität Tübingen angenommen wurde. Ich habe sie in den Jahren 1978–1980 gründlich überarbeitet unter Berücksichtigung der bis Ende 1979 erschienenen Literatur. Während der Vorbereitungen für den Druck konnten noch Hinweise auf die wichtigsten Arbeiten des Jahres 1980 aufgenommen werden, doch mußte gleichzeitig der Umfang des Literaturverzeichnisses erheblich reduziert werden.

Bei der Einarbeitung der neueren Literatur konnte ich ein steigendes Maß an Übereinstimmung in vielen der hier verhandelten Fragen feststellen, insbesondere auch im katholischen Bereich. Die Hinweise in den Anmerkungen sollen diesen Konsens dokumentieren, aber auch zeigen, wo noch Dissens herrscht. Gerne hätte ich mich stärker mit der neu aufgebrochenen soziologischen Erforschung des Urchristentums auseinandergesetzt. Doch möchte ich betonen, daß diese Arbeit eine *theologische* sein will, also nach den „opinions, interpretations and theologies" (Holmberg 3) des Paulus und seiner Gesprächspartner fragt. Es ist mir bewußt, daß auch in der Urchristenheit ekklesiologische Theorie und soziologisch erfaßbare kirchliche Struktur nicht immer übereinstimmen. Beide Phänomene sind legitimer Gegenstand historischer Forschung, und auf die Unterschiede wie auf die Beziehungen zwischen beiden ist jeweils zu achten. Das Interesse dieser Arbeit richtet sich jedoch primär darauf, den Grundansatz paulinischer Ekklesiologie zu verstehen, in der Überzeugung, daß dieser auch für die Kirche heute von entscheidender Bedeutung ist.

Den langen Weg dieser Arbeit haben viele begleitet, denen ich an dieser Stelle danken möchte. Herr Prof. D. Ernst Käsemann hat mich durch seine Vorlesungen und Aufsätze zum Thema dieser Arbeit angeregt, mir als seinem Assistenten die Möglichkeit zu ihrer Ausarbeitung gegeben und sie bis zur Promotion kritisch begleitet. Sollte aus der Dissertation noch ein lesbares Buch geworden sein, so wäre das nicht zuletzt auch sein Verdienst. Auch dem Korreferenten, Herrn Prof. Dr. F. Lang, verdanke ich eine Reihe wertvoller Hinweise. In der

Phase der Überarbeitung haben Herr Prof. Dr. K. Scholder und Herr Dr. H. Lichtenberger, Tübingen, den kirchenrechtlichen Teil bzw. den Exkurs über Qumran durchgesehen. Ermutigt zur Publikation hat mich vor allem Herr Prof. Dr. W. Schrage, Bonn, der die Arbeit auch in diese Reihe übernommen und wie sein Mitherausgeber, Herr Prof. Dr. E. Würthwein, Marburg, eine Fülle hilfreicher Anmerkungen beigesteuert hat. Auch der Verleger, Herr Dr. A. Ruprecht, Göttingen, hat schon früh sein Interesse an diesem Buch bekundet und ist mir zusammen mit seinen Mitarbeitern mit Rat und Tat beigestanden. Die Bewältigung der umfangreichen Literatur ist von der Universitätsbibliothek Tübingen nicht nur durch ihre reichhaltigen Bestände, sondern auch durch die Hilfsbereitschaft der dort Beschäftigten erleichtert worden. Für die Herstellung eines Teils des Manuskripts danke ich meiner Sekretärin, Frau E. Nolte.

Besonders dankbar hervorheben möchte ich, daß die „älteren Brüder" in kirchenleitenden Funktionen meinem Hang zur Wissenschaft immer mit Verständnis und Wohlwollen begegnet sind. Stellvertretend für viele seien zwei Namen genannt: der des kürzlich verstorbenen Bischofs der Evangelisch-methodistischen Kirche, Dr. E. Sommer, und der meines früheren Superintendenten, Pastor i.R. J. Gähr. Daß mich die Süddeutsche Konferenz der EmK von 1969–1971 für die Übernahme einer Assistentenstelle beurlaubte, war nicht selbstverständlich. Dies Buch soll ein Zeichen meines Dankes sein.

Der Vorstand des Theologischen Seminars der EmK in Reutlingen hat einen Zuschuß für die Druckkosten bewilligt, ebenso – durch Vermittlung des Ratsvorsitzenden der EKD, Herrn Landesbischof Prof. Dr. E. Lohse, – die Vereinigte Evangelisch-Lutherische Kirche Deutschlands, eine ökumenische Geste, über die ich mich besonders freue. Auch meine Eltern haben Zustandekommen und Drucklegung dieser Arbeit tatkräftig unterstützt.

Von meiner Frau und meinen Kindern hat die langjährige Beschäftigung mit diesem Werk manchen Verzicht an Gemeinsamkeit abverlangt. Sie haben jedoch dafür gesorgt, daß mir die Priorität wissenschaftlicher Arbeit vor dem Familienleben nicht zum fraglosen Axiom wurde. Wo ich aber Hilfe brauchte, konnte ich auf ihr Verständnis und ihre Unterstützung rechnen. Für alles, für Verzicht, Kritik und Hilfe, danke ich ihnen.

Reutlingen, am 27. November 1981　　　　　　　　　Walter Klaiber

INHALT

1. DAS RÄTSEL DER PAULINISCHEN EKKLESIOLOGIE

1.1 Die paulinische Ekklesiologie — ein provisorischer Entwurf?

Wer sich etwas intensiver mit der Ekklesiologie des Paulus und der neueren Literatur darüber beschäftigt, wird sehr bald einem eigenartigen Befund gegenüberstehen. Paulus schreibt fast ausschließlich an Gemeinden und beschäftigt sich in diesen Schreiben häufig mit Problemen dieser Gemeinden. Dennoch findet sich in den heute allgemein als echt angesehenen Briefen nirgends ein Abschnitt, der grundsätzlich über das Thema Gemeinde bzw. Kirche referieren würde. Immer wieder ist Paulus damit beschäftigt, gegen Unordnung in den Gemeinden zu kämpfen und Autorität zu begründen und zu stützen[1]. Und dennoch vermeidet er es, durch die Schaffung bzw. Propagierung von in ihren Funktionen klar umrissenen Ämtern Ordnung organisatorisch durchzusetzen, obwohl solche Ordnungsmuster in der Synagoge oder im hellenistischen Verein bereitlagen.

Dieses „ekklesiologische Defizit" im Werk des Paulus hat man bald gespürt und erkannt. Schon der Verfasser des Epheserbriefs hat in der Ekklesiologie den Punkt der Theologie des Apostels gesehen, der am ergänzungsbedürftigsten war. Er hat ihr eine neue, umfassende Begründung gegeben, um die praktischen Probleme der Kirche seiner Zeit besser bewältigen zu können[2]. Auf ihre Weise haben die Pastoralbriefe dieses Anliegen weitergetrieben und eine Art Verfassungsentwurf der ‚paulinischen' Gemeinden entwickelt[3]. Auch Lukas zeichnet in der Apostelgeschichte von Paulus das Bild eines Missionars, dessen unablässiges Bemühen darum ging, die von ihm gegründeten

---

[1] Käsemann, Amt und Gemeinde 124.
[2] Fischer, Tendenz 201f; Merklein, Christus 69f, Amt 395ff; Ernst, Ortsgemeinde 126ff,141f; R. P. Meyer 78ff; Vögtle, Reflexionen 554—561; dagegen hält Rohde 49—54 den Eph und seine Ekklesiologie für paulinisch.
[3] Schlier, Ordnung; v. Campenhausen, Amt 116—129; Käsemann, Amt 127—130; Brox, Probleme; ders., Pastoralbriefe 42ff; Knoch, Testamente 44ff; eine zurückhaltendere Beurteilung der Entwicklung bei Schweizer, Gemeinde 67ff; Roloff, Apostolat 236ff; Kertelge, Gemeinde 140ff; Rohde 75ff; Sand; Lohfink; Prast 387ff; Trummer 208ff und jetzt umfassend v. Lips 96ff.

Gemeinden durch klare Ordnungen, Einsetzung von Amtsträgern und Einprägung der apostolischen Tradition gegen den Ansturm der Irrlehre zu sichern[4].

Im 1. Petrusbrief wird solch ekklesiologisch konsolidierter Paulinismus unter das Patronat des Petrus gestellt[5]. Die Didache setzt ganz ähnliche Verhältnisse voraus wie etwa die Korintherbriefe und spiegelt den Versuch wider, die auftretenden Probleme pragmatisch zu lösen[6]. Der 1. Clemensbrief und Ignatius bieten dagegen konsequente und grundsätzliche Lösungen für die Schwierigkeiten der frühen Kirche an: die hierarchische Ordnung der Kirche ist in ihrem Wesen mitgestiftet. Der Schritt zum Frühkatholizismus ist endgültig getan[7].

Nun kann es nicht darum gehen, diese Entwicklung von vorne herein als Abfall zu denunzieren, wie es S. Schulz in seinem letzten Buch getan hat[8]. Möglicherweise war sie zumindest teilweise geschichtlich notwendig, um den Herausforderungen durch Enthusiasmus und Gnosis zu begegnen[9]. Die erste Frage muß vielmehr sein, woher das „ek-

---

[4] Vgl. Act 14,21–23 u. 20,17–31; dazu Schürmann, Testament; Schnackenburg, Lukas 245f; Knoch, Testamente 32–43; Burchard, Paulus 892, und besonders Prast. Daß es Lukas vor allem um eine Sicherung der Kirche durch das Amt gehe, bestreiten Schweizer, Gemeinde 196f; Roloff, Apostolat 227–231; H. J. Michel 91ff (Lit!); Steichele; Barrett, Address 117f; Rohde 69–72; Vögtle, Reflexionen 570–77; Prast 206ff,345ff; doch werden die Unterschiede zu Paulus nicht geleugnet. Zur Beziehung zwischen Act 20,17–38 und Pastoralbriefen vgl. St. G. Wilson 404; Rohde 97; Prast 387ff; abwehrend Roloff, Paulusdarstellung 520f, der seinerseits aber zeigt, daß „die Paulusdarstellung des Lukas eine Funktion seiner Ekklesiologie" ist (531).
[5] Zu Beziehung und Distanz zwischen der Ekklesiologie des Paulus und des 1. Petr s. Spörri; Goldstein; Schröger, der (245ff) den Unterschied am schärfsten markiert (dazu kritisch Brox, 1.Petr 227 A.714, vgl. 50, 208); zurückhaltend Vögtle, Reflexionen 562–69.
[6] V. Campenhausen, Amt 78f; Schweizer, Gemeinde 125ff, sieht dagegen in der Did schon eine grundsätzliche Trennung von Geistträgern und Laienschaft vollzogen.
[7] Die Bedeutung des 1.Clem als Geburtsstunde des Kirchenrechts und des Katholizismus hat R. Sohm in aller Schärfe herausgestellt (Kirchenrecht I, 157–164; Katholizismus 65–68). Gegen diese Auffassung von einem qualitativen Sprung in der Entwicklung: Holstein 61–64; Knoch, 1.Clem; Beyschlag; Rohde 98–116; eine ausgewogene Darstellung bei v. Campenhausen, Amt 91–103, und Roloff, TRE II, 527–29. Zu Ignatius s. v. Campenhausen 105–115; Schweizer, Gemeinde 135–141; Rohde 117–141; Prast 416ff (Roloff, TRE II, 529f betont die Unterschiede zwischen 1.Clem und Ign; zur Gesamtentwicklung ebda 512ff).
[8] Mitte der Schrift; dazu meine Rez. in: Theologie für die Praxis 2, 1976, 2, 3–7.
[9] Käsemann, Amt 130, Frühkatholizismus 249f; v. Campenhausen, Amt 328f; Schweizer, Gemeinde 77f.

klesiologische Defizit" der Theologie des Paulus rührt. Mußten seine Vorstellungen von der Kirche notwendigerweise provisorisch sein, da auf Grund der Naherwartung und zu Lebzeiten des Apostels gar keine grundsätzliche und auf Dauer gerichtete Klärung der anstehenden Fragen nötig schien[10]? Oder besteht ein innerer Zusammenhang zwischen dieser eigenartigen Ekklesiologie und der Eigenart paulinischer Theologie überhaupt, sodaß wir in ihr kein Provisorium, sondern einen sehr bewußt konzipierten Entwurf des Apostels zu sehen hätten?

1.2 Gemeindebegriffe und Gemeindeverständnis

Man pflegt den „Kirchenbegriff" des Paulus anhand der Begriffe zu entfalten, mit denen er die Wirklichkeit der Gemeinde benennt und bezeichnet. In den letzten Jahrzehnten ist daher eine fast unübersehbare Fülle von Untersuchungen zu den einzelnen Termini entstanden. Dennoch ist zu prüfen, ob dieser Ansatz methodisch angemessen ist und wie weit sich mit seiner Hilfe das Gemeindeverständnis des Paulus sachgemäß darstellen läßt. Dem soll der folgende Überblick über die einschlägigen Begriffe dienen.

Der Schwerpunkt der Darstellung liegt jeweils auf der Analyse der Verwendung eines Begriffes durch Paulus. Wo unsere Untersuchung religions- und traditionsgeschichtliche Befunde aufgreift, geschieht dies ebenfalls unter der Fragestellung, inwieweit sie im paulinischen Kontext zum Tragen kommen.

1.2.1 ἐκκλησία τοῦ θεοῦ

Unter dem Eindruck der häufigen Verwendung und reichen Traditionsgeschichte der Wendung ἐκκλησία τοῦ θεοῦ hat man seit R. Sohm aus ihr den „Kirchenbegriff" des Paulus abgeleitet[11]. Zwei Grundzüge charakterisieren die Auffassung Sohms:

a) Der Begriff ἐκκλησία bezeichnet im hellenistisch-jüdischen Sprachgebrauch (LXX) das Volk Gottes im Sinne eines „dogmatischen Werturteils"[12].

---

[10] Kuß, Jesus 51 (vgl. aber ders., Paulus 279!); Gewiess 172.
[11] Kirchenrecht I, 16—22.
[12] AaO 19; er greift dabei eine Bemerkung Schürers auf (II [2.A.1886], 361 A. 48 = II [4.A.1907], 504 A.11), die er jedoch weit über das von Schürer Behauptete und Belegte hinaus auswertet (s. Stoodt, Wort 40).

b) Es gibt dem Wesen nach nur *eine* Ekklesia, die in jeder Orts- und Hausgemeinde in Erscheinung tritt[13].

Mit geringfügigen Modifikationen hat sich die Auffassung Sohms in beiden Punkten weithin durchgesetzt, wozu vor allem die Arbeiten K. L. Schmidts beitrugen[14]. Doch sind in den letzten Jahren gegen diesen Konsensus Einwendungen erhoben worden[15]. Der Befund in der LXX und im Frühjudentum ist nicht so eindeutig wie behauptet[16]. Noch gewichtiger ist der Hinweis, daß sich weder bei Paulus noch im sonstigen NT ein Beleg für die Verwendung des Terminus finden lasse, „bei dem sein theologischer Begriffsinhalt — die wahre Gemeinde Gottes — zum Ausdruck käme"[17]. Das muß für Paulus nachgeprüft werden.

Paulus verwendet ἐκκλησία nie in einem alttestamentlichen Zitat[18]. Der Begriff erscheint auch nicht (ebensowenig wie andere Gemeindebegriffe) in einer geprägten vorpaulinischen Formel[19]. Seine Verteilung auf die einzelnen Briefe ist aufschlußreich. Von 44 Stellen (25

---

[13] AaO 20ff.
[14] Kirche des Urchristentums, ThWNT III, 502—535. Zur Diskussion bis 1932 vgl. Linton 138—145 (ders.,RAC IV, 905—921); außer den bei ihm Genannten schlossen sich Sohm und Schmidt u.a. an: Bultmann, Kirche 163ff, Wandlung 131ff, Theologie 40f, 96, 309; Médebielle, DBS II, 491, 634f (wie die meisten kath. Forscher vorsichtig gegenüber Punkt b); Fridrichsen, Église 345ff; Rost 154ff; Gaugler, Wort 5f; Wikenhauser 4—13; Dahl, Volk 181ff, 202ff, 268; F. M. Braun 36ff; Goguel, Église primitive 12ff; W. Robinson, Doctrine 60f; Schniewind, Aufbau 203; Oepke, Gottesvolk 182 (mit Einschränkung), 199ff; Shedd 129f (vorsichtig); Murphy (auch er differenziert im NT); Schweizer, Gemeinde 171f; Metzger, View 369ff; Schlier, Namen 295ff, Ekklesiologie 153ff; Löwe 34ff; Schnackenburg, Kirche 54ff; Ridderbos, Paulus 230f.
[15] Die kath. Forschung war von Anfang an zögernd, vor allem unter dem Einfluß Battifols (συναγωγή und ἐκκλησία sind im hell. Judentum synonym [73]; grundlegend für den *Begriff* ἐκκλησία ist die konkrete Einzelgemeinde [74ff]); weitergeführt von W. Koester 2—7. Pieper 9—31 und Cerfaux, Théologie 85—100, 163—177, halten die Ableitung aus AT und LXX (Dt 23) für richtig, gehen aber von der Einzelgemeinde bzw. Urgemeinde aus. In dieser Tradition steht auch Hainz, Ekklesia (bes. 229ff).
[16] Zur LXX schon Koester 2f; Michel, Zeugnis 12 A.7; vor allem aber Campbell, Origin; Barr, Bibelexegese 123—133; Schrage, Ekklesia 180f; zum Frühjudentum Kümmel, Kirchenbegriff 24; Schrage, aaO 189ff; zu Qumran Maier, Gottesvolk 16f, 174ff, der wegen des Pluralgebrauchs עדה für das Äquivalent von ἐκκλησία hält.
[17] Stendahl, RGG III, 1299, unter Hinweis auf Campbell; ausführlich Marshall 363.
[18] Stendahl aaO; Schrage, Ekklesia 186f.
[19] Für die Urgemeinde war die Christologie das Neue und Entscheidende (vgl. Dahl, Volk 181; anders Conzelmann, Überlieferungsproblem 145 A.16).

im sing., 19 im plur.) finden sich 22 im 1.Kor, 9 im 2.Kor und 5 im Grußkapitel Röm 16[19a]. Das Wort taucht also vor allem dort auf, wo es um *konkrete Probleme der Gemeinden und ihr Zusammenleben* geht.

Das bestätigt die thematische und formale Analyse: Ἐκκλησία findet sich im Präskript (1.Kor 1,2; 2.Kor 1,1; Gal 1,2; 1.Th 1,1) und in den Schlußgrüßen (auch hier von bestimmten Gemeinden: 1.Kor 16,19; Röm 16,5; dagegen Röm 16,16: αἱ ἐκκλησίαι πᾶσαι τοῦ Χριστοῦ). Formelhaft ist die Wendung ἐν ἐκκλησίᾳ = in der Gemeindeversammlung (1.Kor 11,18; 14,19.28.35)[20]. Zu ihr versammelt sich die ganze Gemeinde (ἡ ἐκκλησία ὅλη ἐπὶ τὸ αὐτὸ 1.Kor 14,23), d.h. alle Christen des Ortes[21]. Auch ἐν ταῖς ἐκκλησίαις 1.Kor 14,34 bezieht sich auf die Versammlung der Gemeinde[22]. Ziel der Zusammenkunft ist der Aufbau der Gemeinde (1.Kor 14,4.5.12). Nach dem Zusammenhang ist dabei an Hilfe für die versammelten Gemeindeglieder gedacht[23].

An anderen Stellen bezeichnet ἐκκλησία die Gemeinschaft der Christen eines Ortes als Gruppe, die auch über die aktuelle Versammlung hinaus eine klar umrissene Größe darstellt:

In der Gemeinde gibt es verschiedene Dienste (1.Kor 12,28[24]; Röm 16,1) und besonders geachtete Leute, denen von den Gemeinden spezielle Aufgaben übertragen werden können (2.Kor 8,18.19.23; vgl. auch Röm 16,23 und 1.Kor 6,4). Das Stichwort taucht auf, wenn es

---

[19a] In der folgenden Untersuchung werden Röm, 1.2.Kor, Gal, Phil, 1.Th und Phlm als paulinisch behandelt; Kol und 2.Th sind wegen der Unsicherheit in der Verfasserfrage ausgeklammert, obwohl ich sie zur paulinischen Korrespondenz hinzurechnen möchte (vgl. Kümmel, Einleitung). Ihre Berücksichtigung hätte das Ergebnis kaum verändert. Das Gleiche gilt für die verschiedenen Teilungshypothesen, denen ich vor allem wegen der Unwahrscheinlichkeit des vorauszusetzenden Redaktionsvorganges skeptisch gegenüber stehe (vgl. außer Kümmel, Einleitung, jetzt Aland, Entstehung 349f).

[20] Sonst nur noch Did 4,14, ähnlich 3.Jo 6 (vgl. W. Bauer sv); in der LXX vgl. Sir 21,17; 38,33; Plur. ψ 25,12; 67,27; sonst immer mit erläuternden Ergänzungen, etwa: ψ 88,6 (ἁγίων); 149,1 (ὁσίων); Sir 24,2 (ὑψίστου). Von diesen Stellen leitet Campbell, Origin 54, den urchristl. Sprachgebrauch ab.

[21] W. Bauer sv; ἐκκλησία ist damit nicht nur Bezeichnung für die Versammlung, sondern auch derer, die sich versammeln.

[22] So wird eine Tautologie mit 33b vermieden; vgl. Kümmel bei Lietzmann — Kümmel z.St. (190).

[23] Der Erbauung der Gemeinde entspricht die Erbauung des „anderen" (14,17), beides wird der Selbsterbauung (14,4) entgegengesetzt (vgl. auch V. 3).

[24] Ob Paulus in 1.Kor 12,28 an die Gesamtkirche oder die Einzelgemeinde denkt, ist umstritten; s.u. A.58.

um die Versorgung des Paulus geht (2.Kor 11,8; 12,13; Phil 4,15). Andererseits trägt Paulus die Last der Sorge für alle Gemeinden (2. Kor 11,28). Er betont, daß er in allen Gemeinden das Gleiche lehrt bzw. anordnet (1.Kor 4,17; 7,17) und daß auch die Sitte in allen Gemeinden gleich sein sollte (1.Kor 14,33; 11,16). Vom Verhalten bestimmter Gemeinden oder ihnen gegenüber sprechen auch Röm 16,4; Gal 1,22; 2.Kor 8,24; 1.Th 2,14.

Es verbleiben die Stellen, an denen Paulus sagt, er habe die ἐκκλησία τοῦ θεοῦ verfolgt: 1.Kor 15,9; Gal 1,13; (ohne Gen. Phil 3,6). Auf sie vor allem stützt sich die Hypothese, ἐκκλησία τοῦ θεοῦ sei zunächst Bezeichnung der Urgemeinde gewesen[25]. Doch ist es fraglich, ob Paulus gerade die Urgemeinde verfolgt hat[26]. Er selbst hat ἐκκλησία τοῦ θεοῦ jedenfalls nicht als Sonderbezeichnung für die Urgemeinde betrachtet[27]. 1.Kor 10,32 und 11,22, die beiden Belege, die noch nicht besprochen sind und an denen ebenfalls ἐκκλησία τοῦ θεοῦ steht, legen vielmehr die Vermutung nahe, daß dieser Ausdruck „die Gemeinde Gottes" als theologische Größe besonderer Würde kennzeichnet.

Läßt sich das durch die Vorgeschichte der Wendung erhärten?

Traditionsgeschichtlich kann die Formel ἐκκλησία τοῦ θεοῦ klar vom einfachen ἐκκλησία getrennt werden[28]. קהל יהוה findet sich im AT in Dt 23,2.3(bis).4

---

[25] Cerfaux, Théologie 90ff; Dahl, Volk 181; Oepke, Gottesvolk 200; Stanley, Reflections 395; Blank, Paulus 242; Hainz, Ekklesia 232ff; Eckert, Paulus 287.
[26] Vgl. Gal 1,22 und die Lösungsversuche bei Oepke und Mußner z.St., während Schrage, Ekklesia 197f, und Stuhlmacher, Evangelium 73—75, daraus schließen, daß Paulus den Kreis der Hellenisten verfolgte; anders, aber mit fraglichen Eintragungen in den Text Hainz, Ekklesia 240. Beide Auffassungen zu vereinen sucht Blank, Paulus 238—248: Es geht um judenchristliche Hellenisten in der Jerusalemer Gemeinde.
[27] Auch 1.Th 2,14 beweist nichts anderes, weil dort ἐκκλησία τοῦ θεοῦ genauso durch eine Ortsangabe erläutert wird wie in 1.Kor 1,2 und 2.Kor 1,1. Andrerseits fehlt der Gen. in Gal 1,22, wo sicher auf urgemeindliche Kreise angespielt wird (Hainz, aaO 240, sieht darin tendenzielle Uminterpretation des Paulus, ohne Belege für das ursprüngliche Verständnis zu nennen). Nur in 1.Kor 11,16 würde die Annahme eines Hinweises auf die Urgemeinde einen guten Sinn geben. Man kann dagegen im Anschluß an Schrage fragen, ob ἐκκλησία τοῦ θεοῦ nicht zunächst die hellenistischen Gemeinden Syriens und Palästinas bezeichnete (ähnlich schon Pieper 13f; Campbell, Origin 42). Das würde auch den Unterschied zwischen 1.Th 2,14 und Gal 1,22 gut erklären (die Hellenisten werden verfolgt!). Doch zeigen 1.Kor 10,32; 11,22, daß Paulus selbst in dem Begriff keine Sonderbezeichnung mehr gesehen hat.
[28] Nachdem schon Pieper 18f die Bedeutung von Dt 23 erkannt hat, ist die Stelle von Rost als Ursprung des Begriffs ἐκκλησία τοῦ θεοῦ herausgestellt worden, ohne allerdings zwischen קהל יהוה/ἐκκλησία τοῦ θεοῦ und קהל/ἐκκλησία zu unterscheiden. Für das NT treffen diese Unterscheidung mit verschiedenen Be-

(bis).9 und an der verwandten Stelle Mi 2,5. Thr 1,10 und Neh 13,1 nehmen Dt 23 auf, wobei an der zweiten Stelle interessanterweise schon im MT קהל האלהים (LXX ἐκκλησία θεοῦ) erscheint. Außerhalb dieses Traditionszusammenhangs stehen Nu 16,3; 20,4 (LXX συναγωγή) und 1.Chr 28,8 [29]. Im nachbiblischen Judentum dominiert jedoch der Einfluß von Dt 23. Fast alle Belege für קהל יהוה/אל bzw. die griechischen Äquivalente beziehen sich auf diese Stelle. Eindrucksvoll ist der Befund bei Philo [30]: ἐκκλησία κυρίου steht immer in Zitaten aus Dt 23,2—9 [31]. Formuliert Philo in diesem Zusammenhang frei, schreibt er ἐκκλησία θεοῦ oder umschreibt den Genetiv [32]. In anderem Zusammenhang kommt ἐκκλησία κυρίου/θεοῦ bei ihm nicht vor [33].

Ebenso finden wir in der Mischna, wenn Dt 23,2ff zitiert wird, קהל ה' (Jeb 8,2b; Jad 4,4b); wird frei formuliert, steht nur קהל (Qid 4,3; Jeb 8,2; Jad 4,4; vgl. TosJad 2,17; TosJeb 8). בוא בקהל ist dabei offensichtlich zum terminus technicus geworden. Die Schriften von Qumran bestätigen diese Sprachgebrauch: In 1 QSa II,4 (em) erscheint קהל אל in der Formel בוא בקהל (vgl. CD 12,6) [34]. Nur 1 QM 4,10 fällt aus dem Rahmen, wo קהל אל Feldzeichenaufschrift einer Hundertschaft innerhalb einer Sammlung vieler Gemeindebezeichnungen darstellt.

Was aber *bedeutet* קהל יהוה in diesem Traditionszusammenhang? Das apodiktische, „altjahwistische Sakralrecht" [35], das den Grundstock von Dt 23,2—9 bildet, setzt nach K. Galling eine amphiktyonische Versammlung an einem Jahweheiligtum voraus [36]. Wie Rost gezeigt hat, ist im Rahmen des Deuteronomiums

---

gründungen: Cerfaux, Théologie 91; Delling, Merkmale 376f; Merklein, Ekklesia 61f; sie fehlt leider bei Berger, Volksversammlung 188ff.

[29] Rost 18f; Delling, Merkmale 376.

[30] K. L. Schmidt, ThWNT III, 532,8—21; Cerfaux, Théologie 89f; Berger, Volksversammlung 189f.

[31] All III, 81 (em); Ebr 213; Conf 144; Post 177.

[32] ἐκκλησία θεοῦ All III, 8; Ebr 213; ἐκκλησία τοῦ πανηγεμόνος Mut 204; ἐκκλησίας ... καὶ συλλόγου θείου All III, 81; sonst ἐκκλησία ἱερά Imm 111; Migr 69; Som II, 184.187.

[33] Philo führt Dt 23 noch an in SpecLeg I, 325.344 (σύλλογος ἱερός), Virt 108 (nur ἐκκλησία).

[34] Emendation nach Barthélemy, DJD I (vgl. Lohse, Texte z.St. u. Maier, Texte II z.St.; Stuhlmacher, Gerechtigkeit 210 A.2, und Roloff, EWNT 1000, nennen 1 QSa 1,25em; das dürfte eine Verwechslung mit 2,4 sein).

[35] v. Rad, Das fünfte Buch Mose, ATD, z.St.

[36] Galling 189 (dort weiteres über die verschiedenen Schichten des Textes). Auch Mi 2,5 könnte es sich um eine solche Versammlung handeln; so bei im einzelnen verschiedener Interpretation Alt, Micha 2,1—5, 378—80; Horst, Eigentum 208, 214; Weiser, Micha z.St. und Galling 178f; anders Matura 17, der für Mi 2,5 die Bedeutung „communauté" annimmt, während er für die deuteronomische Tradition und die spätere Zeit „assemblé cultuelle" vorzieht. Rudolph, Micha z.St., sieht in קהל יהוה einen feierlichen Ausdruck für das Volk Jahwes; Kritzinger 150f schlägt für alle Vorkommen mit mehr oder weniger großer Sicherheit die Bedeutung „cult-assembly" vor. Im Rahmen der Auseinandersetzung um die Amphiktyonie-Hypothese bestreitet Anderson eine Verbindung des Begriffs קהל mit dieser Vorstellung, ohne für Dt 23 eine nähere Erklärung zu geben. Auch die neueren Arbeiten zum atl. Recht setzen sich damit nicht auseinander.

an die Sinaigemeinde gedacht[37]. Welche rechtliche, soziologische oder religiöse
Institution entspricht ihr nach Meinung des Deuteronomiums in der späteren
Zeit? Die Zusätze, die von Zeitspannen bis zu 10 Generationen sprechen, lassen
weniger auf eine konkrete Versammlung — etwa im Tempel — als auf das poli-
tische und kultische Bürgerschaftsrecht in Israel schließen. So ist der Begriff
in Neh 13,1 aufgenommen[38].

Auch für Philo ist die ἐκκλησία κυρίου die am Sinai versammelte Gemeinde, auf
die er bekräftigend hinweist, wenn er die in Dt 23 genannten Personengruppen
durch allegorische Deutung auf Laster und verwerfliche religiöse Ansichten bezieht[39]. Die „heilige Versammlung" selbst scheint allerdings von der allegorisie-
renden Vergegenwärtigung ausgenommen. Doch zeigt die einzige Stelle, an der
er Dt 23 wörtlich als in Israel geltende Ordnung auslegt (De virt 108), worin
für ihn das Wesen der ἐκκλησία liegt: Sie ist die Stätte, an der Israel durch die
λόγοι θεῖοι in die heiligen Weihen eingeführt wird[40]. Ob an eine konkrete Institution des zeitgenössischen Judentums gedacht ist, bleibt offen[41].

In der Mischna stellt sich die Frage nach der Bedeutung von קהל ה' .vor allem für
Jad 4,4, wo es um einen ammonitischen Ger namens Jehuda (!) geht, der um
Aufnahme in den קהל nachsucht. Welche Institution kann damit gemeint sein[42]?
Nach den zwei anderen Stellen zu urteilen, an denen in der Mischna Dt 23 zi-
tiert wird (Jeb 8,2b; Qid 4,3), ist bei den Rabbinen בוא בקהל zum terminus tech-
nicus für die Erlaubnis zur Heirat einer Israelitin geworden[43].

---

[37] Rost 13f; zur dtn. Redaktion unter dem Thema „Wer darf zu Israel gehören?"
vgl. Seitz 184f, 250ff.

[38] Vgl. die Parallele 13,3: man sonderte aus aus *Israel*. Auch קהל kann in Esra
und Neh neben der Bedeutung „Versammlung" die Bedeutung „Volksgemeinde"
annehmen: Esra 2,64 (Neh 7,66); Esra 10,8 (vgl. Wikenhauser 12). Num 16,3;
20,4 weisen in dieselbe Richtung, während 1.Chr 28,8 die Bedeutung „Versammlung" vorliegt.

[39] Vgl. Dahl, Volk 109; Rost 147f; Berger, Volksversammlung 189f.

[40] Das καλεῖν εἰς ἐκκλησίαν des Proselyten wird verstanden als μεταδιδόναι λό-
γων θείων, οἷς θέμις καὶ τοὺς αὐτόχθονας καὶ εὐπατρίδας ἱεροφαντεῖσθαι. Dem
entsprechen die Ausführungen in SpecLeg I, 344f; Conf 144f; Ebr 213; Imm 111;
Som II, 184ff. Die letztgenannte Stelle ist besonders aufschlußreich, weil hier die
„heilige Versammlung" als τῶν τῆς ψυχῆς μερῶν βουλή beschrieben wird (187);
vgl. dazu Mack 190f, der Gemeinde bei Philo als Gemeinde, die auf den Moses-
Logos hört, definiert (192f).

[41] Rost 147 verneint dies. Aber SpecLeg I, 325 spricht anscheinend von einer
wirklichen Versammlung (vgl. Cohn — Heinemann II, 2 S. 101 A.1). Nach Berger, aaO 173 A.40, denkt Philo bei ἐκκλησία immer an die Zusammenkunft
der Gemeinde am Sabbath. Wie Som II, 187 zeigt, wird damit der Befund sim-
plifiziert. Die Unklarheit dürfte daher kommen, daß Philo nicht an der Ekklesia, sondern an der allegorischen Deutung der Ausgeschlossenen interessiert ist.
Zur Ambivalenz der philonischen Soteriologie vgl. E. P. Sanders, Covenant 37f.

[42] Galling 180 weist darauf hin, daß auch im alten Israel der Ger nicht voll in
die qhl jhwh aufgenommen wurde. Welche Bedeutung das z.Zt. Gamaliels II
und Jehoschuas (b. Chananja) (um 90) hatte, ist aber schwer zu sagen. Ein Ausschluß aus dem Tempelgottesdienst, den Campbell, Origin 47 erwägt, wäre ana-
chronistisch, was angesichts des vorliegenden Einzelfalls unwahrscheinlich ist.

[43] Die jüdischen Gelehrten fassen darum auch Jad 4,4 in diesem Sinne auf (vgl.

Eindeutig ist dagegen der Befund in 1 QSa II,4: קהל אל(ה) (em) meint die *Versammlung* der endzeitlichen Gemeinde[44]. Die dort Genannten werden nicht völlig aus Israel ausgeschlossen, dürfen aber nicht inmitten der Gemeinde sprechen[45]. In 1 QM 4,10 ist der Ausdruck als feierlicher Terminus unter vielen anderen aufgenommen[46].

Wir fassen zusammen: קהל יהוה stellt nicht den zentralen Begriff für das Volk Gottes im AT dar. Aber im Rahmen der Tradition von Dt 23,2—9, die in allen wesentlichen Schichten der jüdischen Geschichte von Bedeutsamkeit bleibt, gewinnt die Formel den Charakter eines sakral-rechtlichen terminus technicus für das wahre Israel. Die inhaltliche Füllung im einzelnen ist jedoch verschieden und oft nicht genau zu bestimmen, gerade weil der Begriff in anderen Kontexten selten erscheint. Die Bedeutung schwankt zwischen aktueller Versammlung des Bundesvolkes, politischer und kultischer Gemeinde, Gemeinschaft der wahren Gottsucher und dem Kreis der zur Heirat mit einer Jüdin Erlaubten. Bemerkenswert ist, daß innerhalb dieses Traditionsstranges die Zugehörigkeit zur ἐκκλησία die Mitgliederschaft in einer Gruppe bezeichnen kann[47].

Im NT ist ἐκκλησία τοῦ θεοῦ nur im Corpus Paulinum und in Act 20,28 belegt[48]. Paulus setzt sich mit der Tradition von Dt 23 *nicht*

Blackman, Mishnayoth z.St.; Auerbach in Mischnajot z.St.; ähnlich Campbell aaO mit Hinweis auf G. F. Moore). Dagegen will Lisowsky (Gießener Mischna z.St.) die Bedeutung „ideale Gesamtgemeinde Israels" erkennen, scheint sich aber inzwischen der allgemeinen Deutung angeschlossen zu haben (vgl. Rengstorf — Lisowsky zur Parallele in TJad II, 17 [VI, 3, 264 A.177]); ähnlich Falk: Ursprünglich bezog sich Dt 23,1—9 auf den Ausschluß von öffentlichen Funktionen, nach dem Exil wurde der Passus auf das connubium bezogen.

[44] Inhaltlich schließt sich 1 QSa 2,3—9 an Lev 21,18ff an (priesterliche Vorschriften gelten der ganzen Gemeinde), formuliert aber analog Dt 23,2ff (Barthélemy, DJD I, Maier, Texte II z.St.; H.-W. Kuhn, Enderwartung 68; vgl. auch 4 QDᵇ nach Milik, Ten Years 114, und dazu Forkman 76f). Wörtlich aufgeführt ist Dt 23 in 4 Q flor I, 4, wo es auf den endzeitlichen Tempel bezogen wird (vgl. Gärtner 30ff; Klinzing 80ff und J. M. Baumgarten, Exclusion, der in dem zukünftigen Heiligtum „the constitution of a circle of initiates" (84) sehen möchte.

[45] Nach II, 9 dürfen die Ausgeschlossenen indirekt mit dem Rat der Heiligkeit verkehren, aber nicht in der Versammlung anwesend sein (Lichtenberger, Menschenbild 226f).

[46] Maier (Texte II z.St., Gottesvolk 16f) hält den Begriff hier für ganz abgeblaßt, während Roloff, EWNT I, 1000 im Gefolge von Stuhlmacher, Gerechtigkeit 210f, darin „das endzeitliche Aufgebot Gottes" bezeichnet findet und den ntl. Begriff aus diesem Sprachgebrauch des apokalyptischen Judentums herleitet.

[47] Berger, Volksversammlung 190. Zu pauschal ist die Zusammenfassung bei Merklein, Ekklesia 62: „Die ‚Ekklesia Gottes' ist Israel qua Gottesvolk".

[48] Das spricht gegen die Sicherheit mit der jetzt wieder Hainz (Ekklesia 232f) und Roloff (EWNT I, 1001) annehmen, schon die Urgemeinde habe sich so be-

auseinander, auch nicht polemisch, wie Rost meint[49]. Die Frage,
wer zum wahren Gottesvolk gehört, wird *positiv* von ihm unter dem
Stichwort σπέρμα Ἀβραάμ behandelt, *negativ* – in paränetischem
Kontext – mit Formeln der Reich-Gottes-Verkündigung[50]. Auffällig
ist, daß neben dem Vorkommen im Präskript der beiden Korintherbriefe ἐκκλησία τοῦ θεοῦ immer dort steht, wo es um das rechte oder
falsche Verhalten gegenüber der Gemeinde geht: 1.Kor 15,9; Gal 1,
13; 1.Kor 10,32; 11,16.22; 1.Th 2,14f. So kann man annehmen, daß
Paulus den sakral-rechtlichen Klang der Formel noch empfindet[51].
Die Würdestellung der christlichen Gemeinde steht in allen genannten
Belegen im Vordergrund. Es ist daher müßig zu fragen, ob die Einzel-
oder Gesamtgemeinde gemeint ist. „Überall bezieht sich der Ausdruck
... auf die konkret vorhandene Christenschar; er bezeichnet nicht eine ,ideale', unsichtbare Größe; er meint nicht eine Kirche des Glaubens im Unterschied zu den existierenden Gemeinden, sondern charakterisiert diese selbst."[52]

Wie Phil 3,6 im Vergleich mit 1.Kor 5,9 und Gal 1,13 zeigt, geht
die Verwendung von ἐκκλησία τοῦ θεοῦ und ἐκκλησία ineinander
über. Umgekehrt kann Paulus auch ἐκκλησία τοῦ θεοῦ im Plural gebrauchen und konkrete Einzelgemeinden damit bezeichnen. Die Genetivverbindung teilt also mit dem Simplex das Problem des Nebeneinanders von Singular und Plural[53].

Ἐκκλησία allein ist – wie wir sahen – für Paulus zunächst terminus
technicus für die Gemeindeversammlung. Das entspricht der im AT

---

zeichnet. Doch muß auch die These Schrages, der Kreis der gesetzeskritischen
Hellenisten habe den Terminus im Gegensatz zu den gesetzestreuen Gliedern
der Synagoge aufgenommen, Vermutung bleiben. Zur Kritik an Hainz (und
Schrage) vgl. Merklein, Ekklesia 50ff.
[49] AaO 154, vgl. Schrage, aaO 182f.
[50] Vgl. 1.Kor 6,9f; Gal 5,19ff (Eph 5,5). Hier könnte ein traditionsgeschichtlicher Zusammenhang mit Dt 23 bestehen über den „Umweg" der Sprüche vom
Eingehen ins Reich Gottes; dazu Windisch, Sprüche 184f, und Berger, Volksversammlung 201f.
[51] Vgl. Marshall 363f. Das würde auch die Verwendung im Präskript gerade der
Korintherbriefe erklären; vgl. Stuhlmacher, Gerechtigkeit 211, und Berger, aaO
192, der aber in Gefahr ist, die paulinischen Belege zu stark traditionsgeschichtlich zu befrachten.
[52] Delling, Merkmale 377.
[53] Vgl. 1.Kor 11,16 (2.Th 1,4) und bes. 1.Th. 2,14, das durch die Ergänzung
ἐν Χριστῷ und als Parallele zu 1.Kor 1,2 und 2.Kor 1,1 aufschlußreich ist. Die
Formulierung τῇ ἐκκλησίᾳ τοῦ θεοῦ τῇ ἐν Κορίνθῳ darf also nicht überinterpre-
tiert werden (etwa mit Bultmann, Theologie 96: „an die Gemeinde Gottes, soweit ... sie sich befindet in ..."). Nach Roloff, EWNT I, 1001 ist ἐκκλησία Verkürzung der ursprünglicheren Genetivverbindung.

und Frühjudentum vorherrschenden Bedeutung von קהל.[54] und der un-
terminologischen Verwendung von ἐκκλησία in der hellenistischen
Welt[55]. Die Ausweitung des Begriffs auf den Kreis derer, die sich versammeln, im Sinne von „Gemeinde" ist ansatzweise im nachexilischen
Judentum vorhanden[56]. Warum sie gerade im christlichen Bereich und
vor allem bei Paulus dominierend wird, ist schwer zu sagen. An den
paulinischen Texten läßt sich keine der heute vorgeschlagenen Hypothesen verifizieren. Beachtlich ist der Hinweis von Berger: „Die Gruppe
nennt sich auch deshalb nach ihrer ,Versammlung', weil sie keine na-
turhafte oder völkische Identität besitzt und weil alles, was die Identität ausmacht, in der Versammlung sichtbar wird (aber eben auch
außerhalb der Versammlung wirksam ist)."[57] Die notwendige Differenzierung von der Synagoge wird die Durchsetzung des Begriffs ἐκκλησία gerade in den Gemeinden, die sich um der gesetzesfreien Evangeliumsverkündigung willen vom Judentum trennten, befördert haben.

Bei Paulus wird der Begriff gelegentlich sogar zu einer Art Gattungs-
bezeichnung, etwa an der vielverhandelten Stelle 1.Kor 12,28, wo
Grundsätzliches über die Gemeinde gesagt werden soll, ohne daß deswegen an die Gesamtkirche im Unterschied zur Einzelgemeinde ge-

---

[54] Vgl. die A.20 angeführten Stellen und Schweizer, Gemeinde 172; zu Qumran
Maier, Gottesvolk 16f; in der Mischna Sanh 4,4; Ber 7,3c.
[55] Vgl. den Sprachgebrauch in den Vereinen, die das Wort für Vereins- und Fest-
versammlungen, nicht aber als Vereinsbezeichnung verwenden (Belege bei Ziebarth 144; Poland 332; W. Koester 1; zur Auswertung s. Juncker 133; Lietzmann
1.Kor zu 1,2; Michel, Zeugnis 6f). Eine besondere Anspielung auf die ἐκκλησία
des griechischen δῆμος ist nicht zu bemerken (gegen Peterson, Kirche 422), wenn
sie auch sekundär von den griechischen Hörern mitgehört worden sein mag
(Schlier, Namen 298; Gaugler, Wort 5f; Delling, Botschaft 136). Berger, Volksversammlung 168ff, verweist auf eine Fülle von Einzelzügen des konkreten Er-
scheinungsbildes, die hellenistische und jüdisch-hellenistische Ekklesia mit der
christlichen gemeinsam haben.
[56] Vgl. Esra und Neh (s.o. A.38) und äthHen 38,1; 62,8 (evtl. auch 53,6; dazu
Volz 23; Berger, Volksversammlung 196). Hierher gehört auch die bescheidene
Nachgeschichte des Begriffs im späteren Judentum, die sich in der Bezeichnung
des Gemeindevorstehers als ראש הקהל spiegelt (JL II, 964ff). Zum Selbstverständnis der jüd. Gemeinde als qehilla qedosha vgl. A. Goldberg, Heilige 15. Der Begriff findet sich zuerst für eine Gemeinschaft von Schülern Rabbi Meirs im 2.Jh.,
„die sich nach der Tradition durch ihre Lebensweise auszeichnete" (Goldberg A.
28). In den paläst. Quellen heißt sie jedoch 'edah qedosha (vgl. QohR 9,9 mit
bBes 14b u. bBer 9b und A. Oppenheimer, EJ VIII, 919f, Lit!).
[57] Berger, aaO 198; vgl. Delling, Merkmale 384f; Merklein, Ekklesia 66. Ἐκκλησία nur „als Verkürzung des urspr(ünglichen) Terminus ἐ.τοῦ θεοῦ zu verstehen" (Roloff, EWNT I, 1001), vereinfacht also den Befund; doch ist der
Hinweis richtig, daß „sich die ἐκκλησία nicht durch den Akt des Sich-Versam-
melns" konstituiert (1003).

dacht werden muß[58]. Die Gemeinden bilden *sachlich* eine Einheit,
denn jede Gemeindeversammlung repräsentiert die ἐκκλησία τοῦ
ϑεοῦ[59]. Gerade darum läßt sich *begrifflich* kein Nebeneinander von
Gesamtkirche und Einzelgemeinde feststellen[60]. Ein doppelter Kirchenbegriff, wie ihn Bultmann und Goguel auf Grund des vermisch-
ten Gebrauchs von Singular und Plural im Sinne eines Ineinanders
von sichtbarer und unsichtbarer Kirche herausarbeiten, hat am *Begriff ἐκκλησία* keinen Anhalt[61].

Überblicken wir den Befund, ergibt sich ein überraschendes Ergebnis:
Die Seite des Begriffs, die Sohm einst im Gefolge einer mißverstande-
nen Anmerkung Schürers radikal bestritten hat, steht im Vordergrund[62]. Von allen paulinischen Begriffen für Gemeinde betont ἐκκλησία am stärksten die *„empirische Größe"*! Das *„dogmatische Werturteil"* fehlt nicht; in der Verbindung ἐκκλησία τοῦ ϑεοῦ ist es zu spüren
und geht von da auf das einfache ἐκκλησία über. Es besteht jedoch
nicht in einer Volk-Gottes-Dogmatik in nuce. Wo es um die heilsgeschichtliche Kontinuität mit Israel geht, fehlt der Begriff[63]. Die Ge-

---

[58] 1.Kor 12,28 ist also weder auf eine gesamtkirchliche Organisation (Apostel,
Propheten, Lehrer) im Sinne Harnacks (Entstehung 18f, 31–45) zu beziehen,
noch auf die Ortsgemeinde zu beschränken, so daß jede Gemeinde Apostel haben müßte (vgl. Schnackenburg, Ortsgemeinde 39f; Merklein, aaO 52f). Auf die
Gesamtkirche beziehen 1.Kor 12,28 (meist zusammen mit 10,32; 15,9; Gal 1,
13; Phil 3,6) Linton 141; Bultmann, Theologie 96; Wikenhauser 7; Schlier, Namen 297; Stepień 137f; Giesriegl 86a u.a.; auf die Einzelgemeinde W. Koester
7; Cerfaux, Théologie 167f; Löwe 35 (als Teil der Gesamtgemeinde) und besonders entschieden Hainz, Ekklesia 252ff, 345.
[59] Vgl. Phil 3,6 mit 1.Kor 15,9; Gal 1,13 und 1.Kor 11,22.
[60] Das zeigen gerade die Stellen, an denen Paulus sagen will, daß in allen Gemeinden gleiche Lehre und Sitte herrschen soll. An Stelle der Formulierung „in
der ganzen Kirche", die zu erwarten wäre und sachlich gemeint ist, spricht er
von „allen Gemeinden" bzw. „jeder Gemeinde" (1.Kor 7,17; 14,33; 2.Kor 8,18;
11,28; Röm 16,4.16; im Sg 1.Kor 4,17).
[61] Bultmann, Theologie 309; Goguel, Problème 8f, 11f (ähnlich RHPhR 18,
1938, 298f u. Église primitive 12); vorsichtiger Léenhardt, Études 8. Dagegen
Löwe 41 u. Delling, Merkmale 383f: „Ein Unterschied in der Sache, ein sozusagen theologischer Unterschied, zwischen Ortsgemeinde und Christenheit ist
nicht erkennbar"; weiter Schulze-Kadelbach 85f und Hainz, Ekklesia, 241
A.6. Die von Hainz postulierte Auseinandersetzung mit Jerusalem um den Ek-
klesia-Begriff ist jedoch in den Texten nicht festzustellen (so auch Merklein,
Ekklesia 56–58; Roloff, EWNT I, 1003).
[62] Sohm, Kirchenrecht I, 18 A.5, zitiert Schürer II (2.A.1886) 361 A.48: „συναγωγή drückt nur einen empirischen Tatbestand aus, ἐκκλησία aber enthält
zugleich ein *dogmatisches Werturteil*". Daraus wird bei Sohm 19: „... daß das
Wort Ekklesia *keine* empirische Größe ..., sondern lediglich ein dogmatisches
Werturteil ausdrückt" (s.o. A.12).
[63] Marshall 363; Merklein, Ekklesia 65, 68.

netivverbindung will zu dem Urteil führen: „Der in und mit der ἐκ-κλησία Handelnde ist immer Gott."[64] Diese Feststellung wird durch den skizzierten traditionsgeschichtlichen Hintergrund verstärkt. Anders als in den dort zitierten Beispielen wird die Verbindung zur empirischen Größe nicht aus dem Auge verloren. Daß ‚Gemeinde' „von Haus aus nicht ein theologisch-abstrahierender Begriff, sondern die Bezeichnung eines konkreten Ereignisses"[65] ist, bleibt Grundlage des paulinischen Sprachgebrauchs.

1.2.2 οἱ ἅγιοι

Parallel zu ἐκκλησία wird von Paulus der Begriff οἱ ἅγιοι verwandt. Er wird vor allem in Präskripten und Grüßen als Synonym für ἐκ-κλησία gebraucht[66]. Einmal werden beide Begriffe verbunden[67]. Daneben ist οἱ ἅγιοι terminus technicus für die Urgemeinde, der im Zusammenhang mit der Kollektenangelegenheit begegnet[68]. Daß der ursprünglich kollektive Begriff ferner gerade dort auftaucht, wo von Hilfeleistungen für die Gemeinde gesprochen wird[69], könnte darauf hinweisen, daß er stärker als andere Gemeindebezeichnungen die Glieder der Gemeinde in den Blick zieht[70].

Die Parallelität zu ἐκκλησία wird aber verlassen, wo Paulus in der theologischen Argumentation auf den traditionsgeschichtlichen Hintergrund von οἱ ἅγιοι zurückgreift[71]. Bemerkenswert ist in diesem Zusammenhang 1.Kor 6,1f. Hier wird das Gemeindeprädikat οἱ ἅγιοι durch einen apokalyptischen Lehrsatz erläutert und dadurch paräne-

---

[64] K. L. Schmidt, ThWNT III, 509,14f (vgl. 1.Kor 12,28; 14,25).
[65] Schweizer, Gemeinde 172; Banks 41, 51; der Ausdruck „Gemeinde als Ereignis" stammt von Barth (KD IV, 2,704ff; 788f).
[66] Neben ἐκκλησία τοῦ θεοῦ in 1.Kor 1,2; 2.Kor 1,1; anstelle von ἐκκλησία in Röm 1,7; Phil 1,1 (vgl. die Tabelle bei Jovino 48f); in Grüßen Röm 16,15; 2. Kor 13,12; Phil 4,22. Lit. bei Jovino; Balz, EWNT I, 38ff; ThWNT X, 954f.
[67] 1.Kor 14,33 (sind judäische Gemeinden gemeint? vgl. Jovino 58—63).
[68] 1. Kor 16,1(15?); 2.Kor 8,4; 9,1.12; Röm 15,25.26.31. Obwohl Paulus den Begriff als Bezeichnung seiner Gemeinden übernimmt, bleibt die Sonderbezeichnung für Jerusalem seinen Lesern verständlich. Zur theologischen Problematik dieses Nebeneinanders vgl. Löwe 14—17. Während er die Übertragung des Prädikates auf andere Gemeinden schon für Antiochien annimmt (15), traut Cerfaux diese ‚Kühnheit' nur Paulus zu (Théologie 120).
[69] 1.Kor 16,15(?); Röm 12,13; Philem 5.7.
[70] Vgl. C. D. Müller, Erfahrung 47.
[71] Diese Diskordanz zu beachten, scheint mir gerade angesichts der reichen Belege bei Berger, Volksversammlung 190—198, wichtig.

tisch ausgewertet[72]. Paulus verwendet den traditionellen Vorstellungs-
zusammenhang des Begriffs für seine Argumentation.

Seit Dan 7 bezeichnet er das Gottesvolk der Endzeit[73]. Neben diesem apokalyptischen Sprachgebrauch, der durch das Nebeneinander des Gebrauchs von קדשים
für Engel und Menschen gekennzeichnet ist[74], scheint es noch einen zweiten zu
geben, der auf die Gerechten auf Erden von Abel an bezogen ist[75]. Daraus ergibt sich die Frage nach dem Zustandekommen der Heiligkeit: Entsteht sie in
der eschatologischen Gemeinschaft mit dem heiligen Gott und seinen Engeln oder
rituell-kultisch aufgrund des Heiligkeitsgesetzes? Wie die Texte von Qumran zeigen, ist das nicht unbedingt eine Alternative. Daß die Gemeinde sich in die
Sphäre und Gemeinschaft der Heiligen versetzt weiß, ist größte Verpflichtung
zu kultischer Reinheit[76].

Paulus, der sich wie die ganze Urchristenheit an den apokalyptischen
Sprachgebrauch anschließt[77], vollzieht eine entscheidende Modifikation: Heilige sind die Christen, weil sie durch Christus geheiligt sind

---

[72] Zum Gericht durch die Heiligen, bzw durch das Gottesvolk der Endzeit vgl.
Dan 7,22; Jub 24,29; Weish 3,8f; äthHen 1,9; 38,5; 48,9; 95,3; 96,1; 98,11;
Mt 19,28; Apk 20,4; vgl. auch 1 QpHab 5,4. Die konstitutive Bedeutung von
Dan 7 für diese Tradition betont Jovino 52–58; vgl. auch Roetzel 131; Synof-
zik 58.

[73] Das hat Brekelmans in Auseinandersetzung mit Noth nachgewiesen. Ihm haben sich angeschlossen Hanhart; H.-W. Kuhn, Enderwartung 90–93; Hengel,
Judentum 333 A.482; v. d. Osten-Sacken, Gott u. Belial 83 A.8. Dagegen vertritt Dequeker wieder mit Nachdruck die Ansicht, daß mit den „Heiligen des
Höchsten" ursprünglich Engel gemeint sind, konzediert aber für die Endredaktion den Bezug auf das Gottesvolk der Endzeit (109).

[74] Dieses Nebeneinander, ja Miteinander ist besonders für die Qumrantexte charakteristisch, vgl. Brekelmans 319f; H.-W. Kuhn, Enderwartung 66ff; v. d. Osten-
Sacken, aaO 222–232; Lamberigts; Cerfaux, Théologie 107f (der auf die Par im
äthHen verweist) und Lichtenberger, Menschbild 224ff; anders interpretiert Dequeker 133–162.

[75] Brekelmans 318; dort die Belege und die Frage nach der Herkunft.

[76] Die Heiligen sind die, die jetzt schon in der Gemeinschaft der Heiligen (= Engel) Gott loben; vgl. Kuhn, aaO 69f; Barthélemy, Heiligkeit 257. Aufschlußreich
ist die Verwendung von Lev 21,18ff in 1 QSa 2,3–9; 1 QM 7,4–6 und 4 QD[b]
(= CD 15,15–17 nach Milik, Ten Years 114): Die Begründung „die heiligen Engel sind in ihrer Mitte" steht für Lev 21,23 „Ich bin der Herr, der sie heiligt"!
(vgl. dazu Lichtenberger, Menschenbild 226f); s. auch 4 Qflor (= 4 Q 174) 1.3–
5 (dazu Dequeker 160, anders Brekelmans 324). Zum Heiligkeitsmotiv in Qumran jetzt Forkman 39–78 (76ff); zu entsprechenden rabb. Belegen Goldberg,
Heilige 6ff; zum Heiligkeitsgesetz selbst Zimmerli 501ff, 511f.

[77] Vgl. 1.Kor 6,1f; 1.Th 3,13 (2.Th 1,10). Der Blick auf 1.Kor 6,3, wo die Heiligen auch die Engel richten werden, verbietet eine allzu selbstverständliche Identifikation der ἄγιοι von 1.Th 3,13 mit Engeln trotz der traditionsgeschichtlichen
Herkunft von Sach 14,5 (vgl. Dibelius u. Marxsen, 1.Th z.St., gegen Jovino 41f;
vorsichtig Masson, 1.Th z.St.). Die Folgerungen von Leaney, daß auch bei Paulus
die Gemeinde Engel mit einschließe, gehen jedenfalls zu weit.

(1.Kor 1,2; vgl. 6,11). Darum ist für ihn die Verbindung von ἅγιος mit ἐν Χριστῷ charakteristisch[78]. Vielleicht erklärt diese christologische Begründung, die offensichtlich an Taufformeln anknüpft (1. Kor 6,11), daß der Begriff bei Paulus auch im Singular erscheinen kann[79].

Ein eigentümlicher Rückgriff auf die apokalyptische Tradition findet sich in Röm 8,26f[80]. Offensichtlich steht auch hier die Vorstellung von der Teilhabe am himmlischen Gottesdienst im Hintergrund. Paulus greift sie auf, um das Eintreten des Geistes für die angefochtene Gemeinde herauszustellen[81]. In der Mehrzahl der Fälle behält der Begriff jedoch seinen titularen Charakter. In der Paränese wird er außer in 1.Kor 6,1–11 durch ἁγιασμός vertreten[82].

1.2.3 ἐκλεκτοί – κλητοί

Der Begriff der „Auserwählten", der im äthHen häufig parallel zu dem der „Heiligen" steht[83] und auch in den Qumrantexten nicht selten erscheint[84], findet sich bei Paulus nur einmal (Röm 8,33) in einem ausgesprochen apokalyptisch geprägten Zusammenhang[85]. Sonst

---

[78] Phil 1,1; 4,21; 1.Kor 1,2 (vgl. 1,30); Löwe 13; Delling, Merkmale 377f; H. F. Weiß, Volk 417; Berger, Volksversammlung 206; C. D. Müller, Erfahrung 113–116.
[79] Phil 4,21; die Stelle wird oft übersehen (z.B. von Conzelmann, 1.Kor 36; Müller, aaO 47); s. die Erklärung von Best, Bishops 371, 375, die freilich ein wenig zu scharfsinnig ist. Im jüd. Sprachgebrauch scheint der Sing. für Menschen zu fehlen, vgl. Goldberg, Heilige 15.
[80] Artikelloses ἅγιοι auch Weish 5,5; eine andere Erkärung der Artikellosigkeit bei Schlier, Röm z.St.
[81] Vgl. Tob 12,15 (BA); zur Interzession des Geistes allgemein vgl. Dietzel (Qumran); Niederwimmer, Gebet 260f (Paraklettrad.); präziser zu unserer Stelle Jovino 69, 73; v. d. Osten-Sacken, Röm 8, 100f.
[82] Röm 6,19.22; 1.Th 4,3.4.7 (1.Kor 1,30); vgl. auch 2.Th 2,13; 1.Tim 2,15; Hebr 12,14; 1.Petr 1,2.
[83] Und zwar nicht erst in den Bilderreden, sondern schon in der Zehn-Wochen-Apokalypse (93,2ff); vgl. Schrenk, ThWNT IV, 188f; Dahl, Volk 85–87; Löwe 6–10, und Dexinger 170–177, der darin (anders als Dahl und Schrenk) die Bezeichnung einer „Sondergruppe innerhalb des Gesamtvolkes Israel" (177) sieht.
[84] 1 QpHab 5,4; 9,12; 10,13; 1 QS 8,6; 9,14; 11,16; 1 QM 12,1.4(?).5; 1 QH 2,13; 14,15; CD 4,3; 4 QPs 37 2,5; 3,5; 4 Qflor 1,19; nach Dexinger 174–177 sicher Selbstbezeichnung der Gemeinde (so auch Delling, Merkmale 379).
[85] Er bildet darum wohl kaum „die Urzelle des urchristlichen Kirchengedankens", wie N. Johanson 165 meint; vgl. Schrenk, ThWNT IV, 194,30ff (zu Röm 16,13 ebda 195,11ff); Eckert, EWNT I, 1016f und Michel, Röm 281. Ganz fehlt bei Paulus als Gemeindebezeichnung das im äthHen ebenfalls häufige „Gerechte".

tritt an seine Stelle das im AT und Spätjudentum seltene κλητοί[86].
Es wird entweder als Verbaladjektiv[87] oder als Substantiv[88] gebraucht.
Wie die Ergänzungen in Röm 1,6[89] und 8,28 zeigen, steht der Gebrauch des Verbs im Hintergrund. Der Ruf Gottes begründet Erwählung und Heiligkeit der Gemeinde. Das Thema der Berufung wird besonders eindrucksvoll von 1.Kor 1,24 aus in V. 26ff weiterverfolgt:
Die Erwählung der Christen ist ausschließlich Gottes Tat und hat
„keinen Anhalt in wie immer gearteten Vorzügen der Erwählten"[90].

An dieser Stelle ist eine Zwischenbemerkung angebracht. Durch den
gemeinsamen Gebrauch als Bezeichnung für die Gemeinde und ihre
Glieder gehören die drei bisher behandelten Begriffe eng zusammen
und scheinen als Synonyme austauschbar zu sein. Das gilt aber nur
für den Bereich der titularen Verwendung und darf nicht zu einer
Vermengung des traditionsgeschichtlichen Hintergrundes führen. Das
Thema der Berufung wird von Paulus nur mit dem Stichwort κλητοί
verknüpft, nicht aber mit ἐκκλησία. Wichtiger noch: Die Verbindung
des Begriffs οἱ ἅγιοι mit der apokalyptischen Vorstellung einer himmlischen Gemeinde darf nicht auf den Begriff der ἐκκλησία übertragen werden[91]. Es gibt kein Anzeichen dafür, daß Paulus bei diesem
Wort an etwas anderes denkt, als an die konkrete, sich versammeln-
de irdische Gemeinde der Christen. Wo das übersehen wird, wird ein
wichtiges Merkmal des paulinischen Kirchenverständnisses verwischt.

Auch in Qumran ist צדיקים nirgends eindeutig term. techn. für die Gemeinde. Zwar
weisen 1 QH 4,38; 7,12; 1 Q 34 3, 1, 2.3.5; CD 20,20 in diese Richtung, andrerseits aber zeigen 1 QH 12,19; 14,15; 15,15 den Grund für die Zurückhaltung:
Gott allein ist צדיק.

[86] Röm 1,6.7; 8,28; 1.Kor 1,2.24; vgl. K. L. Schmidt, ThWNT III, 495—497. Bei
Paulus findet sich keine Unterscheidung zwischen ἐκλεκτοί und κλητοί wie Mt
22,14.

[87] Röm 1,7; 1.Kor 1,2; vgl. κλητὸς ἀπόστολος (Röm 1,1; 1.Kor 1,1). Die Ablei-
tung der Formel κλητοὶ ἅγιοι von κλητὴ ἁγία (LXX Ex 12,16; Lev 23,2—37;
Nu 28,25) ist unwahrscheinlich (gegen Cerfaux, Théologie 101; H. F. Weiß, Volk
413; Schmithals, Römerbrief 67; Schlier Röm 31, u.a.): 1. ist κλητή wie מקרא
Substantiv und ἁγία Adj., während es bei κλητοὶ ἅγιοι umgekehrt ist. 2. zeigt die
Parallele κλητὸς ἀπόστολος, daß Paulus vom Verb her denkt: berufene Heilige.
Eine Anspielung auf die „heilige Festversammlung" der Wüstenzeit entfällt also
(mit Berger, Volksversammlung 192 A.128; Käsemann, Röm 13).

[88] Röm 1,6; 8,28; 1.Kor 1,24; vgl. Jud 1; Apk 17,14.

[89] Ἰησοῦ Χριστοῦ ist allerdings möglicherweise Gen.Poss. und nicht Gen.auct.
(Bl—Debr § 183₁); Subjekt von καλεῖν ist bei Paulus sonst immer Gott.

[90] Löwe 9f.

[91] Das wird von Berger, Volksversammlung 198, angedeutet, aber nicht pointiert
genug in seiner Bedeutung für die Eigenart der paulinischen Auffassung ausgewertet.

1.2.4 οἱ ἀδελφοί

In den Zusammenhang der bisher genannten Begriffe gehört auch die
Bezeichnung der Christen als ἀδελφοί. Zwar erscheint das Wort nie
in der Adresse eines Briefes. Aber in Absenderangaben, Grüßen und
Mahnungen umschreibt die Wendung „alle Brüder" die Gemeinde und
ihre Glieder, insbesondere wenn das Betroffensein jedes einzelnen betont werden soll (1.Thess 4,10; 5,26.27; 1.Kor 16,20; Gal 1,2)[92]. Die
Anrede der Briefempfänger innerhalb des Briefkorpus mit ἀδελφοί
(μου) gehört zu den Kennzeichen paulinischen Briefstils[93]. Darüber
hinaus bezeichnet das Wort in Plural und Singular den einzelnen Christen, mit dem man in der Gemeinde zusammenlebt. In dieser Bedeutung hat es besonders in der Paränese seinen Platz, wobei auch der
emotionale Gehalt des Wortes in die Waagschale geworfen wird. Christen sind Angehörige der familia dei und sollen sich dementsprechend
zueinander verhalten[94].

Dieser Sprachgebrauch hat seine Vorgeschichte im Alten Testament[95] und einen
breiten traditionsgeschichtlichen Hintergrund in der Urchristenheit[96] und im zeitgenössischen Judentum, hier bezeichnenderweise besonders in den Sondergruppen
wie der Gemeinde von Qumran[97] und dem Kreis um Bar Kochba[98]. Darüber
hinaus finden sich auch Parallelen in der Sprache hellenistischer Vereine[99].

---

[92] In Gal 1,2 ist wohl ein kleinerer und in 1.Th 4,10 ein größerer Kreis als der
der örtlichen Gemeinde angesprochen.

[93] Vgl. Schweizer, Echtheit 429. Die Frauen sind dabei mitangeredet (vgl. Bauer
sv und Friedrich, Phil zu 1,12).

[94] Vgl. 1.Kor 6,8 mit Gal 6,10.

[95] Der übertragene Sprachgebrauch im Sinne von Volksgenosse, Nächster findet
sich vor allem im Dtn und im Heiligkeitsgesetz (Jenni, THAT I, 102f; Ringgren,
ThWAT I, 207f; Perlitt). Beachtenswert ist Ps 22,23, wo „‚deine Brüder' offenbar mit קהל, d.h. der Kultgemeinde, identisch" sind (Ringgren 207).

[96] V. Soden, ThWNT I, 144–146; Schelke, RAC II, 631–640; Beutler, EWNT I,
67–72; Schürmann, Gemeinde; J. Friedrich 220–239.

[97] Als Bezeichnung der Glieder der Qumrangemeinschaft 1 QS 6,10.22 (vgl. 1
QSa 1,18), evtl. auch in CD 6,20; 7,1.2, wo das Gebot der Bruderliebe formu-
liert wird (vgl. Kosmala, Hebräer 48, anders Beutler, EWNT I, 70). Zum rabb.
Sprachgebrauch Billerbeck I, 276.

[98] Lifshitz 248–254. Es findet sich nicht nur die allgemeine Bezeichnung der
Aufständischen als Brüder, sondern in einem griechischen Brief die titulare An-
rede „an Y., den Bruder", die außerchristlich selten zu sein scheint; vgl. Pap.
Mich 162, wo das Stichwort ebenfalls in militärischem Kontext erscheint (Win-
ter, Mich.Pap. III 142f; Lit!). Dagegen scheint es sich bei den von Deißmann,
Licht 200, genannten Belegen um leibliche Brüder zu handeln (Bilabel, Pap. Baden
II, 37 u. 39).

[99] W. Bauer sv 2; differenzierend Schelkle, RAC II, 631f; Poland 45f.

Drei Stellen in den Paulusbriefen führen über den Gebrauch des Wortes als terminus technicus religiöser Gruppensprache hinaus. In Röm 8,29 spricht der Apostel von der Gleichgestaltung der Christen mit Christus als dem Ebenbild Gottes. Das geschieht, um ihn zum Erstgeborenen unter vielen Brüdern zu machen. Es ist an dieser Stelle nicht möglich, die reiche und verzweigte Traditionsgeschichte dieses Textes zu entfalten. Uns genügt die Beobachtung, daß hier mit dem Motiv vom „Sohn und den Söhnen" die Bruderschaft der Christen christologisch begründet wird[100].

Christologisch untermauert wird auch die Sorgfaltspflicht gegenüber dem Bruder in 1.Kor 8,11 und Röm 14,15. Der Bruder ist nicht nur der Angehörige der gleichen Gruppe und somit der Rücksichtnahme empfohlen, er ist einer, für den Christus gestorben ist. Sein Leben steht wie das eigene unter dem Hinweis von 1.Kor 6,20: ἠγοράσθητε γὰρ τιμῆς. So verwendet Paulus zur Anrede ἀδελφοί nicht nur den Zusatz ἀγαπητοί μου, sondern in 1.Thess 1,4 auch ἠγαπημένοι ὑπὸ θεοῦ und Röm 1,7 ἀγαπητοὶ θεοῦ. Wie TestLev 18,13, wo die Wendung parallel mit τέκνα (κυρίου) und οἱ ἅγιοι steht, sehr schön zeigt, gehört dieses Würdeprädikat ebenfalls ins Wortfeld der Vorstellung von der familia dei und zu den eschatologischen Heilstiteln des endzeitlichen Israels[101].

Den bisher erörterten Begriffen ist eine Art des Gebrauchs gemeinsam, den man als „titular" bezeichnen könnte. Vor allem die Worte ἐκκλησία, ἅγιοι und ἀδελφοί dienen dazu, die christliche Gemeinde und ihre Glieder anzureden bzw. als Subjekt oder Objekt eines bestimmten Handelns und Verhaltens zu benennen.

Dazu sollen noch einige Beobachtungen notiert werden.

1. Alle genannten Begriffe haben ihre Wurzel im AT und im Judentum. Ἐκκλησία und ἀδελφοί sind aber auch im Hellenismus gebräuchlich. Vom Sprachgebrauch der Umwelt hebt sich am stärksten ἐκκλησία ab, und zwar dort, wo es über die aktuelle Versammlung hinaus die Gemeinde als feste Gruppe kennzeichnet.

2. Typisch für das Wortfeld ist, daß die Begriffe als termini technici behandelt werden, d.h. in unserem Fall als Elemente einer Gruppen-

---

[100] Von den Kommentaren vgl. bes. Käsemann und Schlier z.St.; weiter v. d. Osten-Sacken, Röm 8,277—287; Jervell, Imago 277ff; Byrne 213f.

[101] Zu TestLev 18,10—14 vgl. Becker, JSHRZ III/1 z.St.; zur atl. Vorgeschichte s.Ps 60(59),7; 108(107),6 u. 127(126),2; als Topos frühjüd. Gebetssprache Weish 16,26; Jud 9,4; 3.Makk 6,11. Zum Schlüsselbegriff der paulinischen Ekklesiologie wird die Vorstellung von der familia dei bei Banks 54ff.

sprache, die für die Angehörigen dieser Gruppe ohne weitere Erläuterung verständlich sind. Linguistische und traditionsgeschichtliche Analyse weisen gemeinsam daraufhin, daß diese Begriffe über den Bereich
der paulinischen Mission hinaus Allgemeingut der griechisch sprechen-
den Gemeinden waren.

3. Dem weitgehend technischen Gebrauch entspricht, daß die Begriffe verhältnismäßig selten in der theologischen Argumentation entfaltet werden. Dennoch zeigt Paulus an einigen Stellen, daß sie für ihn
mehr sind als austauschbare Würdetitel ohne klar erkennbaren theologischen Gehalt. Er begründet die implizierten soteriologischen Aussagen christologisch und verweist in der Paränese auf ihre ethischen
Konsequenzen für das Zusammenleben der Christen.

4. Darin zeigt sich, daß auch ein Begriff wie οἱ ἅγιοι nicht nur soteriologisch ein Kollektiv geretteter Individuen umschreibt, sondern
auf konkrete Gemeinschaft zielt.

Soweit das Quellenmaterial ein vergleichendes Urteil zuläßt, sind die
beiden letzten Feststellungen charakteristisch für den paulinischen
Gebrauch dieser Begriffe.

In einem zweiten Schritt dehnen wir unsere Untersuchung auf eine
Reihe von Wendungen aus, die nicht in gleicher Weise titular als
„Namen" der Kirche benutzt werden und die darum viel seltener vor-
kommen, von denen aber einige an zentralen Stellen der theologischen
Auseinandersetzung zur Erläuterung des Wesens der Kirche dienen.

1.2.5 λαὸς θεοῦ — Ἰσραὴλ τοῦ θεοῦ

Der Begriff λαὸς θεοῦ steht bei Paulus nur in alttestamentlichen Zitaten[102] und wird meist auf Israel bezogen. Ausnahmen sind 2.Kor
6,16, dessen paulinische Herkunft zweifelhaft ist[103], 1.Kor 14,21 und
Röm 9,25f. Nur an der letztgenannten Stelle werden die Zitate (Hos
2,1.25) zu expliziten ekklesiologischen Aussagen verwandt. Und gerade hier geht es nicht um die Kontinuität des Gottesvolkes, sondern
um die Souveränität Gottes, mit der er aus den Heiden, dem Nicht-

---

[102] 1.Kor 10,7 = Ex 32,6; 1.Kor 14,21 = Jes 28,11f; 2.Kor 6,16 = Lev 26,11f;
Röm 9,25f = Hos 2,25; 2,1; Röm 10,21 = Jes 65,2; Röm 11,1f = Ps 94,14; vgl.
Strathmann, ThWNT IV, 53—57; Cerfaux, Théologie 24, und De Kruijff 128f.
[103] S.u.

volk, sein Volk ruft[104]. Paulus scheint den nationalen Akzent des Begriffs so stark empfunden zu haben, daß er ihn sonst nicht für die Gemeinde verwendet[105].

Paulus vermeidet es auch, die Gemeinde als Ἰσραὴλ κατὰ πνεῦμα zu bezeichnen, obwohl der Ausdruck Ἰσραὴλ κατὰ σάρκα (1.Kor 10,18) einen solchen Gegenbegriff geradezu herauszufordern scheint. Es ist sogar heftig bestritten worden, daß in Gal 6,16 mit Ἰσραὴλ τοῦ θεοῦ die christliche Gemeinde gemeint sei[106]. Doch macht der engere und weitere Zusammenhang eine Beziehung auf das Judenchristentum oder das noch nicht gläubige Israel unwahrscheinlich. Der Kontext erzwingt die Bedeutung „wahres Israel", eine Bezeichnung, die denen gelten soll, die ihr Leben nach dem Maßstab des Kreuzes ausrichten[107].

Doch ist damit der Name ‚Israel' nicht für die christliche Gemeinde beschlagnahmt und das Volk des alten Bundes zum Volk der Juden degradiert. Röm 9—11 zeigt, wie sehr dieser Name für Paulus Inbegriff der diesem Volk gegebenen Verheißung bleibt und daher im Zentrum seines Ringens um deren Gültigkeit steht. Polemische Antithese ist es dagegen, wenn Paulus in Phil 3,2f dekretiert: „Wir sind die Beschneidung!". Das entspricht zwar Röm 2,27—29, wo Paulus von der wahren Beschneidung des Herzens spricht, die im Geist geschieht und nicht im Buchstaben, und damit den Christen als den wahren Juden herausstellt[108]. Aber im Grundsatz gilt für Paulus, daß die

---

[104] Richardson, Israel 215 verfehlt die Pointe, wenn er hier die Inkorporation des Nichtvolks in das Volk herausliest; vgl. Michel, Röm 317: „Der eigentliche Angriff auf das Judentum liegt im Schriftzitat"; ähnlich Kuß, Röm 735; V. 25f auf Israel zu beziehen (Dahl, Future 146; Moxnes 252f) ist nicht möglich.

[105] Schweizer, Gemeinde 81 A.347; vgl. Baumbach, Volk Gottes 46; anders De Kruijff 129, der vermutet: „Das Volk Gottes ist für ihn Idealgestalt. Deshalb vermeidet er nach meiner Auffassung den Ausdruck ‚Volk Gottes' überall da, wo es um existentielle Probleme des Gottesvolks geht." Dafür gibt es jedoch keine Anhaltspunkte.

[106] Richardson, Israel 74—84, der damit die Auseinandersetzung zwischen Dahl und Schrenk wiederaufnimmt (vgl. Dahl, Volk 210, Name Israel; Schrenk, Israel Gottes, Segenswunsch).

[107] So außer Dahl aaO auch Oepke, Schlier, Becker z.St.; Wiles 129—133; unentschieden Lührmann z.St. An Judenchristen denkt Schrenk, an den berufenen Teil Israels Richardson (82f), an „ganz Israel" (vgl. Röm 11) Mußner, Gal z.St., Davies, People 10 (mit Einschränkung auch H. F. Weiß, Volk 415).

[108] Vgl. Käsemann, Geist u. Buchstabe 247; Clark sieht darin den Kern der paulinischen Ekklesiologie; Richardson 138f möchte dagegen nicht von einer Übertragung, sondern nur von einer Erweiterung des Begriffs sprechen. Noch weiter geht D. W. B. Robinson, Circumsion 30ff, der die Aussage ἡμεῖς ἐσμεν ἡ περιτομή auf die Judenchristen beschränken möchte. Gegen jede positive Wertung der körperlichen Beschneidung spricht aber in diesem Zusammenhang Phil 3,2c!

Beschneidung nichts ist (Gal 5,6; 6,15; 1.Kor 7,19). Und so entfaltet
Phil 3,3 auch nicht die neue (übertragene) Bedeutung des Begriffs
περιτομή für die christliche Gemeinde, sondern stellt schroff dem
Ruhmestitel der gegnerischen Propaganda die Wesensmerkmale christlicher Existenz gegenüber[109].

1.2.6 σπέρμα ᾽Αβραάμ

Sehr viel ausgeprägter ist die doppelte Verwendung von σπέρμα
᾽Αβραάμ[110].

Einerseits ist dieser Ausdruck Ehrentitel für den Angehörigen des Judentums, den Paulus mit Stolz für sich beansprucht (2.Kor 11,22;
Röm 11,1; vgl. Röm 4,1.12). Hat der dort mitgenannte Titel ‚Israelit‘
mehr die nationale Zugehörigkeit zum Gottesvolk im Auge, so kennzeichnet ‚Same Abrahams‘ eher „das Volk der Heilsgeschichte und
Verheißung" als religiöse Größe[111]. So stellt vor allem die hellenistisch-jüdische Missionsliteratur Abraham als Vorbild der Proselyten
heraus[112]. Doch kennt auch die rabbinische Literatur Abraham als
ersten Proselyten und Missionar[113]. Dabei ist immer an den Vollpro-
selyten gedacht, der sich beschneiden ließ, denn für die Zugehörigkeit zu Abrahams Samen ist die Beschneidung konstitutiv[114].

Andererseits sind für Paulus die Glaubenden Abrahams Same. In
scharfer Antithese zur jüdischen Auffassung, daß die Beschneidung
über die Zugehörigkeit zum Volk der Verheißung entscheidet, einer
Auffassung, die offensichtlich auch von den Gegnern des Paulus in
Galatien propagiert wurde, behauptet Paulus auf Grund von Gen 15,
6, daß der Glaube das unüberbietbare Kennzeichen für die Abrahamskindschaft sei: Gal 3,7 (υἱοὶ ᾽Αβραάμ); 3,29; vgl. 4,22; Röm 4,13.16.
18[115].

---

[109] Jervell, Volk des Geistes 92f.
[110] Σπέρμα ᾽Αβραάμ: 2.Kor 11,22; Röm 4,13.16.18; 9,7.8; 11,1; Gal 3,16(19).
29; vgl. υἱοὶ ᾽Αβραάμ: Gal 3,7; (4,22); ᾽Αβραὰμ ὁ πατὴρ ἡμῶν: Röm 4,1.12.
[111] Vgl. Bultmann, 2.Kor 216. Zur Bedeutung der Gestalt Abrahams im Judentum vgl. Jeremias, ThWNT I, 7f (X, 946ff Lit!); Schmitz, Abraham; Dahl, Volk
3,53 (A.16), 72f; Billerbeck I, 116—120; II, 523; III, 186f, 193—201; Schein
19ff; Berger, TRE I, 372—382 (Lit!).
[112] Vgl. dazu Georgi, Gegner 63—82; Schein 40ff; G. Mayer, Aspekte.
[113] TanchB 32a; BerR 39 (24ᶜ) und TPsJ zu Gen 12,5 (Billerbeck III, 188, 195f;
Schmitz, TRE I, 383).
[114] S. Jub 15,26; vgl. K. G. Kuhn, ThWNT VI, 740ff; Gunther 87f.
[115] Aufschlußreich ist, daß diese Zugehörigkeit an einigen Stellen der rabb. Literatur von einem bestimmten Verhalten abhängig gemacht wird: bBes 32ᵇ, Av 5,

In paradoxer Gegensätzlichkeit stellt Paulus beide Verwendungen des Begriffs in Röm 9,7f nebeneinander. Die Dialektik beginnt schon in 6b: „Denn nicht alle, die aus Israel stammen, sind (wirklich) Israel." V. 7 steigert diesen Gedanken noch: „Nicht einmal[116] weil sie Abrahams Same sind, sind sie alle Kinder. Sondern (es gilt): In Isaak wird dir Same berufen werden. D.h.: nicht die Kinder des Fleisches sind Gotteskinder, sondern die Kinder der Verheißung werden als Same anerkannt." In gedrängter Form wird hier die Argumentation von Gal 4,21ff aufgegriffen. Der Gedanke der Abrahamskindschaft wird dabei stillschweigend dem der Gotteskindschaft gleichgesetzt (ähnlich wie Gal 3,26; 4,6f; vgl. 3,29).

Singulär ist in diesem Zusammenhang die christologische Fassung von σπέρμα Ἀβραάμ in Gal 3,16 (19). Sie hat weder bei Paulus, noch im sonstigen NT oder im Judentum eine Parallele, kann also nur aus dem Kontext der Diskussion im Galaterbrief erklärt werden[117].

Deutlich ist, daß dieser Begriff wesentlich intensiver in die theologische Argumentation des Apostels verflochten ist als die bisher untersuchten. Das begrenzt offensichtlich auch den Bereich seiner Verwendung. Traditionsgeschichtlich (und durch die gegnerische Polemik) war mit ihm die Frage nach der Zugehörigkeit zum Volk der Verheißung vorgegeben. Für Paulus aber bietet er die Möglichkeit, durch den exegetischen Rückgriff auf Gen 15,6 dieses Thema von der Rechtfertigung aus Glauben her anzugehen. Hier prägt die paulinische Theologie den Begriff um, wobei noch offenbleiben muß, ob die Rechtfertigungslehre nicht gerade in der Auseinandersetzung um die Abrahamskindschaft ihr schärfstes Profil gewinnt. Denn methodisch führt diese Feststellung über den Rahmen einer Begriffsuntersuchung im engeren Sinne hinaus.

19, BerR 53 (34ª) (Billerbeck III, 125, weitere Stellen bei Dahl, Volk 72f). Doch handelt es sich um Unterscheidungen innerhalb Israels. Harvey 326 nimmt mit Billerbeck III, 558 unter Berufung auf Bik I, 4 an, daß nach jüdischer Auffassung die Beschneidung einen Proselyten *nicht* zu Abrahams Samen mache. Das kann aber nicht die Meinung der Gegner des Paulus gewesen sein, sonst wäre seine Argumentation sinnlos; vgl. zum grundsätzlichen Zusammenhang der beiden Motive R. Meyer, ThWNT VI, 80, 15ff, und zur Geltung von Bik 1,4 im Judentum Sammter in: Mischnajot z.St.

[116] Käsemann, Röm z.St.; Abrahams Same ist der gewichtigere und eingegrenztere Begriff.

[117] Jer 33,22 (Mußner, Gal z.St.) ist keine echte Parallele.

1.2.7 υἱοὶ θεοῦ / τέκνα θεοῦ

An zwei Stellen unserer bisherigen Untersuchung kam der Begriff υἱοὶ θεοῦ / τέκνα θεοῦ[118] in den Blick. Bei der Behandlung der paulinischen Ekklesiologie wird er meist vernachlässigt. Man rechnet ihn eher der Soteriologie zu. Diese Zuordnung kann aber keine grundsätzliche Alternative darstellen. Denn für Paulus sind persönliche Teilhabe am Heil und Zugehörigkeit zur Heilsgemeinde nicht zu trennen. Zu fragen ist allerdings, wie er das Verhältnis zwischen beidem bestimmt und innerhalb bestimmter Themenbereiche die Akzente setzt.

Ekklesiologischen Akzent besitzt die Verwendung des Motivs der Gotteskindschaft in Röm 9. Denn in V. 4 wird als erstes Ehrenprädikat der Israeliten die υἱοθεσία[119] genannt. In V. 8 wird das freilich relativiert: nicht die Kinder des Fleisches sind Gotteskinder, sondern die Kinder der Verheißung werden als Same anerkannt. Und in V. 26 wird – gegen die gesamte jüdische Auslegung des Zitates – das Prädikat, Söhne des lebendigen Gottes zu sein, dem Nicht-Volk – und das meint zuerst den Heidenchristen – zugesprochen[120]. Das Problem dieser Paradoxie mag zunächst auf sich beruhen. Klar ist, daß der ekklesiologische Aspekt des Begriffs im Vordergrund steht.

Hierher wäre auch 2.Kor 6,18 zu stellen, sofern wir die Zitatenkombination bzw. ihre Übernahme in den Kontext Paulus zuschreiben dürfen[121]. Von der Dialektik von Röm 9 ist hier allerdings nichts zu spüren. Zwischen der Zusage der Gegenwart Gottes bei seinem Volk (V. 16) und der Einsetzung in das Vater-Kind-Verhältnis (V. 18) steht die Mahnung zu Reinheit und Trennung von den Ungläubigen. Daß solche paränetische Verwendung des Begriffs für Paulus nicht undenkbar ist, zeigt Phil 2,15[122]. Die Christen sollen „ohne Fehl und Tadel dastehen, als Gottes makellose Kinder inmitten einer irren und wirren Menschheit". Der Plural τέκνα zielt nicht nur auf eine Mehrzahl einzelner Christen in ihrem individuellen Verhalten, sondern ist ekklesiologisch zu verstehen. Das beweist der Kontext von 2,1ff und der Hinweis auf die Gemeinde als Werk des Apostels in 2,16.

---

[118] Wie Röm 8,14ff zeigt, unterscheidet Paulus nicht zwischen den beiden Wendungen (Twisselmann 56); anders im joh. Sprachgebrauch (vgl. Oepke, ThWNT V, 652).
[119] Vgl. die Kommentare z.St.; Delling, Söhne (Kinder) Gottes 618f; Byrne 79ff.
[120] Käsemann, Röm z.St.
[121] Dazu unten 60f.
[122] Vgl. Delling, Söhne (Kinder) Gottes 619f.

Dagegen weisen die Formulierungen in Gal 4,4—7 auf das Gottesverhältnis des einzelnen. Die Sendung des Sohnes begründet „unsere"
Annahme als Kinder[123], und der Geist des Sohnes, der „in unsere
Herzen" gegeben ist, verwirklicht den Kindesstand durch geistgewirk-
tes Abba-Rufen. Im Stil der Diatribe redet Paulus die Empfänger des
Briefes ganz persönlich an: „Du bist also nicht mehr Sklave, sondern
Sohn" (V. 7). Man darf jedoch nicht übersehen, daß auch dieser Abschnitt in eine Diskussion mit ekklesiologischem Hintergrund eingebettet ist. Denn der Satz in 3,26 „Ihr seid ja alle durch den Glauben
Söhne Gottes in Christus", mit dem Paulus den Begriff in den Zusammenhang einführt, gibt der Frage nach der Zugehörigkeit zu Abrahams Samen eine neue und entscheidende Wendung. Anknüpfungs-
punkt ist dabei das Motiv des κληρονομός[124] und die Interpretation
von υἱοθεσία als Gegenbegriff zu Sklaverei und Unmündigkeit.

Römer 8,14ff werden diese Gedanken wieder aufgenommen. Dem
Leben unter der Herrschaft von Sünde und Sarx wird das Leben in
Christus gegenübergestellt, das bestimmt und erfüllt ist vom Geist
der Sohnschaft und daher frei von sklavischer Furcht. Auch das Motiv vom Erben erscheint wieder (V. 17), verleiht aber in Röm 8 dem
Gedankengang eine eigentümliche eschatologische Wendung. So gewiß die Gotteskindschaft durch den Geist gegenwärtige Wirklichkeit
ist, die endgültige und umfassende Offenbarung der Söhne Gottes
steht noch aus, und die ganze Schöpfung harrt sehnsüchtig danach,
„zur herrlichen Freiheit der Kinder Gottes" befreit zu werden (V.
19—21)[125]. Es ist schwer zu sagen, was an diesen Aussagen erstaun-
licher ist: die plötzliche Wendung vom geistgewirkten Abba-Rufen,
das die Gotteskindschaft bezeugt, zu dem Satz, daß „auch wir, die
wir die Anzahlung des Geistes haben, seufzen und die υἱοθεσία erwarten" (V. 23), *oder* die Tatsache, daß nicht die Offenbarung Jesu
Christi, sondern die der Söhne Gottes Objekt der sehnsüchtigen Erwartung der Schöpfung ist, und damit die Christenheit „als die große
Verheißung für alle Kreatur" erscheint[126].

Doch fragen wir zunächst zurück nach dem traditionsgeschichtlichen Hintergrund, vor dem Paulus seine Aussage macht. Wir verzichten dabei auf Vollständigkeit und beschränken uns auf einige grundsätzliche Beobachtungen[127].

---

[123] Ὑἱοθεσία hat hier die Bedeutung „Adoption"; vgl. Schlier und Mußner, Gal
z.St.; Wülfing v. Martitz, ThWNT VIII, 400f (Lit!); anders Byrne 183f.

[124] Zur Bedeutung und zum Hintergrund dieses Motivs vgl. die Arbeit von
Schenker.

[125] Auch in Röm 9,4 stehen υἱοθεσία und δόξα zusammen; vgl. Byrne 139f.

[126] Käsemann, Röm 226; nach v. d. Osten-Sacken, Röm 8,78ff, wird in 19—22.
23. 26f vorpaulinische Tradition verarbeitet.

[127] Das Material bei Twisselmann; Wülfing v. Martitz, Fohrer, Schweizer, Lohse,

Im AT begegnet der Begriff überwiegend in der Gottesrede. Darum bleibt das bildhafte Element, das immer wieder auf das reale Vater-Kind-Verhältnis zurückgreift, gegenwärtig. Gott ringt im Wort des Propheten um Zuneigung und Gehorsam seines Volkes (Hos 11,1; 13,13; Jes 1,2.4; 30,9; Jer 3,4.19.22; 31, 9.20; vgl. Dt 32,5.19f). Gott tritt für Israel, seinen Sohn, ein (Ex 4,22f) und hält ihm in seiner Liebe die Treue, auch durchs Gericht hindurch (Jer 31,20; Jes 43,6; 45,11; 63,8f). In Hos 2,1 charakterisiert der Name „Söhne des lebendigen Gottes" den eschatologischen Neuanfang Gottes mit seinem Volk[128]. Sehr viel formalisierter ist der Begriff in Dt 14,1, wo er parallel zu „heiligem Volk" (V. 2) steht, und in Ps 73,15 ist mit דור בנך offensichtlich eine innerjüdische „Gemeinde der Frommen" gemeint[129].

In den Schriften des Frühjudentums finden wir einen veränderten Sitz im Leben für den Begriff. Er erscheint vor allem im Gebet des Frommen, insbesondere im heilsgeschichtlichen Rückblick auf das Gottesverhältnis der Väter (Jdt 9,4.13; Weish 9,7; 12,19ff; 16,10ff), und im Munde der überwundenen Gegner und Heiden, die Gottes Fürsorge für sein Volk anerkennen (ZusEst E 16 = 8,12q; 3.Makk 6,28; Weish 18,13; Sib 3,702f.710)[130]. Wenn dabei auch „deine Söhne" gelegentlich nur feierliches Synonym für „dein Volk" ist (Weish 9,7; vgl. Jdt 9,13; Lib-Ant 32,8.10), so überwiegen doch die Stellen, an denen das thematische Eigengewicht des Prädikats deutlich hervortritt: Gottes erziehende und schützende Fürsorge für sein Volk (Weish 12,19; 16,10.26; 18,13; 3.Makk 6,28; Sib 3,702f), sein vergeltender Einsatz für die Seinen (Weish 18,4; äthHen 62,10f) und seine Liebe zu ihnen (Jdt 9,4; Weish 16,26; Jub 1,24f; 3.Makk 6,28.11; Sib 3,702f.710 und der wichtigste rabbinische Beleg: Abot 3,14, ein Ausspruch Rabbi Aquibas)[131]. Immer ist das ganze Volk in seiner Zugehörigkeit zum höchsten, größten, lebendigen Gott (ZusEst E 16)[132] gemeint.

Eine Ausnahme bildet der erste Teil von Weish, wo in 2,18 (vgl. 2,13) der Gerechte als Sohn Gottes bezeichnet wird und 5,5 von ihm gesagt wird, daß er unter die Söhne Gottes gerechnet wird, worunter offensichtlich die himmlische Gemeinde der Frommen verstanden wird[133]. Hier steht der Begriff im Brennpunkt der Auseinandersetzung zwischen verschiedenen Gruppen im Judentum und wird in der Folge davon individualisiert[134].

Schneemelcher, ThWNT VIII, 334–402 (X, 1282f Lit!); Kühlewein, THAT I, 316–325; Haag, ThWAT I, 670–682; Delling, Bezeichnung „Söhne Gottes" in der jüd. Lit., „Söhne (Kinder) Gottes" im NT; Byrne 9–78.

[128] Nach H. W. Wolff, Hosea z.St., ist die Wendung hoseanische Neuschöpfung.
[129] Delling, Bezeichnung 18; Fohrer, ThWNT VIII, 352,36f; Haag, ThWAT I, 678; anders Kraus, Psalmen z.St. („ דור בני ך bezeichnet die engste Zugehörigkeit [Adoption] der Glieder des erwählten Volkes zu Jahwe").
[130] S. auch Weish 2,13.18; 5,5; dort aber auf den einzelnen bezogen.
[131] Vgl. Delling, Bezeichnung 26; weiteres Material bei Billerbeck I, 149, 219f; Byrne 70–78.
[132] Zu dieser Steigerung vgl. 3.Makk 6,28; Sib 3,702f.
[133] Parallel zu ἐν ἁγίοις; s. Delling, Bezeichnung 22.
[134] Zur Situation der Weish s. Siegfried, APAT I, 477f; J. Fichtner, RGG V, 1343f; zu Kap. 2–5: Ruppert 70–103 (Zeit der Pharisäerverfolgung unter Jannai).

Im eschatologischen Kontext steht υἱοὶ θεοῦ auch in Ps Sal 17,26f, wo geschildert wird, wie der Messias ein heiliges Volk sammelt, in dem keiner, der Böses tut, wohnt; „denn er wird sie kennen, daß sie alle Söhne ihres Gottes sind"[135]. Vor allem aber ist hier Jub 1,24f zu nennen, eine Stelle, die in ihrer Bedeutung kaum überschätzt werden kann. Gott spricht am Beginn des Buches vom kommenden Abfall Israels. Dies Gespräch endet „mit einer Zusage der bleibenden Treue Gottes"[136]: „Und darnach werden sie in aller Aufrichtigkeit, mit ganzem Herzen und mit ganzer Seele zu mir umkehren, und ich werde die Vorhaut ihres Herzens und die Vorhaut des Herzens ihrer Nachkommen beschneiden und werde ihnen einen heiligen Geist schaffen und sie rein machen, so daß sie sich nicht [mehr] von mir wenden von diesem Tag an bis in Ewigkeit. Und ihre Seele wird mir folgen und meinem ganzen Gebote, und sie werden [nach] mein[em] Gebot[e] tun, und ich werde ihnen Vater sein und sie werden mir Kinder sein. Und sie alle sollen Kinder des lebendigen Gottes heißen, und alle Engel und alle Geister werden wissen und werden sie kennen, daß sie meine Kinder sind, und ich ihr Vater bin in Festigkeit und Gerechtigkeit, und daß ich sie liebe" (1,23—25).

Bemerkenswert ist der Zusammenhang von Umkehr, Herzensbeschneidung, Reinigung durch den Heiligen Geist und wahrem Gehorsam mit der Verheißung der Gotteskindschaft. Bemerkenswert ist weiter die ekklesiologische Verwendung von 2.Sam 7,14 (vgl. 2.Kor 6,18) in Verbindung mit Hos 2,1 und einem charakteristisch veränderten Zitat von Sach 8,8[137]. Gottes Treue zu seinem Volk erweist sich im geistgewirkten Geschenk eschatologischer Gotteskindschaft. Die überirdischen Mächte, alle Engel und alle Geister, werden seine Liebe zu seinen Kindern erkennen. Die Verbindungslinie zu Paulus liegt klar vor Augen. Neben den Einzelmotiven ist der Grundgedanke die wichtigste Parallele: Die Gotteskindschaft Israels ist das eschatologische Werk Gottes, das er durch die Gabe des Geistes schafft.

Dies Zeugnis aus dem apokalyptischen Judentum ist freilich singulär[138]. Die Berührungspunkte zur Masse der Belege ist schwächer. Zu nennen ist die Verbindung von Gottessohnschaft und Heiligkeit (vgl. Dt 14,1f; Ps Sal 17,26f mit 2. Kor 6,18) und der Auftrag der Gotteskinder, Licht in der Welt zu sein (vgl. Weish 18,4 mit Phil 2,15). Wichtig ist weiter die Feststellung, daß mit wenigen, klar umgrenzten Ausnahmen sich die ekklesiologische Bedeutung der Wendung durchhält.

Gegenüber dem traditionsgeschichtlichen Befund läßt sich bei Paulus noch eine neue formgeschichtliche Nuance beobachten: Er spricht von der Gotteskindschaft vor allem in der Form der Heilszusage (Gal 3,26: „Ihr seid") und des Bekenntnisses (Röm 8,16: „daß wir Gottes Kinder sind")[139]. Das gibt seinen Aussagen existentielle Tiefe und personalisiert sie, was nicht mit einer Individualisierung identisch sein muß.

---

[135] De facto ist damit die Ausscheidung der Heiden gemeint (s. 17,21ff).
[136] Delling, Bezeichnung 19f.
[137] Delling aaO; Byrne 30f.
[138] Am nächsten in der eschatologischen Terminologie steht Mt 5,9 (vgl. 1.Joh 3,1).
[139] Vgl. im NT 1.Joh 3,1ff.

Innerhalb der Traditionsgeschichte gab es Stellen, an denen das Ernstnehmen des Gedankens der Gotteskindschaft zu einer Verengung des Gottesvolkgedankens auf eine Gemeinde der Frommen führte (Ps 73, 15; Weish 2,18; 5,5). In Röm 9,7ff scheint eine ähnliche Tendenz zu liegen. Bei Paulus aber führt die Vertiefung des Gedankens zur radikalen Universalisierung: die Heiden sind mit eingeschlossen in den Ruf zur Kindschaft (9,24ff)[140]. Grundlage dieser Universalisierung ist nicht die Idee der allgemeinen Gotteskindschaft aller Menschen, wie wir sie etwa bei den Stoikern finden[141]. Entscheidend ist vielmehr die christologische Begründung der Gottessohnschaft, wie sie in Gal 3, 26–28 und 4,3–5 dargelegt wird.

Damit mag ein Letztes zusammenhängen. Sowohl in Gal 4 als auch in Röm 8 ist für Paulus die Freiheit konstitutives Element der Gotteskindschaft; Gegenbegriffe sind Sklaverei und Unmündigkeit. Solche Freiheit schenkt der Geist, indem er zu einem Leben der Liebe befähigt. Die Offenbarung dieser Freiheit bis hinein ins Physische und Kosmische erwartet Paulus noch in der Zukunft (Röm 8,21). In der Traditionsgeschichte des Begriffs fehlt diese an sich nahe liegende Seite völlig[142]. Sie scheint zusammen mit dem christologischen Ansatz genuines Element paulinischer Theologie zu sein[143].

1.2.8 ναὸς θεοῦ, οἰκοδομὴ θεοῦ, γεώργιον θεοῦ

Wir haben festgestellt, daß die zuletzt behandelten Begriffe trotz der stärker heilsgeschichtlich-soteriologischen Ausrichtung ekklesiologisch verstanden werden wollen. Dennoch ist nicht zu leugnen, daß bei ihnen die Gemeinde als soziologische Größe in den Hintergrund tritt.

---

[140] Eine Parallele im hellenistischen Judentum könnte JosAs 19,8 darstellen. Doch ist die Zugehörigkeit der Wendung „Söhne des lebendigen Gottes" zum ursprünglichen Text umstritten (vgl. Delling, Bezeichnung 24; Byrne 53f).
[141] Belege bei Wülfing v. Martitz, ThWNT VIII, 337,11ff. Interessanterweise scheint es aus den Mysterienreligionen keine Belege für τέκνα/υἱοὶ θεοῦ zu geben! Twisselmann 13–25 kann zwar einiges an Vorstellungsmaterial zur Gotteskindschaft allgemein, aber kaum terminologische Belege nennen (ähnlich Oepke, ThWNT V, 651,1–10; bei Wülfing v. Martitz, ThWNT VIII, 236ff, fehlt dieser Bereich). Verweisen könnte man auf CorpHerm I, 32.
[142] Doch vgl. Fohrer, ThWNT VIII, 353,10–32 (= Haag, ThWAT I, 678) und die Erörterung über die Sohnschaft und Knechtschaft Israels in bBB 10ᵃ (Billerbeck III, 103).
[143] Vgl. Mußner, Freiheit 52, mit Hinweis auf das befreiende Handeln Jesu; weiter Joh 8,30–45 und zur Frage einer gemeinsamen Tradition Blank, Krisis 233f A. 8 u. 10; zu Gal 4,1–7 vgl. jetzt Buscemi.

Das ist anders bei dem Begriffsfeld οἰκοδομή, γεώργιον und ναὸς θεοῦ, das Paulus in 1.Kor 3,5ff abschreitet. Welche Vorstellungen verbindet Paulus mit diesen Begriffen und wie verwendet er sie?

In 1.Kor 3,5ff scheint er zunächst rein metaphorisch von der Gemeinde als Gottes Bau und Ackerfeld zu sprechen[144]. Dagegen verläßt die Aussage in 3,16 (ναὸς θεοῦ ἐστε) den Bereich des Gleichnishaften: die Gemeinde wird mit dem endzeitlichen Tempel Gottes identifiziert[145]. Ähnlich die Argumentation in 2.Kor 6,16: Auf die Frage „Wie verträgt sich der Tempel Gottes mit Götzen?", die durchaus noch auf der Ebene eines Vergleichs verstanden werden könnte, folgt die identifizierende Feststellung: „Wir sind doch der Tempel des lebendigen Gottes."

Der jüdische Hintergrund dieser Vorstellung ist durch die Qumrantexte klar ans Licht gebracht worden[146]. Da sich in diesen Texten die Motive Pflanzung, Bau, Fundament, Tempel zur Beschreibung der Heilsgemeinde immer wieder beieinander finden (1 QS 5,5f; 8,5—11; 11,7f; 1 QH 7,8—11), legt sich die Vermutung nahe, daß auch in 1. Kor 3 schon ab V. 5ff das ganze Motivfeld im Blick ist, also nicht nur einzelne Metaphern aneinander gereiht werden[147]. Damit wäre der verhältnismäßig harte Übergang zu V. 16 erklärt. Ähnlich wie in 1.Kor 12,12—27 die paränetische Verwendung des stoischen Organismusgleichnisses zu dominieren scheint, bei näherem Hinsehen aber von der Vorstellung der Gemeinde als Leib Christi umklammert und getragen wird (V. 27!), so steht auch hier hinter bildlicher Paränese

---

[144] Zur Verbindung und Verwendung beider Motive in der Profangräcität s. Fridrichsen, Ackerbau, Exegetisches 298ff; weiter Pfammatter 19f u. Conzelmann, 1.Kor 94.

[145] Conzelmann z.St.; Coppens, Temple 56; anders Hainz, Ekklesia 259.

[146] Lit: O. Betz, Felsenmann; J. Maier, Gottesvolk 137—160; Gärtner 16—46; McKelvey 36f, 46—52; Klinzing 50ff; zur Forschung vor der Entdeckung der Qumrantexte: Wenschkewitz; Vielhauer, Oikodome; Michel, ThWNT IV, 884—895; V, 122—161. Ein Einzelelement des Vorstellungskreises untersucht Muszyński, Fundament.

[147] Klinzing 169; dagegen haben nach Vielhauer, der ja die Qumrantexte noch nicht kannte, V. 10—15 u. 16f nichts miteinander zu tun (Oikodome 81); ähnlich Conzelmann z.St.; Hainz, Ekklesia 256—259; Ollrog 138f. Auch Muszyński verweist (130—136; 189—191; 198—202) auf den heterogenen Charakter des Bildmaterials und des literarischen Befundes in 1 QS 8 und möchte daher lieber von der Einzelmetapher als von einer geschlossenen Gesamtvorstellung ausgehen (229; doch vgl. 190f, 231). Auffallend ist aber, daß sich diese heterogenen Elemente nicht nur an vielen anderen Stellen der frühjüd. Lit., sondern auch in 1.Kor 3 zusammenfinden. Eine ganz neue, m.E. unwahrscheinliche Interpretation schlägt Ford, God's ‚Sukkah', vor.

(bes. V. 12–15) die realistische Konzeption von der Gemeinde als Gottes Acker, Gottes Bau und Tempel.

Es lohnt sich daher, kurz den Befund in Qumran zu skizzieren: Die Beschreibung der Gemeinde als Pflanzung läßt zwei traditionsgeschichtliche Linien erkennen: eine „geschichtliche Linie", die im Rahmen des apokalyptischen Selbstverständnisses alttestamentliche Tradition aufnimmt[148], und „mythologische Motive", durch die Ort und Land der Heilszeit in paradiesischen Zügen beschrieben werden[149]. Im Vergleich mit den Pseudepigraphen fällt „die deutliche Verbindung von eschatologischer Pflanzung (= Gemeinde) mit dem Paradies- bzw. Gottesgarten" schon für die Gegenwart auf[150]. Ganz ähnlich liegen die Dinge beim Bild vom Bau, das einerseits alttestamentliche Traditionen fortführt[151], andererseits in 1 QS 11,8 die Gegenwart der himmlischen Sphäre beschreibt[152].

Auch wo die Gemeinde von Qumran mit dem Heiligtum gleichgesetzt wird, lassen sich zwei Grundmotive unterscheiden:

a) Die Gemeinde dient als Ersatz für den Tempel in Jerusalem, der durch die ungesetzliche Priesterschaft entweiht wurde[153]. Die Gemeinde verwirklicht die geforderte kultische Reinheit durch den Gehorsam ihrer Glieder und hat den wahren Opferdienst übernommen. Wird von dem Opfer als Lobopfer der Lippen gesprochen (1 QS 8,9; 9,3ff; 10,14; CD 11,21), so wird damit der Kult zwar in gewissem Sinne spiritualisiert[154], ohne daß dadurch die materiellen Opfer entwertet würden. Die Gemeinde scheint vielmehr mit einer Wiederaufnahme dieser Opfer in einem gereinigten Tempel in Jerusalem gerechnet zu haben. Ihr Kult stellt zwar einen Notbehelf dar, hat aber reale sühnende Wirkung für das Land[155].

---

[148] Maier, Gottesvolk 153f, Texte II, 89–91; vgl. Jes 5,1–7; Jer 2,21; Ps 80,9ff; Jes 60,21; 61,3.11 (auch Jer 32,41; Am 9,15); aufgenommen TestSim 6,2; äth-Hen 93,2.5.10; Jub 16,26 (1,16; 21,24); PsSal 14,3–5; 4.Esra 5,23ff; CD 1,7; 1 QS 8,5ff; 11,7f; vgl. weiter Fujita.

[149] Maier, Gottesvolk 155f; Gärtner 28; vgl. Ez 17; 28,11ff; 31; äthHen 10,16ff; 24,3ff; 32; 4.Esra 8,52; 1 QH 6,15ff; 8,4ff.

[150] Maier, aaO 160, mit Verweis auf 1 QS 8,5; 11,8.

[151] Vgl. bes. Jes 28,16; 26,1; weiter Michel, ThWNT V, 139.

[152] Maier, Gottesvolk 143f; Muszyński 189ff.

[153] Maier, aaO 146–151; Gärtner 18f, 23f, 30,44ff; Klinzing 11ff, 89f. Über das Verhältnis der Qumrangemeinde zum Jerusalemer Tempel orientieren J. M. Baumgarten, Essenes, und Lichtenberger, Atonement 159ff.

[154] Dazu Gärtner 18f, 44; Becker, Heil 126ff; Klinzing 143ff.

[155] Vgl. bes. 1 QS 8,9f; 9,3ff; dazu Lichtenberger, Atonement 161. Zur Wiederaufnahme des Tempelkults s. 4 Qflor 1,2ff (Gärtner 30–42; McKelvey 50–53), 4 QHamDib (Gärtner 24). Das Nebeneinander der Vorstellung der Gemeinde als Tempel und der Erwartung zukünftiger Inbesitznahme des Jerusalmer Heiligtums (1 QM 2,3; 7,11; 4 QpPs 37, III, 10f [= 4 Q 171, 1,3–4, III, 10f]) bzw. eines neuen eschatologischen Heiligtums (4 Qflor 1,2ff) ist schwierig zu interpretieren; vgl. Klinzing 92. Die jetzt edierte Tempelrolle stellt vor neue Probleme, dazu J. M. Baumgarten, Rez. Yadin, Megillat ha-Miqdaš, JBL 97, 1978, 588; Lichtenberger, Atonement 164ff.

b) Die Gemeinde hat Teil am himmlischen Gottesdienst der Engel vor Gott und repräsentiert daher das endzeitliche Heiligtum[156].

Die Identifikation einer jetzt lebenden Gruppe von Menschen mit dem eschatologischen Heiligtum und der dadurch abgeleitete Anspruch, die wahre irdische Kultstätte darzustellen, ist in der Umwelt des NT singulär[157]. Wir haben in ihr den traditionsgeschichtlichen Hintergrund (oder zumindest eine ungemein aufschlußreiche Analogie) für den Anspruch der urchristlichen Gemeinde gefunden, das wahre Heiligtum zu sein. Paulus spielt darauf als Allgemeingut christlicher Lehre an[158]. Leider wissen wir nicht, auf welcher Stufe urchristlicher Traditionsbildung er formuliert wurde und welchen konkreten Inhalt er in sich schloß[159]. Beobachtungen an der nachpaulinischen Geschichte des Stoffes lassen vermuten, daß auch zur Zeit des Paulus Vorstellungen im Umlauf waren, die den von Qumran bezeugten ähnlich waren[160].

Paulus selbst greift in 1.Kor 3,5ff aus dem Vorstellungskomplex zunächst Material für einen Vergleich heraus. Die Mitarbeiter der Gemeinde sind Mitarbeiter Gottes. Das gibt ihnen ihren Rang[161]. Als Mitarbeiter Gottes sind sie aber völlig darauf angewiesen, daß Gott etwas durch sie tut. Das relativiert die Unterschiede in ihren Tätigkeiten (V. 7). Paulus pflanzt, Paulus legt das Fundament, andere bauen darauf, jeder hat sich vor Gott gemäß seinem Auftrag zu verantworten, keiner darf für seine Person Ruhm beanspruchen. Selbst der entscheidende und verantwortungsvoll ausgeführte Dienst des Paulus hat seine Bedeutung nur darin, daß er das (*von Gott*) schon

---

[156] 1 QM 12,1f; 1 QH 3,21ff; 1 QSb 4,25ff (vgl. Jub 31,13f); vgl. Maier, Gottesvolk 146ff; H.-W. Kuhn, Enderwartung 184, 188; Lichtenberger, aaO 163, Menschenbild 225f.

[157] Vgl. Wenschkewitz 176; Pfammatter 155—164; Gärtner 56; Klinzing 155—166.

[158] Vgl. das οὐκ οἴδατε (Michel, ThWNT IV, 890,25ff; Gärtner 57; Conzelmann z.St., Klinzing 211).

[159] Das Urteil darüber hängt eng mit der Beurteilung der Herkunft der Worte Jesu über den Tempel zusammen (Mk 14,58; 15,29; Mt 26,61; 27,40 und Joh 2,21), deren Abwandlung auch in der Stephanusgeschichte eine Rolle spielt (Act 6,14); vgl. Bultmann, Syn. Tradition 126f; Michel, ThWNT IV, 887ff, und Klinzing 202ff, 210ff, der zu dem Urteil kommt: „Wenn die christliche Gemeinde von sich selbst als dem Tempel spricht, kann kein Zweifel darüber bestehen, daß diese Vorstellung aus der Qumrangemeinde stammt. Fragt man aber, wann und wo sie übernommen wurde, so bleibt vieles im dunkeln" (210). Sandvik 143f führt die Vorstellung auf Jesu Tempelwort zurück, Löwe 30 erschließt aus Gal 2,9 (οἱ στῦλοι) schon für die Urgemeinde das Selbstverständnis als endzeitlicher Tempel (skeptisch Klinzing 200), und Coppens, Temple 62ff, hält das Motiv für theologische Bildung des Paulus.

[160] Vgl. die starken Berührungen, die der Eph zur Qumrantradition aufweist (K. G. Kuhn, Epheserbriefe; Mußner, Beiträge).

[161] Bertram, ThWNT VII, 872; Furnish, der übersetzt: „It is *for God* that we are fellow workers" (369); Schrage, Theologie 131, und Ollrog 68f.

gelegte Fundament errichtet: Jesus Christus[162]. Der ganze Abschnitt ist gekennzeichnet durch die Bemühung, alles, was mit der Gemeinde geschieht, theozentrisch zu sehen. Die Gemeinde ist Gottes Eigentum[163]. Das gibt ihr die Souveränität gegen menschliche Bevormundung und setzt ihrer Freiheit die entscheidende Grenze (3,21–23). Das ist auch der Sinn der Aussage von V. 16f: Die Gemeinde ist der Tempel Gottes und darum heilig. Der Satz ist streng personal, aber nicht individualistisch zu verstehen[164]. Denn – anders als in 1.Kor 6,19 – geht es nicht um die Bewahrung des einzelnen, sondern um die Gefahr der Zerstörung der Gemeinde durch Personenkult, der jeder einzelne dadurch wehren kann, daß er sich bewußt macht, zum Tempel Gottes zu gehören. Die Übertragung des Prädikats ναὸς θεοῦ ist durchaus real gedacht: Weil Gott durch seinen Geist in der Gemeinde wohnt, *ist* sie der Tempel Gottes[165], geschützt durch heiliges

---

[162] McKelvey verfehlt den Sinn der Stelle völlig, wenn er durch Allegorisierung des Bildes zu der Aussage kommt, Christus werde hier zum Teil der Kirche neben den Gläubigen (180f). Ebenso steht es mit der spekulativen Gleichsetzung von Tempel und Christus und damit von Gemeinde und Christus bei Pfammatter 43. Die exklusiv christologische Interpretation des „Fundaments" und von Jes 28,16 ist im Gegensatz zur ekklesiologischen Deutung Qumrans für Paulus gerade charakteristisch (vgl. Maier, Gottesvolk 137ff, 183; Betz, Felsenmann 62, und die sehr differenzierte Darstellung bei Muszyński 231f).

[163] Pfammatter 21 stellt dies als Hauptaussage der Stelle heraus (vgl. die vorangestellten Gen. in V. 9), reflektiert aber dann doch sehr stark über die Unterschiede zwischen Paulus und seinen Nachfolgern und findet in den paulinischen Baubildern den hierarchischen Charakter der Kirche bestätigt (185); vgl. dazu Hainz, Ekklesia 49ff.

[164] Man beachte das οἵτινές ἐστε ὑμεῖς (McKelvey 101; Coppens, Temple 56). Daß Paulus auch anthropologisch vom Leib als Tempel des Geistes sprechen kann (6,19), widerspricht dem nicht (gegen Hainz, Ekklesia 259). Anthropologisches und ekklesiologisches Anliegen sind durch den Leib-Christi-Gedanken miteinander verbunden (6,15). Schüssler-Fiorenza, Cultic language 172, sieht umgekehrt in 6,19 eine typisch paulinische Übertragung des kultischen Tempelgedankens, wie ihn Qumran kannte, auf den Leib des einzelnen. Aber auch in Qumran finden wir das Ineinander von anthropologischen und ekklesiologischen Aussagen (McKelvey 52, 102–107; Maier, Gottesvolk 138–140), bes. 1 QH 7,6ff (vgl. mit 7,4); Dupont-Sommer 241 sieht hier eine Analogie zum Leib-Christi-Gedanken (vorsichtiger Maier, aaO 142; dagegen G. Jeremias, Lehrer 185, 239).

[165] So weit hat K. Weiß, Paulus 360, recht: Weil Gott durch den Geist in der Gemeinde gegenwärtig ist, darf nicht nur von einem bildlichen Verständnis gesprochen werden. Doch gilt das nicht von allen kultischen Motiven. Nach Christus ist kein sühnendes Opfer mehr möglich, gleich ob Schlacht- oder Lobopfer (im Unterschied zu Qumran, vgl. Lichtenberger, Atonement 162ff). Das ist die entscheidende „Übertragung" der Opfer- und Priestervorstellung bei Paulus, so real und unspirituell er auch von der opfernden Hingabe der Leiber reden kann

Recht[166], beschlagnahmt durch Gottes Barmherzigkeit zum Gottesdienst in dieser Welt (Röm 12,1f).

Röm 12 weist auf eine Reihe von Stellen, in denen der Begriff *Tempel Gottes* zwar nicht erscheint, aber Einzelmotive aus dem kultischen Bereich auf diesen Vorstellungskreis hinweisen. Röm 12,1 spricht vom lebendigen, heiligen und Gott wohlgefälligen Opfer der Leiber als dem vernünftigen Gottesdienst der Christen. Hier werden Motive aus der Stoa und dem hellenistischen Judentum aufgegriffen[167], und ganz im Gegensatz zur hellenistischen Spiritualisierung und zur esoterischen Kultmystik von Qumran geht es um den Dienst des Christen in der Welt[168].

Phil 2,17 variiert diese Vorstellung: in Treue zum Wort des Lebens (V. 16) und untadeligem Verhalten (V. 15) vollzieht die Gemeinde das Opfer und den priesterlichen Dienst ihres Glaubens. Wenn Paulus um seiner Verkündigung willen sein Leben läßt, wird er als Trankopfer ausgegossen[169]. An beiden Stellen wird mit den Elementen kultischer Sprache das Moment der Andersartigkeit und der Aussonderung aus dieser Welt aufgegriffen[170]. Daraus folgt jedoch nicht der Rückzug aus ihr. Gerade der Opferbegriff verweist auf die diakonische und missionarische Existenz der Gemeinde. Missionarisches *und* eschatologisches Verständnis prägen auch die Selbstvorstellung des Apostels in Röm 15,16 als priesterlichen Diener Christi am Evangelium, der die Heidenwelt als Gott wohlgefällige Opfergabe darbringt[171].

(gegen Gärtner 45 A.2; McKelvey 107, 183ff; mit Roloff, Apostolat 114f; s.u. zu Röm 12,1f).

[166] Käsemann, Sätze 69f; Conzelmann 1.Kor 97; Synofzik 36f, 40; zum Problem dieser Sätze s.u. 3.3.2.

[167] S. Wenschkewitz 125ff; Kittel, ThWNT IV, 145f; Seidensticker, Opfer 17ff; Schlier, Wesen; Käsemann, Gottesdienst; Klinzing 214ff (der aber die nächste Parallele für „die Ersetzung des Opfers durch einen alles umfassenden, leiblichen Gehorsam gegenüber dem göttlichen Willen" [215] in den Qumrantexten sieht); Michel, Käsemann, Schlier, Röm z.St.

[168] So besonders Käsemann in seinem programmatisch überschriebenen Aufsatz, weiter Walter, Christusglaube 437f, und Schüssler-Fiorenza, Language 173: „His emphasis upon bodily, concrete worship is developed in the face of hellenistic spiritualization and precisely against it".

[169] Die Beziehung beider Sätze ist unklar; vgl. Gnilka, Phil z.St.; Grelot, Mission 53f. Nach G. Barth, Phil z.St., spricht Paulus nur von seinem Opferdienst für den Glauben der Phil.; doch vgl. W. Bauer sv ϑυσία.

[170] Röm 12,2; Phil 2,15; vgl. auch 2.Kor 6,14ff, das darin also nicht völlig isoliert dasteht.

[171] Zu der komplexen Vorstellung vgl. Schlier, Liturgie, und Käsemann, Michel, Schlier, Röm z.St. So richtig es ist, daß auch hier nicht spiritualisiert wird, muß

Auch die Vorstellung von der Gemeinde als *Gottes Bau* taucht noch
an anderen Stellen auf. Allerdings nur indirekt, denn das Stichwort
οἰκοδομή wird dort meist als nomen actionis gebraucht, im Sinne von
„Aufbau" und parallel zum Verb[172]. Von den Belegen ist besonders
1.Kor 14 von Interesse, weil hier das Thema der Geistesgaben aus
Kap. 12 weitergeführt wird. Ziel ihrer Ausübung in der Gemeinde
ist der Aufbau der ἐκκλησία. Das ist ganz konkret gedacht, denn
Parallelbegriff als Objekt des Bauens ist „der andere" (14,17, vgl.
auch Röm 14,19; 15,2; 1.Thess 5,11), der unter Umständen sogar
ein Außenstehender sein kann (14,16)[173].

Diese Orientierung an der Wirklichkeit der versammelten Gemeinde
wird auch die Ursache dafür sein, daß Paulus die Elemente dieses
Vorstellungskreises nicht zu einem großen Gesamtbild vom Wesen
der Kirche verarbeitet, sondern gezielt einzelne Motive herausgreift,
um sie paränetisch zu verwenden. Wie eine solche Konzeption hätte
aussehen können, kann man sehr schön im Epheserbrief nachlesen,
wo in diesen Rahmen auch noch das Verständnis der Kirche als
σῶμα Χριστοῦ hineinverwoben ist.

Warum geht Paulus diesen Weg nicht? Hatte er einfach keinen aktuellen Anlaß, die in seinem Traditionsmaterial liegenden Möglichkeiten
konsequent zu Ende zu denken bzw. systematisch zu entfalten? *Oder*
liegt es in der Eigenart seiner Theologie begründet, daß er eine solche,
die irdische Wirklichkeit der Gemeinde notwendigerweise transzen-
dierende Gesamtschau vermeidet, auch wenn er den Vorstellungshintergrund kennt und bejaht? Die Frage muß zunächst offen bleiben.

1.2.9 σῶμα Χριστοῦ

Noch mehr als auf jedem anderen Gebiet paulinischer Ekklesiologie
ist auf dem Feld, das der Begriff σῶμα Χριστοῦ umschreibt, jeder
Stein schon Dutzende von Malen umgedreht worden. Es wird also

---

doch gesehen werden, daß die missionarisch eschatologische Realisierung die
herkömmlichen Kategorien des Kultischen sprengt (Michel, Röm 458), so daß
man sehr zurückhaltend sein sollte, in der Sachinterpretation mit kultischen Kategorien zu arbeiten (gegen Haas 30—34) und in diesem Text „ntl. Grundelemente des Priesteramtes" zu suchen (gegen Schlier; vgl. Schüssler-Fiorenza, aaO
176f).
172 Vielhauer, Oikodome 71f; Michel, ThWNT V, 147,39ff; vgl. aber zu 1.Kor
3,9 ThWNT V, 148,17ff und Vielhauer, aaO 74ff.
173 Zum ἰδιώτης vgl. W. Bauer sv und die Kommentare z.St.

gut sein, sehr behutsam und bescheiden zu konstatieren, was wir wirklich wissen können [174].

In der Mehrzahl der Fälle verwendet Paulus den Begriff für den am
Kreuz hingegebenen Leib Jesu: 1.Kor 10,16 [175]; 11,24 (τὸ σῶμα μου),
27 (τοῦ κυρίου) und wohl auch Röm 7,4 [176]. Herrenmahl und Taufe
vergegenwärtigen den Tod Jesu und geben Anteil an ihm. Diese Teilhabe bedeutet keine Identifizierung des Kreuzesleibes mit der Gemeinde. Der in den Tod gegebene Leib Christi bleibt τὸ σῶμα τὸ
ὑπὲρ ὑμῶν [177]. Traditionsgeschichtlich sind diese Aussagen aus der
Abendmahlsparadosis abzuleiten.

Für das ekklesiologische σῶμα Χριστοῦ gibt es wörtlich genommen
nur einen Beleg in 1.Kor 12,27: ὑμεῖς δέ ἐστε σῶμα Χριστοῦ [178]. Doch
ist unbestritten, daß der durch V. 12f eingeleitete Gedankengang und
die parallelen Ausführungen in Röm 12,4f zur Vorstellung von Gemeinde als Leib Christi gehören.

Zwei Elemente sind konstitutiv für diese Vorstellung: Als erstes fällt
der in 1.Kor 12,14—26 breit ausgeführte Vergleich der Gemeinde mit
einem Leib und seinen Gliedern auf, der auch in Röm 12,4f wieder
aufgenommen wird. Paulus greift ihn auf, um das Verhältnis der verschiedenen Charismen in der Gemeinde zu klären. Für diesen Vergleich einer Gemeinschaft mit einem Organismus lassen sich eine Fülle religionsgeschichtlicher Parallelen beibringen [179]. Sie zeigen, daß für
den antiken Menschen damit nicht nur ein naheliegendes Bild gewählt
wird, sondern das Wissen zum Ausdruck kommt, daß das Ganze mehr
ist als die (Summe seiner) Teile [180]. Paulus hebt dies dadurch scharf

---

[174] Die beiden letzten ausführlichen Untersuchungen zum Begriff und seinem
religionsgeschichtlichen Hintergrund stammen von Schweizer, ThWNT VII,
1024—1091, und Löwe 56—148, der sich kritisch mit Schweizer auseinandersetzt und wieder stärker in die Richtung von Käsemann, Leib und Leib Christi,
tendiert; bei beiden reiche Lit., ergänzt in ThWNT X, 1276ff, weiter Benoit;
Daines; Ramaroson.
[175] Käsemann, Abendmahlslehre 12f, Theol. Problem 193f; Conzelmann, 1.Kor
z.St.; anders (Lietzmann—)Kümmel, 1.Kor Anhang z.St. (der Röm 7,4 übersieht?).
Zur Wendung σῶμα τοῦ κυρίου vgl. Kramer 160f.
[176] Vgl. Kuß, Michel, Cranfield, Schlier z.St.; Gundry 239 (gegen J. A. T. Robinson, Body 49). Käsemann z.St. hält die Wendung für formelhaft.
[177] Käsemann, Theol. Problem 191ff, gegen Percy 28ff, 44 (gerade das ὑπέρ,
das Percy selbst stark herausstellt [42f], widerlegt ihn!); Cerfaux, Théologie 234;
Schlier, Einheit 288ff; Robinson, Body 46—48; Schnackenburg, Kirche 155.
[178] Schweizer, ThWNT VII, 1066,20ff.
[179] Schweizer, ThWNT VII, 1037,13ff; 1039,22ff.
[180] Käsemann, Röm 324.

hervor, daß er die Gemeinde als Leib *Christi* bezeichnet. Damit ist das zweite Element genannt, das am überraschendsten in 1.Kor 12,12 hervortritt: καθάπερ γὰρ τὸ σῶμα ἕν ἐστιν ... οὕτως καὶ ὁ Χριστός. Indem der Christus an der Stelle eines zu erwartenden ἡ ἐκκλησία genannt wird, signalisiert Paulus, daß für ihn die Christuswirklichkeit die Größe ist, die die Zusammengehörigkeit in einem Leib begründet und trägt. Könnte in 1.Kor 10,17 der Eindruck entstehen, erst das Herrenmahl füge die Teilnehmer zu einem Leib zusammen[181], zeigt 1.Kor 12,13 klar, daß dieser Leib nicht durch das Sakrament konstituiert wird, sondern daß die Taufe in den schon bestehenden Leib Christi einfügt[182]. Damit sind auch die Aussagen in Gal 3,28 (πάντες γὰρ ὑμεῖς εἷς ἐστε ἐν Χριστῷ Ἰησοῦ) und Röm 12,5 (οἱ πολλοὶ ἓν σῶμά ἐσμεν ἐν Χριστῷ) eindeutig zu interpretieren: Die Gemeinde wird nicht nur mit einem Leib verglichen, sondern sie stellt den irdischen Leib des erhöhten Christus dar (1.Kor 12,27)[183]. Daß diese Vorstellung die Priorität vor dem Organismusgedanken hat, der von Paulus als Vergleich eingefügt wird, ist heute fast allgemein anerkannt[184]. Heftig umstritten sind dagegen drei Fragen:

a) In welchem Zusammenhang stehen die Aussagen über den Kreuzesleib Christi zu denen über das ekklesiologische σῶμα Χριστοῦ?

b) Hat Paulus den ekklesiologischen Begriff selbst geprägt oder hat er ihn aus der hellenistischen Gemeindetheologie übernommen, die ihrerseits auf jüdische, hellenistische oder gnostische Vorstellungen zurückgreifen konnte?

c) Welchen Stellenwert hat der Begriff und die damit verbundenen Aussagen im Ganzen der paulinischen Ekklesiologie?

---

181 Bonnard, L'église 271; Wikenhauser 109f; zum Verhältnis von V. 16 u. 17 vgl. Neuenzeit 201ff.

182 Käsemann, Abendmahlslehre 14; Percy 15f; das Herrenmahl bewirkt also nach 1.Kor 10,16f, „daß die Eingliederung in den Christusleib der Kirche sich erneut vollzieht und bestätigt wird" (Käsemann, Theol. Problem 194; vgl. Schnackenburg, Einheit 66f; Hainz, Ekklesia 264f).

183 Käsemann, Theol. Problem 194. Natürlich muß auch diese Vorstellung daraufhin befragt werden, inwieweit sie metaphorisch oder real gemeint ist (Gundry 234ff), bzw. ob diese Alternative hermeneutisch zu überholen ist (Heine 146ff); vgl. den Versuch bei Whiteley 192, 197f, zwischen verschiedenen Arten metaphorischen Sprachgebrauchs zu differenzieren.

184 Grundlegend dafür Käsemann, Leib und Leib Christi 159ff, 170f (ähnlich schon Bultmann, Kirche 166). Hat sich seine religionsgeschichtliche Ableitung auch nicht durchgesetzt, so ist dieser Gedanke fast durchweg anerkannt. Ausnahmen sind Schlier, Namen 302f, RAC 3,437ff (vorsichtiger 447); Meuzelaar 40; Best, One Body 112f; ähnlich auch Cerfaux, Théologie 224–237 (bes. 234 A.1) und Daines.

a) Der Christusleib, den die Gemeinde darstellt, ist nicht identisch mit dem am Kreuz gestorbenen Leib des Herrn, der im Herrenmahl vergegenwärtigt wird. Die Gemeinde wird auch nicht in den Kreuzesleib eingegliedert[185]. Das widerspräche der ganzen Theologie des Paulus, für den der Tod Jesu zur Zeit, „als wir noch Sünder waren" (Röm 5,8), schärfster Ausdruck des extra nos des Heiles ist, und der auch dort, wo er vom Mitsterben mit Christus spricht, sorgfältig zwischen dem einmaligen Ereignis des Todes Jesu und seiner sakramentalen Vergegenwärtigung in der Taufe unterscheidet[186].

Dennoch kann man beide Vorstellungen nicht völlig trennen. Nach 1.Kor 10,16f begründet die Teilhabe am eucharistischen Leib Christi das „Ein-Leib-Sein der Vielen". Das Getauftwerden εἰς Χριστόν wird in Röm 6,3 anthropologisch als Taufe in seinen Tod und in 1.Kor 12,13 (Gal 3,27) ekklesiologisch als Taufe in *einen* Leib ausgelegt. Und zweifellos legt es auch in 1.Kor 11,27.29 die Situation nahe, betont an den „für die Gemeinde hingegebenen Leib" zu denken[187]. Man kann die hier beschriebene Relation so zusammenfassen: Die Proexistenz des Christus gründet und schafft die communio der Gemeinde[188]. Darin besteht die enge Beziehung zwischen dem „für uns" hingegebenen Kreuzesleib und der Gemeinde als dem irdischen Leib des Erhöhten, ohne daß beide identifiziert werden dürfen.

In der Bezeichnung „irdischer Leib des Erhöhten" steckt nun allerdings ein weiteres Problem. Paulus gibt keine genaue Auskunft darüber, wie man sich das Verhältnis von Christus und seinem Leib vorzustellen hat. Kol und Eph nennen Christus das Haupt des Leibes (Kol 1,18; Eph 1,22f) und definieren damit dies Verhältnis. In 1.Kor 12 ist dies Verständnis durch die Art, wie der Vergleich durchgeführt wird, ausgeschlossen. Wir finden auch keine Spur davon, daß

---

[185] Käsemann, Theol. Problem 192, 194 (gegen Schweizer ThWNT VII, 1070, 26f); Gundry 223ff (gegen Robinson, Body 49ff; von der Eingliederung „au corps glorieux du crucifié" spricht auch Benoit 991), vgl. das Literaturreferat bei Ollrog 145 A.161.

[186] Vgl. Röm 6,3–5 und insbesondere die zugleich identifizierende und differenzierende Funktion des Begriffs ὁμοίωμα (Käsemann, Röm 159f; Schlier, Röm 195f; Ridderbos 291f; Schrage, Kirche 209f, 218f); Vanni hält seine richtige Feststellung in Bezug auf den Sprachgebrauch der LXX (345) in der Analyse der ntl. Stellen leider nicht durch (vgl. 448ff u. 469f).

[187] Schweizer, ThWNT VII, 1066,10. Σῶμα meint hier also nicht die Gemeinde. Wichtig für die Interpretation ist der Hinweis auf 1.Kor 8,12 (1066,5ff).

[188] Vgl. Reventlow 134: „σῶμα Χριστοῦ ist die Gemeinde als eine durch die Selbsthingabe Christi in den Tod konstituierte Gemeinschaft"; weiter Sommer 97, 101; Lang, Gesetz 317; Stuhlmacher, 18 Thesen 518.

Christus als Geist, Nous oder Seele des Leibes betrachtet würde[189].
Eher könnte man aus 1.Kor 12,12 eine Identifikation von Christus
und Leib herauslesen, analog zur anthropologischen Auffassung, daß
der Mensch nicht ein σῶμα hat, sondern σῶμα ist[190]. Doch zeigt
die differenzierendere Formulierung in Röm 12,5 (wir ... sind ein
Leib *in* Christus[190a]), daß Paulus in dieser Richtung sehr vorsichtig
ist.

Hier soll ein Lösungsversuch von E. Güttgemanns weiterhelfen[191]. Er
vereinfacht das Problem, indem er nachzuweisen versucht, Paulus ken-
ne keine somatische Auferweckung Jesu und damit auch keine individuelle Auferstehungsleiblichkeit des Erhöhten. Außer in Phil 3,20f,
wo ein vorpaulinischer Hymnus vorliege, vermeide Paulus „ganz bewußt die Vorstellung der hellenistischen Gemeinde, der Auferstandene *sei* ein σῶμα". „Wohl *hat* der auferstandene Jesus ein σῶμα,
das σῶμα Χριστοῦ. Aber dieses ist kein individuelles σῶμα des Auferstandenen, sondern das Objekt des Kyrios, so daß Christus nicht
in gnostischer Weise in die Kirche aufgelöst werden darf."[192] Daß
hier die Beziehung des Christus zu seinem Leib als Herrschaftsver-
hältnis bestimmt wird, mag zunächst überraschen, weil dies durch den
Begriff σῶμα Χριστοῦ nicht nahegelegt scheint. Der Vergleich mit
der anthropologischen Parallele in 1.Kor 6,12ff, wo die Leiber der
Christen als μέλη τοῦ Χριστοῦ bezeichnet werden, erweist jedoch
Recht und Bedeutung dieser These[193]. Dagegen läßt sich die Vorstellung einer individuellen Auferstehungsleiblichkeit des Erhöhten nicht
einfach durch die Zuweisung von Phil 3,20f an vorpaulinische Tradition ausklammern[194]. Das ist auch gar nicht nötig. Denn unser Überblick hat in aller Deutlichkeit gezeigt, daß Paulus einen Begriff wie
σῶμα Χριστοῦ nicht als ein in sich geschlossenes Vorstellungsgebäude
entwickelt oder aus der Tradition übernimmt, sondern daß er bestimm-

---

[189] Percy 9–17 in Auseinandersetzung mit Augustin (vgl. T. Schmidt, Leib 144ff;
Wikenhauser 116f).
[190] Grundlegend für die Analyse des anthropologischen Begriffs Bultmann, Theologie 195; Käsemann, Leib 119; zur weiteren Diskussion vgl. Jewett, Terms;
Gundry und K. A. Bauer.
[190a] Ἐν Χριστῷ kann hier instrumental (Käsemann, Röm 327) oder explikativ
lokal (Michel, Röm 376 A.13; Schlier, Röm 368) verstanden werden. Barrett,
Röm 236, sieht in „‚one body in Christ' ... a stage on the way to ‚the body of
Christ'".
[191] Der leidende Apostel 199–281.
[192] AaO 280.
[193] Vgl. V. 13.17; s. Güttgemanns 229ff.
[194] Vgl. Gnilka, Phil z.St.; weiter K. A. Bauer 132–140; Siber 122ff; Baumbach,
Zukunftserwartung 449f.

te Motive funktional verwendet und dabei in Kauf nimmt, auch sehr disparate Elemente scheinbar unausgeglichen nebeneinander zu stellen. Was „Leib Christi" für die paulinischen Ekklesiologie bedeutet, kann also nicht aus einer Begriffsanalyse alten Stils, sondern nur aus einer „Funktionsanalyse" gewonnen werden, die den gesamten Kontext des Verhältnisses von Christologie und Ekklesiolgie mit einbezieht.

b) Damit ist die Frage nach der religionsgeschichtl. Herkunft des Begriffs schon relativiert. Sie wird überdies dadurch erschwert, daß wir keine vorpaulinischen Belege kennen. Nachdem sich die Ableitung aus der Gnosis als problematisch erwiesen hat[195], wird heute meist angenommen, daß Paulus den ekklesiologischen Begriff selber geprägt hat. Gleichwohl wird häufig damit gerechnet, daß Paulus unabhängig von dem Begriff in der korinthischen Gemeinde ein bestimmtes Vorstellungsmuster für die Zusammengehörigkeit des Christus mit den Christen voraussetzen konnte, in das er den von ihm analog zur eucharistischen und anthropologischen Terminologie geprägten Begriff eintragen konnte[196]. Man denkt dabei an „eine jüdisch häretische Adam-Urmensch-Spekulation", in der kosmologische und soteriologische Motive zusammenfließen[197].

Zwei Beobachtungen unserer Analyse stellen diesen Konsens in Frage. Die Berührungen mit der Abendmahlsparadosis sind zwar eng, die

---

[195] Grundlegend Schenke (bes. 154f); vgl. E. Schweizer, ThWNT VII, 1088—91.
[196] Vgl. Schweizer, Kirche 289f; Conzelmann, Grundriß 288 u. Löwe, dessen Ergebnis hinsichtlich der religionsgeschichtlichen Frage typisch für diese Auffassung ist: „Die Trennung von Vorstellung und begrifflicher Fassung führt zu dem Ergebnis: Das paulinische ἐν Χριστῷ hat religionsgeschichtlich im Hintergrund eine jüdisch-häretische Adam-Urmensch-Spekulation, die zur Entfaltung einer von ihr abhängigen Christologie und Soteriologie führte. Die gelegentlich vorkommende Aussage vom Leib-Christi-Sein der Christen, vorstellungsmäßig in denselben Zusammenhang gehörend, scheint Paulus aus der Terminologie der Abendmahlsparadosis abgeleitet zu haben, indem er den dort bereits überlieferten und auf Christus bezogenen wie den anthropologischen σῶμα-Begriff interpretierte" (142; ähnlich Hahn, Einheit 36ff). Nach Jewett, Terms 271ff, 286f, bildet Paulus den Begriff in der aktuellen Auseinandersetzung von 1.Kor 12,12f auf der Basis seiner „technical definition as the basis of relationship and unity", der „sacramental explication of the body's unity" (1.Kor 12,13) und des „analogous Jewish concept of the guf Adam" (287).
[197] Löwe aaO; Brandenburger, Adam 151f; (beide nähern sich im Gegensatz zu Schweizer wieder der Lösung Käsemanns). Dagegen sieht Fischer, Tendenz 76f, in der Vorstellung vom σῶμα Χριστοῦ eine „christliche Variante der Vorstellung vom Allgott des Makroanthropos". Überblicke über die verschiedenen Herleitungen und Versuche, sie zu typisieren, finden sich bei Löwe 58f; Robinson, Body 55; Ridderbos 257ff; Jewett, Terms 201ff; Käsemann, Röm 323ff. Zur älteren katholischen Forschung vgl. Soiron.

eigentliche Wurzel des ekklesiologischen Leib-Christi-Gedanken scheint jedoch in der Tauftheologie zu liegen (vgl. 1.Kor 12,12f). Innerhalb des gesamten Begriffskomplexes haben sich Inkongruenzen gezeigt, die es schwer machen, einen einheitlichen Vorstellungsrahmen zu rekonstruieren. Das spricht dafür, daß Paulus nicht nur die Abendmahlsparadosis als vorgegebenes Motiv seiner Tradition kennt, sondern auch auf anderes, davon unabhängiges Material zurückgreift, das die Vorstellung von der Gemeinde als Leib des Erlösers enthielt[198]. Doch muß dies eine Vermutung bleiben. Auf dem Hintergrund der religionsgeschichtlichen Analysen stellt sich noch einmal neu die Frage nach dem Verhältnis von Christus und der Gemeinde. Ist der häufig als Wurzel des Begriffs genannte Stammvatergedanke bzw. die Konzeption einer corporate personality eine adäquate Darstellung dieses Verhältnisses? Auch hier kann nur eine Untersuchung im gesamten Kontext paulinischer Theologie Antwort geben.

c) Es wird gerne darauf hingewiesen, daß der Begriff σῶμα Χριστοῦ nur in der Paränese vorkomme und daß er deswegen nicht überschätzt werden dürfe[199]. Nun ist an der genannten Beobachtung nicht zu rütteln. Man kann sie sogar verschärfen durch den Hinweis, daß der Begriff fast ausschließlich in Zusammenhang mit der Behandlung der Charismen erscheint. Fraglich sind die Folgerungen. Welche Wertung liegt in dem „nur"? Ist die Paränese bei Paulus theologisch zweitrangig? Welche Einschätzung verrät die Tatsache, daß er in Röm 12 — scheinbar ohne konkreten Anlaß — die Paränese dieses Briefes mit der Entfaltung der Charismenlehre aus dem Leib-Christi-Gedanken heraus beginnt? Welche Bedeutung hat es für die Ekklesiologie des Paulus überhaupt, daß sie vor allem paränetisch behandelt wird?[200] Jedenfalls macht die Verwurzelung von σῶμα Χριστοῦ in der Paränese eines deutlich: Auch dies Prädikat der Gemeinde bringt keine Unterscheidung zwischen empirischer Gemeinde und unsichtbarer Kirche als einer eschatologischen Größe.

Eine letzte Beobachtung: Die derzeitigen religions- und traditionsgeschichtlichen Kenntnisse verbieten es, den Volk-Gottes- und Leib-Christi-Gedanken einander unter der Alternative gegenüberzustellen: alttestamentlich-jüdische oder hellenistisch-gnostische Wurzel des paulinischen Kirchenbegriffs. Zweifellos ist σῶμα Χριστοῦ der Begriff,

---

[198] Käsemann, Theol. Problem 183ff; Fischer, Tendenz 48ff.
[199] Vgl. Käsemann, Theol. Problem 183 A.12, der auf Meuzelaar 172; Schweizer, ThWNT VII, 1067ff; Bonnard, L'église 281f; Conzelmann, Grundriß 286, und Küng, Kirche 272, verweist; ähnlich Kertelge, Gemeinde 103f.
[200] Küng, Kirche 272f.

der am wenigsten direkt aus den Zeugnissen des apokalyptischen und hellenistischen Judentums abzuleiten ist, die sonst reichhaltige Parallelen zur paulinischen Begrifflichkeit liefern. Andrerseits vertritt er am klarsten das Anliegen, das wir bei allen anderen Termini immer wieder als genuin paulinische Modifikation erkennen konnten: die christologische Begründung der Gemeinde. Trotz des begrenzten Vorkommens ist der Begriff also ein Indiz für ein viel umfassenderes Anliegen der paulinischen Ekklesiologie[201].

1.2.10 Damit stehen wir bereits an der Zusammenfassung unseres Überblicks über die ekklesiologischen Begriffe:

Vor uns ist ein sehr differenziertes Bild entstanden. Paulus verwendet einen Teil der untersuchten Begriffe ganz gezielt und mit klar umgrenzter Thematik in der theologischen Diskussion: σπέρμα Ἀβραάμ und υἱοὶ θεοῦ vertreten die heilsgeschichtlich-soteriologische Komponente der Ekklesiologie in der Auseinandersetzung um die gesetzesfreie Evangeliumsverkündigung unter den Heiden. Ναός/οἰκοδομὴ θεοῦ und σῶμα Χριστοῦ tauchen in der Paränese auf und kennzeichnen die Integrität der Gemeinde, ihre Zugehörigkeit zum Herrschaftsbereich Gottes und des Kyrios und den für ihr Wesen konstitutiven Gemeinschaftscharakter. Auf den ersten Blick scheinen diese Komplexe unverbunden nebeneinander zu stehen. Doch gibt es Abschnitte in den Briefen, wo sich die Linien auf bemerkenswerte Weise schneiden (z.B. in Gal 3,26—29) und wir „den christologischen Ansatz der paulinischen Ekklesiologie"[202] besonders klar erkennen können. Will man dem paulinischen Denken nicht systematisierend Gewalt antun, wird man keinen dieser Begriffe als Zentrum des paulinischen Kirchenbegriffs herausstellen und andere Motive als untergeordnet oder abgeleitet qualifizieren können. Seine Mitte scheint viel eher im christologischen Ansatz zu liegen, der immer wieder zur Umprägung der überkommenen ekklesiologischen Begriffe führt[203].

Diese Vermutung wird bestätigt, wenn wir die titular verwendeten Termini in die Betrachtung mit einbeziehen. Sie kommen ungleich häufiger vor und verleihen dadurch den Briefen des Apostels ekkle-

---

[201] Vgl. Dodd, Doctrine 38, und vor allem H. F. Weiß, Volk.
[202] H. F. Weiß, aaO 417.
[203] So jetzt auch H. F. Weiß, aaO 418; zu ähnlichen Ergebnissen kommt der knappe Überblick von Ollrog 132—146 u. Lührmann, Abendmahlsgemeinschaft 284f.

siologisch Farbe. Sie werden selten in expliziter theologischer Argumentation ausgewertet. Ihre Bedeutung liegt darin, daß sie in ihrem sebstverständlichen Gebrauch das Gemeindeverständnis widerspiegeln, aus dem Paulus und seine Gemeinden leben. Insofern sich in ihnen Erwählungs- und Gemeinschaftsbewußtsein einer Gruppe ausdrückt, sind Bezeichnungen wie ἐκκλησία, οἱ ἅγιοι oder ἀδελφοί auch soziologische Begriffe. Ihr „Sitz im Leben" in Präskript, Paränese und den Schlußgrüßen bestätigt dies. Dennoch sind sie für Paulus theologisch nicht zu Leerformeln geworden, feierlichen Titeln, deren ursprünglicher Sinn nicht mehr gegenwärtig ist. An bestimmten Stellen erinnert er die Gemeinde an Gehalt und Konsequenz solcher Selbstbezeichnungen. Und er begründet auch hier die entsprechenden soteriologischen und paränetischen Aussagen immer wieder christologisch.

Damit ist schon die Hauptdifferenz zur teilweise reich belegten Vorgeschichte der Begriffe genannt. Diese führt uns zu einem breiten Spektrum der Schriften des apokalyptisch orientierten Judentums, wobei die Übergänge zum sog. hellenistischen Judentum durchaus fließend sind. Hier gab es offensichtlich Gruppen, die ausgehend vom Alten Testament eine ekklesiologische Begrifflichkeit entwickelten, die auch der jungen Christenheit erlaubte, ihr Selbstverständnis auszudrücken. Inwieweit Paulus direkt auf jüdische Quellen zurückgreift oder die Begriffe von der Gemeinde in Antiochien und anderen urchristlichen Kreisen übernimmt, ist im einzelnen schwer festzustellen. In der Regel ist das zweite wahrscheinlicher, besonders wenn die Termini auch außerhalb des von Paulus beeinflußten Schrifttums erscheinen.

Welches Profil die Begriffe bei Paulus auf diesem Hintergrund gewinnen, haben wir in der Einzelanalyse dargestellt. Hier noch eine grundsätzliche Beobachtung zum Sitz im Leben der ekklesiologischen Begriffe: Die Belege im Judentum finden sich in der Regel in hymnischen Stücken, in Gebeten oder in apokalyptischer Belehrung. Wir kennen z.B. keine Beispiele dafür, daß eine Gruppe in aktuelle Anrede als ἐκκλησία τοῦ θεοῦ oder οἱ ἅγιοι angesprochen wird. Das mag durch Lücken in den Quellen bedingt sein. Aber es verweist auch auf die nach unserem derzeitigen Kenntnisstand singuläre Erscheinung, daß uns die Theologie des Paulus nur aus seinen Briefen an Gemeinden bekannt ist, und wir Grund zur Annahme haben, daß diese den einzigen schriftlichen Niederschlag dieser Theologie, möglicherweise auch den Anlaß zu ihrer konkreten gedanklichen Ausformung bildeten. Das ist gerade für die Ekklesiologie von entscheidender Bedeutung. Vom dogmatischen Inhalt aus gesehen mag es zwar unerheblich sein, ob von der Kirche referierend gesagt wird, sie sei der Leib Christi (vgl.

Eph 1,23), oder ob einer Gemeinde bei der Erörterung ihrer Probleme zugerufen wird: „Ihr seid Leib Christi!" (1.Kor 12,27). Aber es ist zu fragen, ob es richtig ist, aus paulinischen Texten mit Hilfe von Begriffsanalysen nur die dogmatischen Aussagen herauszudestillieren und den modus dicendi, der uns die Ekklesiologie des Apostels im Vollzug zeigt, zu vernachlässigen. Diese Frage stellt sich umso dringlicher, wenn man sich klar macht, daß Paulus in den Briefen, die heute allgemein für echt angesehen werden, in der Regel nur im zweiten der oben genannten modi redet.

Methodisch ergeben sich zwei Folgerungen:

1. Der Kirchenbegriff, oder sagen wir besser: das Gemeindeverständnis des Paulus, läßt sich als Ganzes nicht aus einem oder mehreren der Begriffe ableiten, die Paulus in seinen Briefen zur Kennzeichnung der christlichen Gemeinde verwendet. Diese Begriffe zeigen in ihrer Vielfalt das breite Spektrum der Möglichkeiten, mit denen die urchristliche Gemeinde das Wissen um ihre eschatologische Erwählung und ihre Zugehörigkeit zu Gott und Christus aussagen konnte. Ihre differenzierte und gezielte Verwendung durch Paulus weist aber auf eine tieferliegende Mitte und Einheit seiner Ekklesiologie, die sich nicht mit einem einzelnen dieser Begriffe erfassen läßt, sondern die sich aus dem Zusammenhang mit seiner ganzen Theologie, insbesondere der Verbindung mit der Christologie ergibt.

2. Ekklesiologische Begriffe und Sätze sind nicht nur auf den dogmatischen Gehalt zu befragen, mit dem sie eine lange Traditionsgeschichte befrachtet hat. Ihr aktueller Ort im theologischen Gespräch und der modus dicendi, in dem Paulus sie verwendet, muß gleichfalls beachtet werden, will man der Ekklesiologie des Paulus als einer „Ekklesiologie im Vollzug" gerecht werden.

1.3 Die Briefe des Paulus als Quelle einer Ekklesiologie

Die Formel „Ekklesiologie im Vollzug" ist zunächst nicht mehr als ein Schlagwort, das präzisiert werden muß. Wie wirkt sich die Eigenart der Quellen, die mit einer Ausnahme Briefe an bestimmte Gemeinden sind, auf die Behandlung der Ekklesiologie aus[204]?

---

[204] Zur paulinischen Theologie als eine „Theologie im Vollzug" vgl. Eichholz, Theologie 12f; C. D. Müller, Erfahrung 161f.

1.3.1 Gemeinde und Individuum — Eine erste Übersicht

Paulus schreibt fast ausschließlich *an* Gemeinden, aber so gut wie gar nicht *über* die Gemeinde. Ein Vergleich mit dem Epheserbrief zeigt das besonders deutlich. Er liefert keine Definitionen (wie Eph 1,23) und er hebt die Gemeinde nirgends als Empfänger (wie Eph 5,25) oder Vermittler des Heils (wie Eph 3,10) von ihren Gliedern ab. Spricht er von der Gemeinde, spricht er immer zugleich von „euch" oder von „uns". Auch dort, wo er sehr ausführlich über Probleme der Gemeinde reden muß, wie etwa im 1.Kor, erläutert er nicht zunächst in einem dogmatischen Hauptteil das Wesen der Gemeinde „an sich", um dann entsprechende Folgerungen zu ziehen, sondern geht den praktischen Fragen entlang und gibt darauf Antworten. Das ist deswegen besonders auffällig, weil er dabei keineswegs nur pragmatische Entscheidungen trifft, sondern im Lauf der Erörterung eines konkreten Problems sehr eindringlich die grundsätzliche Bestimmung der Gemeinde mitbedenkt. Paulus beginnt also „nicht mit einer *Lehre* von der Kirche, die dann in der Folge realisiert würde, sondern mit der *Wirklichkeit* der Kirche, über die dann nachträglich reflektiert wird"[205].

Das gilt auch für den zweiten Schwerpunkt ekklesiologischer Thematik, die Diskussion um die Abrahamskindschaft in Gal 3 und 4. Zwar wird Gal 3,1ff in Einleitungen und Kommentaren gerne als „lehrhafter Teil" bezeichnet[206]. Aber auch hier ist aufschlußreich, wie Paulus lehrt. Er beginnt mit einem Hinweis auf die Erfahrung der Gemeinde. Dann erst beginnt die exegetisch-heilsgeschichtliche Erörterung der Frage, wer zu Abrahams Samen gehört. Dieser zweifellos lehrhafte und grundsätzlich gehaltene Teil mündet aber genau an der Stelle, an der von der Entstehung der Gemeinde als des wahren Samens Abrahams zu reden wäre (3,23—25), in ein kommunikatives „wir" und wird in 3,28—4,6 mit der ganz persönlichen Anrede in der 2. Person (plur. und sing.) weitergeführt. Diese Wendung des Gedankengangs führt für die Auslegung sogar zu einer gewissen Unklarheit. Denn es bleibt unsicher, ob das, was in Gal 3,23—25 gesagt wird, auch für den Heidenchristen gelten soll[207]. Aber es scheint Paulus nicht möglich zu sein, von der Zueignung und Gegenwart des Heils anders als in personalen Kategorien zu reden. Das hat nichts mit Individualisie-

---

205 Küng, Kirche 15.
206 Z.B. Wikenhauser — Schmid 414.
207 So Schlier, Gal 166; Mußner, Gal 260, während für Stendahl, Jude 35, der Wechsel von „wir" zum „ihr" den Schritt von den Judenchristen zu den heidnischen Galatern signalisiert.

rung zu tun. Die Begriffsanalyse von σπέρμα Ἀβραάμ und υἱοὶ θεοῦ zeigt die Zusammengehörigkeit des individuellen und kollektiven Aspekts. Und die eingehende Untersuchung des Galaterbriefes wird das unauflösliche Ineinander von anthropologischer und ekklesiologischer Fragestellung erweisen. Das entspricht dem Gesamtbild, das die Briefe bieten. So wenig Paulus die Gemeinde als von ihren Gliedern abgehobene Mittlerinstanz kennt — und sei es auch nur auf der Ebene theologischer Abstraktion —, so wenig weiß er etwas von einem nachträglichen Zusammenschluß der Gläubigen zu einer Gemeinde. Christen existieren immer als Gemeinde. Das prägt seine Argumentation in den Briefen, die fast immer auf der Ebene „Wir/Ich — Ihr" verläuft. Sein Gegenüber ist also die versammelte Gemeinde, die er anredet[208], ohne zwischen Institution und Individuen zu differenzieren oder gar das eine gegen das andere auszuspielen[209]. Nur selten spricht er vom einzelnen — sei es, daß er bestimmte Personen im Auge hat, sei es, daß er ganz allgemein von *dem* Christen handelt —, mit Ausnahme des Römer- und natürlich des Philemonbriefes[210]. Gerade letz-

---

[208] Zur Funktion der paulinischen Briefe als „apostolischer Parusie" vgl. Koskenniemi 91—95 (als Brieftheorie erst seit dem 2./3.Jh. 38ff, 172ff); Funk 266ff; White 39f, 60ff, 84ff; Doty 36ff; Berger Apostelbrief 219; Boers 146ff.

[209] Vgl. Cerfaux, Théologie 190; Dahl, Volk 248; Fridrichsen, Gemeinde 67ff (mit recht unterschiedlicher Akzentuierung). Einzige Ausnahme ist 1.Kor 10, 32: ἀπρόσκοποι ... γίνεσθε ... τῇ ἐκκλησίᾳ τοῦ θεοῦ; hier stehen die Gemeindeglieder der ἐκκλησία τοῦ θεοῦ gegenüber, die ihrerseits neben Juden und Griechen fast im Sinne des τρίτον γένος Justins erscheint; vgl. Oepke, Gottesvolk 200.

[210] Hier einige Beispiele (ohne Phlm):
Anrede von Einzelpersonen: Phil 4,2f; *von Gruppen*: 1.Kor 7; 14,26ff; nachdrücklich wird „jeder einzelne" angesprochen in 1.Th 4,4f; 2.Kor 9,7f; Gal 6,4; Röm 12,3; 14,5; Phil 2,4. Zu bestimmtem *Verhalten gegen Einzelpersonen* wird die Gemeinde ermahnt in 1.Kor 5,1ff; 2.Kor 2,5ff; Gal 6,1ff.
Allgemeine 1.Sg steht in 1.Kor 5,12; 6,12f; 8,13; 10,30; 13,1—3; Gal 2,18—21(?); Röm 7,7—25; *allgemeine 2.Sg* in 1.Kor 4,7; 8,10f; Gal 4,7; Röm 2,1—6.17—29; 8,2; 9,19ff; 10,9f; 11,17ff; 13,3b—5; 14,4.10.15.21ff; allgemeine 3.Sg in 1.Th 4,8; 1.Kor 3,11—15.17a; 8,2; 11,27—29; 2.Kor 5,17; Gal 2,16a; Röm 3,28b (man beachte den durchweg sentenzenhaften Stil!). Den Übergang zu den ganz unpersönlich gehaltenen „Lehrstücken" bilden Gal 3,8—12; 1.Kor 11,3—12 (vgl. auch die weiter unten aufgeführten Römerbriefabschnitte). Rein *lehrhaften Charakter* tragen 1.Kor 12,4—11; 13,4—13; 15,20—28.35—48; 2.Kor 3,7—11.13—17; Gal 3, 15—22; 4,22—30. Ein besonderes Gepräge haben die entsprechenden Abschnitte im *Römerbrief*. In ihnen herrscht die 3.Pl vor, durch die bestimmte *Menschengruppen* (Juden, Heiden, Christen, Menschheit) charakterisiert werden: 1,16b—32; 2,7—16; 3,1—31; 4,1—22 (partim); 5,12—21; 9,6—17.30—33; 10,4—21; 11, 2ff; 13,1—3a; unterbrochen werden diese Abschnitte gelegentlich durch *formelhafte 1.Pl*: οἴδαμεν 2,2; 3,19; λέγομεν 4,9; τί οὖν ἐροῦμεν 4,1; 6,1; 7,7; 9,14.30 und die zahlreichen Passagen mit *rhetorischer 2.Sg* (s.o.), die sonst bei Paulus

terer zeigt aber mit der auffälligen Erwähnung der Hausgemeinde im Präskript, daß es für Paulus in der Gemeinde keine Privatangelegenheiten gibt[211].

Wir müssen also damit rechnen, daß Paulus auch dort, wo keine termini technici für die Gemeinde auftauchen, den Gemeinschaftscharakter des Christseins im Auge hat. Andrerseits müssen wir uns davor hüten, die ganze Theologie des Paulus als Ekklesiologie zu vereinnahmen, nur weil sie in Gemeindebriefen entfaltet wird[212]. In diesem Zusammenhang ist ja auch vom Römerbrief zu reden, der formgeschichtlich einen Sonderfall darstellt. Die Anrede der Empfänger tritt mit 1,16 völlig zurück und erscheint erst wieder 6,12[213]. An ihre Stelle tritt im Stil der Diatribe die Anrede ὦ ἄνϑρωπε (2,1.3) oder σὺ Ἰουδαῖος (2,17), verbunden mit generalisierenden Ausführungen über Juden, Griechen oder jeden Menschen. Auch im folgenden geht der Blick des Paulus immer wieder über den Kreis der angeredeten Christen hinaus (bes. 9–11). Dazu tritt die eigentümliche Tatsache, daß Paulus in den Kap. 1–15 nirgends von der ἐκκλησία spricht, auch nicht im Präskript! Welche Konsequenzen hat dieser Befund für die Frage nach der Ekklesiologie des Apostels?

1.3.2 Eine Stichprobe: Gemeinde im Römerbrief

Die systematischste Darstellung seiner Theologie, die wir von Paulus besitzen, finden wir im Römerbrief. Aber auch dieser Brief ist kein verkapptes Kompendium paulinischer Theologie, sondern – wie Käsemanns Kommentar eindrücklich darstellt – ein echtes „Gelegen-

---

selten sind. Zwischen 1,14 und 6,23 fehlt auch die Anrede ἀδελφοί, die für das Gespräch des Paulus mit der Gemeinde so charakteristisch ist (Schweizer, Echtheit 429); sie ist auch im 2.Kor selten, der von apostolischer Verteidigung geprägt ist.

[211] Preiss 66; Wickert 232ff; W. Robinson, Doctrine 64; Stuhlmacher, Phlm 31.
[212] Dahl, Volk 248: „Wenn die Aussagen des Paulus von der Rechtfertigung und überhaupt von dem erlebten Heil gewöhnlich eine Pluralisform haben, so dürfen wir dieses ‚Wir' (bzw. ‚Ihr') weder individualistisch auflösen, noch kirchlich verdinglichen". Dagegen votiert Neugebauer 99 A.1 für eine rein ekklesiologische Interpretation des Plurals.
[213] Das kommunikative Wir in 5,1–11 und 6,1ff dürfte allerdings nicht nur rhetorisches Stilmittel sein, sondern soll die Leser bewußt einbeziehen (vgl. Roloff, Apostolat 94f; Baumgarten, Apokalyptik 243). Zur formgeschichtlichen Sonderstellung des Röm und seiner Nähe zur Diatribe vgl. Bultmann, Stil 66f, 72f. In die aktuelle Debatte um diesen Begriff führt Donfried, Presuppositions 133ff, ein (vgl. auch Wuellner, Rhetoric).

heitsschreiben". Das Besondere liegt darin, daß sich der Apostel durch die Situation, in der er den Brief schrieb, zu einer umfassenden Darstellung seines theologischen Standpunktes herausgefordert fühlte. Welche Rolle hierbei die Ekklesiologie spielt, ist bemerkenswert. Rein äußerlich wird das Problem durch das Fehlen des Begriffes ἐκκλησία in den Kapiteln 1—15 signalisiert. Doch könnte dies noch als zufällige Äußerlichkeit angesehen werden[214]. Tiefgreifender ist die Beobachtung, daß Paulus in den Kap. 1—4 die Offenbarung des Heiles Gottes für den Glauben grundsätzlich entfaltet und in den Kapiteln 5—8 vom Wirksamwerden dieses Heiles im Leben der Glaubenden spricht, ohne in irgendeiner Weise auf die Bedeutung von Kirche oder Gemeinde einzugehen. Soteriologisch scheint dies Thema nicht relevant zu sein.

Man mag einwenden, man dürfe eben auch vom Römerbrief keine umfassende Darstellung christlicher Lehre erwarten. Die Situation habe an dieser Stelle ein Eingehen auf die Ekklesiologie nicht nahegelegt. Genau das aber ist zu bezweifeln. Zwar dürfte der Abfassungszweck des Römerbriefes nicht in der versteckten Ankündigung liegen, daß Paulus den Christen in Rom bei seinem Besuch erst das apostolische Fundament geben werde, das sie zur Gemeinde mache, wie G. Klein will[215]. Richtig aber ist von ihm gesehen — und E. Käsemann hat das

---

[214] Jedenfalls scheitern alle Versuche, aus dem Fehlen des Wortes ἐκκλησία Rückschlüsse auf die Gemeindesituation in Rom (Dahl, Volk 202; Trocmé 52; Bartsch, Gegner 30ff, Situation 282f; Minear, Obedience 7ff) oder auf eine nach der Meinung des Paulus fehlende Qualifikation der Gemeinde (Klein, Abfassungszweck 142; Schmithals, Römerbrief 67ff) zu ziehen, daran, daß der Begriff auch in Phil 1,1 (u. Kol 1,2) fehlt (vgl. Kettunen 41—51, dessen Erklärung ebensowenig befriedigen kann, wie die von Klein aaO, daß im Phil die Nennung der Episkopen und Diakonen die ἐκκλησία ersetze). Paulus ist nicht auf einen Begriff fixiert (richtig Wilckens z.St.). Auffällig ist, daß der Begriff in Röm 16,5 in Verbindung mit der Hausgemeinde von Priska und Aquila auftaucht. Wenn Kap. 16 von Anfang an zum Röm gehörte, was neuerdings wieder mit gewichtigen Argumenten vertreten wird (Kümmel, Einleitung 275—80, der die entgegengesetzten Meinungen referiert; Wiefel, Gemeinde 111ff; Donfried, Short Note; Wilckens, Abfassungszweck 124f; Suhl, Paulus 267ff; und vor allem Aland, Schluß; Ollrog, Abfassungsverhältnisse), dann könnte man darin einen Hinweis auf die Struktur der römischen Gemeinde sehen (z.B. Minear, Obedience 7ff; Wiefel, Gemeinde 111ff; Suhl, Paulus 279ff; vorsichtig Cranfield, Röm 22).
[215] Klein, Abfassungszweck; ihm folgt Minde, Schrift 194ff. Kleins Hypothese scheitert daran, daß unverständlich bleibt, warum Paulus einen Brief von dieser Länge schreibt, ohne das, was ihn letztlich nach Rom treibt, außer in zwei versteckten Bemerkungen zu erwähnen. Streng genommen bleibt auch der Widerspruch zwischen 1,15 und 15,20, von dem Klein ausgeht, unaufgelöst, es sei denn, man würde annehmen, Paulus rechne Rom zu den Orten, „wo Christus noch nicht genannt ist" (15,20a)! Zur Kritik vgl. Bornkamm, Römerbrief 128f; Suhl, Anlaß; Kuß, Paulus 198f; Käsemann, Röm 16f.

in seinem Kommentar noch schärfer herausgearbeitet —, daß das Grundproblem der Situation, in der Paulus den Römerbrief schreibt, durchaus ein ekklesiologisches ist. Die Frage nach der Anerkennung seiner apostolischen Autorität, um die Paulus bei den Christen in Rom wirbt, der bange Blick auf die Übergabe der Kollekte in Jerusalem (15,30f) und wohl auch die Spannung zwischen Starken und Schwachen in der römischen Gemeinde (14,1ff) spiegeln ja alle *ein* Grundproblem der jungen Christenheit wider: die durch die gesetzesfreie Heidenmission gefährdete Einheit von Juden und Heiden in der Gemeinde Jesu Christi[216]. Paulus kämpft um diese Einheit, aber nicht durch die Propagierung ekklesiologischer Kompromißformeln, sondern durch Darlegung seines Evangeliums und den Nachweis, daß seine Rechtfertigungslehre in der Schrift gründet. Das gibt dem Brief über weite Strecken den Charakter eines „dialogus cum Iudaeo"[217], der sich auch formgeschichtlich in der eigentümlichen Rhetorik ausdrückt. Aber das ist nur die *eine* Seite des Bildes. Die generalisierende Tendenz der Stichworte ἄνθρωπος, Ἰουδαῖος καὶ Ἕλλην oder πᾶσα σάρξ bestimmt vor allem die Darstellung der Gerichtsoffenbarung (1,18–3,20). Sie wird auf der Seite der Heilsoffenbarung aufgenommen durch das Glaubensmotiv[218]. Ab 4,24 bricht Paulus aber aus der neutralen Gegenüberstellung beider Seiten aus und bezieht durch ein ekklesiologisch geprägtes „Wir" die Adressaten in die Aussagen ein. Auch im Römerbrief redet er nicht distanzierend „über" das Wesen christlicher Existenz und Gemeinschaft. Signifikant dafür ist der Umschlag vom generalisierenden Ich in Kap. 7 zum Wir in Kap. 8, das sich im Ver-

---

[216] Die Eigenart des Briefes als theologisches „Testament" (Bornkamm, Römerbrief), „Programm" (Haacker, Problem 2) oder „Rechenschaftsbericht" (Käsemann, Röm 390) in Gestalt eines Schreibens an eine unbekannte Gemeinde läßt sich nur aus der Konstellation erklären, die sich aus dem Zusammentreffen aller genannten Faktoren ergibt: die zurückliegenden Auseinandersetzungen in Galatien und Korinth (Borse, Einordnung; Kaye), der Blick nach Jerusalem (Bornkamm aaO; Jervell, Brief), aber auch die Situation in Rom (Minear, Obedience; Bartsch, Gegner, Situation; Donfried, Presuppositions; Suhl, Paulus 279ff; Hübner, Gesetz 60f; Schmithals, Römerbrief) und die Spanienpläne (Schrenk, Römerbrief; Zeller 38–76; Wedderburn, Purpose), all das fließt in den Brief ein. So leiden die meisten Studien unter der einseitigen Hervorhebung eines einzelnen Punktes (anders Käsemann, Röm 16f, 390ff; Wilckens, Abfassungszweck 138f; 167; Williams 245–55).

[217] Wilckens, Röm 34, vgl. auch Eichholz, Theologie 5, und Schmithals, Römerbrief 89f, der die Frage, warum dieser Dialog in einem Brief an eine „heidenchristliche" Gemeinde geführt wird, mit wünschenswerter Schärfe stellt. Die Studien, für die die Judenfrage der Schlüssel des Briefes ist (Stendahl, Jude 11ff; Marquardt, Juden), sehen dies Problem seltsamerweise nicht.

[218] Vgl. 1,16 (Ἰουδαῖος καὶ Ἕλλην); 3,22.26.28 (ἄνθρωπος); 4,11.

lauf dieses Kapitels immer klarer als ekklesiologischer Plural und nicht etwa nur als Summe geretteter Individuen erweist (vgl. bes. 8,18ff).

Den ekklesiologischen Problemhorizont bestätigt auch die zweite Hälfte des Briefes, allerdings wiederum auf höchst eigentümliche Weise. So wird die Frage nach dem Verhältnis von Israel und Kirche in den Kap. 9—11 nicht direkt angegangen, etwa unter der Thematik: Kontinuität und Diskontinuität von altem und neuem Gottesvolk. Im Vordergrund steht vielmehr die Frage nach der Treue Gottes zu seiner Verheißung, und daraus ergeben sich dann auch in der für Paulus kennzeichnenden Dialektik Konsequenzen für die christliche Gemeinde[219].

Das alles kann man freilich auch individualistisch bzw. heilsgeschichtlich-spekulativ lesen und hat es auch fast immer getan, wie die Auslegungsgeschichte zeigt. Denn von der konkreten Gemeinde ist nicht die Rede. Umso mehr muß es dann überraschen, daß Paulus in der Paränese ab Kap. 12 völlig selbstverständlich von der Existenz der Gläubigen in einer solchen Gemeinde ausgeht. Dabei ist deutlich, daß es nicht um das Entstehen einer Gemeinschaft als Konsequenz des sozialen Engagements der einzelnen Gläubigen geht. Die Gemeinde ist vielmehr der Lebensraum, in den der Christ von Anfang an gestellt ist. Gewiß — das war in der jungen Christenheit nicht umstritten, und so mochte der Apostel keinen Anlaß gesehen haben, es eigens zu begründen. Angesichts der sorgfältigen Gedankenführung im Römerbrief aber bleibt der unvorbereitete ekklesiologische Neuansatz in Röm 12 erstaunlich[220].

Nun hat man neuerdings versucht, dieses und andere Probleme des Römerbriefes durch literarkritische Operationen zu lösen[221]. W. Schmithals nimmt an, daß der kanonische Brief im wesentlichen aus zwei Briefen nach Rom entstanden ist (A: 1—11; B: 12—15), die in einigem zeitlichen Abstand an die dortigen Christen gingen. Damit soll erklärt werden, warum Paulus sich in 1—11 in einer breit ange-

---

219 Käsemann, Israel; Ch. Müller, Gottes Gerechtigkeit; s.u. 2.4.4.

220 Schlatter, Gottes Gerechtigkeit 331, hat ihn am schärfsten markiert mit der (freilich nicht unproblematischen) Formulierung, Paulus sage nun, „was die Glaubenden tun, was ihnen ihr gemeinsames Handeln gibt und sie zur Gemeinde vereint". Zum ekklesiologischen Charakter der Paränese vgl. Zahn, Michel, Käsemann, Röm z.St.; dagegen scheint Brockhaus 196ff das paränetische Element gegenüber dem ekklesiologischen zu einseitig zu betonen, ähnlich Hainz, Ekklesia 336f. Die „Gemeindebindung für die Charismen ... als sekundäre Zuordnung" zu bezeichnen (Hainz), verkennt das Argumentationsgefälle von 12,3ff.

221 Schmithals, Römerbrief, der die ältere Lit. nennt.

legten Darstellung seiner Theologie an die fremde Gemeinde heran-
tastet, während er in 12—15 sie anspricht wie jede seiner Gemeinden
und nach Ausweis von 14f verhältnismäßig gut Bescheid über ihre
inneren Schwierigkeiten weiß. Auch die Spannung zwischen 1,8—13
und 15,14—29 würde sich dann auflösen. Läßt man sich auf diesen
Vorschlag ein, so tritt das sachliche Problem, um das es uns geht, eher
noch schärfer hervor. Wenn Paulus durch Röm 1—11 „die Christenheit Roms als eine ἐκκλησία konstituieren und damit für sein Evangelium gewinnen"[222] will, was gleichzeitig bedeutet, sie als „eine paulinische Gemeinde, d.h. außerhalb der Synagoge, zu organisieren"[223],
dann bleibt unverständlich, warum er die soziologischen Konsequenzen mit keinem Wort berührt. Umgekehrt: Wenn die Christen in Rom
zunächst nur 1—11 erhielten und die Darlegung des paulinischen
Evangeliums akzeptierten, wie kann Paulus dann in einem zweiten
Brief diese Leute völlig selbstverständlich wie eine Gemeinde im
paulinischen Sinne anreden, ohne auch nur mit einem Wort diese
Ekklesiologie als Konsequenz seines Evangeliums darzustellen?

Die literarkritische Teilung des Briefes kann aber keineswegs überzeugen. Sie löst die literarischen Probleme nur zum Teil, bzw. wirft in
der Rekonstruktion neue und größere auf[224]. Vor allem aber umgeht
sie — wie Wilckens zu Recht feststellt — „das Problem einer exegetischen Erhellung des vorliegenden Textes — und das heißt sachlich:
des Zusammenhangs zwischen Rechtfertigungsverkündigung und konkreter innerkirchlicher Handlungsanweisung"[225]. Durch eine Teilung
des Briefes wird dies Problem nur vertuscht, nicht aber aufgehoben.

Noch einfacher macht es sich eine Auskunft, die in der Vergangenheit häufig gegeben wurde. Besser gesagt: die dahinter stehende Auf-

---

222 AaO 88.

223 AaO 176 (A.81 von 175).

224 Schmithals 177f dreht die Beweislast um.

225 Wilckens, Röm 28. Im übrigen ist der Widerspruch zwischen 1,15 und 15,20
nicht völlig unerklärlich. 15,20 begründet nicht die Romreise, sondern die Ab-
reise aus dem Osten und die Spanienpläne. Wie Paulus seine Evangeliumsverkündigung in Rom versteht, zeigen 1,11f und 15,15 (vgl. Bornkamm, Römerbrief
138f A.47; Donfried, Short Note 51f; O'Brien, Introductory Thanksgivings 221;
Wilckens, Abfassungszweck 117; weiter W. Manson, Notes 154; Dahl, Missionary
Theology 75ff; Nababan 132—136; anders v. d. Osten-Sacken, Abfassungsgeschichte 113f, der K. 15 für eine Modifikation der ursprünglichen Absicht hält).
Umgekehrt ist auch Röm 1—11 nicht nur Dialog mit den Juden, sondern spä-
testens ab 11,13ff auch mit den Heidenchristen. Das führt zwingend zur Annahme der Existenz verschiedener Gruppen in der Gemeinde (vgl. Bartsch, Gegner;
Minear, Obedience 79ff; Stuhlmacher, Paulusinterpretation 723; Michel, Röm
zu 11,13; anders Käsemann, Röm z.St.). Zum Grundsatzproblem des „Doppel-
charakters" des Briefes s. v. d. Osten-Sacken, Verständnis 574—576.

fassung hat meist von vorne herein verhindert, unser Problem überhaupt zu sehen. Da Paulus in Röm 1—8 die Rechtfertigungslehre
behandelt, sei gar nicht zu erwarten, daß ekklesiologische Themen
in diesem Abschnitt auftauchten. Denn Rechtfertigung — so sagt man
— hat es nicht mit der Gemeinde, sondern mit dem einzelnen zu tun.
Wo Paulus dann die Bahnen der für ihn charakteristischen Soteriologie verläßt und zur Paränese kommt, nimmt er selbstverständlich die
gemeinchristlichen Gedanken über Gemeinde und das Verhalten in
ihr auf. Eine solche Erklärung gibt freilich die Einheit des Römerbriefes und der Theologie des Apostels auf und vermag die Funktion der
Kapitel 9—11 nur unzureichend erklären. Entweder man sieht darin
einen Einschub, der mit dem übrigen Römerbrief „in keinem sachlich
relevanten Zusammenhang" steht[226]. Oder man entdeckt in diesem
Abschnitt den eigentlichen Hauptstrom der an der Heilsgeschichte
orientierten Theologie des Paulus und bezeichnet die Entfaltung der
Anthropologie in 1—8 als „backwater" apostolischer Apologetik[227].

Beide Varianten dieser Ansicht sind aber offensichtlich unhaltbar.
Denn gerade die neueren Untersuchungen zu Röm 9—11 haben er-
bracht, daß sich die Bedeutung der Rechtfertigungslehre nicht auf
die Anthropologie beschränken läßt[228]. Es ist auch unschwer zu erkennen, daß in Röm 14,1—15,13 die Verbindung von innergemeind-
licher und gesamtkirchlicher Problematik hergestellt und in einer Weise angegangen wird, die der Rechtfertigungslehre analog ist[229].

So ist der Römerbrief letztlich kein Sonderfall im Rahmen unserer
Fragestellung. Er spiegelt nur stärker — und zwar bis in die literarische Gestalt hinein — die Paradoxie wider, die sich in allen Briefen
des Paulus findet: Die Ekklesiologie stellt für Paulus *kein* Thema sui
generis dar, wohl aber ist Leben als Gemeinde für ihn selbstverständliche Wirklichkeit christlicher Existenz. Der Brief legt darüberhinaus

---

[226] Ch. Müller, Gottes Gerechtigkeit 26, über Bultmann; vgl. Dodd, Röm (Einleitung zu 9—11).
[227] Noack 164f; vorsichtiger Stendahl, Jude 45, dem zufolge Paulus dem zentralen Abschnitt 9—11 mit 1—8 „sozusagen ein Vorwort zufügt" (dazu Sanders,
Attitude 179, mit einer Antwort Stendahls [190], weiter Davies, People 14
A.3).
[228] Vgl. außer den A.219 Genannten vor allem Luz, Geschichtsverständnis.
[229] Die innergemeindlichen Probleme werden von Paulus unter dem gleichen
Aspekt gesehen wie die Fragen der weltweiten Mission (vgl. 15,14ff), das hat
bes. Nababan herausgearbeitet (95ff, 109ff; vgl. auch Schrenk, Römerbrief
85). Da Röm 14f reale Gemeindesituation in Rom schildern (Nababan 99ff;
anders Karris), kann 1,16—15,13 nicht als selbständiger Traktat aus dem Schreiben nach Rom herausgelöst werden, wie im Gefolge von T. W. Manson, St.
Paul's Letter, immer wieder vorgeschlagen wird (vgl. Vielhauer, Geschichte 190).

die Vermutung nahe, daß für den Apostel auch die ekklesiologische Dimension christlicher Existenz vom Rechtfertigungsgeschehen geprägt wird, obwohl auf den ersten Blick wenig Verbindungslinien zu bestehen scheinen.

1.4 Inhaltliche Aporien paulinischer Ekklesiologie

Geht man der eben genannten Vermutung nach, dann stößt man allerdings auch auf inhaltliche Spannungen innerhalb der paulinischen Ekklesiologie, die ihre Rätselhaftigkeit eher verstärken als lösen.

1.4.1 Die Scheidung zwischen Gemeinde und Welt

Der Einsatz des Römerbriefes mit der Offenbarung der Gerechtigkeit Gottes als Gotteskraft „für jeden, der glaubt, dem Juden zuerst und auch dem Griechen", gibt der Entfaltung des paulinischen Evangeliums eine außerordentliche Universalität. Dieser Eindruck wird verstärkt durch das Kontrastbild von der Schuldhaftigkeit der gesamten Menschheit (1,18–3,20) und findet seinen Höhepunkt in der Parallelisierung von Adam und Christus in 5,12–21, wo der Sündenverfallenheit aller die Rechtfertigung aller gegenübergestellt wird (5,18f). Jede explizite Ekklesiologie, die nun doch von der Gemeinde als besonderer Gruppe in dieser Welt hätte reden müssen, hätte die Weite dieser Perspektive verengt oder gar verdorben. Solcher an der Rechtfertigungsbotschaft gewonnenen Offenheit entspricht an anderer Stelle der missionarische Kanon des Apostels (1.Kor 9,19–23), die Unbefangenheit gegenüber Heiden und ihren Gebräuchen – solange das eigene Gewissen und das anderer dies erlaubt – (1.Kor 10,23–30; Röm 14,14ff) oder das Wort von der Versöhnung der Welt (2.Kor 5,19; vgl. V. 14).

Wo aber Paulus das Verhältnis von Gemeinde und Welt im Detail beschreibt, entsteht ein völlig anderer Eindruck. Theoretisch sind ja von der Rechtfertigungslehre her zwei Konsequenzen für die Stellung der Gemeinde zur Welt denkbar: 1) Als Gerechtfertigte haben sich die Glieder der Gemeinde von der gottlosen Welt zu trennen. 2) Als gerechtfertigte Gottlose stehen sie in Solidarität zur Welt, der Gottes rechtfertigendes Handeln gilt. Heutigem theologischen Denken liegt der zweite Schluß zweifellos näher. Umso auffälliger ist, wie betont sich Paulus für den ersten einsetzt[230]. Denn Jesus Christus starb, „damit er uns herausreiße aus dem gegenwärtigen bösen Äon" (Gal 1,4). Darum haben die Christen Distanz zu dieser Welt[231], um deren Vergänglichkeit sie wissen (1.Kor 7,31), und dürfen sich nicht mehr dem Wesen dieses Äons anpassen (Röm 12,2). Diese Distanz drückt sich nicht nur in der inneren Einstellung aus, sondern schließt eine klare Scheidung zwischen Christen und Nichtchristen, zwischen Gemeinde und Welt ein. Zwar spricht Paulus in 1.Kor 5,9ff den Grundsatz aus, daß der Verkehr mit den Unzüchtigen dieser Welt nicht zu vermeiden sei, da man sonst aus ihr herausgehen müsse. Und das hält er offenbar weder für möglich noch für wünschenswert. Das hindert ihn aber nicht, von einer eindeutigen Grenze zwischen den Gemeindegliedern (οἱ ἔσω) und denen draußen (οἱ ἔξω) auszugehen[232]. In 1.Kor 6,1ff werden den ἅγιοι die ἄδικοι[233], den ἀδελφοί die ἄπιστοι[234] gegenübergestellt, ja Paulus spricht (V. 4) im Blick auf die Heiden von ἐξουθενημένοι ἐν τῇ ἐκκλησίᾳ[235]. Und in 1.Kor 1, 18.24 stehen den ἀπολλύμενοι aus Juden und Heiden die Christen als σῳζόμενοι und κλητοί gegenüber, eine Unterscheidung, die in ihrer Schärfe gerade am Evangelium als dem Wort vom Kreuz entsteht[236]. Christen aber sollen „fehllose Kinder Gottes inmitten eines verkehrten und verdrehten Geschlechts" sein (Phil 2,15).

Am schroffsten fordert die Trennung 2.Kor 6,14—7,1. Doch ist die paulinische Herkunft dieses Stückes umstritten, insbesondere seit die

---

[230] Käsemann, Apokalyptik 128; Schnackenburg, Kirche 156ff.
[231] Zur Gleichsetzung von αἰών und κόσμος vgl. 1.Kor 1,20f; 2,6.8; 3,18f; sowie Schlier, Gal 33; Schrage, Stellung 126f; Wendland, Kirche 17; Holtz, EWNT I, 109f.
[232] 1.Kor 5,12f; 1.Th 4,12 (Kol 4,5; 1.Tim 3,7). Der Sprachgebrauch erinnert an den der Philosophenschulen (vgl. Radermacher 66; W. Bauer sv ἔξω; doch s. auch Weiß, 1.Kor 144 A.2 mit Belegen aus dem Judentum). Eine Auswertung für das Selbstverständnis des Urchristentums findet sich bei Fridrichsen, Église 347f (vgl. dazu auch Mk 4,11b). Paulus differenziert nie zwischen den zur Gemeinde Gehörigen und den wahren Gläubigen; Christ zu sein und zur sichtbar versammelten Gemeinde zu gehören, sind deckungsgleiche Tatbestände (vgl. Schweizer, Gemeinde 86).
[233] Doch vermeidet Paulus die Bezeichnung δίκαιοι, s.o. A.85.
[234] 1.Kor 6,6; 7,12ff (hier wird jedoch keine Trennung um jeden Preis angestrebt); vgl. zu ἄπιστος weiter: 10,27; 14,22—24 (auch hier ist ἄπιστος kein verwerfendes Urteil; der noch nicht Glaubende ist gemeint!); 2.Kor 4,4; 6,14f (nur hier stehen sich πίστος und ἄπιστος gegenüber); zum Ganzen Schlatter, Glaube 242—244; G. Barth, EWNT I, 294f.
[235] Bachmann z.St. möchte auf Christen beziehen; dagegen Lietzmann — Kümmel und Conzelmann z.St.
[236] Ebenso 2.Kor 2,15 und 4,3 (vgl. 2.Th 2,10).

Verwandtschaft von Terminologie und Inhalt der Stelle mit den Vorstellungen der Qumrantexte beobachtet wurde. Man nimmt seither meist an, daß Paulus selbst ein essenisches Traditionsstück bearbeitet hat[237], oder daß bei der Endredaktion des jetzigen 2.Kor ein solcher Text aufgenommen wurde[238]. Das Rätsel des Abschnitts wird von keiner der Hypothesen ganz gelöst. Denn seine Stellung im Kontext läßt sich weder von der Annahme der Integrität noch von der Vermutung eines redaktionellen Einschubes befriedigend erklären[239]. Umso nachdrücklicher stellt sich das *sachliche* Problem: Wie begründet Paulus die Trennung von der Welt und wie vollzieht sie sich?

Ph. Carrington hat in seiner Studie „The Primitive Christian Catechism" versucht, einen „Christian Holiness Code" nachzuweisen, der auf den levitischen Reinheitsvorschriften des Heiligkeitsgesetzes beruhe und besonders in der Paränese von 1.Th 4,1—12 und 1.Petr 1f aufgegriffen werde[240]. Er zieht daraus den Schluß, „that in the earliest period of mission preaching Christianity was presented to the gentiles as a neo-levitical community"[241]. Daß der 1.Petr diese Vorstellung aufnimmt und ausbaut, ist angesichts von 1,16; 2,5.9 kaum zu bestreiten. Wird sie auch von Paulus geteilt[242]? Anders als der 1.Petr greift er nicht auf die Formel von Lev 19,2 zurück: „Ihr sollt heilig sein, denn ich bin heilig." Die entsprechende Formulierung in 1.Th 4,3 lautet vielmehr: τοῦτο γάρ ἐστιν θέλημα τοῦ θεοῦ, ὁ ἁγιασμὸς ὑμῶν. Ἁγιασμός ist dabei — wie überall bei Paulus — nicht für die Handlung des (Sich-) Heiligens, sondern „für ihr Ergebnis, den Zustand des

---

[237] So K. G. Kuhn, Schriftrollen 74; Klinzing 172—182. Dafür spricht, daß 7,1 den Dualismus von 6,14ff sittlich interpretiert: der Auszug aus der Welt ist Reinigung von der Befleckung des Fleisches. Darauf hat schon Schmitz, Grenze 18 hingewiesen (s. auch Dahl, Volk 221 A.43; Cerfaux, Théologie 129—131). Doch auch 7,1 ist terminologisch unpaulinisch; vgl. Eph 5,7ff und Gnilka, 2.Kor 6, 14—7,1, 96.

[238] So u.a. Fitzmyer, Qumrân, und Gnilka aaO. Die Verwandtschaft mit Eph 5,7ff weist auf eine Entstehung in der „Schule" des Paulus hin. Dagegen halten H. D. Betz, 2 Cor 6 : 14, und Gunther 308—313 das Stück für ein „antipaulinisches Fragment"!

[239] Vgl. einerseits Gärtner 50 A.1, Kümmel, Einleitung 250; andrerseits Gnilka, aaO 98. Dem Problem stellt sich Dahl, Fragment. Neuerdings mehren sich die Stimmen, die für Zugehörigkeit zum 2.Kor eintreten: Klinzing 172—182; Fee; Thrall; Lambrecht, Fragment.

[240] Carrington 16ff weist weiter auf Act 15,20.29; 1.Th 5,4ff; 1.Kor 5,10f; 6,9f; Gal 5,13.20 und Röm 13 hin. Das ganze Material ist nochmals gesammelt und untersucht von Selwyn, 1.Petr 365—466. Zu 1.Th 4 vgl. Laub, Verkündigung 171ff.

[241] Carrington 21.

[242] So Davies, Rabbinic Judaism 130; kritisch Schrage, Einzelgebote 134f.

Geheiligtseins" gebraucht[243]. Die Christen sind ja Geheiligte in Christus Jesus (1.Kor 1,2), sind geheiligt „im Namen des Herrn Jesus Christus und im Geist unseres Gottes" (1.Kor 6,11), sie sind in Christus, der ihnen zur Heiligung wurde (1.Kor 1,30)[244]. Der Ruf Gottes ist der alleinige Grund der Heiligkeit der Christen und der Gemeinde.

Sollen solche Aussagen nicht vieldeutiger Allgemeinplatz bleiben, müssen die Konsequenzen, die Paulus daraus für die kirchliche Praxis zieht, sorgfältig untersucht werden. Geht es doch um die Frage, ob das Geschehen, das Paulus in äußerster Zuspitzung als Rechtfertigung des Gottlosen bezeichnet hat, sich nur auf die Verwandlung des einst Gottlosen in den jetzt Gerechtfertigten und Heiligen bezieht, oder ob es von bleibender Bedeutung für die Existenz des Christen ist.

Luther hat diese bleibende Bedeutung anthropologisch mit der Formel simul iustus — simul peccator festzuhalten versucht, die so bei Paulus nicht zu finden ist[245]. Hat dieser das Problem von der ekklesiologischen Seite angegangen, indem er auch für die kirchliche Praxis festhielt, daß die Heiligkeit der eschatologischen Heilsgemeinde allein „in Christus" besteht[246]? Oder ist sein Ringen um die Rechtfertigungslehre beschränkt auf das Problem der Bedingungen für die Aufnahme in die Heilsgemeinde, während das Leben des Gläubiggewordenen unter anderen Maßstäben steht und vom „Heiligkeitsgesetz" der eschatologischen Gemeinde bestimmt wird[247]?

Für eine Unterscheidung zwischen einer Kirche des Glaubens als eschatologischer Größe und der empirischen Gemeinde, durch die das Problem in der protestantischen Exegese meist gelöst wurde, ergaben die Texte bisher keinen Anhaltspunkt.

---

[243] W. Bauer sv; vgl. 1.Th 4,7; 1.Kor 1,30 und dazu 2.Makk 2,17; 14,36; Test Ben 10,11. Zu εἰς ἁγιασμόν Röm 6,19.22 s. Am 2,11; weiter Asting, Heiligkeit 216–222; Balz, EWNT I, 41f; Schrage, Einzelgebote 188f.

[244] Vgl. o. 22f. Die Spannung, die zwischen dieser Feststellung des Geheiligtseins und der Aufforderung zur Reinigung besteht, wird von Forkman 191f scharf herausgestellt.

[245] Th. Schlatter; Althaus, Paulus; Joest.

[246] So die These Vogels: „Die Heiligkeit der Kirche ist allein und ausschließlich die Heiligkeit des Herrn, der den Gottlosen rechtfertigt" (58). Wichtig scheint in diesem Zusammenhang zu sein, daß Paulus von der Heiligkeit der Kirche immer personal spricht (vgl. 1.Kor 3,17 mit Eph 5,27!).

[247] Vgl. den (allerdings anthropologisch formulierten) ordo salutis bei Donfried, Justification 99–103.

1.4.2 Der ekklesiologische Aspekt des apostolischen Auftrags

Der Römerbrief verweist uns auf einen zweiten, zumindest auf den ersten Blick widersprüchlichen Grundzug der Missions- und Gemeindearbeit des Paulus. Einerseits eilt er durch Kleinasien, Mazedonien und Griechenland, gründet in einigen größeren Städten Gemeinden und richtet seinen Blick auf Rom und den Westen des Reiches, weil — wie er in einer unserm Verständnis von missionarischer Durchdringung fast unbegreiflichen Wendung schreibt — „er von Jerusalem und im Umkreis bis Illyrien das Evangelium Christi erfüllt hat" (Röm 15, 19) [248]. Der Horizont seines Dienstes ist die Welt, weil im Evangelium Gottes Macht nach dieser Welt greift. Andrerseits hält sich Paulus sowohl in Korinth als auch in Ephesus längere Zeit auf [249], läßt es sich nicht nehmen, zur Sicherung der kirchlichen Einheit selber die Kollekte nach Jerusalem zu bringen, und kümmert sich im Leben „seiner" Gemeinden um Einzelheiten bis hin zur Kopfbedeckung der Frauen. „Die Weite seines Missionsplanes und die Fürsorge für seine Gemeinden stehen in einer unverkennbaren Spannung zueinander." [250]

Paulus empfindet die Schwierigkeiten, die ihn aufhalten, als Hindernis für seinen eigentlichen Auftrag (Röm 1,13). Denn als Apostel sieht er seinen Auftrag in der grundlegenden Christusverkündigung. Christus zu predigen, wo sein Name noch nicht genannt ist, das ist sein missionarischer Kanon [251]. Formuliert er die „Zielvorstellungen" dieses Auftrages, spricht er daher meist *nicht* ekklesiologisch. Er ist gesandt den Heiden das Evangelium zu verkündigen (Gal 1,16; 2,7—9; Röm 1,1—5.13f; 11,13f; 15,16); er wird den Juden ein Jude und den Griechen ein Grieche, daß er τοὺς πλείονας rette, und sucht τὸ τῶν πολλῶν, ἵνα σωθῶσιν (1.Kor 9,19—23; 10,33) [252]. Vor Augen des Apostels steht die Menge der heidnischen Menschheit, die es zu retten gilt. Ist

---

[248] Zu dieser Stelle vgl. außer den Kommentaren Eichholz, Horizont; Bornkamm, Paulus 72ff; Schütz, Paul 46f, und (m.E. überinterpretierend) Stuhlmacher, Gegenwart 430, im Anschluß an Dietzfelbinger, Heilsgeschichte 43 A.81.

[249] Nach Conzelmann, Weisheit 179, organisiert Paulus bewußt die Mission von Zentren aus. Er „setzt nicht eine Naherwartung derart in ein Missionsverfahren um, daß er als rasender Reporter des nahen Endes durch die Lande eilt. Er läßt sich Zeit." Die Karikierung der einen Seite beseitigt aber die bestehende Spannung nicht! Zur Frage einer paulinischen „Missionsstrategie" vgl. Haas 82—88; Hahn, Mission 80f; Burchard, Formen 319f.

[250] Bornkamm, Paulus 76; vgl. Grelot, Mission 42ff; Kuß, Paulus 278f; und zum historischen Hintergrund Wiefel, Missionarische Eigenart.

[251] Röm 15,20f; 2.Kor 10,15f.

[252] 1.Kor 9,22 zeigt dabei einen individualistischen Akzent, den man bei Paulus nicht gewohnt ist: ἵνα πάντως τινὰς σώσω (vgl. auch Röm 11,14).

das πλήρωμα der Heiden eingegangen, dann wird auch „ganz Israel" gerettet[253]. Nur dieser universale Horizont wird dem universalen Evangelium von Christus als der Offenbarung der Gerechtigkeit Gottes gerecht[254]. Kehrseite dieser Auffassung seines Auftrages bildet die Negation in 1.Kor 1,17: „Christus hat mich nicht gesandt zu taufen, sondern das Evangelium zu verkündigen"[255].

Dennoch trügt der Eindruck, Paulus habe der gemeinschaftsbildenden Kraft des Evangeliums keine Bedeutung zugemessen. Paulus war kein Wanderprediger, der durch die Welt zog und den Ruf zur Entscheidung ausstieß, ohne sich weiter um die Geretteten zu kümmern. Durch seine Wirksamkeit entstanden Gemeinden, die er für eine gewisse Zeit selbst betreut[256] und über deren Ergehen er sich weiter unterrichten läßt. Darum kann er auch *ekklesiologisch* von seinem Auftrag sprechen: Durch seine Verkündigung wird Gottes Acker gepflanzt und Grundstein zu Gottes Bau, Gottes Tempel gelegt (1.Kor 3,5—17). Wo das Evangelium verkündigt wird und Glauben findet, da werden nicht nur „einige gerettet", da entsteht der eschatologische Tempel Gottes[257]. Weil aber alles darauf ankommt, daß auf dem Fundament, das er gelegt hat, weitergebaut wird, kann Paulus sich der grundsätzlichen Verantwortung für seine Gemeinden nicht entziehen[258]. Wenn er Gal 4,19 schreibt, daß er die Gemeinde wiederum mit Schmerzen gebäre, so kennzeichnet er es zwar fast als widernatürlich, noch einmal die grundsätzliche Evangeliumsverkündigung wiederholen zu müssen, bis „Christus in euch Gestalt gewinnt"[259]. Aber als geistlichem Vater der von ihm für Christus gewonnenen Gemeinden und Einzelpersonen kommt ihm eine unüberholbare Vertrauens- und Rechtsstellung zu[260].

---

[253] D.h. nicht, daß Paulus die Erfüllung dieses Geschehens an seine Person band (vgl. Röm 11,25f mit 11,13f; s.u. 172f).
[254] Hahn, Mission 80—88.
[255] Eichholz, Horizont 91; Paulus will damit nicht die Taufe abwerten, vgl. Lietzmann — Kümmel, 1.Kor 168; Ollrog 89f; Pesce.
[256] In Korinth ca. 1 1/2 Jahre, in Eph 2 1/4 (Act 18,11; 19,8ff; dazu Kümmel, Einleitung 217ff; Suhl, Paulus 111ff).
[257] Nach Hainz, Ekklesia 272, ist die Gründung von Gemeinden die wesentlichste Funktion des Apostolats.
[258] Das scheint dem in 1.Kor 3,5—15 über die Eigenverantwortung der Mitarbeiter Gesagten zu widersprechen. Vielleicht würde Paulus sagen, er prüfe nicht die Art des Weiterbauens anderer, wohl aber den unverrückbaren Ort der Gemeinde. Dem entspricht, daß er bei seinen Anordnungen immer von der grundlegenden Verkündigung ausgeht (v. Campenhausen, Begründung 34).
[259] Vgl. dazu R. Hermann.
[260] 1.Kor 4,15; Phlm 10; dazu Saillard; Gutierrez; Jaubert, Fait communautaire 28ff; Ollrog 178f.

Ihren überraschendsten Ausdruck findet diese Verbundenheit in der Aussage, daß die Gemeinden der Ruhmeskranz des Paulus am Jüngsten Tage sind[261]. Die Furcht, umsonst gearbeitet zu haben, die sich mit diesem Gedanken verbindet, gibt der Sorge um das rechte Verhalten der Gemeinden besonderes Gewicht[262]. Die Spannung zwischen dem universalen Anspruch weltbezogener Evangeliumsverkündigung und ihrer ent-scheidenden Funktion bei der Trennung der Gemeinde von der Welt und ihrer Aussonderung für Gott spiegelt sich auch in der Existenz des Apostels wider.

Man muß noch eine weitere Beobachtung in diesem Zusammenhang nennen. Auch der Eindruck, den man beim Durchlesen der Briefe von der Ausübung der apostolischen Vollmacht gewinnt, ist zwiespältig.

Auf der einen Seite stehen Stellen, in denen die Weisungen des Paulus „durchaus den Charakter *autoritativer apostolischer Anordnung*" tragen[263]. Nach 1.Th 4,3ff repräsentieren die Anweisungen des Apostels den Willen Gottes. Wer sie ablehnt, lehnt nicht einen Menschen ab, sondern Gott (4,8). 1.Kor 4,21 droht er mit dem Stock, 5,3f hat er schon beschlossen, was die Gemeinde zu tun hat, 1.Kor 14,37 bezeichnet er seine Anordnung als κυρίου ἐντολή[264] und unterstreicht ihre Gültigkeit durch einen Satz heiligen Rechts (V. 38)[265]. Seine Vollmacht dient zum Aufbau, nicht zum Niederreißen (2.Kor 10,8; 13,10); dennoch wird er alles zerstören, was sich gegen Gottes Erkenntnis erhebt, und die Ungehorsamen strafen (10,4; vgl. 13,2). Er trifft in Einzelfragen Anordnungen und legt Wert darauf, daß sie in allen Gemeinden gleichermaßen befolgt werden (1.Kor 4,17; 7.17; 11,34 [vgl. 16]; 16,1)[266]. Die Verkündiger eines falschen Evangeliums stellt er unter das Anathema (Gal 1,8f).

---

[261] 1.Th 2,19; Phil 2,16 (vgl. 2.Kor 11,2); 2.Kor 1,14; vgl. Saß 31f; Schütz, Paul 233f.
[262] 1.Th 3,5; Phil 2,16 (vgl. Gal 2,2); und dazu Bjerkelund.
[263] Schmitz, ThWNT V, 762,4; zum Folgenden vgl. Schnackenburg, Kirche 27f; v. Campenhausen, Amt 49f; Brosch 169f; Saß 58ff; Schrage, Einzelgebote 103–109; Holmberg 76–95. Ganz einseitig hebt Mundle, Kirchenbewußtsein 35ff, diese Linie hervor: Wir müssen sagen, „daß Paulus recht eigentlich der Schöpfer des katholischen Kirchengedankens ist" (39); ähnlich Stanley, Reflections 395.
[264] Die Stelle ist textkritisch umstritten, vgl. Weiß, Lietzmann, 1.Kor; B. M. Metzger, Commentary z.St.; weiter Dautzenberg, Prophetie 292, der 14,37f für Interpolation hält (297f).
[265] Zu dieser Gattung vgl. Käsemann, Sätze; gegen seine Analyse Berger, NTS 17, 1970, ThZ 28, 1972; Käsemann folgen Roetzel 149ff; Synofzik 36ff; differenzierend U. B. Müller, Prophetie 178ff, 198 (s.u. 3.3.2).
[266] Zu 1.Kor 4,17 vgl. Schütz, Paul 208f, und Dombois, RdG 153: „Rechtlich

Daneben stehen andere Äußerungen[267]: 1.Kor 7,10.12.25.40 unterscheidet Paulus sehr sorgfältig zwischen dem Befehl des Herrn und
seiner eigenen Meinung, die er allerdings abgibt als einer, dem vom
Herrn die Barmherzigkeit widerfahren ist, ein „Beauftragter" zu sein
(V. 25)[268], und der dafür hält, auch den Geist zu haben (V. 40)[269].
In 2.Kor 1,24 versichert er gerade im Zusammenhang der Frage nach
Bestrafung oder Schonung der Korinther: „Nicht daß wir Herren eu-
res Glaubens wären, sondern Mithelfer an eurer Freude sind wir" (vgl.
4,5b). Dem Bemühen, dies zu zeigen und zu begründen, daß er das
Beste für die Gemeinde will und „ihr keine Schlinge überwerfen" (1.
Kor 7,35), verdanken wir die paulinischen Briefe in ihrer für antike
Verhältnisse so außergewöhnlichen Länge.

Paulus hat Vollmacht zu gebieten, aber um der Liebe willen bittet
er lieber (Phlm 8f); er könnte gewichtig auftreten als Apostel Christi,
aber er zieht es vor, mild und sanft zu sein (1.Th 2,7)[270]. Er hat wie
die andern Apostel die Freiheit und Vollmacht, sich von seinen Gemeinden versorgen zu lassen (1.Kor 9,1ff) und verzichtet darauf, um
dem Evangelium keinerlei Anstoß zu bereiten (9,12)[271]. Paulus kennt
also die herkömmlichen Rechte eines Apostels auf Leitung der von
ihm gegründeten Gemeinde und Versorgung durch sie und stellt sie
grundsätzlich nicht in Frage[272]. Aber er ist bestrebt, auf diese Rechte
möglichst zu verzichten. Wo es zur Auseinandersetzung kommt, stellt
er neben die sachliche Argumentation die persönlichen Beziehungen
zur Gemeinde (1.Kor 4,14ff; Gal 4,12ff)[273] und nur im Hintergrund
— gewissermaßen als Ausrufezeichen — steht die amtliche Autorität.
Dieser Betonung des persönlichen Elements entspricht, daß Paulus

---

stellen sich die Entscheidungen des Apostels als jurisdictionelle Entscheidungen
auf der Grundlage des Missionsrechts dar, welches dem Missionar eine fortdau-
ernde Autorität über die gegründeten Gemeinden gewährt"; vgl. weiter Holmberg 76ff.
[267] Darauf verweist bes. v. Campenhausen, Amt 50f, Recht 14f.
[268] Lietzmann, 1.Kor z.St.
[269] Mit leichter Ironie gegen die Korinther? Dagegen Conzelmann z.St.
[270] Vgl. Dibelius u. Marxsen, 1.Th z.St.; zur Diskussion des textkritischen Problems (Nestle — Aland[26] liest mit den frühen Handschriften νήπιοι) s. B. M.
Metzger, Text 235—237, Commentary z.St.; Best, 1.Th z.St.).
[271] Zu 1.Kor 9,13—18 vgl. Käsemann, Variation; Ch. Maurer; Dautzenberg,
Verzicht; sowie Theißen, Legitimation 225, u. Pratscher, die den soziologischen
Hintergrund untersuchen (s.u. Kap 3, A.276).
[272] Vgl. v. Campenhausen, Apostelbegriff 254f.
[273] Das sind keine Sentimentalitäten, sondern darin spiegelt sich das einzigartige Verhältnis von Missionar und Gemeinde wider (vgl. v. Campenhausen, Amt
48f).

zwar vorhandene Autorität in der Gemeinde unterstützt, aber nicht daran denkt, eine Organisation aufzubauen, die das Verhältnis Apostel — Gemeinde innerhalb der Gemeinde repräsentiert.

Ist diese Dialektik einfach persönlicher Stil, Taktik oder Nachlässigkeit angesichts der nahen Parusie?[274] Verrät sie den Widerstreit zwischen Rollenerwartung, Sachzwang und persönlicher Neigung? Oder steckt in ihr eine grundsätzliche theologische Aussage? Doch fassen wir zunächst einmal unsere bisherigen Beobachtungen zusammen.

1.4.3 Drei Antinomien paulinischer Ekklesiologie

Bei einer ersten Durchsicht des Quellenmaterials haben sich drei Antinomien der paulinischen Ekklesiologie herausgeschält. Durch sie wird auch die Eigenart dieser Ekklesiologie innerhalb neutestamentlicher Theologie und frühchristlicher Praxis deutlich markiert.

1. Der Gemeinde kommt keine soteriologische Mittlerfunktion zu und doch ist sie als Wirklichkeit dem einzelnen Gläubigen immer schon vorgegeben.

2. Die durch das Stichwort ‚Rechtfertigung des Gottlosen‘ anvisierte Weite und Offenheit christlicher Existenz und Verkündigung steht in Spannung zu der scharfen Trennung zwischen Gemeinde und Welt, die durch das Evangelium verursacht wird.

3. Das Verhältnis von Apostel und Gemeinde ist durch einen zweifachen Widerspruch gekennzeichnet: Das Weiterdrängen des Missionars steht im Gegensatz zur bleibenden Fürsorge für die Gemeinde, sein autoritativer Anspruch auf Gehorsam im Gegensatz zum Verweis auf Freiheit und Eigenverantwortung der Gemeinde.

Wer dem Rätsel der paulinischen Ekklesiologie näher kommen will, wird versuchen müssen, diese Antinomien aus dem Ganzen seiner Theologie zu verstehen und zu erklären. Zwar sollte man auch bei einem Apostel die Möglichkeit von Inkonsequenzen nicht von vorneherein ausschließen. Aber es handelt sich dabei ja nicht um gelegent-

---

[274] Vgl. Schnackenburg, Kirche 27 („unter pastoralen Gesichtspunkten" geschrieben), oder Kuß, Jesus 50f. Hainz, Ekklesia 294, sieht hier „die Notwendigkeit für den Apostel, seine Entscheidungen werbend in der Gemeinde durchzusetzen". Aber auch die Verteilung von Gehorsamsanspruch und Dienst auf Paulus qua Apostel und qua Christ (Bultmann, Theologie 308) befriedigt nicht. Diese Beobachtungen mahnen jedenfalls zur Vorsicht gegenüber dem Vorschlag, die Gemeindetheologie des Paulus primär als „Komponente seines Apostolatsverständnisses" zu sehen (Hainz, Ekklesia 359).

liche Widersprüchlichkeiten, die Paulus unterlaufen, sondern um durchgehende Charakterzüge seiner Ekklesiologie. Möglicherweise hat unser Überblick in der Verbindung zur Christologie schon die übergreifende Größe aufgezeigt, in der die Antinomien aufgehoben sind.

1.5 Methodische Überlegungen

Man kann das in dieser Arbeit anvisierte „Rätsel der paulinischen Ekklesiologie" mit einem Zitat von E. Käsemann knapp umreißen: „Natürlich setzt Paulus überall Gemeinden voraus, wie er sie unablässig gründet und in seinen Briefen anredet. Eine Theologie der Kirche zu schreiben, hat er jedoch seinen Nachfolgern und heutigen Interpreten überlassen"[275]. Unser erster Überblick verstärkt die Vermutung, daß dies kein Zufall ist und auch nicht aus Mangel an Gelegenheit oder dem Fehlen eines aktuellen Anlasses erklärt werden kann. Im Gegenteil, die Abstinenz des Apostels angesichts einer Fülle von Anlässen stützt die Behauptung Käsemanns, „daß die thematische Behandlung des Kirchenbegriffs nicht paulinisch genannt werden darf"[276].

Damit steht uns aber auch das Dilemma des heutigen Interpreten vor Augen. Auch wer keine „Theologie der Kirche" schreiben, sondern nur eine kleine Schneise durch den Wald der Fragen paulinischer Ekklesiologie schlagen will, muß thematisieren und systematisieren. Erste methodische Forderung wird also sein, sich dabei im Bewußtsein zu halten, daß Paulus dies vermieden hat. Wie bewußt das geschah, läßt sich freilich aus einem bloßen argumentum ex silentio nicht ermitteln. Daneben tritt als zweite methodische Forderung, die sich aus Begriffs- und Formanalyse ergab, daß der funktionale Charakter der ekklesiologischen Motive beachtet werden muß. Die Reflexion über die Gemeinde vollzieht sich implizit in der Anrede der Gemeinde, in Zuspruch, Widerspruch und Ermahnung. Eine rein deskriptive (oder gar additive) Darstellung traditionsgeschichtlicher Befunde erfaßt ihr eigentliches Wesen nicht[277].

Unter diesen Umständen scheint eine entsprechende Analyse aller relevanten Texte in historischer Reihenfolge die beste und sicherste Methode für eine Untersuchung zu sein, die dem Rätsel der paulini-

---

[275] Theol. Problem 205.
[276] AaO 209.
[277] Vgl. Thyen, Problematik 106: notwendig ist die Erhellung der in *allen* Sätzen „implizierten Ekklesiologie".

schen Ekklesiologie weiter nachgehen will. Eine solche Darstellung steht aber in der Gefahr, unübersichtlich zu werden. Die notwendige Vorarbeit, die eine derartige Analyse zweifellos darstellt, und die eigentliche Aufgabe, den paulinischen Gedanken selbständig nachzudenken, sollten nicht zum Nachteil des Lesers verwechselt werden[278].

Wir setzen im folgenden jeweils bei den konkreten Aussagen des Paulus über Entstehung, Bestand oder Leben der Gemeinden ein und gehen von diesem Ausgangspunkt den Linien nach, die auf grundsätzliche Feststellungen und den Zusammenhang mit anderen theologischen Motiven hinweisen. Wir hoffen, auf diese Weise etwas von der verborgenen Systematik paulinischer Ekklesiologie aufzuspüren, die deren Eigenart, im strengen Sinne gar keine Ekklesiologie zu sein, nicht überspielt, sondern erklärt.

---

[278] Das ist das Problem bei Hainz, Ekklesia; vgl. Rez. N. Walter, ThLZ 99, 1974, 761–765.

2. DER GRUNDANSATZ PAULINISCHER EKKLESIOLOGIE

2.1 Gemeinde aus dem Evangelium

Wir beginnen diesen Teil der Untersuchung bei Aussagen des Apostels über die Entstehung seiner Gemeinden. Zwar ist nach dem bisher erhobenen Befund nicht zu erwarten, daß wir grundsätzliche Bemerkungen über den Ursprung der Gemeinde als heilsgeschichtlicher oder soteriologischer Größe finden. Doch blickt Paulus in seinen Briefen gerne auf die Zeit des Anfangs zurück. Welche Hinweise auf den Ursprung konkreter Gemeinden lassen sich in diesem Zusammenhang finden und welche theologischen Motive sind damit verbunden?

2.1.1 Die Erinnerung an den Ursprung der Gemeinde

Der *1. Thessalonicherbrief* ist nicht nur der früheste Brief, der uns in der paulinischen Korrespondenz erhalten ist, sondern wohl auch derjenige, der der Gründung der angeschriebenen Gemeinde zeitlich am nächsten liegt[1]. Die Hinweise auf die Zeit des Anfangs häufen sich dementsprechend. Die Erinnerung an die Vollmacht der apostolischen Verkündigung, an ihre Aufnahme durch die Thessalonicher trotz Bedrängnis und Verfolgung und an die klare Hinkehr zum lebendigen und wahren Gott bestimmen den ganzen ersten Teil des Briefes (vgl. 1,5–10; 2,1–9.13). Grundthema ist der Dank dafür, daß die Verkündigung der Apostel nicht als Menschenwort abgetan, sondern als das aufgenommen wurde, was sie in Wahrheit ist: als Gottes Wort (2,13; vgl. 1,5)[2]. Die Betonung dieses Themas hängt mit der Situation des Briefes zusammen, der Angriffe gegen die Lauterkeit des Apostels und seiner Verkündigung abwehren soll (vgl. 2,3ff)[3]. Ob aber die Situation

---

[1] Vgl. Kümmel, Einleitung 221ff; Suhl, Paulus 96ff; beide setzen sich mit der Spätdatierung durch Schmithals, Situation, auseinander.

[2] O'Brien, Gospel, stellt das Material dar, formalisiert es aber zu sehr.

[3] Vgl. Kümmel, Einleitung 222ff; dagegen möchte Masson, 1.Th 32, hier nicht aktuelle Verteidigung, sondern grundsätzliche Abgrenzung sehen (vgl. auch Kuß, Paulus 88 A.5).

der einzige Grund für diese Art der Rückerinnerung ist, muß der Vergleich mit anderen Briefen lehren.

Der *Philipperbrief* entstammt einer späteren Zeit des Wirkens des Apostels; nimmt man eine ephesinische Gefangenschaft als Entstehungsort an, könnte er der zeitlich dem 1.Thess am nächsten stehende Paulusbrief sein, den wir besitzen[4]. Jedenfalls ergibt sich ein Abstand von mindestens 5 Jahren zur Gründung der Gemeinde, die etwas früher als die in Thessalonich entstand (1.Thess 2,2; Act 16,11ff). Dennoch bildet auch hier die Erinnerung an den Anfang der Gemeinde den Ausgangspunkt des Dankes (1,5.6). Es ist zwar umstritten, ob die κοινωνία εἰς τὸ εὐαγγέλιον, die die Christen in Philippi vom ersten Tage an hatten, die (passive) Teilhabe an der Heilsbotschaft und damit auch am Heil in Christus oder die (aktive) Teilnahme an ihr durch „Mitwirken an der Evangeliumsverkündigung" und durch finanzielle Unterstützung der Missionare meint[5]. Aber der Philipperbrief erweist diese Alternative als unzureichend. Denn gerade in ihm wird das Evangelium nicht nur als Quelle und Grund des Heils, sondern auch als Maßstab und beherrschende Aufgabe für das Leben der Gemeinde und des Christen dargestellt (1,27; 2,22; 4,3). Das Evangelium erscheint als eigentümliche Größe sui generis, als begriffliche Verdichtung der missionarischen Verkündigung nach Inhalt und Vollzug (vgl. bes. 4,15: ἀρχὴ τοῦ εὐαγγελίου), der die Gemeinde ihren Ursprung verdankt und an deren Lauf sie teilhat. Alle konkreten Aussagen über Anfang und Existenz der Gemeinde sind auf diese Größe bezogen[6].

Der *Galaterbrief* bietet das gleiche Bild, nur mit negativen Vorzeichen. An die Stelle der Danksagung tritt der unvermittelte und heftige Ausdruck der Verwunderung über die Tatsache, daß sich die Galater so schnell einem anderen Evangelium zugewandt haben, das doch kein anderes sein kann, sondern nur eine Verfälschung des Evangeliums Christi, wie es Paulus verkündigt hat (1,6ff)[7]. Dem Erweis der göttlichen Autorisierung zur Verkündigung des Evangeliums gilt der folgen-

---

[4] Vgl. Suhl, Paulus 338ff; Kümmel, aaO 284–291.
[5] *Aktiv* als Teilnahme an der Verkündigung fassen die Stelle auf Campbell, KOINΩNIA 19; Gnilka und Ernst, Phil z.St.; umfassender O'Brien, Introductory Thanksgivings 23ff (Unterstützung, Verkündigung, Mitarbeit, Fürbitte etc.); *passiv* Seesemann 74f („enge Beziehung" zum Evangelium); G. Barth, Phil z.St.; *beides* sehen angedeutet McDermott 226f (Teilhabe am Evangelium und Beitrag zu seiner Verkündigung) und wohl auch Eichholz, Bewahren 141f, 157 (mit Hinweis auf 1.Kor 9,23).
[6] Stuhlmacher, Evangelium 59; Schütz, Paul 48f.
[7] Vgl. Oepke u. Mußner, Gal z.St.; Gräßer 93; Kahl 12f.

de Beweisgang. An zwei Stellen wird aber auch in diesem Brief die Erinnerung an den Anfang der Gemeinde wachgerufen. In 3,1ff kennzeichnet Paulus die missionarische Predigt, der die Galater ihr Christsein verdanken. Er hat ihnen Jesus Christus als Gekreuzigten vor Augen gezeichnet, und indem sie dieser Botschaft Glauben schenkten, haben sie den Geist empfangen. Paulus kann hier offensichtlich auf Erfahrungen anspielen, die für die galatischen Gemeinden Beginn und Wirklichkeit einer neuen Gemeinschaft mit Gott markierten[8].

Viel konkreter und emotional geladener sind die Erinnerungen, die in 4,13ff aufgegriffen werden. Paulus war in der Zeit seiner ersten missionarischen Wirksamkeit in Galatien durch eine Krankheit gezeichnet. Möglicherweise war sie der Grund, daß er sich in dieser Gegend aufhielt[9]. Dennoch haben die Galater nicht verächtlich vor ihm ausgespuckt, sondern ihn wie einen Engel Gottes, ja wie Christus Jesus selbst aufgenommen. Die Parallele zu den Aussagen im 1.Thess ist deutlich: Gemeinde entsteht dort, wo sich das Evangelium in der Verkündigung eines Menschen — und sei er auch verfolgt oder krank — als Wort Gottes erweist.

Welchen Befund bietet der *1. Korintherbrief*? Nach der Danksagung, die keine konkrete Anspielung auf die Entstehung der Gemeinde enthält, greift Paulus in 1,10ff sofort ein ekklesiologisches Thema auf: die Cliquenbildung in der Gemeinde von Korinth. Nachdem in V. 12 die Schlagworte der Korinther genannt sind, weisen die Fragen in V. 13 auf die Absurdität solcher Spaltungen hin und deuten gleichzeitig an, daß bei der Bildung der Gruppen die Tatsache der Taufe durch eine der führenden Persönlichkeiten eine wichtige Rolle gespielt hat[10]. Die Aufzählung der Personen, die Paulus getauft hat (V. 14—16), führt offensichtlich in die ersten Anfänge der Gemeinde in Korinth, denn die Genannten gehören zum Kreis der Erstbekehrten, die beim Aufbau der Gemeinde eine wichtige Rolle gespielt haben (vgl. 1.Kor 16,15; Act 18,8; Röm 16,23)[11].

Aber diese für unsere Fragestellung so aufschlußreiche Argumentation verläßt Paulus und wendet sich mit der knappen Bemerkung, Christus habe ihn nicht gesandt zu taufen, sondern das Evangelium zu

---

[8] Oepke u. Schlier z.St.; Jervell, Volk 88.
[9] Vgl. Mußner, Gal 4 (zu Act 16,6), 307.
[10] Weiß, Lietzmann, Héring, 1.Kor z.St.; anders Bachmann und Conzelmann z.St. Neben einer „mysterienhaften Beziehung" zwischen Täufer und Getauftem vermutet Theißen, auch eine „materielle Basis" der Gruppenbildung (Legitimation 227ff).
[11] A. Schreiber 33ff.

verkündigen, seinem ersten thematischen Hauptpunkt, dem „Wort vom Kreuz" zu. Von diesen grundsätzlichen Erwägungen aus, die er in den Versen 26ff an der konkreten Gestalt der korinthischen Gemeinde exemplifiziert, kommt er in 2,1—5 auch auf die Anfänge der Gemeinde in Korinth zu sprechen. Wieder bestimmt der Hinweis auf die Verkündigung, der die Gemeinde die Entstehung verdankt, die Erinnerung: Ihr einziger Inhalt war Jesus Christus, und zwar als der Gekreuzigte; und sie geschah in Schwachheit und unter Furcht und Zittern[12]. Genau darin aber vollzog sich der Erweis des Geistes und der Kraft, so daß die Korinther gewiß sein können, daß ihr Glaube nicht durch Überredung menschlicher Weisheit, sondern durch das Wirken von Gottes Kraft zustande kam und darauf gründet. Kein anderes Bild gibt 3,5ff, wo Paulus noch einmal auf den Beginn und die Fortführung der Arbeit in Korinth zu sprechen kommt. Er hat gepflanzt, Apollos hat begossen, er hat den Grund gelegt, andere haben weitergebaut. Kirchen-gründend aber kann nichts anderes sein als die Verkündigung Jesu Christi (vgl. Röm 15,20)[13].

Der Befund ist eindeutig und in seiner Monotonie eindrucksvoll: Wo Paulus vom Anfang und daher vom Ursprung der Gemeinde spricht, redet er von der Verkündigung des Evangeliums, von der Botschaft des Gekreuzigten und von der Aufnahme dieser Verkündigung trotz schwacher menschlicher Boten. Wie sich dabei eine Gruppe von Menschen zusammenschließt und zur Gemeinde wird, darüber erfahren wir so gut wie nichts. Wir müssen den Vorgang aus peripheren Angaben notdürftig rekonstruieren, wie etwa der Funktion der Erstbekehrten und ihrer Häuser (1.Kor 16,15ff)[14].

Nochmals stehen wir vor der Grundantinomie im Wirken des Apostels: Wir sehen den Verkündiger des Evangeliums, der sich um nichts anderes zu kümmern scheint, als daß das Wort durch die Welt läuft. Und wir sehen den Seelsorger von Gemeinden, der Briefe schreibt, die solche Gemeinden als feste, soziale Gruppen voraussetzen, der al-

---

[12] Auch wenn hier auf äußere Umstände des Auftretens des Paulus angespielt wird (Krankheit?), so ist doch gleichzeitig eine theologische Begründung anvisiert: es entspricht seiner Botschaft (vgl. Conzelmann z.St.; Balz, ThWNT IX, 210; Wilckens, 1.Kor 2,1—16, 505).
[13] S. auch 4,15. Hainz, Ekklesia 267ff, ordnet die grundlegende Bedeutung der Verkündigung ganz der des Apostolats unter und kommt so de facto zum Ergebnis, niemand anderes als ein Apostel könne den Grund legen.
[14] Zu Paulus als Gemeindegründer vgl. Holmberg 72—76; den Versuch einer Rekonstruktion der Gemeinschaftsbildung in Korinth unternimmt A. Schreiber 33ff.

so keineswegs einem individualistischen Bild des Christseins verhaftet ist und für den es Christsein ohne Gemeinde nicht gibt[15].

Man kann dieses Phänomen verschieden erklären:

a) Aus der Diskussionslage der Briefe: Es geht um die angefochtene Verkündigung des Apostels. Alle anderen Aspekte der Gemeindegründung können abgeblendet werden. Das trifft wohl für 1.Thess, nicht aber für 1.Kor und Phil zu.

b) Aus einer theologischen Unterscheidung zwischen grundlegender Evangeliumsverkündigung, die den einzelnen trifft, und dem späteren Zusammenschluß zur Gemeinde, einem notwendigen, für Paulus aber sekundären Vorgang. Zur Begründung könnte man darauf verweisen, daß Paulus den für die Bildung der Gemeinde so wichtigen Akt des Taufens sehr bald anderen überläßt (1.Kor 1,14—17), und dies mit der Aufbauarbeit seiner Nachfolger (3,6ff) in Verbindung bringen. Doch diese Auffassung ist nicht haltbar. Es gibt keinen Text, in dem auf solch einen zweiten Schritt der Entstehung einer Gemeinde hingewiesen wird. Das wäre aber zu erwarten, wenn Paulus diese Unterscheidung kennen würde. Er überläßt auch nicht dem Apollos oder anderen Mitarbeitern die Regelung der Angelegenheiten in Korinth, obwohl es sich anscheinend „nur" um Probleme des Zusammenlebens in der Gemeinde handelt. Die Gefährdung der Gemeinschaft und die Gefährdung des Evangeliums hängen für seinen Blick zusammen.

c) Damit bleibt nur die Erklärung, daß für Paulus die Annahme des Evangeliums die Entstehung der Gemeinde als Gemeinschaft impliziert. Wo er von der einen Seite dieses Vorgangs spricht, ist die andere selbstverständlich mitgedacht. Diese Feststellung — gewonnen an Texten, die von der Entstehung bestimmter Gemeinden durch die Verkündigung handeln, — gibt uns Anlaß, auch die grundsätzlichen Äußerungen des Apostels zur Evangeliumsverkündigung und ihrer Wirkung auf implizite ekklesiologische Aussagen zu befragen.

2.1.2 Die scheidende Kraft des Evangeliums

Blicken wir uns nach Vergleichstexten um, die von der missionarischen Verkündigung des Evangeliums und ihrer Wirkung handeln, so stoßen wir auf Texte wie 1.Kor 1,18ff; 2.Kor 2,14f; 4,1—6 und Röm 1,14—17. Insbesondere bei den ersten drei Texten fällt die scharfe Un-

---

[15] Jaubert, Fait communautaire 18ff. Zu dem hier und im folgenden anvisierten Problem auch Barrett, Conversion 368—373.

terscheidung zwischen Geretteten und Verlorenen auf. Zwar zeichnen die präsentischen Partizipien ἀπολλύμενοι und σῳζόμενοι nicht ein endgültiges Urteil, sondern den Vollzug des Geschehens[16]. Das ändert aber grundsätzlich nichts daran, daß Paulus die Wirkung seiner Botschaft in Kategorien des Endgerichts beschreibt[17]. Mit diesem Vorgang fällt die Entstehung der Gemeinde in eins. Was bedeutet das für sie?

1.Kor 1,18—25 ist ein außerordentlich sorgfältig strukturierter Text. Seine Vielschichtigkeit erschließt sich am besten in einer schematischen Aufgliederung[18]:

```
18   Ὁ λόγος γὰρ ὁ τοῦ σταυροῦ
           τοῖς μὲν ἀπολλυμένοις        μωρία           ἐστίν,
           τοῖς δὲ σῳζομένοις     ἡμῖν  δύναμις θεοῦ    ἐστίν.
19   ....
20   ....
           οὐχὶ ἐμώρανεν ὁ θεὸς              τὴν σοφίαν  τοῦ κόσμου;
21   ἐπειδὴ γὰρ                             ἐν τῇ σοφίᾳ  τοῦ θεοῦ
           οὐκ ἔγνω    ὁ κόσμος            διὰ τῆς σοφίας  τὸν θεόν,
           εὐδόκησεν ὁ θεός               διὰ τῆς μωρίας  τοῦ κηρύγματος
                     σῶσαι                               τοὺς πιστεύοντας.
22   ἐπειδὴ καὶ      Ἰουδαῖοι              σημεῖα  αἰτοῦσιν
           καὶ       Ἕλληνες              σοφίαν  ζητοῦσιν,
23                   ἡμεῖς δὲ  κηρύσσομεν  Χριστὸν ἐσταυρωμένον,
                     Ἰουδαίοις μὲν         σκάνδαλον
                     ἔθνεσιν   δὲ          μωρίαν,
24   αὐτοῖς δὲ τοῖς κλητοῖς,
           Ἰουδαίοις τε καὶ
           Ἕλλησιν                        Χριστὸν
                             θεοῦ δύναμιν
                           καὶ θεοῦ σοφίαν.
```

Die grundlegende Antithese in diesem Geflecht synonymer und antithetischer Parallelismen bildet — wie H. R. Weber gezeigt hat — „diejenige zwischen Gott und den Menschen, zwischen dem erstaunlichen Handeln Gottes ... und dem Trachten dieser Welt ..."[19]. Die Differenzierung in Juden und Griechen unterstreicht die Universalität dieser Gegenüberstellung. Im Schnittpunkt der Antithese steht das „Wort

---

[16] Vgl. Förster, ThWNT VII, 993,8f; gegen eine Überbetonung des Präsens Conzelmann, 1.Kor 55 A.11.

[17] Vgl. (Lietzmann) — Kümmel, 1.Kor 168; Bultmann, Theologie 307f; Stuhlmacher, Evangelium 92 A.2; K. Müller 247f; Wendland, 1.Kor 17; Wilckens, Weisheit 22f.

[18] Vgl. H. R. Weber, Kreuz 117f; Eichholz, Theologie 56f; Ch. D. Müller, Erfahrung 133ff.

[19] Weber 120.

vom Kreuz". Das Gericht über das Streben nach eigener Weisheit und Macht, das die Menschen blind für Gott macht, vollzieht sich in der Verkündigung des gekreuzigten Christus[20]. Der Chiasmus in V. 21 markiert das Zentrum des Gedankenganges[21]. Nach Gottes souveränem Ratschluß treten die Glaubenden als sein Gegenüber an die Stelle der Welt[22]. Das ist nicht als quantitative Einschränkung gedacht. Auch die Schar der Geretteten umfaßt Juden und Heiden; der Universalität des Gerichts entspricht die Universalität der Gnade.

Worauf zielt die Hervorhebung der scheidenden Kraft des Evangeliums im 1.Kor? Wie die Wirkungsgeschichte zeigt, wird die Funktion einer solchen Antithese gerne darauf beschränkt, sich durch die Identifizierung mit den Geretteten als Kirche selbst zu bestätigen. Daß Paulus gerade daran nicht denkt, zeigt schon die grammatikalische Struktur von 18b: nicht σωζομένοις ist Apposition, sondern ἡμῖν[23]. Die deutsche Übersetzung „uns aber, die wir gerettet werden …" mit ihrem leicht triumphalistischen Unterton gibt den Sinn des Textes ungenau wieder. Die nachklappende Einfügung des ἡμῖν in den Parallelismus des Satzes trägt zwei Akzente. Paulus personalisiert dadurch einen soteriologischen Lehrsatz, wie er es häufig tut[24]. Aber indem er das „Wir" appositionell nachstellt, gewinnt die Identifikation einen fragenden Ton: „aber für die, die gerettet werden, (und das sind doch wir!) …". In der Affirmation liegt die kritische Anfrage: Sind wir es wirklich? Das göttliche Gericht aller menschlichen Weisheit muß auch die Korinther treffen, wenn sie sich als Christen neu auf Weisheitsstreben einlassen[25]. Paulus wählt im folgenden sehr sorgfältig die ekklesiologischen Termini, mit denen er das Stichwort der σωζόμενοι wieder aufnimmt. Gott beschloß, die *Glaubenden* durch die Torheit des Kerygmas zu retten. Glauben heißt dabei nichts anderes, als die Botschaft des Evangeliums als rettende Kunde anzunehmen[26]. Das schließt ein, daß sie das Urteil über die eigene Weis-

---

[20] Eichholz, Theologie 58f. Christusgeschehen und Verkündigung sind an dieser Stelle fast völlig identifiziert; vgl. Bultmann, Theologie 303.
[21] V. 21 spricht mit Gottes rettendem Ratschluß auch sein Urteil über die menschliche Schuld aus; Schlatter, Paulus 89; Conzelmann, 1.Kor 58. Zum ganzen Abschnitt vgl. Baumann 80ff; Ortkemper 43ff.
[22] Vgl. die formale Opposition von κόσμος und πιστεύοντες. Diesen Vers klammert Ch. D. Müller aus seiner Strukturanalyse aus!
[23] Vgl. die Stellung von μεν – δε. Die Varianten der Handschriften verweisen auf das Ungewöhnliche der Konstruktion.
[24] Vgl. Gal 2,16; 3,23ff; Röm 5,1ff; 6,1ff; Baumgarten, Apokalyptik 243.
[25] Vgl. Ch. D. Müller, Erfahrung 138.
[26] Zum urchristlichen Sprachgebrauch s.u. 2.5.1.

heit und Kraft akzeptieren[27]. So wird ihnen das törichte und schwache Wort vom Kreuz zur Weisheit und Kraft Gottes. Doch stellt der Hinweis auf den Glauben die Rettung nicht einfach in die freie Entscheidung des einzelnen. Die Glaubenden sind *die Berufenen*, die Gott aus den Verachteten und Schwachen dieser Welt erwählt hat (V. 24. 27ff)[28], nicht um ihrer Vorzüge willen, sondern um dadurch die vermeintlichen Werte dieser Welt zu verurteilen. Die Gemeinde selbst in ihrer unansehnlichen Gestalt ist nach 1,26ff Dokument für das richtende und rettende Handeln Gottes.

Die Korinther waren von der Frage nach tieferer Erkenntnis Gottes bewegt (vgl. besonders 2,6ff). Das spaltet sie in rivalisierende Zirkel auf[29]. Indem Paulus in aller Schärfe das Evangelium als Wort vom Kreuz definiert, gibt er als Antwort: Gott wird nur am Kreuz erkannt[30]. Das behaftet die Christen bei der Knechtsgestalt der Verkündigung (2,1—5) und bei der Knechtsgestalt der Gemeinde (1,26—31). Der Stand des Glaubens und der Berufung ist unüberholbar.

In *Röm 1,14—17* greift Paulus in ganz anderer Situation das gleiche Grundmotiv auf: das Evangelium ist Kraft Gottes zur Rettung der Glaubenden aus Juden und Heiden[31]. Der Apostel kann den Römern gegenüber nicht auf seine frühere Verkündigung verweisen. Aber nach den reichlich gewundenen Eingangssätzen steuert er zielstrebig auf die Darlegung des Evangeliums zu, das Grundlage seines missionarischen Wirkens ist, wie überall so auch in Rom[32]. Dies Evangelium, das er Griechen wie Barbaren, Gebildeten und Ungebildeten schuldet, ist rettende δύναμις θεοῦ, weil sich in ihm Gottes Gerechtigkeit of-

---

[27] Schlatter, Paulus 87; Masson, L'évangile 97.
[28] S.o. 1.2.3, weiter Schlatter, aaO 92; Barrett, 1.Kor 55; zum ganzen Abschnitt Stuhlmacher, Glauben 342 (1.Kor 1,17—25 ist „die ekklesiologische Applikation des dem Paulus selbst widerfahrenen, grundstürzenden Offenbarungsempfanges"); Weber 122.
[29] So muß der Zusammenhang von 1,12ff und 1,18ff beurteilt werden (vgl. Wilckens, 1.Kor 2,1—16, 518ff).
[30] Weber 123; Schrage, Theologie 134.
[31] Zum Verhältnis von 1.Kor 1,18ff und Röm 1,16ff vgl. Schlatter, Glaube 285; Wendland, 1.Kor 17; Jüngel, Paulus 30ff, und die bei Schottroff 179 A.2 Genannten. Wichtig ist die Parallelität der Prädikation von εὐαγγέλιον / λόγος τοῦ σταυροῦ / Ἰησοῦς Χριστός als δύναμις θεοῦ für Juden und Heiden (vgl. Grundmann, ThWNT II, 309f). Das spricht gegen den Versuch Lührmanns (Offenbarungsverständnis 146) zwischen Christusgeschehen und Offenbarung des Evangeliums zu differenzieren (vgl. Stuhlmacher, Evangelium 38, 81 A.2, und Schütz, Paul 131ff).
[32] S. schon 1,3f und von den Kommentaren bes. Käsemann und Wilckens.

fenbart[33]. G. Bornkamm hat präzis zusammengefaßt, wie Paulus diese Offenbarung versteht. Sie „ist, wie es das 3,21 ausdrücklich mar-
kierte νυνὶ δέ anzeigt, als eschatologisches Geschehen an die bestimmte Stunde gebunden, in der Gott die Zeit sich erfüllen ließ und in
Jesus Christus einen neuen Äon heraufführte (Gal 4,4) und die bei
der Verkündigung des Evangeliums sich je vor den Hörenden als die
‚hochwillkommene Zeit, als Tag des Heils‘ (2.Kor 6,2), d.h. aber zugleich als die Stunde des Gerichtes für die Nichtglaubenden (2.Kor
2,15f; 4,3; 1.Kor 1,23f) vergegenwärtigt"[34].

Die ekklesiologischen Konsequenzen dieser Auffassung lassen sich durch einen
traditionsgeschichtlichen Vergleich gut herausarbeiten. Schon in Jes 56,1 wird
der Hinweis auf die endzeitliche Offenbarung der Gerechtigkeit Jahwes paränetisch verwendet, in Ps 98,2 ist sie kultisch vergegenwärtigt[35]. Die Offenbarung
vollzieht sich „vor den Augen der Völker"; der Begriff צדק ist durch den Parallelismus zu ישועה als Heilshilfe für Israel ausgewiesen. In der Zehn-Wochen-Apokalypse, der ältesten Schicht des äthHen, taucht eine ähnliche Vorstellung auf
(91,14): „Danach — die neunte Woche — Gerechtigkeit und rechte Satzung
werden darin allen Söhnen der Erde geoffenbart ..."[36]. Vergleicht man 91,12:
„Danach hebt die achte Woche an, die der Gerechtigkeit; in ihr wird allen Gerechten ein Schwert verliehen, damit sie ein Gericht der Gerechtigkeit an den
Bedrückern vollziehen", so liegt die Frage nahe, ob hier nicht doch an die Offenbarung einer strafenden Gerechtigkeit gedacht ist[37]. Die Frage kann offen bleiben, denn in Qumran finden wie eine klare Bestimmung der Beziehung von Gerechtigkeit und Gericht. In 1 QH 14,16 korrespondiert die Vernichtung aller
Verkehrtheit mit der Offenbarung der Gerechtigkeit Gottes vor allen seinen Ge-

---

[33] Wir notieren: Der Gottesgerechtigkeit als „Inhalt" des Evangeliums entspricht
in 1.Kor 1,18ff der gekreuzigte Christus; vgl. dazu 1.Kor 1,30 und 2.Kor 5,21.
Zur Interpretation von δικαιοσύνη θεοῦ vgl. außer den Kommentaren z.St.: Käsemann, Gottesgerechtigkeit; Stuhlmacher, Gerechtigkeit 78ff; Kertelge, Rechtfertigung 85ff; Herold 248ff, die vom Gen.subj. ausgehen; anders Bultmann
ΔΙΚΑΙΟΣΥΝΗ ΘΕΟΥ; Klein, Gottes Gerechtigkeit 231f; Lohse, Gerechtigkeit
224ff, deren Interpretation aber gerade für Röm 1,16f problematisch bleibt.
Das gilt m.E. auch für die linguistische Analyse von Güttgemanns, Gottesgerechtigkeit 82ff.
[34] Bornkamm, Offenbarung 10; vgl. Schlier, εὐαγγέλιον 133ff, 142; anders
Lührmann, Offenbarungsverständnis 164, der in der Offenbarung ein Heilshandeln Gottes sieht, „das gegenüber dem vergangenen Heilsgeschehen in Christus
neu einsetzt, aber als Auslegung darauf bezogen ist" (vgl. 146ff, 160ff; dazu
o.A. 31).
[35] Vgl. zu Jes 56,1 Westermann z.St.; zu Ps 98,2 Kraus, Psalmen II z.St., und
zum Verhältnis von Kult und Eschatologie ebd. 844; weiter Schweizer, Interpretation 105f; Roetzel 72ff.
[36] Übersetzung des aramäischen Textes nach Milik, Enoch 266f, und der Übersetzung bei Dexinger 179.
[37] So auch H.-W. Kuhn, Enderwartung 37 A.2; anders Fiedler 135f, der auf
91,17, den Abschluß der Zehn-Wochen-Apokalypse verweist. Auch Dexinger
150—164 differenziert zwischen 91,12 u. 14.

schöpfen[38]. Damit sind die beiden zusammengehörenden Seiten des Handelns Gottes am Ende gekennzeichnet. In CD 20,16—21 wird diese Tradition ausgebaut. Nach dem Tod des Lehrers der Gerechtigkeit entbrennt der Zorn Gottes gegen Israel. Doch diejenigen, welche seinen Bund bewahren, werden ins „Buch des Gedächtnisses" geschrieben werden, „bis daß Heil und Gerechtigkeit offenbar wird für die, die (Gott) fürchten". Dann wird der verborgene Unterschied zwischen einem Gerechten und Gottlosen klar zutage treten (vgl. Mal 3,16.18). Besonders schön drückt 1 Q 27, I,6 den Tatbestand aus: „Wie eine Wolke vergeht und nicht mehr ist, so wird der Frevel für immer enden und die Gerechtigkeit wird offenbar wie die Sonne als Ordnung(sprinzip) der Welt"[39].

Die gemeinsamen Züge dieser Tradition sind klar zu erkennen: Die endzeitliche Offenbarung der Gerechtigkeit (Gottes) ist der Erweis des Heils und der Treue Gottes an Israel (bzw. dem Heiligen Rest) vor aller Welt. Damit ist verbunden die Scheidung zwischen gerecht und gottlos und die Vernichtung des Frevels[40]. Im Judentum bleibt dies zukünftige Erwartung[41], für Paulus ist die Gerechtigkeit Gottes in Christus erschienen und offenbart sich in der Verkündigung des Evangeliums als δύναμις θεοῦ. Daraus ergeben sich entscheidende Modifikationen: An Stelle des ליראי [אל] in CD 20,20, das den heiligen Rest in Israel als Empfänger des Heils kennzeichnet, setzt Paulus in Röm 3,22 (1,16) εἰς πάντας τοὺς πιστεύοντας[42]. Damit radikalisiert Paulus die Universalität der Offenbarung der Gerechtigkeit: sie ist nicht nur Demonstration der Treue Gottes an Israel *vor* aller Welt, sondern Ereignis seiner Treue *zur* ganzen Welt[43]. Nicht die verbor-

---

[38] Vgl. Holm-Nielsen 221; H.-W. Kuhn, aaO 34—37.

[39] Nach Maier, Texte I z.St.; תכון תבל kann sich auf Sonne oder Gerechtigkeit beziehen (s. DJD I, 105); sachlich dürfte darin kein Unterschied bestehen. Wie die Sonne ist צדק „Weltordnung". Hier erscheint in Qumran die Seite des Begriffs, der H. H. Schmid im AT nachgegangen ist; vgl. O. Betz, Rechtfertigung in Qumran 20f. Verbindungslinien bestehen zu äthHen 91,12.14.17; 108,13 (Stuhlmacher, Gerechtigkeit 168).

[40] Vgl. im NT außer Röm 1,16f; 3,21 das Freerlogion Mk 16,14 (W). Belege aus späteren Apokalypsen bei Berger, Neues Material 269. Bei Herold 260ff steht das Motiv zu sehr im Bann seiner Formbestimmung als Heilsorakel, treffend dagegen Zeller 173ff.

[41] Auch in Qumran bleibt trotz gewisser Ansätze zu einer präsentischen Eschatologie die kosmische Offenbarung der Gerechtigkeit Gottes der Zukunft vorbehalten (vgl. H.-W. Kuhn, Enderwartung 34—38; Stuhlmacher, Gerechtigkeit 162; O. Betz, Rechtfertigung in Qumran 20ff, 29ff).

[42] Natürlich handelt es sich dabei nicht um die literarische Verarbeitung einer Vorlage aus Qumran, sondern um die Umgestaltung geprägter Tradition, die auch außerhalb der Qumrangemeinde verbreitet war, wie AT und äthHen zeigen.

[43] Vgl. Wilckens, Röm 84ff. Glaubensgerechtigkeit ist also tatsächlich das Spezifikum paulinischer Gerechtigkeitslehre, aber nicht so, daß eine theozentrische Tradition anthropologisch interpretiert würde, sondern so, daß bestehen-

gene Treue der Gemeinde tritt unter der Offenbarung der Gerechtigkeit in Erscheinung, vielmehr verweist die Totalität der Gnade auf
die Totalität der Sünde und umgekehrt[44]. Die Möglichkeit des Glaubens wird in der Offenbarung der Gerechtigkeit erst eröffnet[45] und
der dem Zorn verfallenen Welt als Rettung angeboten. Diesem Evangelium verdankt die Gemeinde ihren Ursprung. Indem sie die Gerechtigkeit Gottes im Glauben annimmt, anerkennt sie, daß sie mit aller
Welt dem Zorn Gottes verfallen ist und nur durch Gottes Heilstat
in Christus Rettung erlangt (Röm 3,21ff)[46].

Zu diesem Selbstverständnis, das Paulus bei seinen eigenen Gemeinden voraussetzt und immer wieder in Erinnerung bringt, möchte Paulus die Christen in Rom führen. Darin liegt das gewisse Recht der
These, Paulus wolle „die Christenheit Roms als eine [paulinische] ἐκκλησία konstituieren und damit für sein Evangelium gewinnen"[47].
Wir wissen aber zu wenig von der Lage der dortigen Christen, um
auch nur Vermutungen über Konsequenzen für die Gemeindestruktur
anstellen zu können. Wir kennen nur die Erwartung des Paulus, daß
sich Rom einer gesetzesfreien, aber auf die Schrift gegründeten Evangeliumsverkündigung öffnen werde, die sich allen Menschen verpflichtet weiß und allen das Heil Gottes nahebringen kann.

Dabei denkt er nicht nur an die Notwendigkeit, allen die Rettung als
Möglichkeit anzubieten. Das Thema, das er sich gegeben hat, zwingt

---

de anthropologische Kriterien durch solche ersetzt werden, welche die Gerechtigkeit Gottes als seine Treue zur ganzen Menschheit definieren. Der Gen.auct.
ist nicht ohne den Gen.subj. zu haben, darin bleibt Röm 3,26b *die* authentische
Interpretation der paulinischen Gerechtigkeitslehre! Vgl. Käsemann, Rechtfertigung 135ff; Stuhlmacher, Ende des Gesetzes 26f A.28, u. Williams in Auseinandersetzung mit H. Conzelmann, Grundriß 237—243, Rechtfertigungslehre
200ff, und Klein, Gottes Gerechtigkeit.
[44] Vgl. Röm 1,16f mit 1,18 u. 3,20.22ff; dazu Bornkamm, Offenbarung 32f;
Schweizer, Interpretation 105f; Herold 329f. In Qumran führt die Erkenntnis
der Totalität der Sünde nicht zu dieser Konsequenz (s.u. Kap. 4).
[45] Der Glaube ist nicht die Voraussetzung der Offenbarung der Gerechtigkeit,
sondern die Folge (vgl. Gal 3,23; Bornkamm, aaO 10; Stuhlmacher, Gerechtigkeit 81—83; Michel, Röm 93).
[46] Wo Paulus von der Wirkung des Evangeliums spricht, beschreibt er Rettung
als gegenwärtiges Geschehen (1.Kor 1,18ff; 2.Kor 2,15f [vgl. 4,3]; Röm 1,16).
Wo er den „Stand" der Gemeinde charakterisiert, spricht er von der Gewißheit kommender Errettung vor dem Zorngericht (1.Th 1,10; 5,9; Röm 5,9;
Gal 5,5; dazu Bornkamm, aaO 33 A.66; Herold 302—330).
[47] Schmithals, Römerbrief 88; vgl. v. d. Osten-Sacken, Abfassungsgeschichte
116: der Römerbrief „als Einführung der römischen Gemeinde in das paulinische Evangelium"; zur Kritik an der von Schmithals vorausgesetzten Situation
vgl. ders., Verständnis 574f.

ihn, immer wieder davon zu reden, daß die Offenbarung der Gerechtigkeit Gottes im Evangelium machtvoll wirkt und der Weg der Treue Gottes mit der Menschheit sein Ziel findet (vgl. besonders 11; 15,8ff). Daher bestimmt er das Verhältnis von Welt und Gemeinde im Röm anders als im 1.Kor. Auch dort stand universales Gericht universaler Gnade gegenüber. Aber daneben findet sich in 1,18 ein Gegeneinander von Verlorenen und Geretteten im Sinne eines partim — partim[48]. Das finden wir im Röm nicht. Nicht daß der Gerichtsgedanke fehlte. 1,18—3,20 zeigen das Gegenteil. Charakteristisch aber ist die Dialektik von 3,23f: „Alle haben gesündigt ... und werden umsonst gerechtfertigt". Zwar wird das πάντες in V. 24 (anders 5,18!) nicht wiederholt[49], und V. 22 (εἰς πάντας τοὺς πιστεύοντας) nennt das Vorzeichen, unter dem der Satz zu lesen ist. Dennoch ist die Tendenz eindeutig und wird uns noch zu beschäftigen haben.

Schroff antithetisch dagegen sprechen die Texte von *2.Kor 2,14—16 und 4,1—6*. Wie in 1.Kor 1,18 ist hier die „Funktion des Evangeliums als Kriterium zwischen Verlorenen und Geretteten ... aufgenommen"[50]. Paulus verteidigt in diesem Brief teil seinen Apostolat[51] und hebt an beiden Stellen besonders den universalen und öffentlichen Charakter seiner Verkündigung hervor[52]. Während er sich in 2,14 damit begnügt, einfach festzustellen, daß sein Evangelium trotz der Ablehnung, die es erfährt, mächtig ist — sei es zum Leben oder zum Tod —, sollen in 4,3f ausgesprochen dualistische Gedanken erklären, warum die Botschaft trotz ihres universalen Charakters und Anspruchs nicht von allen Menschen anerkannt wird[53]. Die ungemein problematische Erwähnung des „Gottes dieser Welt" weist darauf hin, daß der Mensch nicht Herr seiner selbst ist. Doch liegt darauf nicht der Hauptton[54]. Die

---

[48] Anders Ch. D. Müller, Erfahrung 137, und vor allem Wilckens, 1.Kor 2,1—16, 502f, 514. Daß in 1,18—25 „der Dualismus zwischen ἀπολλύμενοι und σῳζόμενοι" aufgehoben sei, weil „es gerade die Verlorenen sind, die Gott im Kreuze Christi rettet" (Wilckens 514), scheint mir eine moderne Überspitzung der paulinischen Dialektik zu sein. Richtig Dietrich 224f.

[49] Käsemann, Röm zu 3,24.

[50] Lührmann, Offenbarungsverständnis 64; Bultmann, 2.Kor 71f; Friesen 27f.

[51] Vgl. die Analyse der Situation bei Lührmann, aaO 55—59; Georgi, Gegner 225, 253f.

[52] Zu 2.Kor 2,14ff vgl. Bormann 129ff; Baum 71—109; Barrett, 2.Kor z.St.

[53] Vgl. Asting, Verkündigung 387, 398 A.57; Barrett und Bultmann, 2.Kor z.St.; anders Collange 131f, der 4,3f auf Gegner bezieht. Nach Lührmann, aaO 64, hat Paulus weiter ein Interesse daran, „eine aktive Funktion des Apostels auszuschließen, die Ablehnung oder Annahme des Evangeliums bewirken könnte" (vgl. auch 65 A.2).

[54] Zum Verhältnis von 4,4 zu 4,6 vgl. MacRae und Delling, Nahe ist dir das Wort 407. Stuhlmacher, Glauben 346, zeigt die enge Berührung mit 1.Kor 1,17ff.

Härte der Antithese ist durch die Schärfe der Polemik bestimmt. Vers 4a ist unter dem Vorzeichen von 4b und 6 zu lesen: In der Botschaft des Apostels leuchtet das Licht der neuen Schöpfung auf[55]. Durch das Evangelium wird also nicht der coetus praedestinatorum aus der Verborgenheit geführt, sondern trotz aller Ablehnung, die es erfährt, eine neue Menschheit erschaffen.

Das Ineinander göttlicher und menschlicher Entscheidung wird besonders klar in *2.Kor 5,14—21* dargestellt: Das Gericht des Todes Jesu ist über alle Menschen ergangen[56]. Wer diesen Tod in der Taufe für

---

[55] Vgl. J. Jervell, Imago 194ff, der auf die Parallelität zwischen Offenbarung der Gerechtigkeit und der Doxa Gottes verweist (217); s. auch Lemonon 166 und Thüsing, Rechtfertigungsgedanke 312ff, der den Zusammenhang von 2, 14—5,21 in seiner missionstheologischen Dimension überzeugend darstellt. Weiter Schwantes 32—42, der die Parallelen aus dem rabbinischen Schrifttum und Qumran bespricht. Hier sei verwiesen auf 1 Q 27 I, 6; 1 QH 4,5.23 und besonders auf 1 QH 9,26f („... in deiner Herrlichkeit leuchtete mein Licht auf; denn ein Licht aus der Finsternis hast du mir aufleuchten lassen ...“; dazu O. Betz, Offenbarung 113f; G. Jeremias, Lehrer 214 A.2).

Die Qumrantexte fordern an dieser Stelle aus verschiedenen Gründen zum Vergleich auf. Ihr prädestinatianischer Dualismus unterscheidet sich in zweifacher Hinsicht von den paulinischen Aussagen in 2.Kor:

1. Die (doppelte) Prädestination wird bewußt auf Gott zurückgeführt; vgl. 1 QS 3,17ff (zur Verschiebung in 4,15ff, wo der Dualismus in den Menschen verlegt wird, s. v. d. Osten-Sacken, Gott 24 A.2, 166, 182, 186; West, Justification 10—16; Lichtenberger, Menschenbild 194f). Der Wille, Gott als den *Schöpfer* zu preisen, ist geradezu das movens in der Entstehung des prädestinatianischen Dualismus in Qumran (v. d. Osten-Sacken, aaO 123—131; West 77; Luz, Geschichtsverständnis 232 A.19; Lichtenberger, Menschenbild 184— 189, Lit!). Demgegenüber erscheint die paulinische Äußerung in 2.Kor 4,3f fast als gnostisch (vgl. Lührmann, Offenbarungsverständnis 65, aber auch den Hinweis von Delling, Nahe ist dir das Wort 411 A.18, auf TestSim 2,7).

2. Während bei Paulus prädestinatianische Aussagen zur Begründung und Interpretation seiner Missionsaufgabe herangezogen werden (s. auch Röm 9—11), verhindert in Qumran die Prädestinationslehre eine missionarische Tätigkeit. „Die zum Heil Bestimmten schließen sich an ihre Gemeinschaft an. Und eben damit, daß sie zu ihnen stoßen, erweisen sie sich als zum Heil Prädestinierte.“ Allein die Existenz der Gemeinde wirbt nach außen hin. (K. G. Kuhn, Mission 164). Diese Haltung findet ihren schärfsten Ausdruck in dem Gebot der Geheimhaltung der Lehre der Gemeinschaft und dem Verbot der Diskussion mit den Männern des Frevels (1 QS 5,15bf; 9,16f; vgl. aber 8,12; 11,1; Lichtenberger, Menschenbild 213f). Dem Verhältnis von Erwählung und Prädestination zur Freiheit des einzelnen (zum Eintritt in die Gemeinde) gehen Merrill 58 u. E. P. Sanders, Paul 257—270, nach.

[56] Zu den verschiedenen Auslegungen von πάντες s. (Lietzmann) — Kümmel, 1.Kor 204 (zu 124 Z.36); Bultmann, Probleme 309 A.22; auf die Korrespondenz mit V. 19a verweist Hofius, Versöhnungsgedanken 191.

sich annimmt – so muß man aus Röm 6 ergänzen –, der lebt für Jesus Christus (V. 15)[57]. Parallel dazu verläuft der Gedankengang in V. 18ff: Gott hat im Tode Jesu die Welt versöhnt. Damit ist unter die Menschen das Wort von der Versöhnung gestellt. Dieses Wort begegnet ihnen im Ruf des Apostels: „Laßt euch mit Gott versöhnen"! [58] So wird die Welt zur Entscheidung gerufen, und indem sich der einzelne entscheidet, erfährt er, „daß über ihn entschieden ist"[59]. Sehr aufschlußreich ist das Nebeneinander der beiden Aussagen von V. 18 und 19: Daß Gott *die Welt* in Christus versöhnte, ist Grund und Horizont aller Verkündigung. Daß Gott „*uns*" versöhnte, ist Bekenntnis der Gemeinde, die Gottes Tat antwortet und darin ihrer Existenz als neue Schöpfung „aus Gott" gewahr wird. So ist V. 20b nicht nur Zitat des missionarischen Rufs an die Welt, sondern Erinnerung der Gemeinde an die Grundlage ihrer Existenz.

2.1.3 Zusammenfassung

Die Erinnerung an die schwere Zeit des Anfangs, die sich in den Briefen des Paulus an die von ihm gegründeten Gemeinden fast stereotyp findet, ist nicht nur sentimentale Rückschau (– obwohl sie sich ihrer Emotionen nicht zu schämen braucht). Indem Paulus das Wort „in Schwachheit" verkündet und es sich dennoch in $\pi\nu\epsilon\tilde{\upsilon}\mu\alpha$ und $\delta\acute{\upsilon}\nu\alpha\mu\iota\varsigma$ als Gottes Wort erweist (1.Kor 2,1–5, vgl. 1.Thess 2,1ff, Gal 4,13ff), begegnet eine Gemeinde zum ersten Mal der Wahrheit seiner Predigt, daß Gott nur im Kreuz erkannt wird. Es ist wichtig, sie an diese grundlegenden Erfahrungen immer wieder zu erinnern.

Wer das Evangelium annimmt, wird gerettet. Diese soteriologische Aussage beherrscht die Texte, die wir untersucht haben. Sie hat eine ek-

[57] Im Gegensatz zu Mundle, Glaubensbegriff 147f beziehe ich nicht $\pi\acute{\alpha}\nu\tau\epsilon\varsigma$ $\dot{\alpha}\pi\acute{\epsilon}\vartheta\alpha\nu o\nu$ auf die Getauften (dagegen schon Dahl, Volk 329 A.168) bzw. auf die Glaubenden (so Bultmann, 2.Kor 153), sondern $o\dot{\iota}\ \zeta\tilde{\omega}\nu\tau\epsilon\varsigma$ (so auch Dinkler, Verkündigung 172; ähnlich Hahn, Tag 248). Nach Barrett, 2.Kor z.St., sprechen beiden Wendungen von den Menschen allgemein.
[58] Im Zusammenhang mit V. 18f möchte ich in V. 20 zunächst den grundsätzlichen missionarischen Ruf des Paulus sehen, der freilich im Sinne von 6,1 auch der christlichen Gemeinde immer wieder gesagt werden muß (vgl. Windisch, 2.Kor z.St.; Käsemann, Versöhnungslehre 52; anders Dinkler, Verkündigung 180; Bultmann, Probleme 311, 2.Kor 165f). U. B. Müller, Prophetie 124ff, sieht das „wir bitten an Christi statt" im Zusammenhang mit der prophetischen Paraklese. Zum Motiv des durch den Apostel bittenden Gottes s. Walter, Christusglaube 440f; Jüngel, Autorität 187f.
[59] Conzelmann, Grundriß 193; Hahn, Tag 248ff.

klesiologische Komponente. Die Geretteten sind zusammengeschlossen in gemeinsamer Berufung. Auch die Gemeinschaft ist vom Wesen der Offenbarung Gottes durchs Kreuz geprägt. In ihr gelten daher nicht mehr die Maßstäbe menschlichen Ansehens, sondern göttlicher Gnade. Das hat Auswirkungen auf die Sozialstruktur einer Gemeinde (1.Kor 1,26ff), die Begründung von geistlicher Autorität und geistlichem Rang in ihr (2.Kor 5,16!) [60] und vor allem auf das Verhältnis von Juden und Heiden mit allen missionarischen Konsequenzen (Röm 1, 16ff).

Dazu tritt eine weitere Beobachtung: Die ekklesiologischen Aussagen in Verbindung mit Reflexionen über die Wirkung der Evangeliumsverkündigung werden durch die Antithese zum Kosmos konstituiert. Doch schafft Paulus damit kein Feindbild zur Stabilisierung der eigenen Gruppe. Die Charakterisierung des Kosmos in 1.Kor 1,18ff stellt eine kritische Frage an die Gemeinde. Die Schilderung der allgemeinen Schuldverfallenheit der Menschheit in Röm 1—3 motiviert zur Verkündigung des Evangeliums an alle ohne Unterschied. Die Gemeinde ist die Schar der durch das Evangelium Geretteten. Darin ist sie von der Welt geschieden. Diese Erkenntnis ist aber unzertrennlich mit dem Wissen darum verbunden, daß Gottes Versöhnungstat und -wort dieser Welt als ganzer gilt (2.Kor 5,19), und daß die Christen mit dieser Welt der Sünde verfallen waren (Röm 3,20.22f). Durch die Offenbarung der Gerechtigkeit Gottes im Evangelium wird nicht der verborgene Unterschied zwischen Gerechten und Gottlosen aufgedeckt. Das war die Tendenz der traditionsgeschichtlich verwandten Aussagen im Judentum. Das Evangelium deckt auf, daß alle dem Gericht verfallen sind, und rettet den, der dies Urteil als im Kreuz vollzogen annimmt. Die Eigenart der paulinischen Auffassung von der Rechtfertigung als *iustificatio impii* tritt in diesen grundsätzlichen Äußerungen zur Entstehung der Gemeinde deutlich zutage. Der dynamische Charakter der Antithese „Welt-Gemeinde" erklärt auch, warum Paulus dort, wo er die scheidende Wirkung des Evangeliums beschreibt, ekklesiologische Begriffe im engeren Sinne vermeidet. Die These H. Schliers: „Die Welt wird nur in der Kirche versöhnt und die Völker nur in ihr gerettet", hat darum — wenn sie wörtlich genommen wird — keinen Anhalt bei Paulus [61]. Er prägt seinen Ge-

---

[60] Vgl. die Interpretation von Blank, Paulus 325; vielleicht darf man hier auch Gal 2,6 nennen (vgl. Hay).
[61] Grundlage 90 = Grundelemente 216. Sieht man auf den Verkündigungsauftrag der Kirche, so steckt natürlich auch ein Körnchen Wahrheit in Schliers These. Doch führt die Formulierung irre.

meinden vielmehr ein, daß die Kirche allein davon lebt, daß Gott die
Welt in Christus versöhnt hat. Doch wird dies nur der als Alternative
gelten lassen, für den „in Christus" und „in der Kirche" nicht identisch ist. Die Frage, wie Paulus das Verhältnis von Christus und Gemeinde bestimmt, muß uns darum noch eingehender beschäftigen.

2.2 Christus als Grund der Gemeinschaft

Die Verkündigung des Evangeliums begründet die Existenz der Gemeinde und prägt ihr Wesen. Vom *sozialen* Aspekt dieses Geschehens
war aber bisher wenig die Rede. Er aber macht das Proprium der Ekklesiologie gegenüber der Soteriologie aus. Um ihn besser zu erfassen,
fragen wir zunächst nach Stellen in den paulinischen Briefen, die das
Zusammenfinden der Christen und die Entstehung von Gemeinschaft
auf Grund der Verkündigung des Evangeliums möglichst konkret beschreiben.

Es ist nicht leicht, solche Aussagen zu finden. Am ehesten kommen
Gal 3,27f und 1.Kor 12,12f in Frage. Beide Texte sprechen von der
Taufe, die in die Gemeinschaft mit Christus und damit auch in die
Gemeinschaft der Christen einfügt[62]. Obwohl in beiden Fällen — wenn
auch unter verschiedener Akzentsetzung — ein ekklesiologischer Sachverhalt anvisiert ist, wird von der den einzelnen umgreifenden sozialen
Größe *christologisch* gesprochen. Weil die Christen „einer" sind in
Christus Jesus, gibt es für ihre Gemeinschaft keine religiösen oder sozialen Rangunterschiede mehr (Gal 3,28). Noch schärfer drückt es
1.Kor 12,12f aus: „Denn wie der Leib einer ist und doch viele Glieder hat ..., so auch Christus. Denn wir sind ja durch einen Geist alle
in einen Leib getauft, ob Juden oder Griechen, ob Freie oder Sklaven ...". Wir haben diese eigentümliche Umschreibung ekklesiologischer Tatbestände durch christologische Aussagen bei der Besprechung
des Begriffs σῶμα Χριστοῦ schon kurz gestreift. Gal 3,28 stellt uns
vor die Aufgabe, dem durch eine Untersuchung des ekklesiologischen
Aspekts der Formel ἐν Χριστῷ weiter nachzugehen. Formel und Begriff gehören eng zusammen. Das zeigt ein Vergleich von 1.Kor 12,
12f, Gal 3,28 und Röm 12,4f. Sie sind aber nicht deckungsgleich, wie
das viel breitere Spektrum der Formel beweist[63].

---

[62] Vgl. Kol 3,11.
[63] So die meisten neueren Interpreten; vgl. Kümmel, Theologie 194ff.

2.2.1 Der ekklesiologische Aspekt der Formel ‚in Christus'

Seit A. Deißmann die Formelhaftigkeit der Wendung entdeckt hat, ist viel über sie geschrieben worden[64]. Ist sie lokal, kausal oder instrumental zu verstehen, mystisch, ekklesiologisch, geschichtlich oder eschatologisch zu deuten, oder muß ein einheitliches Verständnis aufgegeben werden? F. Neugebauer hat versucht, die einheitliche Interpretation durch ihre Deutung als allgemeine „Umstandsbestimmung" zu retten. Er geht von der Beobachtung aus, daß unter den christologischen Hoheitstiteln Χριστός immer den Gekreuzigten, Auferstandenen und Verkündigten bezeichnet[65] und faßt das ἐν modal auf. In Christus sein bedeutet daher, bestimmt sein durch den Umstand, „daß Jesus Christus gestorben und auferweckt ist, daß er lebt und als solcher verkündigt wird", oder etwas knapper gefaßt: „bestimmt vom Heilsgeschehen"[66]. Das ist im Grundsatz treffend, aber doch keine zureichende Erläuterung der Formel. Für manche Stellen ist sie zu unpräzis, für andere zu aufwendig. So hat die Diskussion über Neugebauers Arbeit gerade zum Ergebnis geführt, daß man zur Erklärung der Formel nicht mit einer einheitlichen Bedeutung durchkommt[67]. Neben Stellen, die nach Ausweis paralleler διά-Wendungen der instrumentalen Bedeutung zuneigen[68], stehen andere, an denen lokaler Sinn naheliegt[69], und wieder andere, an denen die Wendung ganz formelhaft gebraucht ist[70].

---

[64] Die Forschungsgeschichte bei Neugebauer 18ff.

[65] AaO 49ff; so auch Kramer 34ff.

[66] AaO 80, bzw. 112.

[67] Vgl. die Rezensionen von Kümmel, ZRGG 14, 1962, 381; Lohse, ThLZ 87, 1962, 843f; weiter Brandenburger, Fleisch 20, 26ff, 54; Käsemann, Glaube 173–177; Löwe 84f; Kümmel, Theologie 194f; Hahn, Einheit 41; früher schon: Büchsel; Oepke, ThWNT II, 538f; ähnlich Bouttier, En Christ 28ff, 133.

[68] Zum Wechsel zwischen διά und ἐν s. die Liste bei Schweizer, Gemeinde 84 A.361: Röm 5,21/6,23; 7,25/8,39; (1.Kor 15,57/58); 1.Th 4,14/16; vgl. auch 2.Kor 5,18/19; Röm 5,11/Phil 3,3; 1.Kor 15,21/22 (hier mit Adam verbunden); dazu Bouttier, aaO 31ff; Conzelmann, Grundriß 234. Instrumentale Übersetzung liegt auch Röm 3,24 (Gal 2,17; 3,14; 2.Kor 3,14) nahe.

[69] Außer 2.Kor 5,17 vgl. besonders Gal 3,28; 1.Kor 1,30; Phil 2,5; 3,9; weiter Gal 5,5; Röm 12,5; 8,1 (vgl. Hahn, Einheit 41 A.78). Lokales Verständnis für die meisten Texte nehmen u.a. an: Best, One Body 20ff (vom Gedanken der corporate personality aus) und Percy 22; dagegen sprechen z.B. Conzelmann, Grundriß 291, der mit der Formel nur am Rande eine personal-räumliche Vorstellung verbunden sieht (Gal 3,26ff), und vor allem Cerfaux, Théologie 189.

[70] Evtl. 1.Th 2,14; Gal 1,22; Phil 1,1; 4,21; 2.Kor 12,2; Röm 16,3.7.9.10; Phlm 23, als Umschreibung für „christlich", bzw. „als Christ" (Bultmann, Theologie 329f; Cerfaux, aaO 181, 184f; Oepke, Schlier und Mußner, Gal zu 1,22; anders Roloff, EWNT I, 1002.

Der Übergang ist freilich fließend und das mag darauf hinweisen, daß Paulus die verschiedenen Nuancen der Formel unter einem übergreifenden Gesichtspunkt sieht, der etwa mit Neugebauers Formulierung „bestimmt durch das Heilsgeschehen" wiedergegeben werden kann. Doch entbindet uns das nicht von der Aufgabe, am Einzeltext nach dem konkreten Hintergrund der Vorstellung und ihrer adäquaten Wiedergabe zu fragen. Für unsere Untersuchung sind die Stellen wichtig, wo in ekklesiologischem Kontext eine lokale Deutung des ἐν Χριστῷ zu erwägen ist. Dazu gehören vor allem Phil 2,5; 1.Kor 1,30; Gal 3, 28; 2.Kor 5,17 und in gewisser Weise auch Phil 3,9.

Wir beginnen mit *Phil 2,5*, weil hier die Verhältnisse am klarsten sind. Der Vers verbindet die Paränese von 2,1—4 mit der Schilderung des Weges des Erlösers in einem (vorpaulinischen) Christushymnus (2,6— 11). Dabei kann als allgemein anerkannt gelten, daß das überleitende ὅ καὶ ἐν Χριστῷ Ἰησοῦ nicht paradigmatisch auf die vorbildliche Gesinnung Jesu hinweisen soll, sondern sich auf das dem Verhalten der Christen zu Grunde liegende Heilsgeschehen bezieht[71]. Nur so ordnet sich das ἐν Χριστῷ Ἰησοῦ dem sonstigen Gebrauch der Formel ein und nur so läßt sich befriedigend erklären, warum auch der zweite Teil des Hymnus übernommen wurde. Dadurch wird das ‚in Christus' zum Schnittpunkt zweier sehr verschiedener Gedanken. Ἐν Χριστῷ Ἰησοῦ steht parallel zu ἐν ὑμῖν und nimmt dadurch die ekklesiologische Linie des Kontextes auf[72]. Der Christusname verweist auf den Hymnus, der rein christologisch gehalten ist; weder die soteriologische noch die ekklesiologische Bedeutung des Geschehens wird im Christuslied selbst expliziert. Wie Paulus dieses Verhältnis versteht, zeigt sich, wenn man das „Kräfteparallelogramm" nachzeichnet, das sich aus den Beziehungen zwischen dem paränetischen Kontext und den beiden Teilen des Christusliedes ergibt:

1. Betrachtet man den Hymnus isoliert, so könnte der Weg des Erlösers aus himmlischer Herrlichkeit in die Tiefe des Todes als notwendige, aber durch die Erhöhung abgetane Durchgangsphase des Heilsgeschehens angesehen werden. Die Frage, inwieweit dies die Meinung des vorpaulinischen Textes war, kann hier auf sich beruhen[73]. Im

---

[71] Grundlegend Lohmeyer, Kyrios Jesus, und Käsemann, Krit. Analyse von Phil 2,5—11; die Forschungsgeschichte schrieb R. P. Martin.
[72] Vgl. Merk, Handeln 178 (A.22 Lit!); gerade umgekehrt argumentiert Larsson 232f.
[73] Vgl. Hebr 12,2 (dazu Haacker, Glauben 143: „das Kreuz ... als Durchgangsstation auf dem Wege Jesu zur Herrlichkeit"); weiter Schweizer, Erniedrigung 97; Schrage, Verständnis 61f; Wengst, Formeln 148f, und Hofius,

jetzigen Kontext ist dies ausgeschlossen, sonst wäre die Verknüpfung von Mahnung zur Demut und Schilderung der Selbsterniedrigung sinnlos. Die Erhöhung des Gekreuzigten zum Kyrios hebt den Weg zum Kreuz nicht auf, sondern stellt seine bleibende Bedeutung fest. Diese liegt aber nicht in der Notwendigkeit eines mysterienhaften Nachvollzugs, sondern in der Offenbarung des Gehorsams als Kennzeichen des neuen Menschen[74]. Darum läßt sich der Vorbildgedanke auch nicht völlig aus dem Text verbannen[75]. Falsch ist nur, den Gedanken der imitatio als begründendes Motiv der Paränese aufzufassen. Vielmehr verweist das ἐν Χριστῷ auf die durch den Weg des Christus eröffnete Wirklichkeit neuen Menschseins.

2. Die Erhöhung dessen, der sich selbst erniedrigte, ist der Beginn seiner Herrschaft über die ganze Schöpfung. Soll die zweite Strophe mehr als ein „Exkurs" oder „Überhang" sein, so kann sich ihre Bedeutung nicht darin erschöpfen, die Aussagen des ersten Teiles mit einem Ausrufezeichen zu versehen. In kühnem Vorgriff auf eschatologisches Geschehen schildert der Hymnus die kosmische Proskynese als Ziel des Handelns Gottes. Im Bekenntnis Κύριος Ἰησοῦς unterstellt sich die Gemeinde der Herrschaft des Kosmokrators[76]. Im Zusammenhang mit der ersten Strophe und dem einleitenden V. 5 ergibt sich nun eine eigentümliche Verschränkung der Motive, auf die es Paulus offensichtlich ankommt: Wer vom Weg des Erlösers in die Niedrigkeit des Kreuzes Heil erwartet, muß wissen, daß er sich damit in den Bereich seiner Herrschaft begibt. Und wer sich zu ihm als dem Herrn aller Herren bekennt, muß sehen, daß er damit auf den Weg des Gehorsams und der Demut gestellt wird. Denn das ist der Raum neuen Menschseins, den das Heilsgeschehen freigemacht hat. Es liegt also im Motiv gegenwärtiger Christusherrschaft begründet, daß wir an unserer Stelle nicht mit einem heilsgeschichtlich-soteriologischen

---

Christushymnus 64ff, 95, der die Finalität des Kreuzesgeschehens betont; ganz krass Larsson 261f: „Wie Christus erhöht und verherrlicht wurde als ‚Belohnung' für seinen demütigen Gehorsam, so werden auch seine Nachfolger erhöht und verherrlicht werden". (Zur Auslegung des διό in der älteren Forschung vgl. Martin 231ff). Stärker das Paradoxon des Gedankenganges sehen Käsemann, Analyse 79, Eichholz, Theologie 132—153, und Hooker: „God's glory is demonstrated in shame and weakness" (164).

[74] Käsemann, aaO 79, 94; Hooker 160ff.
[75] Schrage, Einzelgebote 240, verweist auf 2.Kor 8,9 und Röm 15,3; vgl. die Bemerkungen Dahls, Beobachtungen 6f, zum „Konformitätsschema". Auch Eichholz, Bewahren 153f, Theologie 148 und (differenzierend) 267; Hooker 154ff; Gibbs 77f und Reicke lassen den Vorbildgedanken gelten; ganz einseitig Larsson 234ff.
[76] Käsemann, aaO 83ff; Eichholz, Theologie 146ff.

Verständnis des ἐν Χριστῷ durchkommen, sondern einen lokalen Akzent mithören müssen. Man kann dies sehr leicht an der problematischen Paraphrasierung bei Neugebauer erkennen[77].

3. Die Verbindung von ekklesiologischer Paränese und hymnischer Beschreibung des Christusgeschicks kennzeichnet die Parallelität des ἐν ὑμῖν und ἐν Χριστῷ Ἰησοῦ in V. 5. Das Heilsgeschehen impliziert eine „Sozialstruktur"[78]. Der Weg des Christus prägt das Zusammenleben der Christen. Er schafft eine Gemeinschaft, in der die soziale Rangordnung und das Streben nach Ansehen nicht mehr die Grundlage der gegenseitigen Achtung und des Einsatzes der eigenen Kräfte sind[79]. Diesem ‚in Christus‘ geschaffenen neuen Grundmuster des Verhaltens gilt es nun untereinander zu folgen. Die Formel ‚in Christus‘ läuft also als Beschreibung des Standes der Christen ein Stück weit parallel zu einem denkbaren ἐν ἐκκλησίᾳ, ist aber nicht identisch damit. Paulus vermeidet eine solche Gleichsetzung, weil er die Begründung der neuen Gemeinschaft im Christusgeschehen festhalten und „darauf aufmerksam machen will, daß für ihn die Kirche konstitutiv gar nichts anderes ist als der Bereich der Christusherrschaft"[80].

1.Kor 1,30 steht im Zusammenhang von V. 26ff, wo Paulus auf die κλῆσις der korinthischen Gemeinde verweist, um Geltung und Tragweite der theologia crucis an der Erfahrung der Korinther vor Augen zu führen. Die Art ihrer Berufung wird ihnen zum Hinweis auf die Souveränität der Gnade Gottes, die nicht an menschlichen Vorzügen orientiert ist, sondern diese zerstört, damit allein Gott die Ehre gehört. Durch seinen schöpferischen Ruf (ἐξ αὐτοῦ)[81] ist die Gemeinde in Christus, der für uns Weisheit von Gott, Gerechtigkeit, Heiligung und Erlösung geworden ist. Nur in ihm gibt es Ruhm.

Der plötzliche Übergang in die 1.Plur. in V. 30, die Entsprechung, die δικαιοσύνη, ἁγιασμός, ἀπολύτρωσις in 6,11 finden, und der relativische Anschluß lassen vermuten, daß Paulus hier eine liturgische For-

---

[77] „Darauf seid untereinander bedacht, worauf ihr auch in dem Umstand immer schon bedacht seid, daß Jesus in Selbsterniedrigung gehorsam ward bis zum Tode am Kreuz, so daß er der Herr der ganzen Welt ist" (106). Deshalb gehen die Formeln ἐν Χριστῷ und ἐν κυρίῳ in ihrer Bedeutung häufiger ineinander über, als Neugebauer (148f) wahrhaben will; vgl. Phil 2,2.5 mit 4,2; weiter Löwe 84.

[78] Nach Ernst, Phil 65; vgl. auch Merk 178.

[79] Sehr schön Merk 177f mit Verweis auf A. Diehle, RAC III, 735ff.

[80] Käsemann, Analyse 92.

[81] Die Anspielung auf die creatio ex nihilo sollte nicht bestritten werden; vgl. Theißen, Schichtung 232 A.3; Stuhlmacher, Gerechtigkeit 208; gegen Conzelmann 1.Kor 67 A.23.

mel zitiert[82]. Da das Stichwort σοφία aus dem Zusammenhang entnommen ist und in 6,11 fehlt, dürfte die Formel gelautet haben: ... ὅς ἐγενήθη ἡμῖν δικαιοσύνη καί ἁγιασμός καί ἀπολύτρωσις (ἀπό θεοῦ). Nach 6,11 ist anzunehmen, daß sie ihren Sitz im Taufgeschehen hatte. Die beste Erläuterung des traditionsgeschichtlichen Hintergrundes gibt Röm 3,24f. Christus verkörpert die Bundestreue, das heiligende und erlösende Handeln Gottes[83]. Trotz der personifizierenden Redeweise sind die drei Begriffe noch nicht hypostasiert, mag es darüber auch bei σοφία Zweifel geben. Andrerseits sollte man die Personifikation nicht einfach auflösen[84]. Für Paulus scheint die Formel gerade deswegen brauchbar gewesen zu sein, weil sie nicht von Christus als dem Urheber unserer Gerechtigkeit, sondern als der Gerechtigkeit von Gott für uns redet[85].

Das wird daran deutlich, wie er sie verarbeitet: Er fügt erstens aus der Diskussion mit den Korinthern den Begriff σοφία hinzu. Weisheit von Gott gibt es nur durch und in Christus[86]. Gleichzeitig wird die Weisheit durch die drei folgenden Begriffe erläutert: sie ist keine höhere Stufe des Christseins, sondern bezeichnet das in Christus jedem geschenkte Heil wie die Begriffe Gerechtigkeit, Heiligung und Erlösung[87]. Zweitens erklärt er, inwiefern Christus für uns Weisheit, Gerechtigkeit usw. ist, durch die Formel ἐν Χριστῷ. Neugebauers These, daß sie auch hier das Heilsgeschehen meint, „das die korinthische Gemeinde bestimmt"[88], ist natürlich nicht falsch. Nur muß dieses Bestimmtsein präzisiert werden. Ἐν Χριστῷ gibt an unserer Stelle nicht

---

[82] Vgl. Käsemann, Gottesgerechtigkeit 182, RGG II, 993ff; Stuhlmacher, aaO 185ff; Baumann 134f.

[83] Stuhlmacher aaO; Käsemann, Verständnis von Röm 3,24—26.

[84] So unter Hinweis auf (semitisches) abstractum pro concreto W. Bauer sv; Conzelmann, 1.Kor z.St.; s.u. A.143.

[85] Richtig Baumann 135: „*Paulus argumentiert personal*: das Heilsgeschehen ist bleibend gebunden an die *Person* des Christus Jesus und geht nicht einfach in christlicher Anthropologie auf". Die traditionelle Formulierung erlaubt Paulus, genau das zu sagen. Richtig spricht Michel, Röm 158, im Blick auf 1. Kor 1,30 von der Gerechtigkeit als „Daseinsform des Christenstandes".

[86] Diese bewußte Identifizierung von Weisheit und Christus spricht für die Vorbehalte, die Köster (Rez. Wilckens, Weisheit, Gn 33, 1961, 590ff) und Niederwimmer, Erkennen 79 (A.11 von 78) gegen die Annahme einer Sophiachristologie in Korinth gemacht haben (so jetzt auch Wilckens selbst, 1.Kor 2,1—16, 524f).

[87] Auch in 1.Kor 2,6ff verläßt Paulus diese Linie nicht; das stellen trotz verschiedener Bestimmung des religionsgeschichtlichen Hintergrundes Schottroff 217—227; Winter, Pneumatiker 232, und Wilckens, 1.Kor 2,1—16, übereinstimmend fest (s.u. A.590).

[88] AaO 100.

nur das Mittel oder auch den Umstand wieder, wodurch die Christen weise, heilig, gerecht und erlöst wurden, sondern den *Bereich des neuen Seins*[89]. In ihm leben die, welche das Wort vom Kreuz angenommen haben und allein in seiner Kraft existieren. Das Kreuz als Gnadenmittel, d.h. als Durchgangsstadium zum Heil, lehnten möglicherweise auch die Korinther nicht ab. Der Streit ging um die Frage, ob der bleibende Ort der Gemeinde „in Christus" unterm Kreuz sei[90].

Im Zusammenhang des ganzen Abschnittes ergeben sich daraus zwei Folgerungen:

1. Die Ausleger bezeichnen V. 26—31 gerne als argumentum ad hominem[91]. Es muß jedoch beachtet werden, wie dieses Argument verläuft. Der Blick auf die soziale Wirklichkeit der Gemeinde, in der sie berufen wurde[92], weist auf das „Grundgesetz" des Handeln Gottes, der menschlichen Eigenruhm zerstört und Neues aus dem Nichts schafft. „Damit ist der Erwählungsgedanke von Paulus als ein Stück seiner Rechtfertigungslehre expliziert worden."[93] Theologie und Anthropologie dürfen hier nicht gegeneinander ausgespielt werden; sie interpretieren sich gegenseitig: Wer Gott ist, zeigt sich daran, wie er an seinem Geschöpf handelt. Geschöpfsein läßt sich aber nur unter der Souveränität des Rechtes Gottes begreifen, der die in der Welt geltenden (anthropologischen) Maßstäbe zerbricht. Von hier aus wird das Sein der Gemeinde und des einzelnen in ihr erhellt: Existenz und Heil gibt es für sie nur in Christus. Weisheit, Gerechtigkeit, Heiligung

---

[89] Thüsing, Rechtfertigungsgedanke 206f; 310.
[90] Zwar ist diese Formulierung nicht paulinisch, aber sie macht jene „Identifikation mit dem Gekreuzigten" anschaulich, die das paulinische Gemeindeverständnis prägt (Thyen, Problematik 132f; Fischer, Bedeutung des Leidens 55f, 162f; aus systematischer Sicht Moltmann, Kirche 82). Damit ist auch unser Verständnis der paulinischen *theologia crucis* umrissen, deren Wesen gerade darin liegt, über die soteriologische Bedeutung des Kreuzes hinaus seine prägende Kraft für die Existenz des Christen und der Gemeinde auszusagen (s.u. 136f; vgl. Brandenburger, Σταυρός 36ff; Luz, Theologia crucis 122; Stuhlmacher, 18 Thesen; Ortkemper 88ff, 98f; Eckert, Gekreuzigte. Für eine schärfere Eingrenzung auf eine „Staurologie" mit polemischem Charakter plädieren H.-W. Kuhn, Jesus 27—41, u. Dietrich 217).
[91] Allo u. Lietzmann (— Kümmel) z.St.
[92] Vgl. Bohatec, dessen Auslegung für V. 30 aber nicht zu überzeugen vermag. Wüllner, Ursprung, hält die Trias σοφός — δυνατός — εὐγενής für konventionell, ohne jedoch die von ihm postulierte Formel wirklich nachweisen zu können. Zur soziologischen Auswertung von V. 26ff s. A.95.
[93] Löwe 9f.

und Erlösung besitzt sie immer nur als „fremde"[94]. Diese unumkehrbare Vorordnung der Christologie schützt Soteriologie und Ekklesiologie davor, sich wieder von dem zu emanzipieren, was in der Theologie gesagt wurde.

2. Paulus argumentiert ganz von der Gemeinde, bzw. vom ‚Kollektiv'
her. Das „nicht viele" weist auf Ausnahmen hin[95]. Die paulinische Er-
wählungslehre beruht nicht auf einem am einzelnen orientierten „Pau-
peritätsideal"[96]. Der Blick geht auf die *ganze* Gemeinde. Ihr Zustand
„demonstriert die Freiheit der göttlichen Gnadenwahl"[97] und die
Macht göttlicher creatio ex nihilo. Das bestimmt auch das Selbstverständnis des einzelnen (V. 29–31), gleich ob er arm ist oder reich.
Keiner kann sich vom Zustand der Gemeinde distanzieren, und die
Gemeinde als solche wird nicht von der Wirklichkeit, in der ihre Glieder leben, abgehoben. Heilsbereich ist sie nur, sofern man in ihr „in
Christus" ist. Nach Paulus gibt es nur dort Gemeinde, wo man gemeinsam aus der 1. Seligpreisung lebt[98].

Der Abschnitt *Gal 3,26–29* stellt uns mitten hinein in die Auseinandersetzung um Rechtfertigung und Abrahamkindschaft. Angeregt
durch das Bild vom ‚Zuchtmeister' Gesetz führt Paulus das Thema
unter dem Begriff ‚Söhne Gottes' weiter[99]. „Alle seid ihr Söhne Gottes durch den Glauben, in Jesus Christus". Diese Doppelbestimmung
entspricht den parallelen Formulierungen in 2,16a/b/17a und 3,14a/
b[100]. Die naheliegendste Interpretation wäre, in διὰ τῆς πίστεως das
Prinzip der subjektiven Aneignung und in ἐν Χριστῷ Ἰησοῦ den objektiven Grund des Heiles zu sehen, ἐν Χριστῷ Ἰησοῦ also mit „auf

---

[94] Conzelmann, 1.Kor 68; Masson, L'Évangile 102. Das ist wichtig für die Auseinandersetzung mit Schlier, Kerygma und Sophia; vgl. Wilckens, Kreuz und
Weisheit.

[95] 1.Kor 1,26ff ist mehrfach soziologisch ausgewertet worden: Judge, Gruppen 58f; Theißen, Schichtung 232ff; Malherbe 194f. Daß sich dabei die „Ausnahmen" als für die Gemeinde recht bedeutsam erwiesen haben (vgl. Theißen,
Legitimation 226ff), wirft ein Licht auf die Schärfe und den Mut der theologischen Argumentation des Paulus, sollte aber nicht dazu verleiten, seinen Angaben jeden soziologischen Aussagewert abzusprechen (so Wuellner, Implications), bzw. ins Gegenteil zu verkehren (aaO 672; Judge 59).

[96] Vgl. Conzelmann, 1.Kor 66.

[97] Conzelmann, 1.Kor 65; Schlatter, Paulus 93f.

[98] Darauf weisen W. Meyer, 1.Kor 65, und Wendland, 1.Kor 19, hin.

[99] Wir haben o. 1.2.7 den traditionsgeschichtlichen Hintergrund des Begriffs
als vertieften Ausdruck für die Beziehung Israels, bzw. der Frommen zu Gott
und das Feld seiner Verwendung bei Paulus analysiert.

[100] Vgl. Neugebauer 172; ἐν Χριστῷ Ἰησοῦ ist nicht mit διὰ τῆς πίστεως zu
verbinden.

Grund des Christusgeschehens" oder „um Christi willen" wiederzu-
geben [101]. Doch erklärt Paulus in V. 27f diese zweite Bestimmung näher: „Ihr alle, die ihr in Christus hineingetauft seid, habt Christus an-
gezogen". Kann man bei V. 27a noch im Zweifel sein, ob nicht eine
Abkürzung für „auf den Namen Christi getauft sein" vorliegt, so zeigt
27b eindeutig, daß diesem Satz eine realistische, räumliche Vorstellung Christi als „Gesamtpersönlichkeit" zugrunde liegt [102]. V. 28 bestätigt das: Die Aufhebung aller menschlichen Unterschiede als soteriologische Qualifikationen für die Gemeinde — wobei es im Zusammenhang vor allem auf das Gegensatzpaar Ἰουδαῖος — Ἕλλην ankommt [103] — wird dadurch begründet: „Denn ihr seid alle einer in
Christus Jesus". Der Versuch auch hier ἐν Χριστῷ Ἰησοῦ kausal oder
instrumental zu verstehen, scheitert an dem Wörtchen εἷς [104]! Die Verwandtschaft dieser Formulierung zu 1.Kor 1,13; 12,12 und damit
zum Leib-Christi-Gedanken ist eindeutig.

Der Beweisgang, der mit V. 26 begonnen hat, dient aber nicht nur
dazu, die Gleichheit aller in Christus zu erweisen und damit die Dis-
kriminierung der Heidenchristen durch die Forderung der Beschneidung zu verhindern. Daß die Christen in einem bestimmten Sinn mit
Christus identisch sind, erlaubt Paulus nun, die in 3,16 auf Christus
beschränkte Abrahamskindschaft auf sie zu übertragen. Doch wird in
V. 29 das ἐν Χριστῷ durch den Genetiv Χριστοῦ weitergeführt, die
Ontologie von V. 27f also nicht unkritisch übernommen: in Christus
sein heißt Christus gehören [105].

---

101 Ἐν Χριστῷ entspräche dann dem reformatorischen propter Christum. Auf
Grund seiner Auffassung von Pistis sind für Neugebauer 171 beide Wendungen
identisch.
102 Zur Gewandvorstellung vgl. Oepke, Schlier u. Mußner, Gal z.St., und die
ausführlichen Darlegungen bei Löwe 67—70,86. Fast alle Exegeten begründen
ihr räumliches Verständnis von ἐν Χριστῷ mit dieser Stelle oder lassen sie als
Beleg für ein solches Verständnis gelten (s.o. A.69). Neugebauers Umgehung
der religionsgeschichtlichen Frage ist hier besonders gravierend, vgl. Kümmel,
Rez. ZRGG 19, 1962, 379ff.
103 Die überschießenden Elemente, die Parallelen (1.Kor 12,13; Kol 3,11) und
die knappe Formulierung lassen an eine (enthusiastische?) Formel denken; so
Käsemann, Apokalyptik 124f; Stuhlmacher, καινὴ κτίσις 3f; Luz, Gottesbild
766; H. D. Betz, Geist 80ff; Bouttier, Complexio 6ff; Paulsen 77ff.
104 Grundlegend die Beobachtungen von T. Schmidt, Leib 148ff; vgl. auch Löwe 70, 86; Wilckens, Weisheit 13 A.3; Blank, Paulus 273 A.28, u. Mußner,
Gal z.St. Wer den lokalen Sinn leugnet, muß hier zu Umschreibungen greifen,
die dem Text nicht gerecht werden, z.B. Havet 515f; Neugebauer 103.
105 Wie 1.Kor 15,23 Gen.poss.; vgl. Mußner, Gal 266. Auf die Bedeutung dieser Akzentverschiebung geht Löwe 70f und mit anderen Kategorien Theißen,
Symbolik 286f, 299, ein. Die Gleichsetzung der Vorstellung löst aber nicht die

Gal 3,26ff macht deutlich, daß für Paulus Christus mehr ist als nur Mittel zur Restitution des Gottesvolkes, ein geschichtliches Ereignis, das als Gründungsgeschehen weiter tradiert wird[106]. Er bleibt in einer Weise bestimmend für seine Gemeinde, die nicht in der Begriffswelt der Gottesvolktradition ausgedrückt werden kann[107]. Um zu zeigen, wie Christus seine Gemeinde prägt, und daß sie nur „in ihm" Bestand hat, verwendet Paulus die Vorstellung von Christus als „Gesamtpersönlichkeit", die hinter dem Bild von Gewand steht[108]. So sehr er sich einerseits bemüht, die enthusiastischen Aussagen von „Christus in uns" durch den Glauben an die geschichtliche Tat Gottes in Christus zu interpretieren (2,20), so wenig scheut er sich andrerseits, die die Gemeinde bestimmende Wirkung des Heilgeschehens in räumlichen Kategorien auszudrücken, bzw. mit enthusiastischen Erlebnissen zu vergewissern[109]. Indem er so den „Ort" der Gemeinde in Christus absteckt, stellt er fest, was in ihr ein für alle Mal gilt. Die Gleichheit von Juden und Heiden vor Gott, die in der Rechtfertigung des Sünders anthropologisch aufgewiesen wird (Gal 2,15ff), findet ihre adäquate ekklesiologische Entsprechung in der Gleichheit aller in Christus[110].

Thematisch gehört hierher *Phil 3,9*, eine Stelle, die auf den ersten Blick nichts mit Ekklesiologie zu tun zu haben scheint. Bei näherem Hinsehen entpuppt sich aber der Abschnitt Phil 3,2ff als ein Text, der nicht nur eine grundsätzliche Verhältnisbestimmung von Christologie und Rechtfertigung bringt, sondern auch die ekklesiologischen Konsequenzen dieses Verhältnisses streift. Das geschieht im Zusammenhang einer Polemik gegen Irrlehrer, die manche Ähnlichkeit mit den in Gal und 2.Kor genannten besitzen[111]. Ihren Ansprüchen und Ruh-

---

Bedeutung des unterschiedlichen Vorstellungshintergrundes auf (gegen Neugebauer; vgl. auch Brandenburger, Fleisch 26ff).

[106] So Knox, Church 68ff, 115ff, 124, der zu dieser Konzeption gerade deswegen kommt, weil er das ἐν Χριστῷ völlig mit der Kirche identifiziert. Vgl. auch Käsemann, Glaube 174f, in Auseinandersetzung mit Neugebauer.

[107] Dodd, Doctrine 38; E. P. Sanders, Paul 547.

[108] Daß Paulus nicht ohne weiteres die ganze Ontologie übernimmt, die in diesem Vorstellungskreis steckt, sieht man daran, daß er das Bild auch im Imperativ verwendet (Röm 13,14), was Schlier bei seiner Interpretation große Schwierigkeiten macht (Gal 173f).

[109] Vgl. Gal 3,2ff und bes. 4,1ff, wo die Sohnschaft einerseits heilsgeschichtlich begründet wird (4,3f), andrerseits in der gegenwärtigen Gabe des Geistes erkannt wird (4,6; vgl. Röm 8 und dazu u. 2.5.3).

[110] Vgl. Lührmann, Tiefenpsychologie 232, Sklave oder Freier 57f.

[111] Vgl. Gnilka, Phil 186. Es zeigen sich jeweils charakteristische Unterschiede: Paulus wird nicht wie im 2.Kor als Apostel angegriffen; anders als im Gal

mestiteln setzt Paulus entgegen: Wir sind die Beschneidung! Diese
Behauptung, den durch das Zeichen der Beschneidung in Wahrheit
gemeinten Heilsbereich zu repräsentieren, erläutern drei Partizipien.
Das erste beschreibt die Gemeinde als Schar derer, die durch Gottes
Geist den wahren Gottesdienst feiern, das zweite und dritte weisen
auf die anthropologischen Konsequenzen, die Paulus dann an sich
selbst exemplifiziert[112]. Die Begegnung mit Christus — hier gar nicht
explizit erwähnt — führt ihn zu dem Urteil, daß alle seine vermeintlichen Vorzüge Schaden waren gegenüber der Erkenntnis Christi. Die
positive Seite, sein neues „Selbstverständnis", beschreibt er durch
das Verhältnis zu Christus, das jetzt seine Existenz bestimmt. Eindrücklich ist dabei, wie er das Erkennen Christi im Sinne der theologia crucis und das ἐν Χριστῷ durch die Rechtfertigungslehre interpretiert[113]. Ἐν αὐτῷ — durch das Verb εὑρεθῆναι dem lokalen Verständnis nahegerückt — muß insoweit ekklesiologisch verstanden
werden, als es gegenüber jüdisch interpretierter περιτομή den Bereich
kennzeichnet, in dem anstelle eigener Gerechtigkeit aus dem Gesetz
im Glauben an Christus auf die Gerechtigkeit aus Gott vertraut wird.
Wieder ist bemerkenswert, daß Paulus dem γένος Ἰσραήλ nicht die
ἐκκλησία τοῦ θεοῦ gegenüberstellt, sondern das ἐν Χριστῷ.

Bleibt uns noch, 2.Kor 5,17 zu untersuchen. Hier trifft die Formel
ἐν Χριστῷ auf den Begriff καινὴ κτίσις. Dadurch wird unsere Untersuchung zu einer Rechnung mit zwei Unbekannten. Es empfiehlt sich,
diesem Thema einen eigenen Abschnitt zu widmen, bevor wir ein Fa-
zit zum ekklesiologischen Aspekt der Formel ‚in Christus' ziehen.

2.2.2 Die Gemeinde als Anbruch der neuen Schöpfung

Überblickt man den Kontext von 2.Kor 5,17 und Gal 6,15, den beiden Stellen, an denen Paulus von der καινὴ κτίσις spricht, so fallen
gemeinsame Züge ins Auge: In 2.Kor 5,12ff geht es offensichtlich um

---

scheinen die Gegner sich der Beschneidung zu rühmen, aber sie nicht unbedingt
zu fordern.
[112] Vom jüdischen Denken her haben „ekklesiologische" Aussagen, sofern sie
soteriologisch bedeutungsvoll sind, immer auch anthropologische Relevanz.
Zur „typologischen Bedeutung" der apostolischen Existenz vgl. Stuhlmacher,
καινὴ κτίσις 27ff.
[113] V. 9—11 bilden daher eine Schlüsselstelle für den inneren Zusammenhang
der paulinischen Theologie; vgl. Stuhlmacher, Gerechtigkeit 99—101; Tannehill 114ff; Strecker 237; problematisch dagegen die Trennung der Linien bei
Sanders, Paul 505.

den Vorwurf von Gegnern, Paulus könne sich keiner ekstatischen Erscheinungen rühmen[114]. Der Apostel läßt zwar durchblicken, daß er auch solche Erlebnisse hat, läßt sie aber nicht als Grund zum Ruhm und als Legitimation der apostolischen Existenz gelten. Die Liebe Christi beherrscht ihn in seinem Urteil[115]: Weil Christus für alle gestorben ist, sind alle gestorben[116]. Der eigene Ruhm ist tot, Leben gibt es nur noch im Dienst des Gekreuzigten und Auferstandenen. Καυχᾶσθαι ἐν καρδίᾳ (5,12b) steht also parallel zum καυχᾶσθαι ἐν τῷ σταυρῷ τοῦ κυρίου ἡμῶν Ἰησοῦ Χριστοῦ von Gal 6,14[117].

In Gal. 6,12ff entlarvt Paulus das Drängen der Gegner auf Beschneidung als Streben nach Eigenruhm. Für ihn ist „Rühmen" nur noch auf Grund des Kreuzes möglich, durch welches er der Welt gestorben ist und die Welt ihm[118]. An verschiedenen Fronten geht es Paulus in der Verteidigung seiner Botschaft um die gleiche Sache: die eigene Gerechtigkeit und der Eigenruhm sind ausgeschlossen um des Kreuzes willen[119]. Dabei fällt auf, daß er in Gal 6,14 die Situation des Christen mit einem persönlichen Bekenntnis umschreibt und andererseits in 2.Kor 5,14f den Charakter seines Apostolats aus einem Satz und Sachverhalt ableitet, der für alle Christen gilt. Der negativen Abgrenzung „durch Christus der Welt gestorben" stellt Paulus in 2.Kor 5,15 den positiven Sachverhalt entgegen: Diejenigen, welche das Leben ergriffen haben, leben dem, der für sie gestorben und auferstanden ist[120]. Sie sind darum — und das allein ist wichtig — καινὴ κτίσις.

Nun ist aber vor allem in 2.Kor 5,17a kontrovers, ob καινὴ κτίσις anthropologisch (= neues Geschöpf)[121] oder kosmologisch[122] bzw. ek-

---

[114] Georgi, Gegner 255f, 299.
[115] Vgl. Spicq; ἀγάπη τοῦ Χριστοῦ ist wie ἀγάπη τοῦ θεοῦ immer Gen.subj. und bezieht sich auf das Kreuzesgeschehen (vgl. Heinrici, Windisch, Bultmann 2.Kor z.St.). Liebe Christi kann als Macht und Gabe verstanden werden (vgl. V. 14 mit Röm 5,5). Der Machtcharakter der Liebe schließt also das Urteil des einzelnen nicht aus, sondern fordert es heraus (zu Conzelmann, Rechtfertigungslehre 203).
[116] Zum Problem der πάντες s.o. A.56.
[117] Vgl. 1.Kor 1,31; zur καύχησις bei Paulus und zum Zusammenhang dieses Themas mit der Rechtfertigungslehre s. Bultmann, Theologie 242, 265; weiter Judge, Boasting, der dem Zusammenhang mit der antiken Rhetorik nachgeht.
[118] Vgl. G. Schneider 75: „Durch das Kreuz ist die alte Welt tot, sind ihre Urteile und Maßstäbe heilsgeschichtlich überholt, ist der Weg frei für die eschatologische neue Schöpfung." Weiter Tannehill 62ff; Minear, Crucified World.
[119] Zu den Berührungspunkten zwischen Gal und der korinth. Korrespondenz vgl. Borse, Standort 65ff, 79f, 170f.
[120] Vgl. 2,19; zur Auslegung von οἱ ζῶντες s.o. A.57.
[121] Foerster, ThWNT III, 1033,20ff; Sjöberg, Wiedergeburt 62; Schneider 76f (nur für 2.Kor 5,17); Galley 60f A.6; Schwantes 26—31; Bultmann, Geschichte

klesiologisch (= neue Schöpfung)[123] zu verstehen ist. Der religionsgeschichtliche Vergleich allein hilft nicht zur Entscheidung, da der Terminus sowohl anthropologisch (insbesondere im Rabbinat und im hellenistischen Judentum)[124] als auch kosmologisch (insbesondere im apokalyptischen Schrifttum)[125] zu belegen ist. Allerdings ist für die rabbinischen Aussagen umstritten, ob überhaupt an die Erwartung einer eschatologischen Neuschöpfung angeknüpft wird[126]. Dagegen finden wir in Qumran neben der Hoffnung auf die noch ausstehende neue Schöpfung die Auffassung von einer beim Eintritt in die Gemeinde sich vollziehenden Auferstehung und Neuschöpfung des einzelnen[127].

Liegen die Verhältnisse bei Paulus ähnlich?

Wir beginnen mit Gal 6,15, wo die Auslegung weniger kontrovers ist. Paulus stellt in einer Formel, die er auch in 1.Kor 7,19 und Gal 5,6 verwendet, περιτομή und ἀκροβυστία der καινὴ κτίσις gegenüber[128]. Das Begriffspaar kann kollektiv für Judentum und Heidentum stehen, so etwa Röm 3,30 und Gal 2,7 — auch hier in dem Zusammenhang, daß die Einteilung der Menschheit durch die Rechtfertigungsbotschaft grundsätzlich überwunden ist[129]. Daneben stehen die beiden Begriffe

---

48, 2.Kor z.St.; Conzelmann, Grundriß 230; Rey 33f, 42; Dinkler, Verkündigung 175f.
[122] Windisch, 2.Kor z.St.; Schlier, Gal z.St.; Bornkamm, Christus 167; Lindeskog, Studien 239—241; Löwe 88; Stuhlmacher, καινὴ κτίσις 1ff; Hahn, Tag 250.
[123] Neugebauer 112; Baumgarten, Apokalyptik 167ff (ohne klare Abgrenzung zwischen Kirche und Menschenwelt).
[124] Vgl. die Belege bei Billerbeck II, 421f; den paulinischen Gedanken am nächsten stehen TanB § 12 (19ª): „Die Gerechten wird er als neue Kreatur erschaffen und Geist in sie geben", und PesR 40 (169ª) „... so erkläre ich euch am Versöhnungstag für gerecht und erschaffe euch als eine neue Kreatur", vgl. auch Jub 5,12. Dazu Sjöberg, Wiedergeburt 44ff; Schneider 46—51, und Stuhlmacher, καινὴ κτίσις 14—16. Im hellenistisch-jüdischen Bereich vgl. JosAs 8,9; 15,5 (nach Schneider 41f und Stuhlmacher 17—20).
[125] Vgl. 4.Esra 7,75; SyrBar 32,6 (vgl. 44,12; 57,2); Jub 4,26 (1,29 Glosse?); äthHen 72,1 (vgl. 106,13); 1 QS 4,25; 1 QH 13,11; dazu Stuhlmacher 12—14; Sjöberg 70—74; Schneider 35—43 und Black.
[126] Vorsichtig positiv Sjöberg 67; klar bejahend Stuhlmacher 14f; ablehnend H.-W. Kuhn, Enderwartung 75—78.
[127] 1 QH 3,21; 11,11—14; vgl. dazu Sjöberg, Neuschöpfung; Schneider 40f und besonders H.-W. Kuhn, Enderwartung 48—52, 88. Die Tempelrolle (29, 8—10) spricht von der Erschaffung des eschatol. Tempels (Maier, Tempelrolle 89f; Lichtenberger, Atonement 164ff).
[128] Zur Formel und ihrer Traditionsgeschichte Stuhlmacher, καινὴ κτίσις 2f.
[129] Zu den Genetiven in Gal 2,7 vgl. Mußner z.St.; vgl. weiter περιτομή / ἔθνη in Gal 2,8f; Röm 15,8f.

für die soteriologische Qualifikation des Juden, bzw. deren Fehlen beim Heiden, so vor allem in Röm 2. Während 1.Kor 7,19 und Gal 5,6 eher an der zweiten Bedeutung orientiert sind, wie die Antithesen τήρησις ἐντολῶν θεοῦ bzw. πίστις δι᾽ ἀγάπης ἐνεργουμένη zeigen, sind in Gal 6,15 beide Nuancen vereinigt. Περιτομή und ἀκροβυστία repräsentieren zusammen den Kosmos, dem Paulus gekreuzigt ist. Die Wirkung, die sie als (vermeintliche) Heils- bzw. Unheilsbereiche auf die Menschen, die in ihnen beschlossen waren, ausgeübt haben, ist aufgehoben. Der Begriff καινὴ κτίσις steht damit als der eschatologisch gültige Heilsbereich gegen den „gekreuzigten" κόσμος[130]. Er muß daher mit „neue Schöpfung" wiedergegeben werden. Neue Schöpfung ist kosmologisch zu verstehen, insofern hier nicht die Gemeinde als drittes Geschlecht neben Juden- und Heidentum gestellt wird, sondern die eschatologische Grundlage der neuen Menschheit gekennzeichnet wird.

Dagegen scheint in 2.Kor 5,17a zunächst nur die Übersetzung „neues Geschöpf" in Frage zu kommen[131]. Aber schon Windisch hat darauf aufmerksam gemacht, daß der Kontext des Halbverses von Motiven der apokalyptischen Erwartung der Welterneuerung geprägt ist[132]. P. Stuhlmacher hat darüber hinaus — Anregungen O. Michels aufnehmend — darauf hingewiesen, daß V. 17a „nicht im Sinne einer Individualisierung, sondern ... im Interesse einer gnomischen Verallgemeinerung gemeint ist"[133]. Nicht auf die Bedingung, die der einzelne zu erfüllen hat, um ein neues Geschöpf zu werden, weist das εἴ τις, sondern auf das neue Sein, das jeden bestimmt, der in Christus ist[134]. Sinngemäß ist also zu übersetzen: „Ist einer in Christus, so gilt: die neue Schöpfung ist da!"[135] Wer um der Entsprechung von εἴ τις und καινὴ κτίσις willen dennoch an der Übersetzung „neues Geschöpf" festhalten will, tut gut daran, „den kosmologischen Horizont der paulinischen Anthropologie, der aus der Apokalyptik stammt, im Auge

---

130 Vgl. Schlier, Gal z.St.; Löwe 88; Minear, Crucified world 397f. Darin ist die καινὴ κτίσις dem αἰὼν ὁ μέλλων kongruent.
131 Darum unterscheiden manche Exegeten in der Übersetzung zwischen Gal 6,15 und 2.Kor 5,17 (z.B. W. Bauer sv; Schneider 76f; H.-W. Kuhn, Enderwartung 50).
132 2.Kor z.St.; vgl. Jes 43,19; 48,6f; 65,17; 66,22; Schwantes 30 übersieht diese Beziehungen, Wolter 77 hält sie nicht für zwingend.
133 καινὴ κτίσις 4; vgl. Michel, Erkennen 23,28.
134 Das geht aus dem Anschluß an den Kontext klar hervor (vgl. Schneider 77; Hahn, Tag 249) und stimmt überein mit der Beobachtung, daß εἴ τις mit „jeder, der" zu übersetzen ist (Bauer 436; Neugebauer 111f).
135 Bornkamm, Christus 167f; Barrett, 2.Kor z.St.; Tannehill 68 (ἐν ist hier zweifellos lokal zu verstehen, Hahn, Tag 249).

zu halten"[136], wenn er nicht die Dimension der Aussagen des Paulus verfehlen will.

Den kosmischen Horizont machen auch die V. 18—21 deutlich, wo Paulus die Versöhnung der Gemeinde[137] auf die Versöhnung der Welt durch Gottes Handeln in Christus bezieht. Auch wenn das Nebeneinander beider Aussagen auf die Aufnahme einer Bekenntnistradition zurückgehen sollte[138], bliebe das Gefälle der Argumentation eindeutig: Die Universalität des Heilsgeschehens bestimmt den Auftrag des Apostels. Wieder flicht er in diese Erörterung seines Apostolats einen allgemein gültigen Satz ein (V. 21), der die Botschaft von der Versöhnung noch einmal aus der Christologie begründet und in der Terminologie der Rechtfertigungslehre[139] den Stand der Christen definiert. Paulus benutzt dabei eine Stilform der Christusverkündigung, die Dahl als „teleologisches Schema" gekennzeichnet hat[140]. Charakteristisch für alle diese Formulierungen ist, daß Christus das menschliche Geschick auf sich nahm, damit wir an dem seinen Anteil bekämen. Der, welcher die Macht der Sünde nicht aus eigener Erfahrung kannte[141], wird für uns (bzw. an unserer Stelle)[142] zur Sünde gemacht. Wie in Gal 3,13 liegt ein abstractum pro concreto vor[143]. Die Frage ist, wie es aufge-

---

136 Löwe A.249 zu S. 88 (II, 36) unter Hinweis auf Käsemann, RGG II, 1275; vgl. Gibbs 143. Auch im rabb. Sprachgebrauch zeigt sich, daß die anthropologische Aussage von der ‏בריה־חדשה‎ nicht völlig individualisiert ist, sondern auf die (neue) Schöpfung bezogen wird. Die Formel kommt nie im Plural vor, auch nicht dort, wo das im Kontext zu erwarten wäre, obwohl von ‏בריה‎ durchaus ein Plural gebildet wird; vgl. TanB § 12 (19ᵃ), PesR 40 (169ᵃ), MTeh 102, § 3 (216ᵃ).

137 Das erste ἡμεῖς in V. 18a ist auf die Christen zu beziehen und nicht auf den Apostel (Bultmann, Probleme 309; Baumgarten, Apokalyptik 167; Hofius, Gott 5; gegen Güttgemanns, Apostel 313f).

138 Käsemann, Erwägungen 49f; kritisch dazu Stuhlmacher, Gerechtigkeit 77f.

139 Διακονία τῆς καταλλαγῆς entspricht der διακονία τῆς δικαιοσύνης (2.Kor 3,7); vgl. Dinkler, Verkündigung 176, und bes. klar Thüsing, Rechtfertigungsgedanke 310—315. Zum Verhältnis von Rechtfertigung und Versöhnung vgl. Käsemann, Erwägungen; Lührmann, Rechtfertigung; Schrage, Verständnis 74 A.74; Hofius, Versöhnungsgedanke. Zur Rechtfertigungslehre im 2.Kor vgl. auch Borse, Standort 170f.

140 Formgeschichtl. Beobachtungen 7ff; ein Vergleich mit den anderen Belegen ist aufschlußreich: Nicht nur Gal 3,13f, sondern auch 1.Petr 2,24; Röm 8,3f; 1.Th 5,9f und 2.Kor 5,14f wären heranziehen (vgl. dazu Theißen, Symbolik 290).

141 Nach Röm 7,7; vgl. Windisch, 2.Kor z.St.

142 Windisch z.St. und Riesenfeld, ThWNT VIII, 512f.

143 Die Sprachfigur ist in allen Sprachen verbreitet, vgl. z.B. die reichen Belege bei Kühner — Gerth II, 1,10ff für das Griechische. Aus dem AT ist auf Jer 23,6 zu verweisen, das vielleicht den Hintergrund von 1.Kor 1,30

löst wird. Denn offensichtlich will Paulus gerade die Aussage, daß Jesus zum „Sünder" gemacht wurde, vermeiden und sagen, daß Jesus sich der ganzen Macht und Schuld der Sünde unterwarf[144]. Christus wurde als Repräsentant der Sünde, als Stellvertreter der Menschheit verurteilt. Demgegenüber steht die Aussage, daß die Christen in ihm Gerechtigkeit Gottes werden. Wo sich ἀμαρτία und δικαιοσύνη gegenüberstehen, geschieht das fast immer unter dem Aspekt ihres Machtcharakters[145]. Darüber hinaus zeigt unsere Stelle klar, daß δικαιοσύνη θεοῦ feste Formel ist[146]. Wie ἀμαρτία die Macht kennzeichnet, unter der die Menschen stehen, so ist δικαιοσύνη θεοῦ das „Kennzeichen Christi"[147]. Dieses Kennzeichen wird auf die Christen übertragen, sofern sie „in Christus" sind, d.h. — vom Heilsgeschehen bestimmt — ihn als einzigen Ort ihres Existierens wählen[148]. So werden sie zu Repräsentanten der Gerechtigkeit Gottes, die im Evangelium offenbar wird[149].

---

und 2.Kor 5,21 bildet. Doch enthebt diese Feststellung nicht der Aufgabe, die Figur in ihrer Eigenart zu interpretieren, vgl. Käsemann, Röm 25.

[144] Vgl. Röm 8,3 und Barrett, 2.Kor z.St.; weiter Reventlow 111f und (zu Gal 3,13) Lohse, Märtyrer 155 A.3.

[145] S. Röm 6,18ff; 5,21 (dazu Stuhlmacher, Gerechtigkeit 75f; anders Gäumann 140f A.35,43). Vgl. weiter 1.Petr 2,24, wo in einer ähnlichen Formel ἀμαρτίαι (Plur.) auf die einzelnen Übertretungen weist, δικαιοσύνη aber als lebensbestimmende Macht erscheint.

[146] Einfaches δικαιοσύνη hätte als Entsprechung völlig genügt; vgl. Kertelge, Rechtfertigung 104 A.216.

[147] Vgl. 1.Kor 1,30 u. Kertelge, aaO 104; Hill, Greek Words 142; Reventlow 113f; Ziesler 159f.

[148] Vgl. Neugebauer 100. Zweifellos steht im Hintergrund auch hier der Gedanke von Christus als dem Repräsentanten einer neuen Menschheit; Stuhlmacher, Gerechtigkeit 75 A.3; C. B. Becker, Unity 183f; Reventlow 114f; Ziesler 164ff.

[149] C. D. Müller, Erfahrung 139; treffend Thüsing, Rechtfertigungsgedanke 312: „Die Finalität des Dienstes richtet sich deshalb auf die schöpferische Manifestation der Gottesgerechtigkeit in der Gemeinde"; ähnlich Hahn, Einheit 45. Zum Zusammenhang mit der Vorstellung von der Stellvertretung Christi durch seine Boten vgl. Käsemann, Gottesgerechtigkeit 193; Shedd 153 (der aber den forensischen Aspekt zu wenig berücksichtigt). Legt man die Stelle ausschließlich anthropologisch aus, muß man den Gen. als Gen.auct. wiedergeben (Oepke, Δικαιοσύνη θεοῦ 259; Bultmann, Theologie 277f; und — jede weitere Diskussion abschneidend — Conzelmann, Rechtfertigungslehre 203) und die ganze Wendung als Umschreibung von δικαιωθέντες auffassen (Bauer sv; Bultmann, ΔΙΚΑΙΟΣΎΝΗ ΘΕΟΎ 473 A.5; ders., 2.Kor z.St. [= δίκαιοι!]; Gäumann 141). Damit ist aber die *spezifische* Aussage von 2.Kor 5,21, wie sie Formulierung und Kontext prägen, verwischt.

Paulus beschreibt also mit καινὴ κτίσις den Stand der Christen als
Gemeinde[150], um Verantwortung, Maßstab und Horizont seines apostolischen Dienstes zu umreißen. Es kann für den Apostel nicht darum gehen, sich selbst zu empfehlen und die eigenen pneumatischen
Fähigkeiten zu demonstrieren, weil die Gemeinde selbst nur dadurch
existiert, daß sie dem lebt, der für alle gekreuzigt und auferweckt
wurde, daß sie hineingenommen ist in die Schöpfertreue Gottes, die
sich im Evangelium der ganzen Welt eröffnet, und daß Gott in ihr
die neue Schöpfung anbrechen läßt.

Neue Menschheit und *neues Menschsein* sind im Begriff καινὴ κτίσις
nicht zu trennen: Das Heil hat „eschatologisch kosmisches Ausmaß,
zieht aber den einzelnen Menschen in diese ungeheure Verwandlung
hinein"[151]. Hier gewinnt die Funktion der Anthropologie als „Tiefendimension der paulinischen Kosmologie und Eschatologie"[152] Bedeutung. Realität gewinnt die neue Schöpfung dort, wo man den Tod
Christi für alle als eigenen Tod übernimmt und nur noch dem neuen
Herrn lebt. Beide Linien vereinigt das ἐν Χριστῷ: die universale Bedeutung des Heilsereignisses und die Bindung seiner Wirklichkeit an
das Kreuz. Die unlösliche Verbindung dieser beiden Aussagen charakterisiert für Paulus auch das Wesen der Gemeinde und erlaubt es ihm,
sich von der gleichen Grundvoraussetzung aus sowohl den Versuchen,
wieder die alten Heils- und Unheilsbezirke aufzurichten, als auch der
Versuchung, in der Maske des Christen doch wieder eigenem Ruhm
zu leben, energisch zu widersetzen. Die Konzeption von der universalen Offenbarung der Gottesgerechtigkeit und ihrer nach dem Glauben
rufenden Verkündigung findet damit ihre klare ekklesiologische Entsprechung.

2.2.3 Der Vorrang der Christologie — eine Zwischenbilanz

Wir fassen unsere Beobachtungen zum ekklesiologischen Aspekt der
Formel ‚in Christus' zusammen:

1. Für die Interpretation der Formel an den untersuchten Stellen
bleibt das lokale Verständnis die treffendste Deutung[153]. Man kann
zwar wie Neugebauer versuchen, mit einer modalen Begriffsbestim-

---

150 Stuhlmacher, καινὴ κτίσις 8 u.ö.; vgl. aber auch Hahn, Tag 250: kein „ekklesiologischer Begriff im herkömmlichen Sinn des Wortes".
151 Michel, Erkennen 27; vgl. die Entsprechung von anthropologischer und ekklesiologischer Aussage in Gal 6,16!
152 Käsemann, RGG II, 1275.
153 Vgl. außer den A.69 Genannten C. D. Müller 113 A.2.

mung durchzukommen. Man muß aber dann darauf verzichten, die von Paulus anvisierte Vorstellung präzis zu erfassen. Damit soll nicht wieder ein eindimensionales Verständnis der Formel vorgeschlagen werden, etwa im Sinne einer rein ekklesiologischen Interpretation. Es ist ja nicht zu übersehen, daß an anderen Stellen die instrumentale Bedeutung des ἐν näher liegt. Wir müssen vielmehr annehmen, daß Paulus die Wendung ἐν Χριστῷ gerade um ihrer Weite willen so gerne verwendet. Sie verklammert beides: das Handeln Gottes in Christus, d.h. durch Kreuz und Auferstehung, und die gegenwärtige Wirklichkeit des Heilsgeschehens im Bereich des Christus, d.h. bei denen, die sich davon umfassen und bestimmen lassen.

2. In fast allen Texten, die wir durchgesehen haben, taucht das Rechtfertigungsgeschehen als soteriologisches Interpretament der christologischen Formel auf. Nur Phil 2,5 macht eine Ausnahme, da hier christologische Aussage unvermittelt als Begründung zur Paränese gestellt wird. Dieser Zusammenhang führt uns zu einem fundamentalen Grundsatz paulinischer Theologie: Indem Paulus nicht nur von Rechtfertigung aus und durch Glauben, sondern auch von Rechtfertigung ‚in Christus' spricht, macht er unmißverständlich klar, daß der Grund der Rechtfertigung nicht im Glauben des Menschen, sondern allein in der Tat Gottes extra nos liegt[154]. Das hat ekklesiologische Konsequenzen: Weil diese Tat nicht nur Sühne und Vergebung vergangener Sünden ist, sondern stellvertretendes Erleiden und Besiegen der Macht des Gesetzes, der Sünde und des Todes, stellt die Rechtfertigung hinein in eine neue Menschheit, die im Machtbereich Christi und der durch ihn repräsentierten Gerechtigkeit Gottes lebt. Wo Paulus auf diese Weise Christus als „Lebensraum" seiner Gemeinde charakterisieren will, greift er auf Vorstellungen zurück, hinter denen eine apokalyptisch gnostisierende Adamspekulation stehen dürfte[155]. Da es Gemeinde nur in diesem Raum geben kann, definiert das ἐν Χριστῷ das Wesen der Gemeinde: In der Versammlung der Christen bricht die neue Schöpfung an. Sie wird Wirklichkeit — und darin zeigt sich wieder die Dialektik der Formel — dort, wo man in Christus tot für die

---

[154] Vgl. Conzelmann, Grundriß 291: „ἐν Χριστῷ bestimmt den Ort des Heilsgeschehens als außer uns liegend". Daher die häufige Verbindung von Rechtfertigungsaussagen mit dieser Formel: Röm 3,24; 8,1f; 1.Kor 1,30 (vgl. 6,11); 2.Kor 5,21; Gal 2,17 (3,13f); 3,26.28; 5,5f; Phil 3,8f. Es gibt kein „Rechtfertigungsprinzip" *neben* der „Christusfrömmigkeit".
[155] S.o. Kap. 1, A.197; so schon Oepke, ThWNT II, 538. Zu unserer Interpretation der Formel vgl. auch Löwe 91: „Lokales und geschichtliches Verständnis der ἐν Χριστῷ-Formel müssen zusammengedacht werden". Ähnlich Luz, Geschichtsverständnis 212f.

Sünde, aber lebendig für Gott ist (Röm 6,11; vgl. 2.Kor 5,14ff), wo man vom Kreuz aus ‚in ihm' auf das Leben ‚mit ihm' ausblickt (2. Kor 13,4).

3. Wird das Wesen der Gemeinde durch das ἐν Χριστῷ definiert, so daß, was „Sein in der Gemeinde" heißt, immer daran orientiert sein muß, was „Sein in Christus" bedeutet, ist beides doch nicht identisch. Gerade die Verbindung von Rechtfertigung und ἐν Χριστῷ zeigt, daß die Bedeutung der Formel die Wirklichkeit der Gemeinde gewissermaßen nach rückwärts und vorwärts übergreift: Hält das ἐν Χριστῷ das extra nos des Heils fest, so kann das nach allem, was wir über das paulinische Gemeindeverständnis festgestellt haben, nur bedeuten, daß das Heil auch extra ecclesiam begründet ist[156]. Kennzeichnet die Formel andererseits die Wirklichkeit der neuen Schöpfung, die durch Christus heraufgeführt wurde, bleibt sie der Realität der Gemeinde immer voraus, um ihr Horizont und Tiefendimension des Handelns und Hoffens abzustecken[157].

4. Die Formel ‚in Christus' impliziert eine Sozialstruktur. Das wird am deutlichsten in Phil 2,5, wo Paulus aus dem Christusgeschehen direkte Konsequenzen für das Miteinander in der Gemeinschaft ableitet. In Gal 3,28 fällt der viel zitierte Satz, daß es in Christus weder Juden noch Griechen, weder Sklaven noch Freie, weder Mann noch Frau gibt. In der aktuellen Auseinandersetzung geht es nur um das Verhältnis von Juden und Heiden. Aber der Satz lebt in den Gemeinden des Paulus, und er zitiert ihn zustimmend, falls er ihn nicht doch selbst geprägt hat. Die Auskunft, es gehe um einen eschatologischen Satz, der die Aufhebung der Heilsbedeutung dieser Unterschiede ansage, und die Zurückhaltung, die Paulus im Blick auf die gesellschaftlichen Konsequenzen zu üben scheint[158], darf nicht den Blick dafür trüben, daß er für die soziale Wirklichkeit im Zusammenleben der Gemeinde eminente Bedeutung hatte[159]. 1.Kor 1,26–31 belegt

---

156 Zu der den Raum der Kirche übergreifenden Bedeutung der Formel z.B. in Gal 5,5f vgl. Neugebauer 80, der sonst (etwa 112 zu 2.Kor 5,17) „betont ekklesiologisch" interpretiert.
157 Vgl. Hahn, Tag 250. Auch der Eph sucht diese Differenzierung festzuhalten, wenn er vom Handeln Christi an der Kirche und vom Wachsen des Leibes auf das Haupt zu sprechen. Gestört wird die klare Unterscheidung dadurch, daß die Kirche ihrerseits von den Gliedern abgerückt und transzendiert wird (3,21).
158 Vgl. 1.Kor 7,20ff, eine Stelle, deren Interpretation aber durchaus offen ist; vgl. Bartchy; Thyen 152ff (in Auseinandersetzung mit Conzelmann, 1.Kor 151ff), und zur Diskussion um die Sklavenfrage bei Paulus Stuhlmacher, Phlm 43f.
159 Bouttier, Complexio 15ff; Lührmann, Sklave oder Freier 57ff; Luz, Theologia crucis 126; Stendahl, Mann und Frau 155ff; Paulsen 88f, 94f; vorsichtiger

dies: Paulus setzt voraus, daß die sozialen Unterschiede als Wertmaß-
stab in der Gemeinde überwunden sind, und warnt von dieser Basis
aus vor der Errichtung neuer, innerchristlicher Ranggruppen[160]. Praktische Schwierigkeiten, die sich z.B. bei der Mahlfeier durch die verschiedene soziale Herkunft ergeben, heben die Gültigkeit des Grund-
satzes nicht auf, sondern fordern praktikable Lösungen[161].

2.2.4. Die Gegenwart Christi in seinem Leib

Die hier angeschnittenen Fragen führen uns noch einmal zur Bezeichnung der Gemeinde als Leib Christi. Von allen Begriffen, die Paulus
für die Gemeinde verwendet, zielt ja gerade diese christologisch geprägte Wendung am stärksten auf die soziale Wirklichkeit der Gemeinde. Darum hat er seinen Sitz in der Paränese, aber nicht — wie der
oft wiederholte Hinweis, der Begriff komme nur in der Paränese vor,
zu suggerieren scheint — im theologisch wenig gewichtigen Konglo-
merat allgemeiner Ermahnungen, sondern in der mit äußerster theologischer Anspannung geführten Auseinandersetzung mit den Korinthern um die Praxis der Gemeinde[161a]. Weil diese Praxis dem Wesen der Gemeinde entsprechen soll, ist hier die Paränese der Ort des
theologischen Grundsatzgesprächs. Das wird durch die Wiederaufnahme des Motivs in Röm 12 bestätigt.

Die scharfen Konturen erhält der Begriff aber zweifellos durch seine
Funktion in der Auseinandersetzung mit den Korinthern. Ihr Hintergrund muß darum kurz skizziert werden.

Anlaß für den Brief waren Schwierigkeiten in der Gemeinde. Wir hören von Cliquenbildung, von Mißständen beim Herrenmahl und im
Gottesdienst. Auch die ethischen Fragen sind in den Augen des Paulus Gemeindeprobleme, da sie Verantwortung und Zusammenleben
der Gemeinde berühren und gefährden (5—10). Selbst in der Diskussion um die Auferstehung geht es nicht um die Auferstehung Jesu,
sondern um die der Toten ,in Christus'.

Theißen, Studien 33. Eine soziologische Analyse dieser Konsequenzen unter
dem Stichwort ,,Liebespatriarchalismus" findet sich bei Theißen, Schichtung
268ff.
[160] Zur Mischung von theologischer und sozialer Problematik s. Theißen, Legitimation 226f, Starke 284ff; vgl. Banks 120ff.
[161] Dazu Theißen, Soziale Integration.
[161a] Man sollte unterscheiden zwischen Paränese als formgeschichtlicher Kategorie im Sinne von Dibelius und als theologischem modus dicendi.

Der korinthische Enthusiasmus, der für diese Schwierigkeiten verantwortlich ist, wird durch zwei Dinge gekennzeichnet:

a) Eine von den Mysterien her geprägte Sakramentsfrömmigkeit gibt den Gläubigen Heilssicherheit[162]. Dabei wird vermutlich die Taufe als Auferstehung des πνεῦμα und das Mahl des Herrn als Mahl der Seligen gefeiert[163]. So wähnen sich die Korinther irdischer Anfechtung und leiblicher Verantwortung enthoben.

b) Ekstatische Erscheinungen und pneumatische Weisheitsrede gelten als sichere Zeichen des Geistbesitzes und damit der geistlichen Vollendung. Der Pneumatiker hat alles zur Verfügung; irdische Bindungen sind für ihn nicht mehr wichtig. Diese Haltung kann libertinistische und asketische Züge annehmen[164].

Für die Gemeinde hat das die Auflösung in Interessengemeinschaften zur Folge, da sie als Raum der Selbstbestätigung angesehen wird und nicht als Bereich des Dienstes. Gerade das hochgeschätzte Herrenmahl bringt das an den Tag. Weil es nach korinthischer Auffassung ex opere operato wirkt, kommt der Gedanke an die Verantwortung gegenüber dem Bruder gar nicht auf[165].

Bemerkenswert ist nun, daß Paulus diese ekklesiologischen Schwierigkeiten *christologisch* angeht. Das zeigt sich besonders am Anfang des Briefes. Paulus geht auf die von ihm zitierten Gruppenparolen gar nicht weiter ein, sondern entfaltet sein Evangelium als Wort vom Kreuz[166]. Man darf vermuten, daß er das πρῶτον ψεῦδος aller korinthischen Gruppen in deren Christologie sah. Ihr Charakter ist aber schwierig zu bestimmen, da er darüber nur Andeutungen macht[167]. Doch weist die Art, wie er in 1.Kor 1,13; 12,12 vom Χριστός spricht, wo man Aussagen über die Gemeinde erwartet, und ohne Erläuterung den Begriff σῶμα Χριστοῦ einführt, darauf hin, daß er ein Theologu-

---

[162] V. Soden, Sakrament und Ethik; Bornkamm, Herrenmahl 134ff, 175f.
[163] Schniewind, Leugner 114f; Käsemann, Abendmahlslehre 17f; Goppelt, Gottesdienst 443f; Arrington 114ff. Auf dieser Voraussetzung beruht die folgende Analyse. Ihr Vorteil ist, daß sie sich am besten in den Gesamtrahmen des 1. Kor einfügt (vgl. Dahl, Church 59; Becker, Auferstehung 74f; Thiselton; kritische Stimmen s.u. bei A.209).
[164] Vgl. 1.Kor 12–14; 3,21ff; 8,1ff; 6,12ff; 7,1ff.
[165] Vgl. die A.162 Genannten. Nach Doughty, Presence 79, 90, ist weniger die Antizipation, als vielmehr diese individualistische Verengung des Heils das Hauptproblem in Korinth.
[166] Vgl. Wilckens, Weisheit 11ff; G. Friedrich, Christus 152ff.
[167] Vgl. die Hypothesen von Wilckens, aaO 205ff, Schmithals, Gnosis 117ff; dazu Köster, Rez. Wilckens, Gn 33, 1961, 590ff, und die Selbstkorrektur von Wilckens, 1.Kor 2,1–16, 524f.

menon aufnimmt, das die Korinther kennen und für sie eine zentrale Aussage darstellt: die Konformität der Christen mit dem erhöhten Christus[168]. Die „unerhörte Verflochtenheit der ekklesiologischen und christologischen Aussagen, die den paulinischen Kirchenbegriff kennzeichnen"[169], würde sich damit als Erbe der Enthusiasten erweisen.

Doch gilt es hier, sich vor vorschnellen Schlüssen zu hüten. Entscheidend sind ja in solchen Zusammenhängen bei Paulus immer die Modifikationen, mit denen er auf die Vorstellungen der Gegner oder Gesprächspartner eingeht. Folgende Linien lassen sich hier nachzeichnen:

1. Gegenüber einer Sakramentsfrömmigkeit, die ausschließlich an der Vereinigung mit dem erhöhten Herrn orientiert ist, interpretiert Paulus das Herrenmahl mit Hilfe der Einsetzungsworte vom Kreuz her (1.Kor 11,23ff). Gemeinde ist Leib Christi, weil sie teilhat am Kreuzestod Christi. Das Herrenmahl ist nicht Mahl der Seligen, sondern stellt in die Verkündigung des Todes Jesu (1.Kor 11,26) bis zur Parusie. Die securitas der Korinther muß von hier aus zerstört werden und Gehorsam gegenüber dem Kyrios als einzig mögliche Existenzweise der Gemeinde erkannt werden[170]. „Sind wir etwa stärker als er?" fragt Paulus die Gemeinde (10,22): Das Mahl, das die ganze Gemeinde (οἱ πολλοί) zur Einheit eines Leibes zusammenfügt, gibt Anteil am *Tod* des Herrn (10,16.17). Der Leib-Christi-Gedanke zieht damit die Konsequenzen der theologia crucis für die Ekklesiologie. Die Gemeinde repräsentiert den erhöhten Herrn irdisch nur so, daß sie mit ihm stirbt[171].

---

[168] Diese Hypothese vertreten in verschiedener Form Wilckens, Weisheit 208ff; Löwe 77; Fischer, Leiden 53; Schmithals, Gnosis 117ff. Köster hat aaO die Identifikation von Sophia-Christus-Christen abgelehnt und vermutet, daß die Korinther in Christus einen Führer zur Weisheit gesehen haben. Das würde die Parteiparolen (insbesondere das schwierige ἐγὼ δὲ Χριστοῦ) gut erklären, nicht aber das nachfolgende μεμέρισται ὁ Χριστός. Daß man ohne Annahme eines kollektiven Verständnisses von ὁ Χριστός an den oben angeführten Stellen kaum durchkommt, zeigt am besten Havet, obwohl er gerade das Gegenteil beweisen will. Wir hoffen nachweisen zu können, daß er darin recht hat, daß Paulus Christus und die Kirche nicht identifiziert. Warum er dennoch 1,13 und 12,12 formulieren kann, hat Havet aber nicht erklärt. Der Grund muß darin liegen, daß Paulus an Vorstellungen anknüpft, die er übernimmt, um sie zu modifizieren.

[169] Vgl. Gaugler, Wort 10; Buonainti 302; K. L. Schmidt, ThWNT III, 515,21f; Léenhardt, Études 38; Theißen, Symbolik 299ff, der sagt: „Paulus ist selbst Enthusiast" (300).

[170] Das Verhältnis zum Gekreuzigten bestimmt das zum Erhöhten; vgl. 1.Kor 10,1–13; Röm 6. „Die Zeit des Glaubens ist die Zeit des Gehorsams. Identität des Getauften mit Christus ist Identität mit dem Gekreuzigten" Löwe 70.

[171] Vgl. Newbegin 80: „The Church only lives through dying". Ähnlich Löwe 81; Käsemann, Theol. Problem 197; Stuhlmacher, 18 Thesen 518; Schrage, Kir-

2. Der zweite Akzent, den Paulus setzt, ist die Betonung des Gemeinschaftscharakters des Leibes. Damit tritt kein fremder Gesichtspunkt *neben* die theologia crucis. Denn die Teilhabe an der Hingabe des Christus begründet die Gemeinschaft und Einheit der Christen (1.Kor 10,16f)[172] und weist sie in die Verantwortung für den Bruder, „für den Christus gestorben ist" (1.Kor 8,11; Röm 14,15). Darum sind für Paulus in der Abendmahlsparänese angemessenes Verhalten angesichts der Präsenz des gekreuzigten und erhöhten Herrn und Verantwortung gegen die versammelte Gemeinde nicht zu trennen[173]. Der Gemeinschaftsgedanke wird ja nicht erst durch das Organismusgleichnis in 1.Kor 12,14ff eingebracht, sondern ist Konsequenz der Soteriologie[174]. Lautet deren Formel jedoch εἷς ὑπὲρ πάντων ἀπέθανεν (2.Kor 5,14; vgl. Röm 5,18f), so heißt es ekklesiologisch gerade umgekehrt πάντες ... εἷς ἐστε ἐν Χριστῷ (Gal 3,28; vgl. Röm 12,5; 1.Kor 10,17). Weil die Christen durch die Taufe und das Herrenmahl in den Bereich und die Gegenwart des Christus gestellt werden, sind sie — obwohl viele — nicht nur eins, sondern einer, d.h. ein Leib in Christus. Sie sind der Leib Christi. Das bedeutet, daß die soteriologischen Unterschiede aufgehoben sind (Gal 3,28; 1.Kor 12,13). Das οὐ γάρ ἐστιν διαστολή von Röm 3,22f im Zusammenhang der Rechtfertigungslehre findet seine *positive* Entsprechung im Leib-Christi-Gedanken[175]. Dessen weitere paränetische Ausführung, die organische Einheit der *verschiedenen* Glieder, ist nur schlüssig unter der Voraussetzung *gleichen* Heilsstandes. Doch ist damit erst die Negation ausgesprochen: keine Unterschiede, während die Position lautet: die vielen bilden eine Gesamtpersönlichkeit. Das wird durch den *einen* Geist bewirkt, durch den die Christen in den einen Leib getauft wurden,

---

che 216; vgl. auch Tannehill 123ff, der zwar stärker individualistisch formuliert, aber die Beziehung zur Rechtfertigung klar hervorhebt.

[172] S.o. Kap 1, A.188. Zur Bedeutung des Koinoniagedankens für die paul. Ekklesiologie vgl. Michel, Zeugnis 41f; Ernst, Bedeutung 766; Kertelge, Koinonia; Schnackenburg, Einheit; (Hainz, Koinonia, war mir nicht zugänglich). Zu 1.Kor 10,16ff speziell Seesemann 34—56; Campbell, ΚΟΙΝΩΝΙΑ 22f; McDermott 220ff; Lang, Gesetz 317.

[173] Vgl. dazu die wohl beabsichtigte Vieldeutigkeit von σῶμα in 1.Kor 11,29; dazu Kümmel (gegen Lietzmann) in Lietzmann — Kümmel, 1.Kor 186; Bornkamm, Herrenmahl 169; Conzelmann, 1.Kor 238 A.104; Friedrich, Christus 165f; Löwe 127; Kertelge, Abendmahlsgemeinschaft 102—105; Wilckens, Eucharistie 76.

[174] Reventlow 134; Theißen, Integration 314.

[175] Das ist das Hauptanliegen Meuzelaars, das aber zu einseitig auf das Problem Juden — Heiden begrenzt wird. Umfassender Ollrog 144f und Bouttier, Complexio 16f.

den sie als Trank bekommen und in dem sie mit Christus leibhaftig zusammengefügt sind (1.Kor 6,17)[176].

Diese Verbindung von Leib Christi und Geist ist der charakteristische Unterschied der paulinischen Konzeption zum viel besprochenen Stammvatergedanken bzw. der corporate personality[177]. Bei Paulus wird die Gemeinschaft nicht durch einen einzelnen repräsentiert, sondern Gemeinschaft, Solidarität und Einheit der vielen durch die Präsenz des Einen konstituiert[178]. Eine Spaltung der Gemeinde ist darum ein Ungedanke, weil damit *Christus* zerteilt würde (1.Kor 1,13).

1.Kor 12,13 zeigt, daß die Gemeinde als Leib Christi dem einzelnen vorgeordnet ist[179]. Dieses prae besteht nicht nur darin, daß immer schon andere vor mir geglaubt haben und mir das Wort sagen. Es liegt darin, daß die Möglichkeit zur Gemeinschaft nicht aus dem Sozialisationsstreben des Menschen entspringt, sondern extra nos in dem Geschick und der Gegenwart Jesu Christi gegeben ist[180]. Darum ist von solcher Vorordnung der Gemeinde vor dem einzelnen nur die Rede, wo sie streng christologisch bestimmt wird (vgl. auch 2.Kor 5,17; Gal 3,27f). Das solus Christus wird auch in der Ekklesiologie festgehalten, und der Satz „nulla salus extra ecclesiam" könnte für Paulus Gültigkeit nur beanspruchen, wenn er als Ausdruck der Tatsache verstanden würde, daß Christus mit dem Heil immer auch Gemeinscahft schenkt und Verantwortung in ihr beansprucht[181].

---

[176] Vgl. Schweizer, ThWNT VI, 416,29ff.

[177] Grundlegend H. W. Robinson; ihm folgen de Fraine und Shedd (165); kritisch zu den atl. Voraussetzung Rogerson, der wiederum von Ellis, How the New Testament 170 A.89, kritisiert wird.

[178] J. A. T. Robinson, Body 61: „... it is not the one who represents the many ... it is the many who represents the one". Vgl. Michel, Zeugnis 54; Harlé; und zur Adam-Christus-Typologie in Röm 5,12ff: Wilckens, Röm 327.

[179] Vgl. Käsemann, Abendmahlslehre 14; Conzelmann, Grundriß 289; ähnlich die meisten Ausleger.

[180] Zu Recht wendet sich Heine gegen eine Trennung von Christusleib und Gemeinde, verfehlt aber mit ihrer Definition: „Der ‚Leib Christi' ist durch Handeln aus Glauben geschaffene leibhaftige Wirklichkeit" (150) die paulinische Pointe der Vorordnung der Christologie, weil sie derartige Aussagen von vornherein als „schlechte Metaphysik" ablehnt (18 u.ö.; doch vgl. 149; vgl. auch C. D. Müller, Erfahrung 163; richtig G. Friedrich, Kirche 134).

[181] Mit Käsemann, Theol. Problem 202, ist festzuhalten, „daß wir als Christus zugeordnet Glieder der Kirche werden und nicht umgekehrt als Glieder der Kirche an Christus teilhaben. Hier hängt alles an der Unumkehrbarkeit der Reihenfolge". Ähnlich schon T. Schmidt, Leib 154. Bewußt umgekehrt formuliert Knox, Church 96 u.ö. Sein Versuch, von dem notwendigen Dienst der Kirche aus ihre Heilsnotwendigkeit zu postulieren und den ekklesiozentrischen Charakter des Evangeliums zu proklamieren, sollte zumindest im evangelischen

Behalten wir diese Beobachtung im Auge und greifen zurück auf das Ergebnis unserer Untersuchung der Verbindung von Rechtfertigungslehre und der Formel ‚in Christus‘, daß auch die Ekklesiologie im ἐν Χριστῷ ihr *extra nos* habe (s.o. 103), so läßt sich ein Tatbestand erklären, der uns mehrfach aufgefallen ist. An einigen Stellen, an denen wir Aussagen über die Ekklesia erwarten, spricht Paulus statt dessen von ὁ Χριστός, ἐν Χριστῷ, σῶμα Χριστοῦ; besonders deutlich in 1. Kor 1,13; 12,12f.27, aber auch in Röm 12,5; Gal 3,16.26—29; Phil 3,9; (vgl. auch 1.Kor 1,30; 2.Kor 5,17.21). Damit deutet Paulus gerade nicht die Identität von Christus und Ekklesia an, sondern markiert den absoluten Vorrang der Christologie vor der Ekklesiologie. Darum bekommt die Gemeinde nie einen selbständigen Rang, eine Mittlerstellung zwischen Christus und dem einzelnen oder der Welt[182]. Gerade weil sie Leib Christi ist, kann sie nichts aus sich selber, sondern alles nur ‚in Christus‘ sein[183]. Daß Paulus — wie wir sahen — in der theologischen Diskussion nicht den Begriff ἐκκλησία o.ä. gebraucht, sondern sowohl in soteriologischen als auch in ekklesiologischen Zusammenhängen christologische Termini, sichert die iustificatio impii vor einer kirchlichen Domestizierung.

3. Die entscheidende Rolle, die der anthropologische σῶμα-Begriff bei Paulus spielt, legt die Vermutung nahe, daß Paulus das ekklesiologische σῶμα Χριστοῦ analog dazu versteht. Wie wir gesehen haben, darf man dabei nicht einfach im Sinn Augustins den Geist als Seele der Kirche betrachten, der den Leib als Organ benützt[184]. Das entspricht weder der Anthropologie des Paulus noch der Parallelität von Leib und Geist in 1.Kor 6,17; 12,13. Der anthropologische σῶμα-Be-

---

Lager zur Vorsicht gegenüber dem nulla salus extra ecclesiam mahnen, auch wenn man sich wie T. W. Manson (Significance 78f) gegen hierarchische Mißverständnisse absichert. Daß der Leib Christi „die rettende Annahme durch Gott erst ermöglicht und zugleich manifestiert" (Stuhlmacher, Gerechtigkeit 213), darf jedenfalls nicht zur Behauptung führen: „So wie die Kirche nichts ist ohne Christus, so ist Christus nichts ohne seine Kirche" (Nygren, Christus 57). Während Gloege 347—349 das nulla salus extra ecclesiam ablehnt, sieht Reventlow 136 in ihm „gegenüber einer rein kosmologisch orientierten ‚Rechtfertigung als Weltgeschehen‘-Theologie ein notwendiges Korrektiv", das biblisch begründet ist. Vorbildlich auf kathol. Seite Küng, Kirche 373.

[182] Die Folgerung Schliers (Grundlage 90 = Grundelement 216) aus 1.Kor 12, 13; Röm 8,1 u.a.: „Die Welt wird nur in der Kirche versöhnt und die Völker nur in ihr gerettet" entspringt also einer unstatthaften Vertauschung christologischer und ekklesiologischer Prädikate.

[183] Schweizer, Gemeinde 85 A.365, Leib Christi und soziale Verantwortung 130; Käsemann, Frühkatholizismus 247f; Kasner 156ff.

[184] S.o. Kap. 1, A.189.

griff ist vielmehr dadurch gekennzeichnet, daß er den Menschen „in Möglichkeit und Wirklichkeit der Kommunikation" beschreibt[185]. Muß von daher der Versuch, den Leib Christi als Werkzeug Christi zu verstehen, nicht doch in veränderter Gestalt wieder aufgenommen werden?

Dafür sprechen 1.Kor 6,15—20, Röm 12,1—5 (vgl. die Parallele in Röm 6,13ff). Der Leib des Christen ist der Ort, an dem Christus seine Herrschaft ausübt[186]. Die Glieder des Leibes Christi sind die Leiber der Christen, die mit Christus ‚ein Geist' sind (1.Kor 6,15—17)[187], und sich Gott zum vernünftigen Gottesdienst in Gemeinde und Welt zur Verfügung stellen (Röm 12,1ff)[188]. Wenn man mit Käsemann u.a. annehmen darf, daß Paulus einen kosmischen Leib-Christi-Begriff der hellenistischen Gemeinde voraussetzt, gewinnt seine Antithese gegen die korinthische Theologie ein scharfes Profil: Der kosmische Leib des Erlösers muß irdisch darin Gestalt gewinnen, daß sich Menschen von den Dämonen trennen (1.Kor 10,14ff) und sich von ihrem Herrn leiblich in Dienst nehmen lassen. Aber auch wenn Paulus selbst den Begriff geprägt haben sollte, bleibt seine Korrektur des Enthusiasmus klar: Er wandelt die Identitätsaussagen, auf die er anspielt (1.Kor 1, 13; 12,12f), radikal in Funktionsaussagen um[189].

Bonhoeffer hat das nicht unproblematische Wort geprägt: „Das Neue Testament kennt eine Offenbarungsform ‚Christus als Gemeinde existierend'"[190]. Er erinnert aber sofort „an die Bestimmung des Leibes als Funktionsbegriff", „d.h. wir werden von ihm regiert, wie ich meinen Leib regiere. Der uns regierende Christus aber führt uns zum Dienst aneinander". Die Gemeinde stellt also keine Prolongation Christi dar[191]. Sie ist der konkrete Wirkungsbereich der Gnade, die in

---

[185] Käsemann, Theol. Problem 198, Abendmahlslehre 32; Jewett, Terms 287; Heine passim.
[186] Käsemann, Abendmahlslehre 29; Löwe 141f.
[187] Dazu Wikenhauser 105; Percy 14f.
[188] Vgl. Käsemann, Gottesdienst, Theol. Problem 204; Schweizer, Kirche als Leib 291f.
[189] Polemik gegen korinthische Identitätsaussagen vermuten auch Güttgemanns, Apostel 252ff (in Auseinandersetzung mit J. A. T. Robinson), Hegermann 841 (vg. 839), Löwe 77 (vgl. 93). Die Spannung zwischen benutzten Vorstellungen und Intention des Paulus erfaßt W. Robinson: „It demands a concept of ‚identity with difference'" (Doctrine 69; vgl. auch Kasner 163 und Ramaroson 128).
[190] Sanctorum communio 92f.
[191] Vgl. etwa Nygren, Corpus 22 (= Christus 61): „Die Kirche ist Christus, wie er nach seiner Auferstehung unter uns gegenwärtig ist und bei uns hier auf Erden begegnet"; oder die Formel vom alter Christus bei katholischen Exegeten, z.B. Murphy-O'Connor 775ff; dagegen Güttgemanns 280 (der Leib Christi bleibt „das Objekt des Kyrios"); C. B. Becker 262; Schrage, Theologie 130f, Kirche 218f.

Christus Jesus ist, und nur indem sie dafür transparent ist, repräsentiert sie Christus auf Erden [192].

Weil Paulus in den Geistesgaben nicht das uniforme Zeugnis schon gewonnener himmlischer Existenz sieht, sondern sie als vielfältige Gaben der Gnade betrachtet, die zum Dienst am andern und zum Aufbau der Gemeinde befähigen, kann er das Motiv vom Leib Christi mit dem Organismusgedanken verbinden, um die bleibende Verantwortung jedes einzelnen und die Bedeutung auch der (scheinbar) geringsten Gabe zu veranschaulichen. Diese Beziehung auf die leibhaftige Wirklichkeit der Gemeinde ist der spezifische Unterschied des Begriffs zur Formel ἐν Χριστῷ [193]. Darum ist es nur bedingt richtig, wenn man mit Bultmann annimmt, Paulus habe sich den Begriff angeeignet, „um die Einheit und *Jenseitigkeit* der Ekklesia in einer für hellenistisches Denken verständlichen Weise zum Ausdruck zu bringen" [194]. Von „Jenseitigkeit" könnte man zwar in dem Sinne reden, „daß das *vor* der empirischen Gemeinde liegende Heilsereignis die Gemeinde konstituiert" [195], doch ist damit gerade das Spezifische des Begriffs σῶμα Χριστοῦ nicht erfaßt, das darin liegt, daß die Gemeinde ihre Verantwortung im Diesseits wahrnimmt [196].

Die Frage, ob der Leib Christi auf die Gesamt- oder Einzelgemeinde zu beziehen ist, ist also für Paulus zu abstrakt gestellt: „Wo immer Christen sich als solche bewähren, manifestiert sich für ihn der Christusleib, den entsprechend auch jede Einzelgemeinde repräsentiert." [197]

---

[192] Vgl. die apostolische „Stellvertretung" 2.Kor 5,18—21 und dazu Bornkamm, ThWNT VI, 682,33ff („Dienst des Apostels nicht als Fortsetzung des Werkes Christi" zu verstehen); weiter Roloff, Apostolat 123; Hainz, Ekklesia 275ff (apostolische Verkündigung ist „nicht Fortsetzung, sondern Vergegenwärtigung des Versöhnungshandelns Gottes in Christus" 277); Hofius, Gott 10. Die Folgerungen von Kertelge, Offene Fragen, zur grundsätzlichen Bedeutung des „Amtes" als „repraesentatio Christi" provozieren freilich die Frage, ob solche Vergegenwärtigung Christi an ein noch näher zu definierendes Amt oder grundsätzlich an die Verkündigung gebunden ist (s.u. Kap. 3, A.83).
[193] Vgl. Koehnlein 365: „Vous êtes le corps de Christ (Rom 12,5; 1 Cor 12, 27) et non pas: vous êtes dans le corps du Christ."
[194] Bultmann, Wandlung 136f (Hervorhebung von mir); vgl. auch Theologie 311; differenzierter Hahn, Einheit 38.
[195] Bultmann, Kirche 166; ähnlich vom heilsgeschichtlichen Standpunkt aus Delling, Merkmale 382, und Neugebauer 98.
[196] Das bestätigt unsern Dissens zum Begriff ἐκκλησία bei Bultmann (s.o. 20); vgl. auch Percy 45: Die Gemeinde ist unsichtbar, weil sie mit Christus identisch ist! Dagegen Käsemann, Amt 113: „Der Christusleib ist die Realität konkreter Weltherrschaft Christi vor der Parusie"; ähnlich Theol. Problem 204.
[197] Käsemann, Theol. Problem 200; Delling, Merkmale 382f.

4. Die Beobachtung, daß Paulus zur Erläuterung der universalen Offenbarung der Gerechtigkeit Gottes auf Adam-Anthropos-Spekulationen zurückgreift, die zum Vorstellungshintergrund des Begriffs σῶμα Χριστοῦ gehören, hat Stuhlmacher zu dem Schluß geführt, daß Paulus ἐκκλησία τοῦ ϑεοῦ durch diesen Begriff interpretiert, „weil er diesen als das klarere, weil weltweite Interpretament der Schöpfertreue Gottes = δικαιοσύνη ϑεοῦ empfindet"[198]. Er führt damit Thesen Käsemanns weiter, der im Motiv des Christusleibes den adäquaten Ausdruck für die Ekklesiologie der hellenistischen Gemeinde und des Paulus sieht, „weil es die Weltweite der zur Heidenmission aufbrechenden Christenheit und die schon dadurch angezeigte Universalität des Erlösungsgeschehens besser als jeder andere Kirchenbegriff hervorhebt"[199].

Doch läßt sich ein eindeutiger Beweis für diese These schwer führen. Denn das Motiv vom weltweiten missionarischen Leib Christi wird erst im Kol und Eph aufgenommen, während Paulus vom Leibe Christi paränetisch spricht und darum nicht erkennen läßt, ob er die dort entfaltete Tradition schon voraussetzt[200]. Man wird jedoch sagen können, daß die entscheidenden Elemente für die Konzeption bei Paulus bereitliegen und auf Grund der Gerechtigkeitslehre forciert werden, auch wenn sie noch nicht eindeutig im *Begriff σῶμα Χριστοῦ* vorstellungsmäßig gebündelt sind[201].

Die Deuteropaulinen nehmen dann ganz bewußt Traditionen vom weltweiten Leib des Erlösers auf, behalten aber die Identifikation mit der Gemeinde bei, so daß die Ekklesiologie einen klaren kosmischen Horizont erhält[202]. Sie präzisieren weiter das Verhältnis Gemeinde — Christus dadurch, daß sie von Christus als dem *Haupt* der Gemeinde sprechen. Die Distanz und Herrschaft Christi wird klargestellt[203]. Doch muß die Möglichkeit des Mißverständnisses in Kauf

---

[198] Stuhlmacher, Gerechtigkeit 214.

[199] Käsemann, Apokalyptik 123, Frühkatholizismus 245, Theol. Problem 185; vgl. Honig 65ff.

[200] Vgl. Schweizer, Kirche 291; Conzelmann, Grundriß 288; und die Entgegnung Käsemanns, Theol. Problem 185ff, 204ff; zurückhaltend auch Ollrog 148ff.

[201] Schweizer, Missionary body; vgl. den Hinweis Löwes (145, in Auseinandersetzung mit Schlier), daß die Mission nicht im Wesen der Kirche begründetes Drängen auf Inkorporation der Welt, sondern Herrschaftsanspruch des Kyrios über die Welt bedeutet. Doch geht die Verneinung einer missionarischen Aktivität der Kirche durch Best, Body 113, 202, zu weit.

[202] Vgl. Kol 1,17f; Eph 1,22f.

[203] Vgl. Wilckens, Weisheit 14 (A.3 von 13); das religionsgeschichtliche Material bei Löwe 241ff.

genommen werden, daß die Gemeinde als Leib Ergänzung des Hauptes sei[204] und daß das Wachsen der Kirche an die Stelle der kommenden Herrschaft Gottes trete[205].

2.2.5 Die Bedeutung der Adam-Christus-Typologie für die Gemeinde

Der die Ekklesiologie übergreifende Charakter der Christologie findet seinen klarsten und stärksten Ausdruck in der Adam-Christus-Typologie. Wir untersuchen die einschlägigen Abschnitte in 1.Kor 15 und Röm 5 unter diesem Gesichtspunkt und versuchen die Konsequenzen für die Ekklesiologie zu klären[206].

2.2.5.1 Auferweckung aller in Christus (1.Kor 15)

J. Schniewind und H. Braun haben unabhängig voneinander darauf hingewiesen, daß die Argumentation in 1.Kor 15,12—19 nur verständlich wird, wenn in ihr die Vorstellungen der Adam-Christus-Parallele von V. 20ff schon als bekannt vorausgesetzt werden dürfen[207]. „Weil die Christen im σῶμα Χριστοῦ mitgesetzt sind, muß die Auferstehung Christi bestritten werden, wenn die Glieder nicht auferstehen werden."[208] Es ist nicht unwahrscheinlich, daß die Korinther diese Voraussetzung teilten, sie aber enthusiastisch verstanden, ähnlich wie die Gnostiker von 2.Tim 2,18, die sagen: „Die Auferstehung ist schon geschehen"[209]. Dann liegt das entscheidende Anliegen der paulinischen

---

[204] Vgl. etwa Léenhardt, Réalité 75; dagegen (auch für die Deuteropaulinen) Bonnard, L'église 281. Die Interpretation wird dadurch erschwert, daß es nirgends so nötig und so schwierig ist, Intention des Verf. und übernommenes Material zu unterscheiden; vgl. Käsemann, Interpretationsproblem 257.

[205] Doch vgl. Käsemann, aaO 260, und die Kap 1, A.2 genannte Lit. (bes. Merklein, Christus 69f).

[206] Für die religionsgeschichtliche Fragestellung verweisen wir auf Brandenburger, Adam; Scroggs; O. Betz, Art. Adam I, TRE I, 414—424.

[207] Schniewind, Leugner 111—123; Braun, Randglossen 199; Conzelmann, 1. Kor 314 A.20; G. Barth, 1.Kor 15,20—28, 519.

[208] G. Barth aaO.

[209] Diese Vermutung hat Schniewind, Leugner 113f, neu begründet (Vorgänger bei Spörlein 16ff). Sie ist inzwischen oft bestätigt und modifiziert (vgl. die Aufzählung bei Güttgemanns, Apostel 67 A.73f), aber auch bestritten worden (vgl. Spörlein 171—188, der selbst die Auferstehungsleugner als Christusgläubige charakterisiert, „die von der Parusie, und nur von ihr Fülle des Heils erwarten" [196]; vgl. auch Doughty, Presence 80f; Ellis, Christ crucified 77ff); vorsichtig bejaht bei J. Becker, Auferstehung 74f, und Thiselton.

Argumentation in der futurischen Modifikation (V. 22b.23ff)[210]. Paulus korrigiert den Enthusiasmus durch die Apokalyptik. Dabei leiten ihn nicht mitgebrachte theologische Vorurteile, die er den Korinthern aufzwingen wollte, sondern — wie G. Barth klar gezeigt hat — die Hoffnung auf die *alles* umfassende Herrschaft Gottes[211].

Die Probleme, die die Verwendung der Adam-Christus-Typologie in diesem Zusammenhang (V. 20—22) für die Ekklesiologie aufwirft, zeigen sich am besten in der Unsicherheit der Exegeten gegenüber dem πάντες (V. 22): Sind damit die Christen oder die ganze Menschheit gemeint[212]? Das οἱ τοῦ Χριστοῦ (23b) macht zwar wahrscheinlich, daß Paulus an alle Christen denkt[213], es bleibt aber bemerkenswert, daß er nicht die (kleine) Gruppe der Christen von der massa perditionis scheidet, sondern der alten Menschheit ‚in Adam' die neue ‚in Christus' gegenüberstellt[214]. Ohne daß deswegen von Allversöhnung gesprochen werden muß, wird damit die Christenheit hineingenommen in die Bewegung des auf die universale Herrschaft zueilenden Christus.

Doch partizipieren die Christen noch nicht an dieser Herrschaft Christi. Das zeigen die Futura[215], das wird anthropologisch in den V. 45ff klargelegt. L. Schottroff hat in ihrer Studie „Der Glaubende und die feindliche Welt" auf den entscheidenden Unterschied zwischen der paulinischen Anthropologie und entsprechenden gnostischen Adamspekulationen hingewiesen, der darin besteht, daß der „salvandus" als „pereundus" gezeichnet wird[216]. Folgerichtig überschreibt sie ihre Auslegung von V. 44b—50 mit: „Eine dualistische Version der iustificatio impii"[217]. Die hier durchscheinenden Strukturparallelen zur kosmischen Weite und anthropologischen Radikalität der Rechtfertigungslehre führen konsequenterweise zur ausdrücklichen Verknüpfung von Adam-Christus-Typologie und Rechtfertigung in Röm 5.

---

[210] Güttgemanns 70ff; vgl. auch Hoffmann 239ff.
[211] 1.Kor 15,20—28, 525.
[212] Lietzmann (— Kümmel), 1.Kor z.St. läßt die Frage offen; auf die Menschheit deutet Schlatter, Paulus 412, mit Einschränkung auch Weiß z.St.
[213] G. Barth, 1.Kor 15,20—28, 520 A.25; (Lietzmann —) Kümmel, 1.Kor 193 (zu 80, Z.5); Scroggs 83; Conzelmann z.St.; Schweizer, 1.Kor 15,20—28, 306.
[214] „Die Frage, ob alle Menschen oder alle Christen gemeint seien, liegt Paulus hier fern." G. Barth aaO; vgl. Weiß z.St.
[215] Dazu J. Becker, Auferstehung 81f; daß hier ἐν Χριστῷ mit dem Futur verbunden ist, bestätigt unsere These von dem die Gemeinde übergreifenden Charakter der Formel und den Satz Löwes: „Ἐν Χριστῷ ist also eine weltweit orientierte eschatologische Formel" (92).
[216] AaO 134f.
[217] 140—145; vgl. auch Wilckens, Christus 401.

2.2.5.2 Der Tod Jesu für die Gottlosen (Röm 5,1—11)

Die meisten Ausleger sehen in Röm 5,1 den Beginn eines neuen Hauptteils, der die gegenwärtige Wirklichkeit der Rechtfertigung behandelt[218]. Einige Exegeten möchten diesen Einschnitt zwischen 5,11 und 12 machen[219], während U. Luz in 5,12ff den Abschluß des ersten Hauptteils sieht, dem im Grunde kein zweiter folgt, sondern die Behandlung von Fragen, die sich aus 1—5 ergeben[220]. Für unsere Fragestellung ist wichtig, daß 5,1—11 und 12—21 eng zusammengehören. Dafür spricht nicht nur das διὰ τοῦτο V. 12, sondern auch die inhaltlichen Verknüpfungen, auf die wir sogleich stoßen werden[221].

5,1ff führt Kap. 4 weiter: Die Verheißung, wie Abraham gerechtfertigt zu werden, ist für die erfüllt, die an Christus glauben. Die Gemeinde[222] besteht aus Leuten, die Frieden mit Gott haben[223], weil sie auf Grund des Glaubens gerechtfertigt wurden[224]. Damit ist ihnen ein neuer Lebensbereich eröffnet worden: die Gnade. Jubelnd erwarten sie die endzeitliche Herrlichkeit Gottes[225]. Sofort aber vertieft Paulus diesen Gedanken dadurch, daß er erklärt, dieser Jubel und Ruhm erstrecke sich auch und gerade auf die Leiden der Christen, werden sie doch im Leiden ganz auf die Hoffnung gewiesen[226]. Daß diese Hoffnung kein leerer Traum ist, macht die Erfahrung der Liebe Gottes gewiß, die im Geist geschenkt wird[227]. Diese Liebe wird beschrieben und begründet durch den Tod Jesu zu einer Zeit, als wir noch schwach und gottlos waren (V. 6)[228]. Das sola gratia bekommt

---

[218] So von den Kommentaren Althaus, Dodd, Nygren, Kuß, Michel, Käsemann, Schlier z.St.
[219] So Zahn, Röm z.St., und mit ausführlicher Begründung Feuillet, Règne 501—510.
[220] Aufbau 177ff; ähnlich Wilckens, Abfassungszweck 152ff.
[221] S. Wilckens, Röm 307ff; Schnackenburg, Adam-Christus-Typologie 40f; Wolter 214f.
[222] Die kollektive Vorstellung von Abrahams Same klingt noch nach; Wilckens, Röm 288, spricht von „der homologisch-kirchlichen Wir-Form"; zum Gemeindegedanken in Röm 5—8 vgl. Ch. Müller, Gottes Gerechtigkeit 53ff.
[223] Zum Text vgl. die Kommentare und Metzger, Commentary.
[224] Der Aorist zeigt, daß Paulus in der Rechtfertigung einen einmaligen Akt sieht (vgl. V. 9). Doch bleiben die Christen „Gerechtfertigte" und werden nicht „Gerechte" (so schon Luther, Röm, casus summarius vor 5,1).
[225] S. Michel, Röm z.St.; vgl. Röm 3,23 (8,30).
[226] Der Gedanke hat in 2.Kor 1,8f und 4,7ff seine genaue Parallele (vgl. Käsemann, Schlier und Wilckens, Röm z.St.; anders Fischer, Leiden 133f).
[227] Zur Geisterfahrung als Vergewisserung der Rechtfertigung vgl. Gal 3,2.5; 4,6; Röm 8,13ff; zur Auslegung von Röm 5,5 vgl. bes. Käsemann und Schlier z.St.
[228] Zur Einzelexegese des schwierigen Verses vgl. vor allem Bultmann, Adam 428, und die neueren Kommentare.

einen zeitlichen Akzent: Gnade ist gratia praeveniens[229]. Das Motiv
der iustificatio impii aus 4,5 wird in dieser Gestalt wieder aufgenommen und durch das Stichwort „Versöhnung der Feinde" unterstrichen[230]. Diese Interpretation des Todes Jesu bildet den Ausgangspunkt für einen Qal-Vachomer-Schluß, der die Gewißheit der endzeitlichen Rettung der Gerechtfertigten und Versöhnten erweisen soll[231].
Aus der Durchführung dieses Entsprechungsschemas ergeben sich für
uns zwei wichtige Beobachtungen:

1. Paulus stellt den ἔτι ἁμαρτωλοί die δικαιωθέντες νῦν, den ἐχθροί
die καταλλαγέντες gegenüber. Der Christ ist nicht simul iustus et
peccator, sondern er ist gerechtfertigt und hat Frieden mit Gott.
Darum darf er seiner endzeitlichen Errettung gewiß sein. Diese steht
freilich noch aus. Das kann Paulus an anderer Stelle fast mit den
gleichen Worten sehr prononciert gegen eine falsche Heilssicherheit
ausspielen[232]. Gewißheit schenkt allein die alles überwindende Liebe
Gottes in Christus (Röm 8,31ff)[233]. Daß Christen nur von ihr leben,
wird immer wieder im Leiden deutlich. Das Anliegen der Formel
simul iustus et peccator, die festhalten will, daß Gnade nicht habitus
und Heil nicht Besitz ist, wird bei Paulus offensichtlich durch diese
Ausprägung seiner theologia crucis vertreten.

2. Die Aussage vom Tode Christi für den Gottlosen und die dadurch
bewirkte Versöhnung der Feinde impliziert die universale Geltung
dieses Sterbens[234]. 2.Kor 5,19 spricht das deutlich aus: κόσμον καταλ-
λάσσων. Dennoch unterscheidet Paulus auch hier eindeutig zwischen

---

[229] Bultmann, Theologie 287; Stuhlmacher, Gegenwart 435; Walter, Christusglaube 440f.
[230] Vgl. Schlatter, Gottes Gerechtigkeit 182; Käsemann, Erwägungen 49; Theißen, Symbolik 291f.
[231] V. 9 u. 10; dazu Michel, Röm z.St.
[232] Röm 8,24; vgl. den Zusammenhang (8,18—39), in dem dieser Vers steht,
der einen Vergleich mit unserer Stelle geradezu herausfordert, und dazu die
Bemerkung von Luz, die grundsätzlich für die paulinische Theologie gilt:
„Wirklichkeit der Gnade und Wirklichkeit der unerlösten Welt gehören zusammen, ebenso die Wirklichkeit des Indikativs und Wirklichkeit des Imperativs"
(Aufbau 175). Vgl. auch die Forderung Jüngels nach einer Interpretation des
lutherschen „peccatores in re, Iusti autem in spe" vom „Wirklichkeitsbegriff"
her (Chiasmus 178 A.15). Zu chronologisch-schematisch ist aber die Aufteilung bei Donfried, Justification 100ff.
[233] Vgl. Jüngel, Gesetz 152f, und Wolter 219ff.
[234] Das ist der verbindende Gedanke zu V. 12ff; vgl. Scroggs 77: Christus
stirbt „for all of unrighteous mankind (5,6—8). The Apostle returns to this
idea in 5,12—21, which explains in different terms how it is that mankind
was ungodly and what the cross means for this humanity".

der Welt, die Gott versöhnt hat, und den Christen, die versöhnt sind, weil sie jetzt die Versöhnung empfangen und angenommen haben[235]. Wie verhält sich diese Unterscheidung zu dem, was in V. 12—21 folgt?

2.2.5.3 Heil für die Vielen (Röm 5,12—21)

Die Verse 12—21 nehmen den Hinweis auf das kosmische Ausmaß der Heilstat Christi durch die Adam-Christus-Parallele auf. Nach Brandenburger liegt dabei freilich der Hauptakzent nicht auf der universalen Geltung, sondern auf der objektiven Grundlage für die neue Existenz unter der Herrschaft der Gnade[236]. Beide Linie gehören aber für Paulus zu eng zusammen, als daß sie Alternativen bilden könnten. Heilsgewißheit und universale Geltung der Heilstat sind nicht zu trennen, wurzeln doch beide in der bedingungslosen Liebe Gottes[237].

Bemerkenswert ist, daß die Rechtfertigungsterminologie sich auch gegenüber der im mythischen Denken wurzelnden Anthropostradition durchsetzt[238]. Das hat nach beiden Seiten hin Konsequenzen: Naturhaft vorgestellte Vorgänge werden vergeschichtlicht, und die Rechtfertigung wird in einen neuen Horizont gestellt[239]. Paulus verläßt den Vorstellungskreis der Gottesvolktradition und benützt die universale Anthropostradition, um die welt-weite Geltung (Kap. 5) und die gegenwärtige Wirksamkeit (Kap. 6) der Gottesgerechtigkeit und des Herrenrechtes Jesu herauszustellen[240]. Damit verbindet sich ein zweites: Die christologischen Aussagen von Röm 3,24f werden präzisiert.

---

[235] Vgl. oben 82f, 99f zu 2.Kor 5,14/15(17) u. 18f/20f.

[236] Brandenburger, Adam 262f.

[237] Vgl. oben zu 5,6—11; weiter 8,15f/19ff; 10,8f/12f (gut v. d. Osten-Sacken, Röm 8, 162f).

[238] Ab V. 16; ähnlich in Kap 6 ab V. 13. Vgl. Brandenburger, Adam 239; Jüngel, Gesetz 168; Gibbs, Creation 56; Wilckens, Christus 400ff (auf dem Hintergrund einer „hellenistisch-jüdischen Urmenschlehre").

[239] Ein Indiz dafür ist das Zurücktreten der verbalen Ausdrucksweis in Kap. 5 und 6. Zum Verhältnis von Seinsaussagen und forensischer Terminologie vgl. Brandenburger, Adam 238f; Stuhlmacher, Gerechtigkeit 219f; dagegen sieht Strecker 246ff, hier „ontologische Befreiungslehre" und „juridische Rechtfertigungslehre" (258) nur oberflächlich verbunden und auch Schnackenburg, Adam-Christus-Typologie 46ff, legt den Ton auf die „Vorstellung von der corporate personality"; anders Theißen, Symbolik, der zwischen „physiomorphen" und „soziomorphen" Aussagen unterscheidet (296) und feststellt, daß das soziomorph vorgestellte Handeln (z.B. Rechtfertigung) die Priorität hat (302f).

[240] Schlatter, Gottes Gerechtigkeit 185; vgl. dazu 2.Kor 5,13—21 (Röm 14, 7—9) und Käsemann, Analyse 92.

Jesus Christus hat nicht nur die vergangenen Sünden gesühnt. Durch seinen Gehorsam hat er die Macht der Sünde und des Todes, die seit Adam herrschen, aufgehoben und ist Urheber und Begründer eines neuen Machtbereiches geworden[241]. Hier herrscht die Gnade durch die Gerechtigkeit (5,21). Paulus interpretiert das Heilsgeschehen „als Wechsel von universalen Machtverhältnissen"[242]. Die Parallelisierung von Adam und Christus als Repräsentanten des Unheils und des Heils, die beides fast zum Schicksal werden läßt[243], zeigt, daß sich für Paulus das Heilsgeschehen nicht zuerst am einzelnen Gläubigen, auch nicht an einer kleinen Gemeinde der Erwählten, sondern an der ganzen Menschheit orientiert.

Für die Ekklesiologie ergeben sich daraus natürlich Fragen, die sich am dringlichsten zu V. 19b stellen. Was bedeutet δίκαιοι καταστα-θήσονται οἱ πολλοί? Könnte man V. 18 noch dahin interpretieren, daß das *Angebot* der Rechtfertigung allen Menschen gelte, so sagt 19b, daß sie sich auch an allen *auswirken* werde[244]. Οἱ πολλοί von πάντες zu differenzieren scheitert an der Parallele in V. 15a und 19a: die Allgemeinheit von Tod und Sünde steht für Paulus fest[245]. Erwartet Paulus wirklich die Rechtfertigung aller Menschen? Das gleiche Problem stellte sich uns schon angesichts 1.Kor 15,22 und 2.Kor 5,14.

Fast alle Ausleger sehen in diesen Formulierungen eine durch Form und Tradition bedingte, über das paulinische Ziel hinausschießende Ausdrucksweise und beziehen demgemäß das πάντες auf die Glaubenden[246] oder sehen darin nur den Ausdruck des universalen Heilsange-

---

[241] Διά mit Gen. ist hier immer Hinweis auf die Ursache bzw. den Urheber (Brandenburger, Adam 159 A.7; vgl. Wilckens, Christus 403: Paulus durchdenkt in Röm 5 — anders als in 1.Kor 15 — die „Wirkung des Kreuzes"). Der Urheber ist aber mehr als nur Initiator, sondern bleibt bestimmend für seinen Machtbereich (bes. deutlich V. 21; vgl. Kramer 84, 86).

[242] Brandenburger, aaO 238; Wilckens, Christus 402. Dagegen wendet Scroggs XXII ein, 5,21 sei nur liturgischer Schluß und das Motiv der Inthronisation fehle. In seiner eigenen Interpretation kommen dann die entscheidenden Verse 18ff gar nicht mehr in den Blick, weil er in V. 17 das Ziel des Beweisganges erreicht sieht (81 A.17, 82).

[243] Käsemann, Röm 134f; vgl. aber die Modifikationen in V. 12d u. 17b. Zum ἐφ' ᾧ (12d) vgl. Bultmann, Adam 433; Brandenburger, aaO 169ff, und die neueren Kommentare.

[244] Κατασταθήσονται ist echtes Futur (wie V. 17b), vgl. Galley 33; Kuß, Käsemann, Schlier (anders Wilckens) z.St.

[245] Brandenburger, Adam 221; Jeremias, ThWNT VI, 541,1ff.

[246] Althaus, Röm 56; Kuß, Röm 238f; zu 1.Kor 15,22 und 2.Kor 5,14 s.o. S. 82f, 114.

botes[247]. Dabei wird vor allem auf V. 17b verwiesen, der aus dem Entsprechungsschema fällt[248]: nicht das Leben oder die Gnade herrschen durch Christus, sondern οἱ τὴν περισσείαν τῆς χάριτος καὶ τῆς δωρεᾶς τῆς δικαιοσύνης λαμβάνοντες ἐν ζωῇ βασιλεύσουσιν …[249].

Zweifellos hält V. 17b fest, daß für Paulus — wie wir schon zu 2.Kor 5,14ff und Röm 5,9f festgestellt haben — Gnade und Gerechtigkeit dem Menschen nicht wie einem „Klotz oder Stein" übergestülpt werden. Diese Abgrenzung gegenüber einem naturhaften Mißverständnis der Wirkung der Gnade stellt aber offensichtlich nicht das Proprium des Abschnittes dar[250]. Man muß ja beachten, daß Paulus nach dieser Korrektur in V. 18f das Entsprechungsschema ungebrochen aufnehmen kann[251]. Es geht ihm also primär darum, den eschatologischen Horizont der Wirksamkeit der Gerechtigkeit Gottes abzustecken, und zwar nicht nur im Sinne des Angebotes! Das entspricht dem Grundtenor des ganzen Römerbriefes, insbesondere seinem Thema von der weltweiten Offenbarung der Gerechtigkeit Gottes im Evangelium[252]. Eine Verbindungslinie zu seinen konkreten Missionsplänen wird von Paulus nicht gezogen, läßt sich aber im Hintergrund vermuten[253]. „Die Gültigkeit, Tragweite und Wirksamkeit der Rechtfertigung über den Rahmen der Kirche hinaus will verkündet und respektiert sein."[254] Denn daß auch hier Gemeinde und neue Menschheit

---

247 Bultmann, Adam 436ff; Brandenburger, Adam 72, 230, 242; Barrett, Adam 113f.
248 Brandenburger 229f stellt eine dreifache Abweichung vom Schema fest.
249 In Bultmanns Hermeneutik nimmt Röm 5,17 eine Schlüsselstellung ein: Das Heil ist faktische *Möglichkeit* meiner Existenz und wird „*Wirklichkeit*, wo es im Entschluß ergriffen wird" (Christologie 259, Theologie 302f); vgl. auch Ziesler 198 A.2; Sanders, Paul 473.
250 So Scroggs, für den V. 17 das Ende des Beweises darstellt (81f), ähnlich Luz, Geschichtsverständnis 204: „Dem alten Äon gegenübergestellt werden nur die Empfänger der Gnade (V. 17b)"; dagegen spricht Kertelge, Rechtfertigung 145f, von „echtem Universalismus". Das Richtige dürfte Gibbs 52f treffen: „The universal terms … are corporate rather than exhaustive in connotation".
251 Jüngel, Gesetz 162f, betont das gegenüber Brandenburger; vgl. Käsemann, Röm 148f.
252 Zum universalen πάντες im Röm vgl. Brandenburger, Adam 244 A.1; zur Gesamtkonzeption des Röm: Schweizer, Interpretation, Missionary Body. Dem widerspricht auch V. 17b nicht, denn er definiert ja gerade den Glauben als passives Empfangen und nicht etwa als zu leistende Bedingung (vgl. Schlatter, Gottes Gerechtigkeit 193f, und bes. Jüngel, Gesetz 164ff: „wo Gott handelt, ist der Mensch passiv" (165).
253 Schrenk, Römerbrief 94ff; Dahl, Missionary Theology 82ff.
254 M. Barth 465; vgl. Wilckens, Röm 251; Hofius, Versöhnungsgedanke 191.

nicht ohne weiteres zusammenfallen, ist offensichtlich. Es fällt ja auf, daß gerade in Röm 5,12ff die Vorstellung vom Leib Christi und die Formel ἐν Χριστῷ nicht begegnen, obwohl sie ihre Wurzeln in der Anthropostradition haben, die hinter der Adam-Christus-Parallele steht[255]. Paulus unterscheidet klar zwischen der universalen Geltung der Tat Christi (bzw. ihrem universalen Ziel) und dem Bereich der Gemeinde, zwischen der Welt, die versöhnt wurde, und der Gemeinde, die sich versöhnen ließ[256].

Diese Differenz tritt nicht nur in dem eschatologischen Vorbehalt zutage, der Röm 5 wie ein roter Faden durchzieht, sondern vor allem in den Konsequenzen, die Paulus in Röm 6 zieht[257]. In der Abwehr möglicher falscher Folgerungen stellt Paulus die Frage: Wie wirkt sich die Herrschaft der Gnade durch die Gerechtigkeit dort aus, wo man sich unter sie stellt? Entgegen einem nach 5,12ff (bes. 20f) nahe liegenden Mißverständnis interpretiert er Christusgemeinschaft und Rechtfertigung als Kraft zu neuem Gehorsam. Er argumentiert anthropologisch; doch übernimmt die Anthropologie eine kritische Funktion gegenüber einer Ekklesiologie, für die die Gemeinde der Raum unverlierbaren Heils ist[258].

Auf der Ebene von Ekklesiologie und Anthropologie scheinen sich die universale Konzeption von Röm 5,12—21, die die in Christus vollzogene Äonenwende indikativisch feststellt, und die am Individuum orientierte Paränese von Röm 6,12—23 zu widersprechen. Ekklesiologisch läßt sich der Widerspruch auch nicht auflösen[259]. Die Linien

---

[255] Vgl. schon T. Schmidt, Leib 232f; Cerfaux, Théologie 239. Zum Zusammenhang beider Vorstellungskreise vgl. Schweizer, ThWNT VII, 1069,20ff; Brandenburger, Adam 151f. Den Grund für das Fehlen der beiden Motive sieht Löwe 70 darin, daß „Paulus die räumlich-naturhaften durch geschichtliche Kategorien ersetzen will"; nach C. B. Becker 230 verhindert es eine Identifikation der neuen Menschheit mit einer sich immer weiter ausbreitenden Kirche. Zur Begrenzung der σῶμα-Vorstellung vgl. auch Gundry 242f in Auseinandersetzung mit dem universalistischen Ansatz von J. A. T. Robinson 82f.

[256] Vgl. den Stilumschwung bei 5,12ff (dazu Schlier, Röm 158f); weiter Käsemann, Apokalyptik 128; Hahn, Tag 248ff. Das verwischt Wilckens, Röm 251, und 1.Kor 2,1—16,502f (s.o. A.48).

[257] Zum Übergang vgl. du Toit 290f; Schnackenburg, Adam-Christus-Typologie 42; v. d. Osten-Sacken, Röm 8, 174ff.

[258] Röm 6 ist im Zusammenhang also ein positiv und stärker anthropologisch akzentuiertes Gegenstück zu 1.Kor 10,1—13. Der Abschnitt ist weder rein ekklesiologisch zu interpretieren (Lohse, Taufe 238; Schrage, Kirche 214ff), noch einfach als existentiale Interpretation von 5,12ff zu betrachten (dagegen auch Luz, Aufbau 173 A.35, 176 A.39; Blank, Paulus 279f).

[259] Es bildet sich konsequenterweise entweder der Typ einer „Kirche der Rechtfertigung" oder einer „Kirche der Heiligung".

treffen sich in der Christologie. Christus, der Erstling der neuen Menschheit, ist Träger der alle betreffenden und Gehorsam schaffenden Macht der Gottesgerechtigkeit. Die sich seinem Geschick durch die Taufe verbinden, befreit er von der Macht der Sünde und stellt sie unter die Macht der Gerechtigkeit. Forensische Aussagen (5,18f) und die Auffassung von δικαιοσύνη als einer Macht- und Heilssphäre (6,13ff)[260] sind aufeinander bezogen. „So zeigt sich, daß der forensische Zuspruch der Gerechtigkeit aufgrund des göttlichen Heilshandelns in Christus zugleich den Menschen als eine Macht ergreift, die sein Leben durch die durch Christus neu geschaffene Heilssituation bestimmt."[261] Röm 6 interpretiert auf diese Weise Röm 5,12ff: Wo man mit Christus in der Taufe stirbt und aus der Hoffnung der Auferstehung für Gott lebt, steht man in der von Christus repräsentierten neuen Menschheit.

2.2.6 Wir fassen zusammen:

Paulus charakterisiert das Sein der Gemeinde so, daß er ihre Verbindung mit Christus darstellt[262]. Durch ihn und in ihm gewinnt sie Anteil am eschatologischen Heil. Diese — wohl für die ganze Urchristenheit geltenden — Aussagen werden von Paulus präzisiert, wobei eine enge Verbindung von Rechtfertigungslehre und Ekklesiologie leitend zu sein scheint:

1. Die Gemeinde lebt aus der Erkenntnis, daß durch das Kreuz Jesu alle angemaßten Werte dieser Welt zerbrochen sind, von dem, was Gott ihr schenkt. Der *iustificatio impii* entspricht die *creatio ecclesiae ex nihilo*.

2. Weil Christus Gottes Gerechtigkeit für uns ist, bleibt das Verhältnis Christus—Gemeinde unumkehrbar. Die Gemeinde hat keine andere Legitimation und keine andere Grenze als die Zugehörigkeit zu Christus. Sie repräsentiert ihren Herrn nur so, daß sie durch ein Leben aus der Gnade den unvertretbaren Anspruch Gottes und seines Christus auf diese Welt in ihr vertritt[263].

---

[260] Becker, Heil Gottes 272; Ziesler 202; du Toit 276f.
[261] Becker, Heil 275; gegen Gäumann 140f; zum soteriologischen Sinn des Symbols „Machtwechsel" s. Theißen, Symbolik 286.
[262] Löwe 94: „Das Thema der Ekklesiologie ist der Aufweis der Verbundenheit zwischen Christus und den Christen"; ähnlich Lindeskog, Gottes Reich 154.
[263] Vgl. Käsemann, Theol. Problem 207; Ollrog 146; und den Versuch von Haible 71, den kath. Standpunkt differenziert darzustellen.

3. Die Vorordnung der Christologie vor der Ekklesiologie gilt nicht nur soteriologisch; sie hat auch Konsequenzen für die Kirche als Gemeinschaft. Daß in Christus die Macht der Sünde und des Gesetzes gebrochen ist, hebt nicht nur die Schranken auf, die die Menschen von Gott trennten, sondern auch die, die sie von Menschen schieden. Im Zusammenleben ihrer Glieder gestaltet sich darum „die Gemeinde als Verkörperung der Rechtfertigung"[264]. Eine Beschreibung des Zusammenfindens der Christen zur Gemeinde erübrigt sich, weil für Paulus die eigentliche „Sozialisationsebene" das Christusgeschehen ist.

4. Im Vertrauen auf die bedingungslose und ihr ganzes Sein ergreifende Heilshilfe Gottes blickt die Gemeinde über den eigenen Bestand und die eigene Grenze hoffend hinaus auf die universale und radikale Durchsetzung der Herrschaft Gottes zum Heil der Welt.

2.3 Der eschatologische Ort der Gemeinde

Die Gemeinde und ihre Entstehung sind Teil des eschatologischen Geschehens, das in Christus in die Welt hereinbricht. Als creatura verbi divini und Anbruch neuer Schöpfung ist die Gemeinde eine eschatologische Größe, geschieden vom gegenwärtigen Äon[265]. Christen leben als Versöhnte in einer vergehenden Welt, deren ‚Schema' sie nicht mehr an sich tragen[266]. Voll Zuversicht hoffen sie auf ihre Rettung im Endgericht und die Teilhabe am Auferstehungsleben Christi. Die rhetorische Figur in Röm 5,9f markiert sehr deutlich das eigentümliche „Zwischen" der Gemeinde und ihrer Glieder. Wie ist es zu deuten? Umschreibt es in zeitlichen Kategorien die sachliche Dialektik des „Nicht mehr" und „Noch nicht"[267], oder bezeichnet es den Weg der Bewährung, den die Gemeinde und jeder einzelne zwischen Anfangs- und Endgerechtigkeit zu gehen hat[268]? Wie bestimmt Paulus die eschatologische Existenz der Gemeinde?

Wir wenden uns mit dieser Frage den Danksagungen der paulinischen Briefe zu, denn die formgeschichtliche Untersuchung ihres Eingangs-

---

[264] Lührmann, Sklave 83.
[265] Gal 1,4 (zum Begriff Aion: Sasse, ThWNT I, 197—208; Holtz, EWNT I, 105—111; J. Baumgarten, Apokalyptik 180ff); vgl. auch 1.Kor 5,12f; 1.Th 4, 12; Phil 2,15 (dazu Bultmann, Theologie 130).
[266] Röm 12,2; 1.Kor 7,31.
[267] Bultmann, Geschichte und Eschatologie 53.
[268] Jeremias, Paul und James 370.

formulars hat gezeigt, wie konzentriert Paulus an dieser Stelle den Stand einer Gemeinde vor Gott umreißt[269].

2.3.1 Die Danksagung als ‚Ortsbestimmung‘ der Gemeinde

Da die Abgrenzung der Danksagung im 1.Thess schwierig ist, beginnen wir mit einer Analyse von *1.Kor 1,4—9*. Paulus dankt für die Gnade, die der Gemeinde gegeben wurde, für den umfassenden Reichtum ἐν παντὶ λόγῳ καὶ πάσῃ γνώσει und für die feste Verwurzelung des Zeugnisses von Christus in ihrer Mitte[270]. Daraus folgt die Beschreibung der Gegenwart der Gemeinde (V. 7): Sie lebt aus der Fülle der Charismen *und* im Warten auf „die Offenbarung unseres Herrn Jesus Christus".

Der Übergang zum eschatologischen Ausblick ist „scheinbar unvermittelt"[271], stellt aber in Wirklichkeit eine erste Korrektur des Geist- und Gemeindeverständnisses der Korinther dar. „Der Besitz der χαρίσματα ist noch nicht die Verwirklichung des Eschaton, sondern Unterpfand dessen, was sein wird. Die Zeit des Geistes ist noch Zeit der Erwartung, freilich unter dem positiven Zeichen des Waltens der göttlichen Kräfte."[272] Darauf verweist der Blick in die Zukunft (V. 8). Der Herr[273] wird die Gemeinde fest machen bis zum Ende, so daß sie am Tag des Gerichts untadelig ist. Ein „Treuespruch"[274] schließt sich an diesen Zuspruch an. Gottes Treue hat sich im Ruf in die κοινωνία

---

269 Grundlegend P. Schubert. Während die alleinige Ableitung der Form aus dem hellenistischen Briefformular von der weiteren Forschung bestritten worden ist (vgl. Rigaux, Briefe 171f; Doty 31ff; Del Verme 75—116; Berger, Apostelbrief 219ff; O'Brien, Introductory Thanksgivings 10f), haben sich seine Thesen zur Funktion der Danksagung „to focus the epistolary situation" (180) bestätigt.

270 ἐβεβαιώθη kennzeichnet „Gründung und Entwicklung der Gemeinde" und zwar so, „daß die Objektivität der Faktoren ihres Lebens zur Geltung kommt" (Conzelmann, 1.Kor 41; vgl. O'Brien, aaO 120—122; A. Fuchs, EWNT I, 505). Eine Beschränkung auf das rechtskräftige Vorbringen des Evangeliums (Schlier ThWNT I, 603,26ff) oder die Taufe (Dinkler, Taufterminologie 103—105; Baumgarten, Apokalyptik 61) verengt die Aussage.

271 Conzelmann, 1.Kor z.St.

272 Conzelmann, 1.Kor 42; vgl. Gal 5,5f; Röm 8,19ff; und Baumgarten, aaO 62; O'Brien, aaO 125f.

273 Es muß offen gelassen werden, ob sich das Relativpron. auf Gott oder Christus bezieht (vgl. Baumann 39 A.67 [Lit!]; Conzelmann, 1.Kor z.St.; Baumgarten, aaO 63; O'Brien, aaO 127f; v. d. Osten-Sacken, Gottes Treue 176f).

274 V. d. Osten-Sacken, Gottes Treue 181ff.

mit dem Sohn realisiert[275]; in ihr gründet auch die weitere Existenz
der Gemeinde.

Die Danksagung in *Phil 1,3—11* ist parallel aufgebaut. Der Dank gilt
der Teilhabe der Gemeinde am Evangelium vom ersten Tage an bis
jetzt (1,5)[276]. Er wird ausgesprochen „im Vertrauen, daß der, der bei
euch ein gutes Werk angefangen hat, es auch vollenden wird bis zum
Tage Jesu Christi" (1,6). In der Fürbitte, die das Prooemium beschließt,
wird der eschatologische Ausblick noch einmal aufgenommen. Paulus
bittet um das Reichwerden der Liebe, damit die Gemeinde „rein und
untadelig sei für den Tag Christi" (1,10). Treffend spricht Baumgarten
vom Leben der Gemeinde „zwischen den Tagen"[277].

Wenden wir uns mit diesen Beobachtungen dem *1.Thess* zu, so legt es
sich nahe, nicht nur 1,2—10 zu beachten, sondern alle Elemente der
Danksagung, die sich im ersten Teil des Briefes finden, mit einzubeziehen[278]. Im Mittelpunkt des Dankes steht auch hier die Erinnerung
an das Wirken des Evangeliums (1,5; 2,1ff; 2,13) und das Wissen um
die Bewährung der Gemeinde in Bedrängnis und Verfolgung (1,6; 2,
14ff; 3,7). Kennzeichen christlicher Existenz sind nach 1,9f die Hinkehr zum lebendigen Gott weg von den Götzen und das Warten auf
seinen Sohn, der aus dem kommenden Gericht errettet. Der eschatologische Ausblick wird unterstrichen durch den Schluß des Segenswortes
in 3,11—13. Daß Gott die Liebe wachsen und reich werden läßt, stärkt
die Herzen und macht sie untadelig „bei der Ankunft unseres Herrn
Jesu"[279].

Eine auf den einzelnen Christen zugespitzte Variante zu 1.Thess 3,13
und 1.Kor 1,8f bringt 1.Thess 5,23f. Der Segenswunsch, der um die
Bewahrung des ganzen Menschen bei der Parusie Jesu Christi bittet,
wird aufgenommen durch den Treuespruch: Der Gott, der zur Heiligung ruft, ist treu. Er wird auch tun, „was er mit der Berufung in-
tendiert, und das meint konkret im Zusammenhang der Stelle die
Heiligung und Bewahrung der Gemeinde"[280].

---

[275] Baumgarten, aaO 66; κοινωνία mit Gen.Obj. bedeutet: Teilhabe (zusammen
mit anderen) am Sohn (vgl. Campbell, KOINΩNIA 27; Seesemann 47ff; O'Brien,
aaO 131f).
[276] S. dazu oben 71; zur Danksagung des Phil im einzelnen: Eichholz, Bewahren
140ff; O'Brien, aaO 19—46.
[277] Baumgarten, Apokalyptik 70.
[278] Vgl. Schubert 7; Boers 141—145; O'Brien, aaO 141—166.
[279] Vgl. Wiles 52—63; O'Brien, aaO 156—164; Synofzik 21. Zur Bedeutung
einer Existenz „zwischen den Zeiten" für die Paränese im 1.Thess vgl. Laub,
Verkündigung 164ff.
[280] V. d. Osten-Sacken, Gottes Treue 182; vgl. Wiles 63ff; Synofzik 24f; Laub,
aaO 65f.

Alle diese Stellen bestimmen den eschatologischen Ort der Gemeinde in der gleichen Weise. Die Gemeinde lebt aus dem Ruf Gottes, der sie in der Verkündigung des Evangeliums traf, hin auf die Offenbarung ihres Herrn. Paulus betont diese „eschatologische Klimax"[281] sehr bewußt. Das paränetische Anliegen seiner Akzentuierung ist nicht zu übersehen. Dennoch liegt von Form und Inhalt her das Gewicht nicht auf der Ermahnung, sondern auf dem Zuspruch. Segen und Paraklese sind die bestimmenden Gattungen[282]. Auf ihrem Weg ist die Gemeinde ganz auf die Treue Gottes angewiesen, der sie allein bewahren kann. „Die Zusage der Treue Gottes zwischen Taufe und Jüngstem Tag ist sprachlicher Vollzug dieser Treue und damit der Stärkung, deren die Gemeinde auf ihrem Weg bedarf"[283]. Daß sie diesen Zuspruch braucht, macht ihr ihre Gefährdung bewußt, in der sie in dieser Welt steht.

2.3.2 Gefährdete Gemeinde — ein vernachlässigter Aspekt paulinischer Ekklesiologie

Von der Gefährdung der Gemeinde spricht Paulus am eindringlichsten in 1.Kor 10,1—13. Dabei knüpft er mit dem Stichwort οἱ πατέρες ἡμῶν auch einer heidenchristlichen Gemeinde gegenüber ohne weiteres an das Geschick Israels an. Er setzt ein mit einer Darstellung der Geschichte des Exodus, die diesen als Urbild christlicher Taufe und Eucharistie erscheinen läßt. Doch es geht ihm nicht um den Nachweis heilsgeschichtlicher Kontinuität oder um polemische Abwehr judaistischer Angriffe. Die Geschichte der Väter ist vielmehr „Typos" für

---

281 Schubert 4ff; J. T. Sanders 348ff; Synofzik 16ff. Auffallenderweise wird in den neuesten Arbeiten die konstitutive Bedeutung dieses Aspekts vernachlässigt, obwohl die Einzelmotive gesehen werden (s. Del Verme 54f, 179—202 — bezeichnenderweise unter der Kapitelüberschrift „Aspetti dottrinali" —; O'Brien, aaO 268f).

282 V. d. Osten-Sacken, Gottes Treue 186. Darin stimmen die neueren formgeschichtlichen Untersuchungen gegen Schubert überein; vgl. J. T. Sanders 358ff; Jewett, Benediction 20—24; Del Verme 75—116; Doty 32f. Darum gehört im Grunde auch 2.Kor 1,3ff hierher; nicht nur weil die Eulogie/Beracha der Danksagung nahesteht, sondern auch, weil inhaltlich die Paraklese über der unverbrüchlichen Treue Gottes im Mittelpunkt steht (vgl. O'Brien, aaO 233—258). Zwar fehlt die eschatologische Klimax; doch steckt in dem Hinweis auf das Zusammengehören von Bedrängnis, Leiden und Trost eine „Orts"-angabe für die Gemeinde, auf die noch zurückzukommen sein wird (vgl. Synofzik 22f).

283 V. d. Osten-Sacken aaO; vgl. Greeven, Kirche 127f.

die Gemeinde „am Ende der Zeiten"[284] und geschah, um ihr den Weg zu weisen[285].

Das Ziel, das Paulus verfolgt, wird deutlich in der scharfen Gegenüberstellung des fünfmaligen πάντες in V. 1—4 und der entscheidenden Einschränkung von v. 5: ἀλλ᾽ οὐκ ἐν τοῖς πλείοσιν αὐτῶν εὐδόκησεν ὁ θεός. Darin, daß alle am geistlichen Geschehen des Auszugs teilhatten, lag keine unfehlbare Garantie, daß sie auch das Ziel erreichen würden. H. v. Soden hat den Sinn dieser Argumentation im Rahmen der Auseinandersetzungen in Korinth aufgewiesen[286]: Paulus bestreitet durch den Hinweis auf das Geschick der Väter der selbstsicheren Sakramentsfrömmigkeit der Korinther ihr Recht. Auch kirchliche „Gnadenmittel" dürfen nicht von ihrem Geber gelöst werden. Sie stellen vielmehr in die bleibende Verantwortung vor Gott.

Die Mahnungen, die inhaltlich durch die Elemente der Wüstenwanderungstradition bestimmt sind, aber zweifellos nicht ohne Seitenblick auf die korinthische Situation formuliert werden, gipfeln daher folgerichtig in der Schlußsentenz: Wer meint zu stehen, der soll zusehen, daß er nicht fällt! Gerade im Blick auf kommende Versuchung ist eine nüchterne Einschätzung der gefährdeten Existenz der Gemeinde und ihrer Glieder notwendig (V. 13a).

Überraschend im Blick auf dies Gefälle der Argumentation taucht dann in V. 13b — eingeleitet mit der Formel πιστὸς ὁ θεός — ein Treuespruch auf. J. Weiß glaubt dies nur dadurch erklären zu können, „daß V. 13b aus einer andren Stimmung geflossen ist"[287]. Doch ist damit der Skopus der paulinischen Gedankenführung verkannt. Die Warnung vor leichtfertiger, an sakramentalem Geschehen und ekstatischen Erlebnissen fixierter Heilssicherheit soll ja nicht in die Unsicherheit führen, sondern zu einem Leben, das nüchtern und verantwortungsbewußt ganz aus dem Vertrauen auf Gottes Treue gelebt wird[288]. Das ist der Skopus des ganzen Briefes, wie er schon in 1. Kor 1,8f anvisiert ist[289].

---

[284] Vgl. zu dieser Wendung TestLev 14,1 (Hs. a) und Conzelmann, 1.Kor 198f. Die Übersetzung Dellings, „Zielsetzungen der Zeiten" (ThWNT VIII, 55,16ff), ist nicht überzeugend.
[285] Zu 1.Kor 10,11 vgl. Röm 4,23f (dazu u. 156) und 1.Kor 9,10; weiter Hahn, Atl. Motive 351, der das Verhältnis von „urzeitlichem" und „endzeitlichem" Handeln Gottes an unserer Stelle ähnlich bestimmt.
[286] Sakrament und Ethik; vgl. Jeske 248ff.
[287] Weiß, 1.Kor z.St.; vgl. v. d. Osten-Sacken, Gottes Treue 187f; problematisch die Zuweisung zu einer „Vorlage" bei Jeske 250f.
[288] Vgl. Conzelmann z.St.; Synofzik 25; und Roetzel, der unter Berufung auf Käsemann, Anliegen 18f, schreibt: „The theology which Paul propounds here is

Sachlich nahe steht 1.Kor 10,1—13 die Paränese in Phil 2,12—18. Sie setzt die Mahnungen von 2,1—4 fort, nachdem Paulus durch die Zitierung des Christusliedes auf die Grundlage allen christlichen Verhaltens im Weg des Christus hingewiesen hat. „Die Wirklichkeit des Gehorsamen bestimmt die Existenz der Gemeinde."[290] Daran knüpft die Mahnung zum Gehorsam an, die weitergeführt wird in der Warnung (V. 14) vor rebellischem Murren und mißtrauischem Zweifel[291]. Mit dem Motiv des Murrens wird die Schilderung des durch die Wüste wandernden Gottesvolkes „als Typos für die christliche Gemeinde in ihrer eschatologischen Existenz"[292] aufgegriffen und durch die Anspielungen auf Dt 32,5 in V. 15 weitergeführt. Dort wird im Lied des Mose „die Treue Gottes dem Frevel des Volkes gegenübergestellt"[293]. Die Israeliten sind nicht Kinder Gottes, sondern Schandflecken, ein verkehrtes und verdrehtes Geschlecht. Auf diesem Hintergrund formuliert Paulus seine Zielvorstellung für das Leben der Gemeinde und ihrer Glieder: Sie sollen untadelig und lauter sein, makellose Kinder Gottes mitten unter einem verderbten und verdrehten Geschlecht, leuchtend als Lichter in der Welt, indem sie am Wort des Lebens festhalten. Der Grundgedanke, der die Danksagung bestimmt, erscheint in paränetischer Gestalt wieder, einschließlich der eschatologischen Ausrichtung in V. 16.

Seine besondere Note erhält unser Abschnitt aber durch die scharfe Gegenüberstellung von Imperativ und Indikativ in den Versen 12b und 13. Der Vergleich mit der Spannung zwischen 1.Kor 10,13a und 13b liegt nahe. Doch verleiht Paulus im Phil der Paradoxie seiner Formulierung eine Schärfe, die selbst für ihn ungewöhnlich ist und die Grenze des Sinnvollen zu sprengen scheint. Der Schlüssel für das Verständnis liegt in der Bedeutung der Wendung $\mu\epsilon\tau\grave{\alpha}\ \varphi\acute{o}\beta ov\ \kappa\alpha\grave{\iota}\ \tau\rho\acute{o}\mu ov$. Wie ihre Verwendung in 1.Kor 2,3 zeigt, beschreibt Paulus mit dieser Formel die „Krisis alles Eigenen"[294] und „die grundsätzliche und voll-

a *theologia viatorum* which sees the church traveling toward the *parousia*, a theology opposed to a ‚realized eschatology' which has lost its sense of living between the times" (173).
[289] V. d. Osten-Sacken, Gottes Treue 198; Eichholz, Charism. Gemeinde 23: „Die Kirche ist in der Treue Gottes begründet und gehalten; das ist das eigentliche *Kontinuum*".
[290] Gnilka, Phil 148; s.o. 87ff.
[291] So ist $\delta\iota\alpha\lambda o\gamma\iota\sigma\mu\acute{o}\varsigma$ hier zu verstehen (Gnilka, Phil 151).
[292] Gnilka aaO; Rengstorf, ThWNT I, 729—33.
[293] Gnilka, Phil 152.
[294] Wilckens, Weisheit 47f; vgl. ders., 1.Kor 2,1—16, 505; Merk 184.

kommene Abhängigkeit der Glaubenden vom Heilshandeln Gottes"[295]. Der Imperativ in V. 12b muß also übersetzt werden: „Bringt eure Rettung zum Ziel[296] im Wissen um euer Angewiesensein auf Gott und sein Werk!" Er entspricht also völlig der folgenden Begründung durch den Indikativ: „Denn Gott ist es, der in euch Wollen und Wirken wirkt". Die Gemeinde ist noch nicht am Ziel; ihr Weg fordert Bewährung. Bewährung aber vollzieht sich für Paulus nicht in der Mobilisation eigener Kräfte, sondern im Vertrauen auf Gottes Bewahrung angesichts der Gefährdung. Nicht die Intensität des Vertrauens auf das Wirksamwerden der Gnade Gottes, sondern der nüchterne Blick auf die Wirklichkeit der Gemeinde in dieser Welt, in der sich der Glaube zu bewähren hat, unterscheidet den Apostel von seinen enthusiastischen Gegnern, die sich schon am Ziel glauben (vgl. Phil 3,12ff und 1.Kor 4,8ff).

Die Formulierung des eschatologischen Ausblicks in Phil 2,16 („... mir zum Ruhm für den Tag Christi, daß ich nicht vergeblich gelaufen bin oder mich umsonst abgemüht habe") weist auf einen weiteren Aspekt des Themas „gefährdete Gemeinde", den Zusammenhang zwischen Bewährung der Gemeinde und Anerkennung des apostolischen Werkes. Weil die Gemeinden Hoffnung und Freude des Apostels und sein Ruhmeskranz am Tag des Herrn sind (1.Th 2,19; Phil 4,1; 2.Kor 1,14), begleitet er ihren Weg mit Sorge und Eifer (1.Th 3,6; Phil 2,16; Gal 2,2; 2.Kor 11,2)[297].

Solche Aussagen erscheinen uns auf den ersten Blick befremdlich und schlecht mit der Rechtfertigungslehre zu vereinbaren. Hält der Ruhm, auf den Paulus persönlich verzichtet hat, durch die ekklesiologische Hintertür wieder Einzug?

Der Widerspruch ist jedoch nur scheinbar. Dem Verzicht auf den Eigenruhm vor Gott entspricht ja „das Rühmen der schenkenden Gnade Gottes"[298]. Dieses Rühmen bleibt für Paulus keine abstrakte dog-

---

[295] Balz, ThWNT IX, 210,17f. φόβος als Merkmal des Christen, der auf dem Wege ist, findet sich außer Phil 2,12 auch 2.Kor 5,11; Röm 11,20 (verbunden mit πίστις!; dazu Schlier, Röm z.St.). Pedersen, Furcht, betont die ekklesiologische Dimension dieser Paränese.

[296] Zu κατεργάζεσθαι vgl. Bertram, ThWNT III, 636,40; Merk 184; zu V. 12f Eichholz, Bewahren 154ff.

[297] Dazu Synofzik 62ff; Gyllenberg 48; Bjerkelund; Holtz, Apostelkonzil 121f; zugespitzt Hainz, Ekklesia 316–318, Amt 121: „Die Legitimität des Apostels hängt also an seinem Werk, und das heißt: an seinen Gemeinden" (vgl. 1.Kor 9,1; 2.Kor 10,12–16).

[298] Bultmann, ThWNT III, 652,5ff; vgl. Synofzik 63, aber auch die kritische Bemerkung bei Theißen, Legitimität 225 A.1.

matische Floskel, sondern bezieht sich konkret auf die Wirkungen
der Gnade. Wie es für die Gemeinde Grund zum Rühmen ist, daß der
gnädige Ruf, der Paulus in den apostolischen Dienst gestellt hat, nicht
leer geblieben ist (2.Kor 1,12–14; 5,12), so sind die Gemeinden für
Paulus Konkretionen der Gnade, die ihm geschenkt ist und durch ihn
wirkt[299]. Werden sie vom Verführer überwältigt, dann ist die eschatologische Freude und der Grund zum Rühmen der Treue Gottes im
Angesichte Jesu Christi dahin, der Apostel hat sich umsonst gemüht[300].
Der Hinweis auf die Treue Gottes als Existenzgrund der Gemeinde
und der Einblick in die Sorge um den eschatologischen Ruhm der
Gnade entsprechen in der ekklesiologischen Paränese einander wie
Vertrauen und Verantwortung, Indikativ und Imperativ.

Man kann in diesem Zusammenhang von Anfechtung bei Paulus sprechen. Seine Briefe verraten nichts davon, daß ihn Zweifel an der Gewißheit der eigenen Rechtfertigung bzw. Errettung geplagt hätten. In
dieser Hinsicht fehlt ihm tatsächlich die „introspective conscience of
the West"[301]. Seine Sorge gilt seinem Werk, über das er beim Gericht
Rechenschaft ablegen muß, und auch dabei geht es weniger um die
individuelle Errettung (vgl. 1.Kor 3,14f), vielmehr um die Anerkennung, συγκοινωνὸς τοῦ εὐαγγελίου gewesen zu sein (1.Kor 9,23)[302].
Vergeblich[303] gelaufen zu sein würde bedeuten, nicht dem Wesen des
Evangeliums gemäß gewirkt zu haben. Dies aber wäre für den Apostel
beschämend; in seinem Dienst soll sich Wesen und Kraft des Evangeliums manifestieren und im Leben der Gemeinden widerspiegeln[304].

---

[299] Vgl. Léenhardt, Études 53; Käsemann, Phil 2,12–18, 296; W. Pesch, Sonderlohn 206; Schütz, Paul 233f; C. D. Müller, Erfahrung 167.
[300] Hierher gehört auch 2.Kor 11,2f; anders als in Eph 5,22ff steht dahinter
noch keine ausgebildete Adam-Eva-(Christus-Gemeinde-) Spekulation. Die
Vorstellung von der Messiaszeit als Hochzeit ist aufgenommen und verbunden
mit einem warnenden Hinweis auf Eva. Paulus „zeigt damit, daß die einzelne
Gemeinde ihre Verpflichtung dadurch erhält, daß ihre in der Eschatologie zu
vollendende Beziehung zu Christus sich bereits in der Gegenwart anbahnt und
dadurch schon *Wirklichkeit* ist" (Lietzmann –) Kümmel, 2.Kor 209 (zu 145
Z.10); vgl. Dahl, Christ 441.
[301] Vgl. den programmatischen Aufsatz von Stendahl, HThR 56, 1963, 199ff.
[302] Vgl. Conzelmann z.St.; Bornkamm, Mission. Verhalten 153; anders Seesemann 79 A.79 („Teilnahme an der Heilsverheißung" des Evangeliums; ähnlich
McDermott 220); beides zu verbinden sucht Eichholz, Miss. Kanon 120, Bewahren 142.
[303] Bjerkelund 179: Auf dem Hintergrund des atl. Befundes ist οὐκ εἰς κένον
„eine Art (negativ geformte) Qualitätsbezeichnung für das, was von Gott
stammt".
[304] Zur Orientierung des οὐκ εἰς κένον am Evangelium vgl. Bjerkelund 184f.

2.3.3 Das Geschick des Apostels als Manifestation
des Kreuzes

Im Kampf mit dem korinthischen Enthusiasmus verweist Paulus nicht
nur auf die bleibende Gefährdung der Gemeinde. In der Diskussion
um den „eschatologischen Ort" der Gemeinde führt er auch die Existenz des Apostels als Paradigma ins Feld. Der (ironischen) Feststellung: „Ihr seid schon gesättigt; ihr seid schon reich geworden; ohne
uns seid ihr zur Herrschaft gelangt! ..." werden die Entbehrungen
und Leiden des Apostels hart gegenübergestellt (1.Kor 4,8—13). Der
Argumentationsgang bricht dann plötzlich ab und gibt einer allgemeinen, persönlich gehaltenen Mahnung Raum. So bleibt eine gewisse Unsicherheit über die letzte Zuspitzung dieses bitteren Einwurfes[305].
So viel aber ist klar: Paulus möchte die Korinther zu einer Auffassung vom Stand des Christen in dieser Welt bewegen, in der auch die
Leidenserfahrung des Apostels Platz hat, ja er möchte sie dazu bringen, sich dieser Erfahrung durch eine realistischere Einschätzung der
eigenen Lage zu eröffnen ($\mu\iota\mu\eta\tau\alpha\acute{\iota}\ \mu o\upsilon\ \gamma\acute{\iota}\nu\epsilon\sigma\vartheta\epsilon$ V. 16).

Naturgemäß spielt dies Thema in der Auseinandersetzung um das Apostelamt des Paulus eine große Rolle. Zunächst scheint es freilich so,
als sei Paulus für Vorstellungswelt und Terminologie seiner enthusiastischen Gegner offener, als wir gemeinhin annehmen[306]. So beschreibt
er Röm 15,18f sein Wirken in Wort und Werk als ein Wirken Christi
durch ihn in der Kraft von Zeichen und Wundern und verweist in 2.
Kor 12,12 darauf, daß auch in Korinth $\tau\grave{\alpha}\ \sigma\eta\mu\epsilon\~\iota\alpha\ \tauo\~\upsilon\ \dot{\alpha}\pio\sigma\tau\acuteo\lambdao\upsilon$ geschehen sind in Zeichen, Wundern und Krafttaten. Ähnlich formu-
liert er in 1.Th 1,5f und 1.Kor 2,4.

Entscheidend ist jedoch die paulinische Modifikation: In Röm 15,17ff
grenzt sich Paulus vorsichtig gegenüber möglichen Vorwürfen ab, er
überschreite seine Kompetenzen[307]. Sein Ruhm als Apostel besteht
darin, daß er in Wort und Werk nichts tut als das, was Christus durch
ihn bewirkt. In 2.Kor 12,12 beansprucht er für sich die zum Wesen
des Apostolats gehörenden Wunder, stellt sie aber durch das Stich-
wort $\dot{\epsilon}\nu\ \pi\acute{\alpha}\sigma\eta\ \dot{\upsilon}\pioμ o\nu\~\eta$ sofort in den Horizont „des Abschnittes 11,

---

[305] Ist V. 10 ironisch? Vgl. Arrington 119ff, der die Notwendigkeit des Leidens für Apostel und Gemeinde in der Vorstellung der messianischen Wehen
begründet sieht.
[306] Darauf verweist mit Nachdruck Jervell, Charismatiker.
[307] Vgl. Michel, Röm z.St.; Käsemann, Röm 380: Paulus verwendet hier „ohne
Bedenken die gängige Vorstellung von apostolischer Vollmacht"; vgl. Jervell,
Paulus 40f; Nielsen 151f.

23ff mit seiner Aufzählung der geduldig ertragenen Christusleiden"[308]. So liegt auch in 1.Th 1,5f der Beweis des Geistes darin, daß die Thessalonicher ein bekämpftes Evangelium mit Freude annahmen[309]. Der Erweis des Geistes und der Kraft in Korinth vollzog sich offensichtlich so, daß die Verkündigung des Apostels, der in „Schwachheit, Furcht und großem Zittern" gekommen war, Glauben fand. Das zeigt, daß der Glaube der Korinther nicht menschlicher Weisheit, sondern allein der rettenden Kraft Gottes im Gekreuzigten zu verdanken ist[310]. Weil das Verhältnis von Geist und Wort noch nicht eindeutig geklärt ist[311], kann Paulus die Terminologie der Enthusiasten aufnehmen, verkehrt sie aber ins Gegenteil, indem er den Erweis des Geistes durch Machttaten und Wunder als Erweis der δύναμις θεοῦ in der Schwachheit des Apostels interpretiert. Die genannten Stellen stehen also nicht im Widerspruch zu den großen Peristasenkatalogen in 1.Kor 4 und 2. Kor 4,6,11 und 12, sondern verweisen auf sie und ihre Auslegung der Leidenserfahrung des Apostels durch die theologia crucis. Das „Wort vom Kreuz" ist nicht nur Inhalt der Verkündigung, sondern prägt die Existenz des Verkündigers. Zurecht haben E. Güttgemanns u.a. der Erklärung der apostolischen Leiden durch eine wie immer geartete Christusmystik widersprochen und auch die Deutung als stellvertretendes Leiden abgelehnt, sie vielmehr dem Evangelium und der christologischen Verkündigung zugeordnet. „In der Schwäche des Apostels wird der Gekreuzigte *verkündigt.*"[312]

Problematisch ist dagegen die strikte Trennung, die Güttgemanns zwischen den Leiden des Apostels und den Leiden der Gemeinde vornimmt[313]. Das zeigt ein Blick auf 2.Kor 1,5—11, einen Text, den Güttgemanns nur en passant behandelt[314]. Paulus will von den Schwierigkeiten und Gefahren berichten, die er in Kleinasien überstanden hat.

---

[308] Käsemann, Legitimität 511; sehr gut auch Eckert, Zeichen 23—26; Jervell, Charismatiker 195f; anders Nielsen 152f. H. D. Betz, Apostel Paulus 70ff, möchte die ganze Art der Auseinandersetzung aus der griech. Rhetorik ableiten. Dazu kritisch Judge, Class. Society 35 (positiver Malherbe 218ff).
[309] Masson, 1.Th z.St.
[310] Schlatter, Paulus 107 (vgl. auch Gal 4,13f).1.Kor 2,2f zeigt die von H.-W. Kuhn, Jesus als Gekreuzigter 40 A.171, vermißte Verbindung zwischen theologia crucis und apostolischem Leiden; vgl. auch 2.Kor 13,4 und Schrage, Leid 164.
[311] Käsemann, RGG II, 1275; vgl. Schmitz, δύναμις 144ff, 161ff.
[312] Güttgemanns, Apostel 141; Schütz, Paul 247f; Baum 187ff; Stuhlmacher, 18 Thesen 515f; Eric Fuchs. Gegen einen „Verkündigungscharakter" des apostolischen Leidens wendet sich Fischer, Leiden 95—99.
[313] AaO 195f, 323—328; dagegen Fischer, aaO 100—109; Schrage, Leid 159.
[314] AaO 98—100; zur Eulogie s.o. A.282.

Er beginnt aber mit der Feststellung, daß das Übermaß der Leiden Christi auch ein Übermaß des Trostes bewirke. Die Bewahrung im Leiden wird zum Trost und zur Ermunterung für andere, in gleichem Leiden auszuhalten. So sieht Paulus eine wechselseitige Teilhabe an Leiden und Trost in der Gemeinde[315].

Darauf folgt ein kurzer Bericht über die verzweifelte Lage, in der sich Paulus befand. Doch die Schilderung der Not schlägt auf ihrem Höhepunkt in einen positiven Gedanken um: Der ἵνα-Satz (9b) macht deutlich, „daß für P[aulus] und die Seinen die Verzweiflung an eigner Kraft und die sichre Erwartung des Todes die völlige Übergabe des eigenen Geschickes und Lebens an Gott zur Kehrseite hatte“[316]. Die ϑλῖψις zerstört das Selbstvertrauen und führt zum Vertrauen auf Gott, der die Toten auferweckt. Das gleiche Motiv taucht in anderer Formulierung in 2.Kor 4,7 und 12,9 auf: „Alle Kraft und alles Vertrauen sollen ganz und gar Gott zukommen und in keiner Weise menschliche Leistung und menschlicher Besitz sein“[317]. Der Zusammenhang dieser Aussagen mit der Rechtfertigungslehre und dem Wort vom Kreuz ist evident. Einem Leben aus der iustitia aliena bzw. sapientia aliena in Christus entspricht die Existenz im Leiden und in Schwachheit allein aus dem Vertrauen auf die Kraft Gottes, der Tote lebendig macht und aus dem Nichts schafft. Es ist offensichtlich, daß diese Aussagen über den engeren Kontext der Frage nach der Gestalt der apostolischen Erscheinung und Verkündigung hinaus exemplarische Bedeutung für die Existenz des Christen haben.

Dafür sprechen weitere Beobachtungen: Was Paulus hier über den Sinn des apostolischen Leidens sagt, entspricht der Schilderung der Existenz der Gemeinde in Röm 5,3ff. Auch Phil 3,10f gehört hierher. Paulus stellt ja in 3,2ff seine Bekehrung als typisch für das Wesen der Gemeinde dar[318]. Um Christi willen verwirft er seine eigene Gerechtigkeit, will seinen Stand nur noch in Christus haben und aus der Glaubensgerechtigkeit leben. Die Erkenntnis Christi (und das Sein in

---

[315] Vgl. Windisch 2.Kor 39; Fischer, aaO 107; v. d. Osten-Sacken, Röm 8, 297–300, 307; Baum 60ff. Güttgemanns betont selbst in der Abwehr einer Auslegung als stellvertretendes Leiden, daß „auch die Gemeinde an den Leiden des Apostels teilhat (V. 6f)“ (100), zieht aber an der entscheidenden Stelle (327) daraus keine Konsequenzen. Zum religionsgeschichtlichen Hintergrund der Stelle vgl. Andresen 245f.
[316] Windisch, 2.Kor 46; Fischer, aaO 218; Baum 63f.
[317] Schrage, Leid 152.
[318] S.o. 95; vgl. Stuhlmacher, Gerechtigkeit 100; Bultmann, Theologie 299 (im Vergleich zu 2.Kor 4,7–12!); v. d. Osten-Sacken, Röm 8, 300–304, der den Text im Blick auf die Leidensaussagen interpretiert.

Christus) erläutern V. 10f, wobei der Chiasmus von Auferstehung und Kreuz wichtig ist: Die Kraft zur Auferstehung ist Kraft zum Leiden, zur Gleichgestaltung in den Tod in der Hoffnung der Auferstehung. Hier spricht nicht der von der Gemeinde zu unterscheidende Märtyrer[319], denn ebenso wie der gleich darauf erhobene eschatologische Vorbehalt wird hier die theologia crucis den jüdischen Perfektionisten als Inhalt christlicher „Gnosis" entgegengesetzt[320].

Auch 1.Th 1 und 2 verweisen auf die exemplarische Bedeutung des apostolischen Leidens. Die Christen in Thessalonich wurden μιμηταὶ ἡμῶν καὶ τοῦ κυρίου, indem sie das Wort unter viel Bedrückung mit geistgewirkter Freude aufgenommen haben, und wurden selbst zum τύπος für alle Gläubigen in Mazedonien und Achäa[321]. Die Kunde von ihrem Glauben bedeutet nichts Geringeres als das Hinausströmen des λόγος τοῦ κυρίου (1.Th 1,5—8). Indem das Wort so in ihnen wirkte, wurden die Gemeinde und ihre Glieder auch μιμηταί der verfolgten Gemeinden von Judäa[322].

Wie das Leiden des Apostels zu seiner Verkündigung gehört, so ist auch das Leiden der Gemeinde in ihrem Bekenntnis begründet. Es ist ihr nicht nur geschenkt, an ihn zu glauben, sondern auch, für ihn zu leiden (Phil 1,29)[323]. Das wäre ein masochistischer Gedanke, würde

---

[319] Gegen Lohmeyer, Phil z.St.

[320] Phil 3 bildet ein herausragendes Beispiel für die Verbindung von *theologia viatorum* — dargestellt am Unterwegssein des Apostels —, *theologia crucis* und *Rechtfertigungslehre* im Rahmen einer *ekklesiologischen* Auseinandersetzung.

[321] Vgl. H. Köster. Das „Beziehungsgefälle" zwischen Apostel und Gemeinden ist also kein Ausdruck hierarchischer Strukturen (gegen Stanley, Imitators 874; Güttgemanns, Apostel 193 A.140).

[322] Zur *wechselseitigen* μίμησις vgl. auch Gal 4,12b κἀγὼ ὡς ὑμεῖς (Güttgemanns 192 wertet diesen Teil der Aussage nicht aus). Zum Zusammenhang von Leiden und Nachahmung, insbesondere im 1.Th, vgl. Laub, Gemeindegründer 28ff („Der angefochtene Apostel als Typos für seine Gemeinde"); Schütz, Paul 226ff (231: „To ‚imitate' Paul or Christ, or another church in its suffering, is to be receptive to the fullness of God's power which never is to be seperated from weakness and suffering"); A. Schulz, Nachfolgen 286f, 314f, Leidenstheologie; H. D. Betz, Nachfolge 143ff, 173ff, dessen Rekurs auf das Mysteriendenken problematisch ist und eher verdunkelt als erhellt. De Boer streift diesen Gesichtspunkt nur (122) und bemerkt darum nicht, wie sehr die imitatio bei Paulus Widerspiegelung der Proexistenz Christi und damit des Unterwegssein von Apostel und Gemeinde ist (vgl. außer 1.Th auch 1.Kor 4,16 [s. 4,9—13]; 11,1 [s. 10,33] und Phil 3,17 [s. 3,12ff]).

[323] Fischer, Leiden 105f, möchte das ὑπὲρ Χριστοῦ analog zu 2.Kor 5,20 als „anstelle von" deuten und darin die Präsenz des Gekreuzigten im Leiden sehen. Das ist aber unwahrscheinlich, vgl. die Belege bei Riesenfeld, ThWNT VIII, 517,32ff. Zur Konstruktion (und zur Fremdheit des Gedankens für die Briefempfänger) vgl. Walter, Philipper 430f.

nicht beachtet, daß „die Leiden nicht für sich betrachtet, sondern mit dem *Dienst- und Sendungsgedanken* verklammert werden"[324]. Sie sind darum immer Leiden für andere und werden in der Solidarität des Leidens und des Tröstens (2.Kor 1,3ff; 1.Th 2,14f) gemeinsam getragen. Auch 2.Kor 4,10ff schildert kein Leiden, das qualitativ von dem der Gemeinde unterschieden wäre[325]. Paulus spricht im 2.Kor gerade deshalb so ausführlich von seinem apostolischen Leiden, weil er die Gemeinde zur Solidarität mit ihrem schwachen Apostel bewegen will[326]. Die Mischung von Ironie und heiligem Ernst angesichts einer Gemeinde, die sich so erhaben über ihren schwachen und verfolgten Apostel dünkt, tritt ja nicht nur 1.Kor 4,6—13 zutage, sondern genauso in 2.Kor 13,3—9[327]. Ein konstitutiver Unterschied zwischen Leiden des Apostels und der Gemeinde besteht also nicht. Vielmehr gilt der Satz N. A. Dahls, „als der zu Christus bekehrte Verfolger ist Paulus der Typus des gerechtfertigten Sünders ...", auch für das apostolische Leiden[328].

Paulus versteht die theologia crucis betont ekklesiologisch: nicht alle sind arm und verachtet, nicht alle werden verfolgt und sind schwach. Aber in der Solidarität mit den Schwachen und den Leidenden erkennt und behält die Gemeinde ihren Platz unterm Kreuz[329]. Sie bleibt immer darauf angewiesen, auf den zu trauen, der aus dem Nichts schafft, die Gottlosen rechtfertigt und die Toten auferweckt. Darum hält Paulus vom 1.Thess bis zum Phil das Leiden als nota ecclesiae fest.

Am eindrucksvollsten geschieht dies in Römer 8,17ff. Die Argumentation des Apostels drängt in Kap. 8 zu einem Höhepunkt. Durch die Sendung des Sohnes hat Gott die Herrschaft der Sünde durchbrochen und ein Leben in der Gemeinschaft mit ihm unter der Leitung des Geistes möglich gemacht. Die vom Geist geführt werden, sind

---

[324] Schrage, Leid 157; Balz 98f.
[325] Anders Güttgemanns 119ff; abgewogen Schrage, Leid 159; v. d. Osten-Sakken, Röm 8, 290—296.
[326] Vgl. 2.Kor 7,2—4; 13,6ff.
[327] Zur Ironie vgl. Windisch, 2.Kor 417f; Schmitz, Begriff δύναμις 149; Judge, Boasting 47; Travis 530; Zmijewski 415.
[328] Volk Gottes 235f (vgl. Käsemann, Amt 126; Stuhlmacher, καινὴ κτίσις 27ff); v. Campenhausen, Amt 45: „Paulus spricht hier von seinem apostolischen Leben; aber er zeigt damit seiner irrenden Gemeinde wie in einem Spiegel die wahre Gestalt aller christlichen Existenz." Ähnlich Cerfaux, L'antinomie 461; Saß 85 (aber 89ff spricht er von stellvertretendem Leiden des Apostels); Bultmann, Theologie 299, 303; Stuhlmacher, 18 Thesen 516f.
[329] Vgl. 1.Kor 12,26; Fischer, Leiden 163.

Gottes Kinder. Ihr Leben ist nicht mehr von der Furcht geprägt, sondern vom Geist der Kindschaft. Sind sie aber Kinder, dann sind sie auch Erben, Miterben Christi, „wenn anders[330] wir mitleiden, damit wir auch mitverherrlicht werden". Ganz unvermutet wird noch einmal der Blick von der zukünftigen Herrlichkeit auf das Leiden mit Christus in der Gegenwart gelenkt.

V. 18 scheint das allerdings gleich wieder einzuschränken: die Leiden der jetzigen Zeit wiegen nicht schwer gegenüber der zukünftigen Herrlichkeit. Leiden ist für den Apostel nicht Selbstzweck und als solches nicht Grund zur Freude[331]. Auch die V. 19—22 weisen auf den ersten Blick in diese Richtung. Das Gewicht und die Größe der herrlichen Freiheit der Kinder Gottes mag man daran ermessen, daß sich die ganze Schöpfung nach ihr sehnt[332]. Umso überraschender ist der nächste, parallele Gedankengang (V. 23—25). Auch wir selbst erwarten seufzend die Kindschaft, die volle, unzerstörbare Gemeinschaft mit Gott. Die Gegenwart der Christen ist nicht durch Schauen, sondern durch Hoffen geprägt. Sie sind Wartende[333].

Paulus steigert diese Aussage noch in einem dritten Gedankengang (V. 26f): In gleicher Weise nimmt sich der Geist unserer Schwachheit an und tritt mit unaussprechlichem Seufzen für uns ein. Das Gebet in Zungen, das in der Gemeinde laut wurde, ist also nicht Beweis für die Entrückung in die Sphäre des himmlischen Gottesdienstes, sondern Zeugnis für die Gegenwart des Geistes in einer vom Leiden geprägten Zeit[334]. Die Gemeinde lebt von dem „Wunder der überraschenden Präsenz Gottes gerade in der menschlichen Schwachheit"[335].

---

[330] Der Bruch im Kontext weist auf diese Bedeutung der Wendung, Bl-Debr 454,2; Käsemann und Kuß, Röm z.St.; anders v. d. Osten-Sacken, Röm 8, 135 A.18; Lietzmann und Schlier, Röm z.St.

[331] Haacker, Glauben 143: Der Glaube „bejaht das Leiden, aber er liebt es nicht"; ähnlich Balz 98: Paulus kennt kein „Leidensprinzip". Deshalb scheint uns bei v. d. Osten-Sacken, Röm 8, der selbst von „der eschatologischen Finalität des Leidens" spricht (265), die Identifizierung von Mitleiden und Mitverherrlichtwerden problematisch (vgl. 285, 296); richtig wird Zusammenhang und Unterschied von beidem bei Siber 190 dargestellt.

[332] Gibbs 39ff; v. d. Osten-Sacken, Röm 8, 263ff; für Baumgarten, Apokalyptik 178, liegt in diesem Motiv der Skopus des ganzen Abschnittes.

[333] Vgl. die ähnlich überraschende Wendung in die Zukunft in Gal 5,5 oder 1.Kor 1,7 (dazu Baumgarten, aaO 62; v. d. Osten-Sacken, Röm 8, 265; Greeven, Kirche 118).

[334] So nach der grundlegenden Neuinterpretation der Stelle durch Schniewind, Seufzen, und Käsemann, Schrei, auch Balz 83—92; Baumgarten 177; dagegen v. d. Osten-Sacken 272ff; Wedderburn, Romans 8,26 (der teilweise Käsemann zustimmt).

[335] Luz, Geschichtsverständnis 384.

Auf diesem Hintergrund spricht Paulus dann in V. 28–30 von der Unverbrüchlichkeit der Treue Gottes in Berufung, Erwählung, Rechtfertigung und Verherrlichung und in V. 31–39 von der Unauflöslichkeit der Gemeinschaft mit Gott. Noch einmal werden Motive der Rechtfertigungslehre und der theologia crucis aufs engste miteinander verbunden. Die Fragen in V. 31 und V. 34 führen in den forensischen Bereich, der Peristasenkatalog in V. 35 nimmt die Leidenstheologie auf – und zwar ohne allen Zweifel in ihrer Tragweite für jeden Christen –, die Aufzählung der Mächte in V. 38 führt in die kosmische Dimension des Heilsgeschehens[336].

Grund der Gewißheit und Halt in der Bedrohung durch Anklage, Leiden und Mächte aber ist die Liebe Gottes, die „in Christus Jesus, unserm Herrn" ist, die Liebe dessen, der seinen einzigen Sohn nicht verschont hat, sondern ihn für uns alle hingegeben hat. Die Gewißheit der Nähe Gottes inmitten einer gottfernen Welt gründet in seiner liebenden Gegenwart im Tod des Sohnes und wird erfahren im interzessorischen Mitseufzen des Geistes, der sich gerade darin als ἀπαρχή zukünftiger Gottesgemeinschaft erweist.

Theologia crucis im paulinischen Sinne geht also weit über ein Wissen um die sühnende Kraft des Todes Jesu hinaus. Sie kommt dort zum Tragen, wo das Leben der Christen bestimmt und geprägt wird vom Leiden des Christus für die Welt und an der Welt und wo im eigenen Leiden, in der eigenen Schwachheit und Anfechtung die Geborgenheit in der Liebe Gottes und das Angewiesensein auf seine Gnade erfahren wird[337].

Es ist lohnend, in diesem Zusammenhang noch einmal auf die Beziehung der lutherschen Formel simul iustus et peccator zur paulinischen Theologie zu sprechen zu kommen. Wenn Luther mit ihr festhalten wollte, daß auch der Gerechtfertigte allein aus dem Vertrauen auf Gottes Hilfe lebt[338], so findet das bei Paulus in der theologia crucis seine Entsprechung. Zwar ist die Dialektik von 2.Kor 4,8–11; 6,4–

---

[336] Vgl. Gibbs 45ff; Siber 143ff, der die kosmische Dimension betont; zum ganzen Abschnitt v. d. Osten-Sacken, Röm 8, 309ff. Gegen eine zu starke Betonung des kosmischen Aspektes wenden sich Schwantes 43–52; Vögtle, Röm 8,19–22; Baumgarten, Apokalyptik 170ff („Subjekt der eschatologischen Verwirklichung ist die Gemeinde" [178]).
[337] Luz, Theologia crucis 128f: Kreuzestheologie ist keine Projektion des Leidens; Balz 124ff; C. D. Müller, Erfahrung 133.
[338] Vgl. Joest, bes. 295f, 308; dort wird die Frage unter anthropologischen Gesichtspunkten behandelt.

10 — wie Joest sagt — inhaltlich kein Äquivalent zur Dialektik von Sünde und Gerechtigkeit bei Luther[339]. Aber als „echte Dialektik" des Christenstandes berührt sie sich mit wesentlichen Motiven des lutherschen simul: Die Leidenstheologie hält fest, daß das neue Leben immer nur Leben aus Gott sein kann. Die neue Schöpfung ist kein habitus, sondern der Bereich des Kreuzes. Sie hält weiter den Blick offen für die Wirklichkeit, in der die Christen leben: die Macht des alten Äons zeigt sich im Widerstand gegen das Evangelium, in Verfolgung und in den Gebrechen des unerlösten Leibes. Der Sieg des neuen Lebens besteht nicht darin, daß diese Wirklichkeit enthusiastisch überflogen wird, sondern daß gerade in ihr die $\delta \acute{u}\nu\alpha\mu\iota\varsigma\ \vartheta\epsilon o\tilde{u}$ erfahren und die Hoffnung auf den völligen Sieg Gottes befestigt wird[340].

Die beiden Motive, die Joest für Luthers Formel herausgearbeitet hat, das doxologische Motiv und das Demutsmotiv, die bei der Verwendung im Hinblick auf die Sünde hart an die Grenze des theologisch Sagbaren geraten, finden bei Paulus ihre Verwendung im Blick auf das Leiden, wobei gerade beim doxologischen Motiv die ekklesiologische Komponente ganz im Vordergrund steht[341].

Man kann noch einen Schritt weiter gehen:

Dem Wort vom Kreuz entspricht nicht nur „Form der Predigt und das Auftreten des Predigers", auch nicht nur das Leiden in der Verfolgung, sondern die ganze „Verfassung der Gemeinde"[342]. Paulus demonstriert in 1.Kor 1,26—31 am Zustand der Gemeinde die Freiheit der göttlichen Gnadenwahl und die Tatsache, daß auch die Gemeinde Gerechtigkeit, Weisheit, Heiligung und Erlösung nur als fremde in

---

[339] AaO 291.

[340] W. C. Robinson, Word 82; Fischer, Leiden 162, der jedoch zu einseitig Leiden als Zeichen der Sünde oder des Sieges Christi gegeneinander stellt. Was das Leiden verursacht, wird nicht genügend berücksichtigt. Gegen eine Identität von $\dot{a}\sigma\vartheta\acute{e}\nu\epsilon\iota\alpha$ und $\delta\acute{u}\nu\alpha\mu\iota\varsigma$ spricht sich Nielsen aus: „2.Kor 4,7—12 bestätigt, daß das Leben des Apostels sowohl von Schwachheit als auch von Macht gekennzeichnet ist" (150). Statt von einer „paradoxen Identität" zu sprechen, möchte er das Verhältnis als dialektisch bezeichnen „in der Weise nämlich, daß die $\dot{a}\sigma\vartheta\acute{e}\nu\epsilon\iota\alpha$ sozusagen eine Leere ausmacht, die die $\delta\acute{u}\nu\alpha\mu\iota\varsigma$ Gottes ausfüllen kann" (157). In der Tendenz ähnlich Minde, Theologia 144.

[341] Vgl. 2.Kor 1,9—11 (und dazu die grundlegende Arbeit von Boobyer); 4,7. 15 (dazu Güttgemanns, Apostel 98). Daß Gott in die Sünde führt, um seine Gnade zu zeigen, kann Paulus im Blick auf das Geschick der Menschheit (Röm 11,32), nicht aber für das Leben des Christen sagen. Wohl aber kann der Weg durch das Leiden so gedeutet werden (2.Kor 1,9b; 4,7ff; 12,9ff).

[342] Conzelmann, 1.Kor 70; dazu auch Käsemann, Geist u. Buchstabe 258; Schütz, Paul 280.

Christus hat[343]. Dabei spricht Paulus durchaus nicht pauschal[344]. Aber *jedes* Glied der Gemeinde steht in Solidarität unter dem Ruf Gottes, der die Verachteten beruft und Hurer, Götzendiener, Ehebrecher, Homosexuelle und ähnliche Leute rechtfertigt.

Indem die Gemeinde sich gemeinsam dem Gericht der eigenen Vergangenheit stellt[345], gemeinsam der Gefährdung durch die Macht der Sünde gedenkt, die außerhalb des Machtbereiches Christi noch lauert[346], und leidend am Kampf der frohen Botschaft in dieser unerlösten Welt teilhat[347], lebt sie allein aus Gottes Gerechtigkeit, die ihr in Christus zugewandt ist, und wird so vor der Welt als Werk dessen sichtbar, der die Gottlosen rechtfertigt[348].

2.3.4 Die Zeit der Gemeinde

Die Elemente der paulinischen Danksagung haben sich uns als grundsätzliche Standortbestimmung der Gemeinde erwiesen. Sie verdankt ihre Existenz dem Evangelium, das sie unter die Gnade stellt. Sie ist herausgerissen aus dem jetzigen bösen Äon und hat die Fülle des Geistes. Dennoch ist sie noch nicht am Ziel. Sie lebt auf die Offenbarung ihres Herrn hin und ist auf diesem Weg ganz auf die Treue Gottes an-

---

[343] Conzelmann, aaO 65ff.

[344] Vgl. V. 26 οὐ πολλοί (s.o. 92); 6,11 καὶ ταῦτά τινες ἦτε.

[345] Vgl. Jüngel, Chiasmus 178 A.15: „Insofern die vom Evangelium überholte Wirklichkeit des aus Glauben Gerechtfertigten dessen Vergangenheit *bleibt*, ist Luthers These, daß der Christ simul iustus et peccator sei, durchaus paulinisch". Sie bedarf allerdings „einer dem Wirklichkeitsbegriff geltenden Interpretation". S. dazu auch Greeven, Kirche 123f, und Moltmann 36f.

[346] Zu diesem Aspekt des simul bei Paulus vgl. Friedrich, Kirche 138f: Paulus rechnet mit beiden, „sowohl mit der Macht der Sünde wie mit der Macht der Gnade. Er sieht den Menschen, der auch als Gerechter und Heiliger in diesem Äon noch der Versuchung ausgeliefert ist; aber er zweifelt auch nicht an Gott, der das verwirklicht, was er verkündigt" (139); vgl. 1.Kor 10,1–13; Gal 6,1ff. Richtig formuliert Stuhlmacher, Gerechtigkeit 224 A.1, in Auseinandersetzung mit Joest: simul iusti et tentati.

[347] Vgl. Käsemann, Schrei 232: „Paulus sagt freilich nicht: simul iustus, simul peccator. Aber er läßt die Söhne der Freiheit die Sterbenden sein und als die nach Erlösung Schreienden mit der unerlösten Schöpfung solidarisch werden." Vgl. Th. Schlatter, Tot für die Sünde 56, Für Gott lebendig 131.

[348] S. Fischer, Leiden 163: „Die Leidenstheologie ist die existentielle Form seiner Rechtfertigungslehre". Beachtenswert ist in diesem Zusammenhang der Hinweis Dahls, Doctrine 113, daß eine individualistische Interpretation der paulinischen Ethik unvermeidlich zu einem unpaulinischen Perfektionismus führt. Das gilt mutatis mutandis auch für die Leidenstheologie. Sie ist als nota ecclesiae nur sinnvoll, wenn sie in ökumenischer Weite gelebt und durchlitten wird.

gewiesen, der sie allein bewahren kann. So wird das Wesen der Kirche bestimmt durch ihren Ort zwischen Kreuz und Auferstehung Jesu einerseits und Parusie und Auferstehung der Toten andererseits[349].

Es ist das Verdienst A. Schweitzers, die Bedeutung dieser „postmessianischen" Zwischensituation für die paulinische Theologie klar herausgestellt zu haben[350]. Sein Versuch, die ganze paulinische Theologie aus der Logik eines apokalyptischen Systems und einer naturhaften Erlösungslehre zu begreifen, ist gescheitert[351]. Die Aufgabe, die paulinische Ekklesiologie im Rahmen der Erwartung der nahen Parusie zu erklären, ist geblieben. Damit sind — so selbstverständlich alles bisher Gesagte klingen mag — eine Reihe schwieriger Probleme aufgeworfen.

Paulus teilt zweifellos die Naherwartung. Mit seinen Gemeinden ruft er das Maranatha der Urgemeinde aus (1.Kor 16,22), spricht den Philippern zu: „Der Herr ist nahe!" (Phil 4,5), rechnet mit der Wiederkunft Christi zu Lebzeiten seiner Generation (1.Kor 15,51; 1.Th 4,15), schreibt an die Korinther: „Die Zeit ist knapp!" (1.Kor 7,29) und hat bei der Abfassung des Römerbriefes die Gewißheit: „Jetzt ist unser Heil näher als damals, als wir zum Glauben kamen" (Röm 13,11)[352].

Dennoch unterscheidet er sich von der Form der Naherwartung, wie wir sie für die Urgemeinde vermuten können. Nach allem, was wir über sie wissen, war sie eine wartende Gemeinde, die in Jerusalem auf die unmittelbar bevorstehende Wiederkunft des Menschensohnes und das Heil für das wahre Israel harrte[353]. Wer dagegen wie Paulus und die hellenistisch-jüdische Gemeinde zur weltweiten Heidenmission aufbricht, rechnet offenbar damit, daß dafür noch eine gewisse, wenn

---

[349] Vgl. Wendland, Mitte 12f; Dahl, Volk 218; Käsemann, Abendmahlslehre 23; Léonhardt, Réalité 90f; Delling, Merkmale 375; Arrington 145ff, 171ff; zur Rolle der Kirche im Eschaton vgl. u. A.510.

[350] Vgl. Schoeps, Paulus 36 u.ö., zu Schweitzer, Mystik 96ff.

[351] Der Preis, den Schweitzer für die Geschlossenheit seines Systems zahlte, war der Verlust der Rechtfertigungslehre; vgl. Kümmel, Enderwartung.

[352] Zu Recht wendet sich Stuhlmacher, Gegenwart 447f, gegen die Annahme einer resignierenden Entwicklung der paulinischen Zukunftserwartung; vgl. auch Luz, Geschichtsverständnis 356f; Baumgarten, Apokalyptik 210. Umgekehrt wehrt sich Klein gegen eine undifferenzierte Betonung der Naherwartung bei Paulus, die auf nur „drei quantifizierbaren Aussagen" beruhe (Naherwartung 261); zu diesen Aussagen: Vögtle, Röm 13,11—14; E. Stegemann, Alt und Neu 516.

[353] Bultmann, Theologie 40, 44. Vielleicht verband sich mit dieser Hoffnung auch die Erwartung der endzeitlichen Völkerwallfahrt zum Zion; vgl. Goppelt, Apost. Zeit 23; Käsemann, Anfänge 87, Apokalyptik 115.

auch knappe Zeit zur Verfügung steht. E. Peterson hat darum Paulus die „konkrete Eschatologie" abgesprochen, da unter ihren Voraussetzungen die Kirche aus den Heiden nicht denkbar sei[354]. Dagegen sprechen aber alle oben genannten Beobachtungen[355]. Es muß vielmehr versucht werden, die Heidenmission als Teil der in Gang gekommenen Endereignisse zu verstehen. Und in der Tat verwendet Paulus in Röm 15,16 das Motiv der eschatologischen Völkerwallfahrt: In radikaler Umkehr der jüdischen Hoffnung, daß die Heiden die zerstreuten Juden als מנחה zum Zion bringen, sieht Paulus seine Heidenmission als priesterlichen Dienst der Endzeit, durch den die Heiden Gott als προσφορά zugebracht werden[356]. Wahrscheinlich hat schon das hellenistische Judenchristentum auf Grund der Überzeugung mit der Heidenmission begonnen, daß mit Auferstehung und Erhöhung Jesu die endzeitlichen Ereignisse und damit auch das Herzukommen der Heiden angebrochen sind[357]. Damit wird die Heidenmission zum „Charakteristikum der Zeit zwischen Jesu Auferstehung und Wiederkunft"[358].

Der Zeitabschnitt, in dem die Gemeinde lebt und der durch die Verkündigung des Evangeliums an die Heidenwelt gekennzeichnet ist, scheint also bei Paulus den Charakter einer heilsgeschichtlichen Epoche gewonnen zu haben. Dieser Eindruck wird verstärkt durch die Verknüpfung des „Eingehens der Fülle der Heiden" mit der Rettung ganz Israels (Röm 11,25f)[359]. Dennoch bleibt es schwierig, die Zeit der

---

[354] Peterson, Kirche 412f. Er verweist auf Röm 11,25 und sagt, Paulus trage hier „nicht mehr konkrete Eschatologie, sondern Lehre von den letzten Dingen vor".

[355] Schoeps, der Peterson im Grundsatz zustimmt (125), muß darum umgekehrt argumentieren: Gerade weil Paulus die konkrete Eschatologie vertritt, die mit der Existenz der Kirche nicht zu vereinbaren ist, kann die Kirche nicht auf Paulus bauen. Die Argumente beider verschränken sich also eigentümlich. Doch waren nach Schoeps gerade bei Paulus „die Ansätze zur einstweiligen und dann zur dauernden Meisterung des verlängerten Zwischenzustandes zwischen Epiphanie und Parusie angelegt" (124).

[356] Vgl. Jes 66,20 und die damit verbundene Diskussion bei den Rabbinen (Billerbeck III, 153); zum Motiv der Völkerwallfahrt in der Apokalyptik s. Volz 171f, 358 (Lit. s.o. Kap. 1, A.171).

[357] Vgl. Käsemann, Anfänge 88; Hahn, Mission 57; Wiefel, Miss. Eigenart 225ff; dagegen hält K. G. Kuhn, Mission 165, die missionsfreundliche Haltung des hell. Judentums für die Wurzel der Missionstätigkeit der Hellenisten.

[358] Hahn, Mission 65.

[359] Vgl. Stuhlmacher, Gegenwart 430f, und vor ihm viele andere. Dagegen bestreitet Luz, Geschichtsverständnis 288—300, 390—92, daß Paulus einen bestimmten Stand seiner Missionsarbeit und seiner Gemeinden als Vorbedingung für die Parusie ansieht.

Gemeinde in ein einliniges Epochenschema einzuordnen. Zwar ist die Gemeinde dem alten Äon entnommen (Gal 1,4), dieser besteht jedoch noch weiter (Röm 12,2; 1.Kor 3,18; 2.Kor 4,4), und vom kommenden Äon spricht Paulus nirgends.

1.Kor 15,23—27, die einzige Stelle, an der er eine Art Heilsplan zu beschreiben scheint, legt die Vermutung nahe, das eigentümliche „Zwischen" der Gemeinde zwischen altem und neuem Äon stelle eine Modifizierung der apokalyptischen Vorstellung vom messianischen Zwischenreich dar[360]. Versteht doch Paulus die Zeit der Kirche als Herrschaft Christi[361] und sieht in der Gemeinde schon etwas von der Freude des messianischen Reiches gegenwärtig[362].
Es ergeben sich jedoch gewichtige Bedenken gegen diese Ableitung:
1. Die Konzeption eines messianischen Zwischenreiches ist für die Zeit des Paulus nicht belegt[363]. 2. Dieses Reich hat seinen Platz nach der Parusie und eines seiner wesentlichen Kennzeichen ist die unangefochtene Mitherrschaft der endzeitlichen Gemeinde[364]. Gerade das ist aber nach Paulus für die Gemeinde noch nicht erfüllt[365]. Man wird darum eher von einer Analogie zum messianischen Zwischenreich sprechen müssen, und zwar insofern, als sich auch bei Paulus alter und neuer Äon eigentümlich „ineinanderschieben"[366].

Mit dieser Feststellung ist für die präzise Bestimmung der Zeit der Gemeinde noch nicht allzuviel gewonnen. So sieht z.B. Bultmann, der die eben abgelehnte religionsgeschichtliche Ableitung vertritt, in ihr nur den Rahmen für die eigentliche Konzeption der Heilsgegenwart „zwischen den Zeiten". Das apokalyptische ‚Zwischen' ist nichts anderes als „die echte Geschichtlichkeit des christlichen Lebens", das „*ein ständiges Unterwegs* ist zwischen dem ‚Nicht mehr' und ‚Noch nicht'"[367]. Die Geschichte als solche „hat ihr Ende erreicht, weil Chri-

---

[360] Bultmann, Mensch 35f; Conzelmann, Grundriß 282, 1.Kor 319; Klein, Reich Gottes 660.
[361] Doch fehlt der Begriff βασιλεία Χριστοῦ in 1.Kor 15,23—27; er taucht erst Kol 1,13 auf (vgl. Conzelmann aaO; Wilcke 98f). Cullmann, Königsherrschaft 11ff, unterscheidet im regnum Christi die Zeit der Kirche und das Millenium als verschiedene Epochen. Zur Diskussion, ob die Herrschaft Christi gegenwärtig oder zukünftig gedacht ist, vgl. Luz, Geschichtsverständnis 346f (Lit!), der sich für letzteres entscheidet (anders z.B. Cerfaux, Église 385f; Lindeskog, Gottes Reich 154).
[362] Vgl. Röm 14,17 mit 4.Esra 7,28; 12,34.
[363] Volz 71ff, 226f; Wilcke 37—49.
[364] Apk 20,4 (vgl. Dan 7 und die Synopse bei Wilcke 30).
[365] 1.Kor 4,8ff.
[366] Stuhlmacher, Gegenwart 427 A.8.
[367] Bultmann, Geschichte und Eschatologie 53.

stus das Ende des Gesetzes ist (Röm 10,4)"[368]. „Das neue Gottesvolk, die Kirche, hat keine Geschichte, sie ist ja die Gemeinde der
Endzeit, ein eschatologisches Phänomen."[369]

Umgekehrt versteht Cullmann die Zeit der Kirche als heilsgeschichtliche Epoche[370]. Röm 9—11 etwa „beweist, daß die Zwischenzeit
ihren ganz und gar notwendigen Platz in Gottes Heilsplan hat. Wie
anders soll dieser sich denn erfüllen, wenn es nicht die Zwischenzeit
als Heilszeit gibt, wo die Fülle der Heiden eingehen wird und sich
das ungläubige Israel am Ende bekehrt? Dieses Geschehen ist schon
Endgeschehen, aber es ist nicht das Ende."[371]

Die neueren Untersuchungen zu diesem Thema haben gezeigt, daß
sich beide Konzeptionen in ihrer Einseitigkeit nicht halten lassen[372].
Nimmt man die oben angeführten Belege ernst, kann von einem
„Ende der Geschichte" nicht die Rede sein[373]. Ebenso wenig aber
wird man von einer Zeit der Kirche als klar umrissener heilsgeschichtlicher Epoche reden können. Das $\nu\tilde{\nu}\nu$ der paulinischen Verkündigung
ist nicht nur chronologisch einzuordnen. Es bezeichnet ein Herein-
brechen des Eschatons, das nicht einfach als Punkt einer Zeitlinie ver-
rechnet werden kann, wie Röm 11,31 besonders deutlich zeigt[374].
Darum verweist Paulus bei der Frage $\pi\epsilon\rho\grave{\iota}\ \tau\tilde{\omega}\nu\ \chi\rho\acute{o}\nu\omega\nu\ \kappa a\grave{\iota}\ \tau\tilde{\omega}\nu\ \kappa a\iota$-
$\rho\tilde{\omega}\nu$ nicht auf die Notwendigkeit der Durchführung des Heilsplanes[375],
sondern darauf, daß die Glieder der Gemeinde als Kinder des Lichts
schon im Lichte des jüngsten Tages wandeln[376].

---

[368] AaO 49; ders., Heilsgeschehen 366; vgl. Ernst Fuchs, Christus.

[369] Geschichte und Eschatologie 41. Zum Kirchenbegriff Bultmanns vgl. Häring 27ff und G. Hainz, Problem 316ff.

[370] Cullmann, Heil als Geschichte 147ff.

[371] AaO 231f. Zur Bedeutung von Röm 9—11 für diesen Zusammenhang vgl.
Cullmann, aaO 228ff; Bultmann, Geschichte 48, Geschichte und Eschatologie
im NT 101; dazu Ch. Müller, Gottes Gerechtigkeit 25f; Luz, Geschichtsverständnis 18; weiter Munck, Paulus 32 u.ö., Christus und Israel.

[372] Vgl. Delling, Zeit; Luz, Geschichtsverständnis; Baumgarten, Apokalyptik
180—187.

[373] Käsemann, Apokalyptik 127; Ch. D. Müller, Erfahrung 111; E. Stegemann,
Alt und Neu 515f.

[374] Dazu Stuhlmacher, Gegenwart 441 A.41; Luz, Geschichtsverständnis 297f;
vgl. auch dessen Hinweis auf die Eigenart des $o\H{v}\tau\omega\varsigma$ (statt eines zu erwartenden $\tau\acute{o}\tau\epsilon$) in Röm 11,26 (aaO 293f; Wilckens, Abfassungszweck 165 A.121; dazu wiederum kritisch Stuhlmacher, Röm 11,25—32, 559ff; weiter v. d. Osten-
Sacken, Verständnis 558f).

[375] Mk 13,10 hat eben kein Äquivalent bei Paulus (gegen Cullmann, Eschat.
Charakter 328, Heil 228, Eschatologie 356f; Stuhlmacher, Röm 11,25—32,
565ff)!

[376] 1.Th 5,1—5 (vgl. Stuhlmacher, Gegenwart 447 A.52; Harnisch 52ff; Laub,
Verkündigung 164ff; Baumgarten, Apokalyptik 216ff). Nur hier übernimmt

In seiner ausführlichen und sorgfältigen Untersuchung des paulinischen Geschichtsverständnisses kommt U. Luz zu dem Ergebnis, daß die Zeit zwischen Ostern und Parusie bei Paulus sich unter vielen Aspekten zeigt, aber „daß in all diesen Bestimmungen der Gegenwart diese nicht als Zeit*epoche* zwischen Ostern und Parusie unter einem bestimmten, dominierenden Gesichtspunkt sichtbar wurde. Die Jetztzeit ist für Paulus nicht ein betrachtbarer Zeitabschnitt, sondern in mannigfacher Weise und ohne daß es zu einer heilsgeschichtlichen Systematisierung kommt, vom Christusgeschehen bestimmte Zeit"[377]. Im Blick auf unsere Fragestellung scheint mir aber doch eine Präzisierung möglich zu sein:

1. Die Zeit zwischen Ostern und Parusie ist Zeit des Evangeliums, in dem sich Gottes Gerechtigkeit offenbart. Im Christusgeschehen ist die Verkündigung als wirksamer Vollzug auf den Menschen hin schon mitgesetzt. Zum Kreuz gehört unauflöslich das Wort vom Kreuz, zur Versöhnung der Dienst der Versöhnung (1.Kor 1,18ff; 2.Kor 5,18ff). Damit ist die Dialektik des paulinischen Zeitverständnisses unausweichlich: Die Verkündigung verweist zurück auf ein geschichtliches Ereignis (vgl. 1.Kor 15,3ff) und ist doch mehr als Information über vergangene Fakten. Sie stellt in die Gegenwart des Heilshandelns Gottes und ist somit selbst eschatologisches Ereignis (2.Kor 5,20)[378]. Aber dies vollzieht sich wieder unter geschichtlichen Bedingungen: Das Evangelium nimmt seinen Lauf in der Verkündigung bestimmter Menschen an bestimmten Orten[379]. Und wer sich der Offenbarung der Gerechtigkeit Gottes im Glauben öffnet, steht nicht nur in der Geschichtlichkeit seiner individuellen Glaubensentscheidung, sondern wird als Teilhaber am Evangelium und Glied im Leib Christi mit andern auf einen gemeinsamen Weg gestellt. Die konkrete Gemeinde und ihre Bewährung in ihrer „Geschichte" beschäftigt darum den Apostel so intensiv. Denn in ihrem Glauben, in ihrer Gemeinschaft, in ihrem Gehorsam und ihrem Dienst spiegelt sich das Evangelium irdisch wider. Und dennoch kann die Existenz der Gemeinde kein Thema in sich selbst sein, nicht das Kontinuum, das eine „Epoche" heilsgeschichtlich trägt. Entscheidend bleibt das Wirken Gottes im

---

Paulus den in Qumran zentralen Ausdruck υἱοὶ φωτός/בני אור (1 QS 1,9; 2,16; 3,13.24f; 1 QM 1,1.3 u.ö.; vgl. K. G. Kuhn, RGG V, 747; Best, 1.Th 210), um die Gemeinde als Erwählte der Endzeit zu kennzeichnen.

[377] Luz, Geschichtsverständnis 394; vgl. Delling, Zeit 84; Baumgarten, Apokalyptik 196f; Zeller 288.

[378] Vgl. auch Röm 1,17 mit 3,21ff (und zur grundsätzlichen Bedeutung Bultmann, Theologie 301ff).

[379] Phil 4,15; Röm 15,19.

Evangelium. Der Rückverweis auf diese Grundlage allen christlichen und kirchlichen Lebens prägt folglich auch die Paränese des Apostels.

2. Im Evangelium offenbart Gott seine Gerechtigkeit in einer ihm entfremdeten und verfeindeten Welt. Konsequenterweise ist das Zeichen dieser Offenbarung das Kreuz, weil auf Grund der Auferweckung Jesu der gewaltsame und mit dem Fluch des Gesetzes belastete Tod Jesu als tiefster Erweis der Liebe und Gerechtigkeit Gottes proklamiert wird. Das Kreuz ist zweideutig — für die einen Ärgernis und Torheit, für die Glaubenden Gottes Kraft. Zweideutig ist darum auch die Existenz des Apostels, der „das Sterben Jesu an seinem Leib herumträgt" (2.Kor 4,10): Abschaum der Menschheit, jedermanns Kehricht, vor dem man verächtlich ausspuckt (1.Kor 4,13; Gal 4,14), und zugleich Bote Gottes, Botschafter an Christi Statt. Zweideutig ist also auch die Existenz der Gemeinde: Ein Haufen törichter, geringer und verachteter Menschen, durch dessen Berufung Gott sein Gericht am selbstmächtigen Wesen der Welt vollzieht und die Wirklichkeit einer Existenz aus Gott in Christus dokumentiert (1.Kor 1,26ff). Kirche als „zweideutiges Phänomen", „sichtbar als weltliches Faktum, unsichtbar, jedoch für das Auge des Glaubens zugleich sichtbar, als Größe der künftigen Welt"[380], bedeutet aber keinesfalls, „daß sie eine *unweltliche, jenseitige* Größe ist"[381]. Unsere Begriffsexegese hat gezeigt, daß die beiden für das Gemeindeverständnis des Paulus zentralen Begriffe ἐκκλησία (ϑεοῦ) und σῶμα Χριστοῦ gerade auf die konkrete Gemeinde zielen. Es gibt für Paulus keine unsichtbare Kirche. Die Gemeinde lebt und bewährt ihren Glauben und Gehorsam irdisch auf dem Weg zwischen Berufung und Vollendung, angefochten und bedrängt von den Mächten des alten Äons und doch geborgen in der Treue Gottes[382].

Anthropologisch hat Paulus die Eigenart solchen Lebens aus der in Christus verkörperten Treue Gottes in Gal 2,20 präzis gekennzeichnet: „Ich bin mit Christus gekreuzigt. Nun lebe ich nicht mehr, sondern Christus lebt in mir. Was ich aber jetzt im Fleisch lebe [d.h. unter den Bedingungen der irdischen Existenz], das lebe ich im Glauben an den Sohn Gottes, der mich geliebt und sich selbst für mich

---

[380] Bultmann, Theologie 309.
[381] Bultmann, Wandlung 134 (Hervorhebung von mir). Vgl. die kritische Würdigung bei Häring 92ff und G. Hainz, Problem 348ff.
[382] Für den Begriff ἅγιοι wird dies Ergebnis durch die Arbeit von C. D. Müller, Erfahrung, bestätigt (vgl. bes. 116); ähnlich Baumgarten, Apokalyptik 72; v. d. Osten-Sacken, theologia crucis 479 („Zeit des Kampfes"); Vögtle, Röm 13,11—14, 573.

dahingegeben hat." *Ekklesiologisch* entfaltet Paulus dieses Leben aus dem Glauben in seiner theologia crucis[383]. Daß er sie an der apostolischen Existenz durchbuchstabiert und exemplifiziert, macht ihre Unausweichlichkeit für die Gemeinde in aller Dringlichkeit deutlich. Denn gerade wenn die Gemeinde in Schwachheit und Bedrängnis, in Bewährung, tröstender Solidarität und gemeinsamem Dank ihre Kraft allein aus der Gnade schöpft, weist sie durch ihre Existenz über sich hinaus auf Gottes versöhnende Liebe als die Quelle, aus der sie lebt, und auf seine befreiende Herrschaft als das Ziel, auf das sie zugeht.

2.4 Die Gültigkeit der Verheißung

Bei unserem Fragen nach dem Grundansatz paulinischer Ekklesiologie haben wir das Problem der heilsgeschichtlichen Kontinuität zwischen Israel und der Kirche, das herkömmlicherweise unter dem Stichwort ,altes und neues Gottesvolk' behandelt wird, noch nicht aufgegriffen. Wie der Überblick über die Gemeindebegriffe gezeigt hat, ist das Wortfeld, das diesem Thema gewidmet ist, begrenzter als oft angenommen wird. Ausdrücklich und ausführlich wird es vor allem unter dem Stichwort σπέρμα Ἀβραάμ im Galater- und Römerbrief aufgenommen. Der Galaterbrief zeigt die konkrete Gemeindesituation, in der dies geschieht. Wir setzen darum mit unserer Untersuchung bei diesem Brief ein.

2.4.1 Der Streit um die Abrahamskindschaft

2.4.1.1 Der Konflikt in Antiochien — eine Problemanzeige

Die Argumentation des Paulus ab Gal 1,6 und die Erzählung, die er in sie einflicht, durchläuft verschiedene Schichten, in denen die Auseinandersetzung geführt wurde oder noch stattfindet.

Paulus setzt ein mit der Situation in Galatien (1,6—9). Da er aber zunächst nicht argumentiert, sondern beschwört und droht, erfahren wir nichts Genaueres über die anstehenden Probleme. Hier führt erst 3,1ff weiter. Ausgehend von Vorwürfen gegen sein Apostolat (1,10ff) schildert er sodann seine Berufung und ihre Konsequenzen. Die Er-

---

[383] Zur Verbindung zwischen Gal 2,20 und diesem Ansatz der paulinischen Ekklesiologie vgl. auch Lührmann, Tiefenpsychologie 232f.

zählung zielt auf die Darstellung der Verhandlungen in Jerusalem, bei denen der Konflikt zwischen der antiochenischen Missionspraxis, die auf eine Beschneidung bekehrter Heiden verzichtete, und den Jerusalemer Auffassungen beigelegt und der Apostolat des Paulus und des Barnabas anerkannt wurde. Auch diese Schilderung gibt wenig Auskunft über die theologischen Implikationen der Auseinandersetzung[384]. Die Einigung scheint möglich gewesen zu sein, weil man darin übereinstimmte, daß der Zusammenhalt zwischen den christlichen Gemeinden erhalten bleiben mußte[385] und daß Heiden nicht unbedingt Juden werden mußten, um Christen sein zu können.

Über die Konsequenzen dieser Übereinkunft scheint man sich aber kaum Gedanken gemacht zu haben. Das rächte sich sehr bald dort, wo Juden- und Heidenchristen in einer Gemeinde zusammenlebten. Zwar hatte zunächst auch Petrus die Folgerung gezogen, daß damit volle Gemeinschaft zwischen Juden- und Heidenchristen begründet sei, und dies durch sein Verhalten in Antiochien bekräftigt. Als aber Leute von Jakobus kamen, zog er sich zurück und sonderte sich ab aus Furcht vor den Leuten aus der Beschneidung. So klar dieser Vorgang angesichts der Speisegewohnheiten frommer Juden ist[386], so viel Mühe macht dem Exegeten die Begründung, die Paulus für das Verhalten des Petrus gibt. Warum fürchtet sich Petrus und vor wem[387]? Was hat den Argumenten der Jakobusleute ein solches Gewicht verliehen, daß auch die übrigen Judenchristen in Antiochien[388] und selbst Barnabas in ihrer Haltung schwankend wurden und schließlich umfielen?

Dafür gibt es nur eine Erklärung: Es ist den Leuten aus Jerusalem gelungen, deutlich zu machen, daß durch eine permanente und uneingeschränkte Tischgemeinschaft mit Heiden notwendigerweise die Verbindung mit dem Judentum abgeschnitten würde. Sie stellten in Frage, daß man dem Juden ein Jude bleiben konnte, wenn man dem Griechen ein Grieche wurde. Und es dürfte ihnen nicht schwer gefal-

---

384 Möglicherweise haben die Partner die Vorgänge sehr verschieden interpretiert, vgl. Holmberg 20ff; Holtz, Apostelkonzil; Eckert, Verkündigung 302f.
385 Vgl. das Werk der Kollekte als wichtigstes Ergebnis (dazu Georgi, Kollekte; Nickle; und zuletzt gerade unter dem hier angesprochenen Aspekt Berger, Almosen; Lührmann, Abendmahlsgemeinschaft 275ff).
386 Dazu Mußner, Gal z.St.
387 Man vergleiche die Kommentare: Schlier und Oepke schweigen; ausführlich, aber psychologisierend Mußner. Stuhlmacher, Evangelium 87; Schütz, Paul 152; Holmberg 33, denken an ein Einspruchsrecht der Jerusalemer; Catchpole 440f, an die inzwischen erfolgte Promulgation des Aposteldekrets.
388 So ist οἱ λοιποὶ Ἰουδαῖοι zu interpretieren; vgl. die Kommentare.

len sein, ihre Sicht als die einzig realistische darzustellen. Eine Trennung vom Judentum hätte aber unweigerlich auch den Bruch mit der Jerusalemer Urgemeinde zur Folge gehabt. Sie würde für den Judenchristen — zumindest gefühlsmäßig — auch die Zugehörigkeit zum Volk Gottes und seinen Verheißungen, ja zum Gott Israels in Frage stellen[389].

In der Situation liegt also eine fast tragisch zu nennende Spannung, die in Gestalt und Verhalten des Petrus verkörpert ist: Der Wille zum Überschritt über die Grenze zu neuer Einheit wird paralysiert durch die Angst, damit einen neuen Graben aufzureißen und die alte Heimat zu verlieren. Nur wenn man das Problem in seiner Tiefe sich vor Augen stellt, kann man verstehen, wie es in Antiochien zu diesem Erdrutsch kommen konnte[390].

Petrus und Barnabas zu verstehen heißt nicht, Paulus ins Unrecht zu setzen[391]. Die von uns gefundene Erklärung für ihre Haltung entkräftet ja nicht den Vorwurf des Paulus, ihr Wort und ihr Verhalten stimmten nicht überein (nichts anderes ist mit Heuchelei gemeint)[392]. Die Behauptung, daß Gott in Jesus Christus auch den Heiden das Heil ohne jede Vorbedingung anbiete, wird durch die Verweigerung der Tischgemeinschaft unglaubwürdig. Diese „Wahrheit des Evangeliums", für die Paulus und Barnabas in Jerusalem gestritten hatten und die dort anerkannt worden war, stand jetzt auf dem Spiel. Gerade wenn die von uns vermuteten Gründe — ausgesprochen oder unausgesprochen — zur Trennung geführt haben, war der Zwang auf die Heidenchristen, jüdisch zu leben, umso stärker, wollten sie sich nicht mit einem unklaren Status als Christen zweiter Klasse begnügen[393].

---

[389] Richtig Schmithals, Paulus u. Jakobus 54f; Mußner, Gal z.St.; Schütz, Paul 153. E. P. Sanders, Attitude 177, hält 1.Kor 9,20 daher für hyperbolisch, weil in der Praxis nicht durchführbar (dazu jetzt: Richardson, Inconsistency; Jervell, Paulus 37).

[390] Den Streit als Konflikt zwischen „the singularity of the Gospel and the unity of the Church" zu bezeichnen (Schütz, Paul 155), umreißt die Lage nicht scharf genug; eher trifft Howard, Paul 45 das Richtige: Peter has „fear for his religious safety". Ein ähnlicher Hinweis bei Blank, Schriftverständnis 49f, der in diesem Zusammenhang auf die soziale Komponente der Rechtfertigung verweist.

[391] Darin liegt die Gefahr apologetischer Auslegung (Referat bei Lönning 9ff).

[392] Vgl. Mt 23, dazu Wilckens, ThWNT VIII, 566 (weniger klar 568 zu Gal 2,13).

[393] Dagegen sehen Holtz, Apostelkonzil 123, und Catchpole 441 in dem ἀναγκάζεις ιουδαΐζειν nicht nur objektive Folge, sondern auch subjektive Absicht des Verhaltens von Petrus.

Der Vorgang in Antiochien und die Reaktion des Paulus darauf stellt zwei Sachverhalte in aller Deutlichkeit heraus:

1. Die Wahrheit des Evangeliums wird nicht nur durch falsche theologische Sätze, sondern auch durch falsches Verhalten in der Gemeinde gefährdet. Die Botschaft von Gottes freier Gnade für alle steht nicht nur dort auf dem Spiel, wo dem einzelnen in gesetzlicher Weise Zusatzbedingungen aufgeladen werden, sondern auch dort, wo in der Gemeinde durch die Verweigerung der vollen Gemeinschaft Gruppen diskriminiert werden[394]. Der Heftigkeit der Reaktion nach zu urteilen, wertet Paulus die ekklesiologische Gefährdung nicht geringer als die soteriologische, sofern diese Unterscheidung für ihn überhaupt adäquat ist.

2. Was die Wahrheit des Evangeliums ist, entscheidet kein kirchliches Amt (etwa das des Petrus oder Jakobus), aber auch nicht das Verhalten der Mehrheit. Paulus ist der Überzeugung, daß diese Wahrheit im Evangelium selbst gesucht werden muß und immer wieder neu gefunden werden kann.

Gerade im Blick auf die Situation in Antiochien, wo kirchliches Argument (Einheit mit Jerusalem und dem Judentum) gegen kirchliches Argument (Einheit von Juden und Heiden in einer Gemeinde) steht, zeigt sich, wie wichtig es *um der Kirche willen* ist, daß „nicht die Kirche ... das Evangelium zum Evangelium, sondern das Evangelium ... die Kirche zur Kirche" macht[395].

In der Fortsetzung seiner Rede an Petrus (Gal 2,15—21) sucht Paulus so die Wahrheit des Evangeliums in concreto aus dem Evangelium zu entwickeln. Zwar ist der Text schwierig, weil er im Verlauf der Ausführungen immer stärker von der Auseinandersetzung in Galatien mitgeformt wird und die eigentliche Konklusion für Antiochen zugunsten der Fortsetzung des Gesprächs mit den Galatern ausbleibt[396]. Doch ist der Einsatzpunkt der Argumentation klar. Nicht die Frage der Belastbarkeit der Heiden wird zum Angelpunkt der Diskussion[397].

---

[394] Mußner, Wesen 95: „Das συνεσθίειν hängt also mit der Rechtfertigung zusammen"; vgl. Dahl, Doctrine 109f; M. Barth 251ff; Lührmann, Abendmahlsgemeinschaft 274ff.

[395] Lönning 62; vgl. Mußner, Gal 166; Eckert, Voraussetzungen 40f.

[396] Zu 2,15ff vgl. außer den Kommentaren: Bauernfeind; Klein, Individualgeschichte; Berger, Abraham; Dietzfelbinger, Paulus u. das AT; ders., Heilsgeschichte; Löwe 46ff; Luz, Geschichtsverständnis 146ff, 177ff; Wilckens, Was heißt bei Paulus 84ff; Kümmel, Individualgeschichte; Feld; Lambrecht, Line; Ollrog 209ff.

[397] Anders Act 15,10.

Gerade umgekehrt: Weil auch die Judenchristen nichts anderes glauben, als daß sie als Sünder durch Christus gerechtfertigt werden, sind ihre Vorzüge im entscheidenden relativiert. Ihr Leben ist nicht mehr im Gesetz und damit im Judesein gegründet, sondern in Christus, dem Gottessohn, der uns geliebt und sich für uns dahingegeben hat[398]. Indem so die Existenz in Christus und sein Werk eingebettet wird, ist ihr das Fundament gegeben, auf dem sie den Abbruch des schützenden Gesetzes und der durch es konstituierten Gemeinschaft aushalten kann. Die neue Gemeinschaft ist durch die Radikalität der Gnade und der Hingabe des Christus konstituiert.

Für Paulus ist damit allerdings die Frage nach der Gültigkeit der Verheißung Gottes noch nicht erledigt. Sie wird in der folgenden Auseinandersetzung zum zentralen Thema.

2.4.1.2 Die Auseinandersetzung mit den Judenchristen in Galatien (Gal 3,1–4,7)

Wir betrachten die galatischen Irrlehrer, mit deren Wirksamkeit Paulus sich in 1,6ff und 3,1ff auseinandersetzt, als „Judaisten"[399]. Es handelt sich um Judenchristen, die die Christen in den galatischen Gemeinden überreden wollten, ihre Bekehrung durch die Beschneidung zu vollenden: Sie sahen in ihnen Gottesfürchtige, die durch die Beschneidung zur „Restgemeinde Israels" geführt werden sollten[400]. Diese Betonung des ekklesiologischen Aspekts des Heils würde erklären, daß sie den größten Nachdruck auf die Beschneidung legten und nicht auf die Einhaltung des ganzen Gesetzes hinwiesen[401]. Auch der schroffe Einsatz in 3,6 und der sentenzenartige Charakter von 3,7 läßt darauf schließen, daß die Frage nach der Abrahamskindschaft

---

[398] Vgl. Lührmann, Abendmahlsgemeinschaft 285: „Das Abendmahl ... kann als *gemeinsames Mahl gerechtfertigter Sünder* kein Schisma mehr zulassen". Die neue Identität in Christus ist dann die Antwort auf die Angst des Judenchristen vor Identitätsverlust; vgl. Stollberg u. Lührmann, Tiefenpsychologie 216ff, 230ff.

[399] Zur Gegnerfrage vgl. außer den Kommentaren und Einleitungen vor allem Schmithals, Häretiker, der die Diskussion wieder neu ins Rollen brachte. Gegen ihn Harvey; R. McL. Wilson; Stuhlmacher, Evangelium 63ff; Richardson, Israel 84ff; Kertelge, Rechtfertigung 196ff; Jewett, Agitators; Eckert, Verkündigung; Howard, Paul 1–19.

[400] Wilckens, Was heißt 86f, Abfassungszweck 131ff. Die treffendste Parallele für eine solche „Nachmission" ist die Erzählung von der Bekehrung des Königs Izates von Adiabene bei Jos Ant 20,34–48 (vgl. K. G. Kuhn, ThWNT VI, 731,23ff; 735,16ff; Mc Eleney 320ff).

[401] Ähnlich Jewett, Agitators 200f; die Annahme einer gnostischen Front durch Schmithals erübrigt sich also.

im Zentrum der Agitation stand[402]. Denn nach jüdischer Auffassung gewährt nur die Gemeinschaft mit dem Samen Abrahams Heil, und diese Gemeinschaft wird durch die Beschneidung hergestellt[403]. Man kann vermuten, daß auch das Festhalten an der Tora bei den Gegnern primär aus ekklesiologischen Motiven erfolgte, die darin das konstitutive Element „des in Christus erneuerten Bundes" sahen[404], und weniger unter dem Aspekt der individuellen Verdienstlichkeit. Paulus aber sieht tiefer. Er, der die Christen um des Gesetzes willen verfolgt und in seiner Berufung zum Apostel der Heiden die Alternative Christus oder Gesetz erkannt hatte, durchschaut die anthropologischen und christologischen Konsequenzen der Haltung seiner Gegner. Anders als beim Juden, der sich als Beschnittener vorfindet, wird dem Heidenchristen die Beschneidung zur Leistung, die er zu erbringen hat, um ins rechte Verhältnis zu Gott zu kommen. Wird aber dieses Werk von ihm gefordert, dann wird damit die Gnade Gottes für ungenügend, ja ungültig erklärt[405].

Paulus stellt darum in dem stilisierten Referat seiner Rede in Antiochien (Gal 2,15ff) den grundsätzlichen Charakter des Kampfes her-

---

[402] Vgl. Schmitz, Abraham 120; Dahl, Volk 212. Barrett, Allegory 6, hält Gen 15,6 für ein Zitat der Gegner. Natürlich greift Paulus das Motiv auf, weil er von ihm aus die Rechtfertigung ins Spiel bringen kann. Doch widerspricht dies nicht der Möglichkeit, daß er dabei aus den heilsgeschichtlichen Titeln der Gegner gerade den wählt, mit dem er am besten argumentieren kann (vgl. zur Aufzählung solcher Titel 2.Kor 11,22). Dagegen denkt Haacker, Berufung 13ff, an biographische Hintergründe des Abrahamsmotiv.

[403] S.o. Kap. 1, A.114.

[404] Kertelge, Rechtfertigung 201. Zu den Bemühungen im Judentum, schon die Gestalt Abrahams mit dem Gesetz in Verbindung zu bringen vgl. Schmitz, Abraham 103f, 106; weiter syrBar 57,1f, wo Gesetz und Verheißung des ewigen Lebens miteinander verbunden und auf Abraham zurückgeführt werden. Zur Verbindung Abrahamskindschaft und Gesetz s. auch Lohmeyer, Grundlagen 43ff; zu undifferenziert Gunther 87 u. pass.; aufschlußreich ist auch die Deutung des Beschneidungsblutes auf das Bundesblut in Shab 137b (McEleney 334).

[405] Paulus kann die Beschneidung auch als Zeichen des gnädigen Bundes ansehen (Röm 4,11). Wo sie als Bedingung des Heils gefordert wird, wird sie aber zur Eigenleistung pervertiert. Wer als Jude so handelt, zeigt, daß ihm seine Beschneidung nicht Gnadenzeichen, sondern Grund zum Vertrauen auf das Fleisch ist. Sehr schön zeichnet diese Entwicklung im Verhältnis von Beschneidung und Gesetz Holtz, Apostelkonzil 115f, 118f, 137ff. Eine völlig neue, von Gal 4,3 ausgehende dämonologische Deutung gibt Howard, Paul 66—82, der Gesetzesproblematik. Er muß daher die grundsätzliche Bedeutung der Antithese Gesetzeswerke/Christusglaube in 2,16; 3,10ff leugnen (60, 65). An die Stelle der klassischen individualistisch-anthropologisch ausgerichteten Interpretation der Rechtfertigung tritt hier eine rein heilsgeschichtlich-ekklesiologische (64f)!

aus, den er in Jerusalem und Antiochien um die Einheit der Kirche geführt hat; die Gefahr der galatischen Irrlehre liegt auf der gleichen Linie. Wer die Rechtfertigung aus Gnaden zur Vorstufe des Heils degradiert, verleugnet den Gekreuzigten (3,1) und vergißt, daß der Empfang des Geistes durch die Predigt des Glaubens den Anbruch der messianischen Zeit und das Angeld künftiger Vollendung bedeutet[406]. Wie können Menschen noch die Beschneidung als Bedingung für die Aufnahme in die Heilsgemeinde fordern, wo Gott schon Anteil am Erbe Abrahams verliehen hat? Die Frage nach Erbe und Verheißung Abrahams wird darum in 3,6—4,7 grundsätzlich aufgenommen, und die Alternative Glaube oder Gesetz theologisch durchdacht. Lapidar folgert Paulus in V. 6f aus Gen 15,6, daß οἱ ἐκ πίστεως die Söhne Abrahams sind. Damit wird der Sinn der Verheißung von Gen 12,3; 18,18 klar[407]. Sie weist darauf hin, daß Gott die Heiden auf Grund des Glaubens rechtfertigt. Als solche, die „aus Glauben" leben, haben sie teil am Segen Abrahams. Diesem einfachen Gedanken folgt ein äußerst komplizierter Beweisgang zum Verhältnis Gesetz und Glaube (V. 10ff)[408]. Er wird nötig, weil Paulus nicht einfach von der menschlichen Fähigkeit zu glauben ausgehen will. Glaube ist möglich, weil Christus den Fluch des Gesetzes trug[409]. So stehen οἱ ἐκ πίστεως (V. 9) parallel zu den Heiden, zu denen der Segen Abrahams ἐν Χριστῷ Ἰησοῦ kommt (V. 14)[410].

---

[406] Paulus scheint auf bestimmte ekstatische Erlebnisse anzuspielen, vgl. Oepke und Schlier z.St.; E. Schweizer, ThWNT VI, 420,27f; Vos 87; H. D. Betz, Geist 80; Eckert, Verkündigung 100. Der Hinweis auf das Wirken des Geistes durchzieht den ganzen Galaterbrief (vgl. 3,14; 4,6; 5,5.16.18.22.25; Jervell, Volk 88; Ladd, Holy Spirit). Paulus apelliert damit nicht nur an die individuelle Erfahrung, durch die der nachfolgende Geschichtsentwurf „existentiell verifizierbar" gemacht wird (Luz, Geschichtsverständnis 148, nach Klein, Individualgeschichte 203), sondern erweist den endzeitlichen Charakter der Gemeinde in Galatien, möglicherweise um gesetzliche Apokalyptiker zu korrigieren (dazu Kertelge, Rechtfertigung 198—201).

[407] Vgl. Hahn, Gen 15,6, 99f.

[408] Der Grundgedanke des Abschnittes ist: Das Gesetz erwirkt nicht das Heil, weil es auf „Tun" ausgerichtet ist, Gerechtigkeit aber laut Hab 2,4 aus Glauben kommt. Christus hat den Fluch des Gesetzes getragen und damit den Weg zum Glauben frei gemacht. Gegen die Exegese Wilckens, Was heißt 92ff, halten wir an dieser grundsätzlichen Bestimmung des Abschnittes fest (vgl. Hahn, Gesetzesverständnis 54ff).

[409] Zu Gal 3,13 vgl. H.-W. Kuhn, Jesus 33ff. Über Möglichkeit und Inhalt des Glaubens Abrahams wird hier nicht gesprochen. Zu seiner Zeit galt ja auch das Gesetz noch nicht (vgl. Berger, Abraham 87 u. 58).

[410] Paulus schließt sich in V. 14b ohne weiteres mit den Heidenchristen zusammen (par 14a). Das Problem der Juden taucht nicht auf (vgl. Luz, Geschichtsverständnis 279ff: „Das Fehlen Israels im Galaterbrief"); auch in V. 22ff wird

Im folgenden Abschnitt (V. 15—22), der durch einen Vergleich mit einem Testament die Frage der Gültigkeit von Verheißung und Gesetz klären will, liegt aller Nachdruck auf V. 16. Weil in Gen 17,7f u.ö. vom σπέρμα im Singular gesprochen wird, muß es nach Paulus auf Christus bezogen werden. Christus ist der eigentliche Erbe, und die Christen sind es nur in ihm. Offensichtlich will Paulus hier eine vorschnelle Parallelisierung des gläubigen Abrahams mit den Gläubigen vermeiden. „Das eschatologische Heil begegnet ausschließlich in Christus."[411] V. 22 modifiziert daher die Terminologie in V. 6—9: die Verheißung wird den Gläubigen geschenkt ἐκ πίστεως Ἰησοῦ Χριστοῦ. Die V. 26—29 behandeln abschließend die Frage: „Wer ist Abrahams Same und damit Erbe der Verheißung?" Wer durch den Glauben und die Taufe in den Bereich Christi tritt, ihn anzieht, zu ihm gehört, für den gilt die Verheißung — gleich ob er Jude oder Heide ist. In ihm sind sie alle „einer". Darum sind sie, was er ist: Same Abrahams. Der Gottesvolkgedanke wird — wie wir sahen — hineingenommen in die Vorstellung vom Leibe Christi[412].

Unterdessen ist ein neues Stichwort gefallen: Durch den Glauben und in Christus sind die Christen nicht nur Söhne Abrahams, sondern Söhne Gottes. Paulus setzt beide Begriffe nicht in Konkurrenz zueinander. Dennoch beabsichtigt er eine Steigerung und Vertiefung des Beweisganges, wenn er in 4,1—7 den zweiten aufgreift[413]. Wieder steht der christologische Beweis im Mittelpunkt und trifft sich mit dem pneumatologischen Argument: In der Sendung des Sohnes schenkt Gott uns die Sohnschaft, in der Sendung des Geistes macht er uns ihrer gewiß (V. 4—6). Der aus dem Adoptionsrecht stammende Begriff υἱοθεσία stellt klar, daß Paulus nicht — wie der Vergleich in 4,1—3 nahelegen könnte — von einer allgemeinen Gotteskindschaft aller Menschen ausgeht; vielmehr hebt er „die auf keinen Anspruch gestützte freie Tat Gottes ... hervor"[414]. „Daß damit zugleich auch eine neue innere Beziehung zwischen Gott und den ‚Söhnen' gestiftet ist, welche die juristische Setzung mit einem völlig neuen In-

---

nicht zwischen Juden und Heiden unterschieden (vgl. Hahn, Gesetzesverständnis 56f; anders Stendahl, Jude 34f).

[411] Löwe 48 A.147 (= II, 24), der den ganzen Gedankengang ausgezeichnet charakterisiert; vgl. auch Klein, Individualgeschichte 208, der auf den Unterschied zu Röm 4 verweist.

[412] Vgl. Ch. Müller, Gottes Gerechtigkeit 102f; Blank, Paulus 273 A.28; Dodd, Doctrine 38.

[413] S.o. 1.2.7 und jetzt Byrne 165—190.

[414] Schlier, Gal 197; vgl. Blank, Paulus 271: „Der Begriff rückt ... stark in die Nähe der ‚Rechtfertigung'. Er bezeichnet den neuen *Stand* der Glaubenden, der durch hoheitlich-göttliche Setzung begründet ist."

halt und mit neuem Leben erfüllt, ist durch den Begriff des Pneumas angezeigt."[415] Als Söhne Gottes haben die Glaubenden am Gottesverhältnis Jesu Anteil. Die Stichworte πνεῦμα und υἱοθεσία kennzeichnen die Gemeinde als „Gemeinde der Freien"[416], während das Leben unter der Vormundschaft der στοιχεῖα τοῦ κόσμου — ein Begriff mit dem Paulus jüdisches Gesetz und heidnische Religion zusammenzufassen scheint[417] — dem Status des Unmündigen entspricht, der sich in Nichts von dem des Sklaven unterscheidet.

Damit findet die Auseinandersetzung zum Thema Abrahamsverheißung im Gal einen vorläufigen Abschluß[418]. Folgende Linien zeichnen sich ab:

1. Auch für Paulus bleibt die Zugehörigkeit zu Abrahams Same heilsnotwendig. Denn ihm gehört die göttliche Verheißung. Aber Söhne Abrahams sind nur die Glaubenden, nicht die unter dem Gesetz.

2. Das Gesetz ist durch Christus abgetan[419]. Dadurch ist der Glaube möglich geworden. Doch ist Christus mehr als nur Bahnbrecher für eine Gemeinde der Gläubigen. Er allein ist der Bereich für die Existenz der endzeitlichen Heilsgemeinde.

3. Daß der Segen Abrahams den *Glaubenden* gilt, schließt in sich, daß er den *Völkern* in Jesus Christus zukommt (3,8.14). Darum wird der zum Gottesvolkgedanken gehörende Begriff σπέρμα Ἀβραάμ vom umfassenderen Motiv des Leibes Christi her interpretiert und weitergeführt zu einer universalen Auffassung der Gotteskindschaft. Das wirkt sich dahin aus, daß sogar der Gesetzesbegriff universal erweitert wird (vgl. 3,24ff mit 4,3ff). Ohne daß es besonders markiert würde, wandelt sich die Frage nach der wahren Heilsgemeinde in die Ansage einer neuen Menschheit, die zu ihrem Vater im rechten Verhältnis steht: in dem freier und mündiger Kinder.

---

[415] Blank, Paulus 271; vgl. vor allem Röm 8,14—17.
[416] Blank, aaO 278; vgl. Gal 4,21ff; 5,1ff; 2.Kor 3,17; in eschatologischer Spannung: Röm 8,14—17/19—21! Dazu Schürmann, Freiheitsbotschaft, u. Buscemi.
[417] Zum religionsgeschichtlichen Hintergrund vgl. die Kommentare; Delling, ThWNT VII, 670—686; Schweizer, Elemente. Die theologische Brisanz des Befundes arbeiten Vielhauer, Gesetzesdienst 193, u. Eckert, Verkündigung 92f, 232, klar heraus. Für Howard, Paul 66ff, ist diese Gleichsetzung der Ausgangspunkt für eine völlig neue Deutung der Gesetzesproblematik; s.o. A.405.
[418] Zu 4,21ff s.u. 2.4.2.2.
[419] Obwohl der Satz „Christus ist des Gesetzes Ende" in Röm 10,4 steht, läßt. ihn die gegenwärtige Exegese eher für den Gal gelten (Hübner, Gesetz 129), da er im Röm in Konkurrenz zu 3,31 stehe (vgl. v. d. Osten-Sacken, Verständnis 568). Zur verschiedenen Prägung in Gal u. Röm vgl. Hahn, Gesetzesverständnis.

2.4.1.3 Abraham, unser aller Vater – die Neufassung in Römer 4

Die Frage nach der Gültigkeit der Verheißung für Abrahams Samen wird in Röm 4 aufgenommen. Warum das geschieht, ist wesentlich schwerer zu sagen als im Gal. Ein konkreter Anlaß ist zunächst nicht sichtbar. Die Frage ist Teil des Grundproblems des Röm, warum der Brief, mit dem sich Paulus bei der überwiegend heidenchristlichen Gemeinde in Rom zu einem Besuch anmeldet, über weite Strecken hinweg zu einem Dialog cum iudaeo wird. Wir haben in unserm Überblick über die Ekklesiologie des Römerbriefes schon angedeutet, wie sich die Fragestellung von Jerusalem und Antiochien auch in diesem Brief wiederholt, weil die Frage nach der Möglichkeit einer Einheit der Kirche aus Juden und Heiden und damit auch der Gültigkeit des paulinischen Apostolats zu den Heiden noch nicht endgültig geklärt war[420].

Greift man die These auf, daß die römischen Christen vor allem aus dem Kreis der σεβόμενοι stammten, gottesfürchtiger Heiden also, die Anschluß an die Synagoge gesucht, sich nun aber der christlichen Botschaft geöffnet hatten, so gewinnt der Charakter des Briefes noch eine plausiblere und auf die konkrete Situation in Rom bezogene Erklärung[421]. Zwar hatten sich diese Leute nicht durch die Beschneidung völlig dem Gesetz unterstellt und waren vielleicht gerade deswegen für die Verkündigung der Christen empfänglich gewesen, weil sie von ihnen nicht als Gläubige zweiter Klasse angesehen wurden. Die gesetzesfreie Heidenmission des Paulus (oder der Ruf, der ihr vorausging) mochte in ihnen jedoch die Frage wecken, inwieweit mit diesem radikalen Ansatz die Schrift als Offenbarungsurkunde aufgegeben werde. Der missionarische Aufbruch über alle Grenzen hinweg (vgl. 1,14f), für dessen Unterstützung Paulus die Christen in Rom gewinnen will, konnte auch dort die bange Frage wecken, ob damit nicht der Verlust der neu gewonnenen religiösen Heimat beim Gott Abrahams und seiner Verheißung drohe.

Paulus rechnet jedenfalls mit diesem Einwand gegen seine Verkündigung und wird darum nicht müde, die Verwurzelung der ihm aufge-

---

[420] S.o. 1.3.2.

[421] Am eindrücklichsten, aber auch am einseitigsten wird die These von Schmithals, Römerbrief, vertreten. Wie wir sahen (s.o. Kap 1, A.225), muß man aber innerhalb dieses Kreises mit sehr verschieden geprägten Gruppen rechnen; vgl. Wiefel, Gemeinde 112f; zu schematisch Minear, Obedience (dagegen Donfried, Presuppositions 126). Stuhlmacher, Paulusinterpretation 723, rechnet mit einer „judenchristlichen Kerngemeinde" und einer „heidenchristlichen Majorität in Rom".

tragenen Botschaft in der alttestamentlichen Verheißung darzutun
(vgl. 1,2f.17; 3,19.21.31). Für ihn liegt die Begründung der gesetzesfreien Evangeliumsverkündigung nicht in der Notwendigkeit der
Anpassung an Vorstellungskraft und Belastbarkeit der Heiden, sondern in ihrem Charakter als Offenbarung der Gerechtigkeit Gottes für
alle, die glauben, wie sie schon in der Schrift verheißen worden ist.

In der Linie dieser Beweisführung steht auch Röm 4[422]. Die grundsätzlichen Ausführungen von Röm 3,27—31, in denen der Unterschied
von Juden und Heiden vor Gottes rechtfertigendem Handeln aufgehoben wird, müssen anhand der Schrift überprüft werden. Paulus spricht
zunächst von jüdischen Voraussetzungen aus (τὸν προπάτορα ἡμῶν
κατὰ σάρκα) und setzt darum bei Abraham ein, mit dessen Berufung
die Erwählung Israels begann. Wie in Gal 3 beweist Gen 15,6, daß
Abraham durch Glauben gerechtfertigt wird und nicht durch Leistung.
Die Argumentation erhält eine für jüdische Ohren außerordentliche
Schärfe dadurch, daß der Glaube Abrahams inhaltlich definiert wird
als Glaube an den, der den Frevler rechtfertigt[423]. Durch diese Parallelisierung von Rechtfertigung aus Glauben und Rechtfertigung des
Frevlers ist jedes Verständnis des Glaubens als frommer Leistung ausgeschlossen und Abraham, der erste Proselyt, nicht als Vater der Frommen, sondern als der der gottfernen Heiden gekennzeichnet. Daß Gott
nicht nur Gott der Juden, sondern auch der Heiden ist (3,29f), erweist sich an der Rechtfertigung Abrahams.

Die V. 9ff stellen fest, daß die Zurechnung des Glaubens zur Gerechtigkeit *vor* der Beschneidung Abrahams erfolgte und ziehen daraus
die Folgerungen 1. für die Bedeutung der Beschneidung und 2. für
die Zugehörigkeit zu Abraham und seiner Verheißung. Er ist der Vater aller, die als Unbeschnittene glauben, und derer, die sich nicht allein auf ihre Beschneidung berufen, sondern in den Spuren des Glaubens Abrahams wandeln, den er schon als Unbeschnittener hatte[424].

V. 13—16 behandeln noch einmal das Verhältnis Glaube — Gesetz
unter dem Gesichtspunkt des sola gratia, wobei der kosmische Hori-

---

[422] Röm 4 stand in den letzten Jahren im Mittelpunkt zahlreicher Untersuchungen: Wilckens, Rechtfertigung Abrahams, Zu Röm 3,21–4,25; Klein, Röm 4,
Exegetische Probleme; Käsemann, Glaube.
[423] Vgl. Bornkamm, Paulus 152f; Hahn, Gen 15,6, 102; Käsemann, Glaube 148ff;
Schein 250ff; zur Auslegungsmethode des Paulus vgl. Hanson 52ff.
[424] Zu dieser Auslegung von V. 12 vgl. Klein, Röm 4, 156, und Berger, Abraham 68, die besonders klar herausstellen, daß nach dieser Stelle die gläubigen
Heiden *unmittelbar* und die gläubigen Juden *mittelbar* Abrahams Same sind
(ähnlich Schein 260ff). Vgl. aber die umgekehrte Formulierung in V. 16b.

zont der Verheißung für Abraham und seinen Samen besonders hervorgehoben wird. V. 16 faßt zusammen und unterstreicht den universalen Charakter: die Verheißung ist für die *gesamte* Nachkommenschaft gültig, Abraham ist unser *aller* Vater, denn er ist nach der Schrift zum Vater *vieler* (= aller) Völker gesetzt. Seltsam ist nach dem Vorhergehenden allerdings die Aufgliederung der Nachkommenschaft in V. 16b: Die Verheißung gilt nicht allein der aus dem Gesetz, sondern *auch* der aus dem Glauben Abrahams! Fast möchte man an einen lapsus linguae glauben. Aber das wäre eine methodisch unzulässige Ausflucht. Von den verschiedenen Möglichkeiten der Auslegung[425] überzeugt am meisten die Vermutung, daß Paulus hier unter dem Eindruck der universalen Verheißung und Treue Gottes die polemische Linie verläßt und schon in Richtung von Röm 9—11 weist. Die Spannung, die durch die verschiedene Verwendung des Gesetzesbegriffs in V. 15 und 16 entsteht, bleibt jedoch äußerst scharf.

Die V. 17ff fassen noch einmal den Glauben Abrahams ins Auge. Dieser Glaube war inhaltlich auf die Erfüllung der Verheißung gerichtet, Vater vieler Völker zu werden, und galt dem Gott, der die Toten lebendig macht und das, was nicht ist, ruft, daß es sei[426]. In V. 23ff wird daraus der Schluß für die Gegenwart gezogen. Das Wort von der Glaubensgerechtigkeit galt nicht nur Abraham, sondern gilt auch uns, die an den glauben, der Jesus von den Toten auferweckt hat. Denn um unserer Rechtfertigung willen wurde er auferweckt. „Der Glaube an die Auferweckungsmacht Gottes ist mit dem Rechtfertigungsglauben identisch."[427] So ist auch der Glaube Abrahams und der Glaube der Christen identisch[428]. Gerade darum „stiftet" nicht der Glaube die Kontinuität zwischen den Christen und Abraham, sondern die Treue Gottes, der die Toten auferweckt und die Gottlosen rechtfer-

---

[425] Auf gläubige Juden und Heiden deuten Berger, Abraham 71; Althaus, Käsemann, Kuß und Zahn z.St.; Luz, Geschichtsverständnis 176, sieht in V. 16 einen andern Nomosbegriff als in V. 13—15; als einfache Formel für die umfassende Gnade betrachten die Stelle, ohne die Schwierigkeiten im Kontext zu erwähnen, Barrett, Nygren und Schlatter z.St. Klein, Römer 4, 160f; Michel und Wilckens z.St. (vgl. auch ders. Zu Röm 3,21—4,25, 68f) denken an die Hoffnung für die Juden als Konsequenz der universalen Gnade (so auch Moxnes 250f u. Mußner, Samen).

[426] Zur Bedeutung und zum atl. und frühjüd. Hintergrund des Zusammenhangs zwischen iustificatio, creatio und resurrectio s. Käsemann, Glaube 159ff; H. H. Schmid, Rechtfertigung 412f; Lührmann, Glaube 46f.

[427] Käsemann, aaO 166; Schwantes 67 (vgl. 56f); Moxnes 269ff.

[428] Vgl. Hanson 66; Käsemann, aaO 167ff, 172f. Berger, Abraham 72 A.50, bestreitet dies, muß deshalb gegen V. 5 die iustificatio impii für Abraham ablehnen.

tigt[429]. Abraham ist ja für Paulus nicht herausragendes Beispiel für den Glauben in einer langen Reihe anderer Glaubenshelden (wie in Hebr 11), sondern einzigartiger Träger der Verheißung der Glaubensgerechtigkeit, die erst im Glauben an Christus erfüllt wird (vgl. Gal 3,23—25). Insofern ist er tatsächlich „das präexistente Glied der Ekklesia"[430].

Paulus erweitert also in Römer 4 nicht nur den Gottesvolkgedanken wie wohl die meisten der unter Heiden missionierenden Judenchristen[431]! (Man könnte höchstens V. 16a so auffassen). Er faßt ihn von der Rechtfertigung des Gottlosen aus völlig neu. Allein der Glaube gibt Anteil am Erbe Abrahams, ohne Rücksicht auf Beschneidung und Unbeschnittensein. So erfüllt sich die Verheißung für Abraham und seinen Samen, Erbe der Welt und Vater vieler Völker zu sein. Dabei wird der Begriff σπέρμα Ἀβραάμ von Paulus keinesfalls metaphorisch verwendet[432]. Gegenüber der jüdischen Auffassung beansprucht Paulus vielmehr gerade die *eigentliche* Verwendung des Titels, weil sie sich nicht auf menschliche, fleischliche Kontinuität stützt, sondern auf göttliche.

Eine christologische „Engführung" wie in Gal 3,16ff fehlt in Röm 4. Grundsätzlich ist aber die Beziehung auf Gottes Handeln in Christus die gleiche. Das zeigt die Beschreibung des Glaubens in Röm 4,23f. Man könnte sagen, daß sich Gal 3 und Röm 4 auf ekklesiologischem Gebiet zueinander verhalten wie Gal 2,20a zu 20b auf anthropologischem[433].

Zu beachten ist weiter, daß der Glaube Abrahams nicht nur als existentielle Haltung gekennzeichnet (V. 20f), sondern vor allem durch sein Gegenüber charakterisiert wird. Er ist Glaube an den, der den Gottlosen rechtfertigt, der die Toten lebendig macht, der dem Nichtseienden ruft, daß es sei, und Jesus von den Toten auferweckt hat. Die Partizipien beschreiben Gott in seinem Handeln. Diese singuläre Häufung von Gottesprädikaten findet sich nicht zufällig an unserer Stelle. Die Frage nach der Gültigkeit des Gesetzes provoziert für den

---

[429] Gegen Klein, Röm 4, 157. Vgl. Käsemann, Glaube 165f, Rechtfertigung 122; Goppelt, Paulus 227.

[430] Neugebauer 168; vgl. Käsemann, Glaube 168.

[431] So blieben die Heidenchristen nach jüdischen Maßstäben letztlich Gottesfürchtige; vgl. Berger, Almosen 197ff.

[432] Käsemann, Rechtfertigung 121.

[433] Vgl. die ausgezeichnete Bemerkung von Klein, Individualgeschichte 208 A. 103. Der Gal 3 entsprechende christologische Beweisgang findet sich in Röm 5,12ff (s. Berger, Abraham 74).

Juden die Frage nach der Gültigkeit der Offenbarung Gottes. Daß es
der Gott Abrahams ist, der seine Gerechtigkeit im Evangelium offenbart, ist das unausgesprochene, aber zentrale Ziel der Beweisführung
in Röm 4[434]. Daß sie Gnade bei Gott finden, eint Juden und Heiden in Christus mit Abraham.

Die Auseinandersetzung um die Zugehörigkeit zum Volk der Verheißung wird von Paulus mit Hilfe der Rechtfertigungslehre geführt.
Insofern ist sie Kampfeslehre, Kind der Polemik. Ihre klarste Gestalt
als Rechtfertigung sola fide findet sie im Streit um Abraham mit
Hilfe der Auslegung von Gen 15,6. Das bedeutet aber nicht, daß Paulus hier nur eine temporäre Hilfslinie seines theologischen Denkens
auszieht. Es gehört zur Eigenart paulinischer Argumentation, daß der
Apostel Auseinandersetzungen dazu benutzt, Ausgangspunkt und
Zentrum seines Denkens klarzulegen: Die universale eschatologische
Heilsgemeinde, auf die die Abrahamsverheißung weist, und die Existenz des einzelnen in ihr gründet allein im rechtfertigenden Handeln
Gottes in Jesus Christus. Nur der Glaube an Jesus Christus stellt auf
diesen Grund, nicht das Werk des Gesetzes.

2.4.2 Gemeinde des neuen „Bundes"[435]

Das Motiv der Abrahamskindschaft tritt Paulus nicht nur im Munde
der galatischen Judaisten entgegen. Auch im Streit mit Gegnern im
2.Kor taucht es auf (11,22), hier aber offensichtlich nicht verbunden
mit der Forderung nach Beschneidung, sondern zur Begründung der
Autorität dieser „Apostel"[436]. Die sachliche Auseinandersetzung mit
dem damit verbundenen Anspruch der besonderen Offenbarungsqua-
lität ihrer Verkündigung führt Paulus in 2.Kor 3 unter dem Stichwort
der καινὴ διαθήκη.

---

[434] „Die Einheit Gottes" stand zur Debatte; Blank, Schriftverständnis 55; Ollrog 136 (bes. A.99); Demke 477f; Moxnes 78ff, 283ff und (zu Gal 3,20) Mauser.
[435] „Bund" ist die gängige Übersetzung für διαθήκη, das im NT besser mit
„Heilsordnung" o.ä. wiedergegeben würde. Kutschs Vorschlag „Setzung"
(156ff) scheint mir zu einseitig; vgl. Hegermann, EWNT I, 720, und zum atl.
Befund Barr, Covenant, der bezweifelt, daß berīt nur „obligation" meint und
nicht doch auch „establishment of relationship" einschließt (37).
[436] Vgl. Barrett, 2.Kor 294, in Auseinandersetzung mit Georgi, Gegner 63–
82; s. auch Phil 3, wo allerdings auch die Beschneidungsforderung wichtig ist.

2.4.2.1 Gemeinde als Urkunde des neuen Bundes (2.Kor 3)

Wahrscheinlich hat schon die christliche Gemeinde vor Paulus die eschatologische Bedeutung des Christusgeschehens durch das Stichwort „neuer Bund" gekennzeichnet. Darauf weist die Abendmahlsparadosis in *1.Kor 11,24f*[437]. Der Kelch repräsentiert den neuen Bund, „d.h. die neue eschatologische Heilsordnung, der Sache nach: die Herrschaft des erhöhten Christus, die in seinem Tode begründet ist"[438]. Aber weder bei Paulus noch in der Gemeindetradition wird καινὴ διαθήκη Titel für die Gemeinde wie etwa in der Damaskusschrift[439]. Was Paulus selbst unter „neuem Bund" versteht, zeigt am deutlichsten 2.Kor 3. Im Rahmen der Apologie seines Apostolats

---

[437] Es ist freilich umstritten, ob Paulus in 1.Kor 11,25 selber das betonte ἡ καινὴ διαθήκη ἐστίν einführt und dadurch die Inkongruenz des Kelchwortes verursacht (so Käsemann, Anliegen 30f; Jeremias, Abendmahlsworte 162), oder ob gerade diese Inkongruenz 1.Kor 11,25 als älter als Mk 14,22ff ausweist (so Bornkamm, Herrenmahl 161; Hahn, Atl. Motive 371; Lang, Abendmahl 527). Da Paulus an dieser Stelle nicht weiter auf das Motiv eingeht, ist eine Abänderung der Tradition zumindest im Zusammenhang der Niederschrift des 1.Kor unwahrscheinlich. Nach Kutsch 119ff ist zwar Mk 14,22ff die ältere Tradition, aber auch 1.Kor 11,25 vorpaulinisch.

[438] Bornkamm, Herrenmahl 162; ähnlich Käsemann, Anliegen 30f; Lang, Abendmahl 534f. Paulus verwendet διαθήκη im Sinne von „Verfügung, Setzung" (vgl. Behm, ThWNT II, 136,37f; Kutsch 111f spricht von „Setzung" [= Verheißung] der Sündenvergebung). Darin sieht Schoeps 224ff „das grundlegende paulinische Mißverständnis".

[439] CD 6,19; 8,21 (= 19,34); 20,12 (immer in der Wendung הברית החדשה בארץ דמשק, davon drei Mal בא בברית). Offensichtlich handelt es sich um die Sonderbezeichnung der Gruppe, die hinter der Damaskusschrift steht. Möglicherweise ist auch in 1 QpHab 2,3 [ברית]החדשה zu ergänzen (vgl. ברית אל 2,4 und Lohse u. Maier, Texte z.St.; Jaubert, Notion 210). Sonst finden wir in den Texten *einerseits* die Wendung בוא בברית (אל) (1 QS 2,12; 5,8.20; 6,15; 10,10; 1 QH 5,23; 18,28; CD 2,2; 3,10; 8,1; 9,3; 13,14; 15,5; 19,14; 20,25, meist in der Formel כל באי בברית (אל) oder עבר בברית [par. zu באים בסרך היחד 1 QS 1,16.18.20.24; 2, 10]); *andrerseits* den Gedanken der Erneuerung des Bundes (1 QSb 3,26; 5,21; 1 Q 34 3,2,6), der auch der Eingangsliturgie von 1 QS zugrunde liegen dürfte (vgl. Baltzer 58f; Weise 67 A.2, 70). In Qumran und verwandten Gruppen hat man sich als *erneuerter* Bund verstanden. Ob dabei ברית אל bzw. ברית החדשה zum Synonym für die Gemeinde wurde, ist umstritten. Auf Grund des skizzierten Sprachgebrauchs scheint mir dies nahe zu liegen (vgl. R. Schreiber 52f; Kapelrud 130ff, 148f; Luz, Bund 318 A.3). Doch sieht Lichtenberger, Menschenbild 94, in 1 QS 1,16f eine eindeutige Unterscheidung „zwischen dem Eintritt in die organisatorische Größe der Gemeinde und dem Aufsichnehmen der Bundesverpflichtung" (ähnlich Kutsch 99 A.28 für CD). Traditionsgeschichtlich ist das Motiv der Bundeserneuerung in den Qumranschriften eher von Dt 29,9—14; Neh 9; Jub 6,17, als von Jer 31,31 abhängig (Luz, Bund 318 A.3, gegen Jaubert 238ff; vgl. R. F. Collins 572ff).

greift er die Gewohnheit seiner Gegner auf, sich durch Empfehlungs-schreiben zu legitimieren[440]. Ob man ihm den Mangel an solchen Empfehlungen vorgeworfen hat, ist nicht sicher[441]. Dagegen treten zwei Vorwürfe der Gegner klar hervor: erstens sah man im Auftreten des Paulus nichts von der Erscheinung der δόξα θεοῦ[442], zweitens hielt man eine stärkere Anlehnung an die alttestamentliche Tradition für nötig[443].

In der Antwort des Apostels auf diese Angriffe fällt die starke Betonung der Gemeinde auf. Zwar lehnt er es ab, sich von ihr Empfehlungsbriefe geben zu lassen[444]. Sein Auftrag und seine Befähigung (ἱκανότης) stammt nicht aus der Gemeinde[445] und nicht von sich selbst. Dennoch bezeichnet er die Gemeinde als Brief Christi. „Die christliche Gemeinde ist mit ihren Gliedern die eschatologische Urkunde, welche die Mosetora ablöste.“[446] Als Werk Christi ist sie die alleinige Beglaubigung des Apostels, nicht einfach schwarz auf weiß vorzuweisen und doch von allen Menschen lesbar[447]. Nicht von ungefähr spricht Paulus am Ende des „Midraschs“ zu Ex 34,29ff nicht nur von der δόξα der Apostel, sondern auch von der Schau und Verwand-

---

[440] Vgl. Georgi, Gegner 241–246; G. Barth, Eignung 264f.

[441] S. (Lietzmann –) Kümmel, 1.2.Kor 199.

[442] Vgl. die Häufung von Offenbarungstermini (Aufstellung bei Georgi, Gegner 268) und des Begriffes δόξα (2.Kor 3,7.8.9.10.11.18; 4,4.6.15.17). Es ist mir ganz unwahrscheinlich, daß sich die Gegner der Verhüllung ihrer Botschaft gerühmt haben, wie Georgi 267–273 meint.

[443] Vgl. 2.Kor 11,22 und Georgi 246–265, der hellenistisch-jüdischen Hintergrund annimmt. Dafür spricht das Fehlen einer Auseinandersetzung um Werke des Gesetzes, die bei pharisäischem Einschlag zu erwarten wäre, und die Fülle der Parallelen bei Philo für die δόξα des Mose (s. Windisch und Lietzmann – Kümmel z.St.). Doch ist zum Nebeneinander von Buchstaben des Gesetzes und Gabe des Geistes (Georgi 251) auch 1 Q 34 3,2,7 zu vergleichen. Die literarische Verwendung eines gegnerischen Textes (so Schulz, Decke; Georgi 274ff) ist mir nicht wahrscheinlich (vgl. Luz, Geschichtsverständnis 128f, Bund 324; v. Unnik, Unveiled face).

[444] Auf die Bedeutung des ἐξ ὑμῶν (V. 1) macht Georgi 243 A.4 aufmerksam.

[445] Gegen eine so verstandene „Demokratie“ in der Urkirche hat sich Sohm, Kirchenrecht I, 53ff, zu Recht gewandt.

[446] Käsemann, Geist und Buchstabe 255; vgl. Vos 140. Ein Bezug auf Jer 31, 31 ist also sehr wahrscheinlich (Coppens, Kirche 8f; v. Unnik, Conception 180; R. Schreiber 86f). Kutsch 147 notiert zwar A.214 die Anspielungen auf Jer 31,31ff, die sich schon in 3,3 finden, sieht aber im weiteren (150ff) als Inhalt der Setzung nur die Sündenvergebung.
Das Zitat von Käsemann eröffnet eine überraschenden Blick auf die Frage „Gemeinde und ‚Neues Testament‘ als Schrift“! Dazu Thyen 101f.

[447] Käsemann, aaO 256; Ridderbos 236; Luz, Bund 323; Baum 111–142.

lung der Gemeinde. Paulus beweist damit nicht „zuviel"[448]. Georgi hat recht, wenn er sagt: „Paulus kann sein Apostelamt nur dadurch recht gegenüber Mose, dem Prototyp der Gegner, begründen, daß er sich selbst völlig in die Gemeinschaft des eschatologischen Gottesvolkes hineinstellt."[449] Das Wesen des apostolischen Dienstes im neuen Bund erhellt also das neue Sein der Gemeinde und umgekehrt.

Paulus bestimmt die διακονία καινῆς διαϑήκης durch zwei für seine ganze Theologie grundlegende Interpretamente: sie ist διακονία τοῦ πνεύματος und διακονία τῆς δικαιοσύνης. Gegenwart und Wirksamkeit des Geistes konstituieren den endzeitlichen Charakter der Gemeinde und markieren scharf den Gegensatz zum alten Bund[450]. Wirkt dieser als γράμμα den Tod, so ist im lebendigmachenden Geist Kraft der Auferstehung gegenwärtig[451]. Nichts anderes beschreibt die Kennzeichnung des apostolischen Dienstes als διακονία τῆς δικαιοσύνης, präzisiert aber gegen enthusiastische Mißverständnisse[452]. Liegt zunächst ein forensisches Verständnis der Genetivverbindung nahe im Sinne von „Dienst, der Gerechtigkeit wirkt"[453], so ist doch nicht zu übersehen, daß πνεῦμα ζῳοποιοῦν und δικαιοσύνη nach Ausweis der parallelen Stellen 1.Kor 15,45 und 2.Kor 11,15.22 christologische Prädikate sein können[454]. Geist und Gerechtigkeit sind nicht nur die *Gaben* des neuen Bundes für die Gemeinde, sondern die *Kräfte*, die

---

[448] So Lietzmann (– Kümmel), 1.2.Kor 115; Luz, Bund 324.
[449] Gegner 281 A.2; ähnlich Jervell, Imago 184. Das gilt auch, wenn Paulus eine geprägte Tradition aus seiner „Schule" verarbeitet (Conzelmann, Weisheit 181f; Luz, Bund 319–324; ähnlich schon Windisch z.St.). Denn V. 18 ist kein überschießendes Element der Vorlage, sondern Ziel des Beweisganges (Windisch). Der Blick auf die Gemeinde würde auch den ständigen Wechsel zwischen apostolischem und allgemein christlichem Wir in 2.Kor 4 und 5 erklären, der der Exegese Schwierigkeiten bereitet (vgl. Bultmann, Probleme 298).
[450] Vgl. Schnackenburg, Kirche 140f; zu Gemeinsamkeit und Unterschied dieser Aussage zu Jer 31,31ff vgl. Reventlow 64f.
[451] S. 1.Kor 15,45 und vor allem Röm 8,10f.
[452] Es ist einer der charakteristischsten Züge paulinischer Theologie, daß sie die Realität der Rechtfertigung in der machtvollen Wirksamkeit des Geistes und die Gabe des Geistes in der Rechtfertigung verbürgt sieht, vgl. schon 1.Kor 6,11 (in einer vorgeprägten Formel), Gal 3,1ff; 4 und 5, und besonders klar Röm 8 (V. 10f!). Jervell, Volk 88: „Es ist ja überall bei Paulus so, daß er nie Rechtfertigung sagt, ohne Geist zu sagen."
[453] Dafür spricht vor allem die antithetische Parallele διακονία τῆς κατακρίσεως; vgl. Windisch 2.Kor 116.
[454] Zu 2.Kor 11 vgl. Windisch 343: διάκονος δικαιοσύνης ist Titel des wahren Apostels „und wohl nur der Variation wegen statt des näher liegenden διακ. τοῦ Χριστοῦ (vgl. ἀποστ. Χριστοῦ V. 13, διακ. τ. Χ. V. 22) bevorzugt." Zur Verbindung mit 1.Kor 15,45ff vgl. Vos 141.

Wesen und Dienst der Gemeinde bestimmen[455]. Wird doch im Geist
der Kyrios präsent[456]; wo aber der Geist des Herrn ist, da herrscht
Freiheit (V. 17), Freiheit vom tötenden Buchstaben des Gesetzes.
Auch wo die Gesetzesproblematik nicht im Vordergrund steht, betrachtet Paulus die durch den Gegensatz von Gesetz und Evangelium
geprägte Rechtfertigungslehre als Basis seiner Argumentation[457].
Durch die Predigt der Rechtfertigung wird eschatologische δόξα offenbart und die Gemeinde zum Bild dieses Herrn verwandelt (V. 18).

Wie verhält sich aber gegenwärtige Verwandlung von Herrlichkeit zu
Herrlichkeit, wie sie V. 18 beschreibt, zur theologia crucis des Apostels?

Die V. 13—18 stehen unter der Überschrift von V. 12: Der Ruhm
der δόξα θεοῦ und das Ergreifen apostolischer παρρησία geschehen
wie in Röm 5,2 ἐπ' ἐλπίδι[458]. 4,7ff erfolgt eine weitere Abgrenzung
von enthusiastischen Fehldeutungen: „Paulus konfrontiert die Aussagen über die gegenwärtige Verwandlung (z.B. 2.Kor 3,18) mit der
Wirklichkeit des Leidens."[459] Innerhalb dieser Klammer kann Paulus
gegen die Polemik seiner Gegner ungebrochen von der Gegenwart
des eschatologischen Heils in seiner Verkündigung und in den Gemeinden, denen in dieser Verkündigung die Herrlichkeit Jesu Christi
als der εἰκὼν τοῦ θεοῦ begegnete (4,4), sprechen.

---

[455] Die Diakoniawendungen lassen sich aus der stoischen Diatribe (vgl. die Belege bei Georgi, Gegner 32f) oder aus qumranischem Sprachgebrauch erklären
(Stuhlmacher, Gerechtigkeit 224).

[456] V. 17a erläutert das Zitat V. 16 auf Grund der vorgegebenen christologischen Bestimmung des Geistes. Paulus faßt damit den Gedankengang von V.
6—8 und 12—16 zusammen und zieht in 17bf die Konsequenzen (so schon
Windisch z.St.; Schweizer, ThWNT VI, 416,1ff; Bultmann z.St.). Daß es in
V. 17a weder um bloße allegorische Gleichsetzung, noch um substantielle Identität geht, zeigen die Genetive in V. 17b.18b; vgl. I. Hermann 51; Kramer 163f.

[457] Vgl. Käsemann, Geist und Buchstabe 262: Der Gedanke des Bundes wird
„in den Konflikt von Gesetz und Evangelium hineingerissen, so daß es auch
hier zu einer kontradiktorischen Antithese, und zwar im Sinne der beiden einander entgegengesetzten Aeone, kommt". Vgl. die Parallele zu Gal 4,21—5,11,
die Georgi, Gegner 266 A.1 klar hervorhebt (s. auch Vos 141f; Lang, Gesetz
318f).

[458] S. Ulonska 385: „Die Doxa des neuen Äons kann Paulus nicht beweisen.
Vielmehr kann er nur hoffen, daß der Dienst der Rechtfertigung in Herrlich-
keit geschieht." Vgl. auch Galley 22 und zur Bedeutung des eschatologischen
Vorbehalts in der paulinischen Verkündigung für unsere Stelle (Lietzmann —)
Kümmel, 1.2.Kor 201.

[459] Luz, Gottesbild 767, der auf die Parallele in Röm 8 verweist und darin zu
Recht einen Grundzug paulinischer Theologie sieht. Wer wie Friesen bei 3,18
seine Untersuchung abbricht, muß den Skopus der Stelle verfehlen.

Wir befinden uns auch hier im Zentrum paulinischer Theologie: 2. Kor 3,18ff stellt die positive und ekklesiologisch formulierte Kehrseite der Feststellung von Röm 3,23 dar, daß den Menschen in der Sünde die δόξα τοῦ θεοῦ fehle[460]. „Die Gottgleichheit der Gemeinde, die nun als die göttliche Herrlichkeit bezeichnet wird, ist nichts anderes als die Dikaiosyne Gottes."[461] In bewußter Anlehung an Genesis 1 zeichnet Paulus die Gemeinde als neue Menschheit, die durch die apostolische Verkündigung, in der der neue Schöpfungstag aufleuchtet (4,5f), zu ihrer eigentlichen Bestimmung findet und in Christus zum Ebenbild Gottes wird (3,18). Die Gerechtigkeitslehre prägt nicht nur das verwendete traditionsgeschichtliche Material, sondern auch die aktuelle Auseinandersetzung. Zwar geht es nicht um die Rechtfertigung aus Werken des Gesetzes, so doch um Legitimierung der apostolischen Verkündigung durch Mose und um die Begründung der Gemeinde auf aufweisbare Kriterien. Für Apostel wie für Gemeinde gilt jedoch, daß ihr Ausweis nur in der Beauftragung und Begnadung von Untauglichen durch Gott liegen kann[462]. Wo sie so leben, sind sie Brief Christi, Urkunde des neuen Bundes.

2.4.2.2 Die neue Heilsordnung nach Gal 4,21–31

Auch in *Gal 4,21–31* erscheint das Motiv der δύο διαθῆκαι (V. 24). Allerdings entfaltet es Paulus nicht unter dem Schema alt/neu, sondern im Gegenüber von νῦν Ἰερουσαλήμ – ἄνω Ἰερουσαλήμ[463]. Obwohl die Gegner im Gal stärker nomistisch ausgerichtet waren[464], sind die Beziehungen zu 2.Kor 3 nicht zu übersehen. Die ἐλευθερία der Gemeinde ist konkreter als Freiheit vom Gesetz bestimmt, aber ebenso wie in 2.Kor 3 in der Gabe und der Herrschaft des Geistes begründet (4,29; 5,5.16ff). Der Geist aber ist das Angeld der eschatologischen Vollendung[465].

---

[460] Zur Zusammengehörigkeit von δικαιοσύνη und δόξα vgl. Röm 3,23; 8,30; ApkMos 20; 1 QH 7,14f (dazu Becker, Heil 69f; Stuhlmacher, Gerechtigkeit 87); zur Herrlichkeit Adams VitAd 16f u. die rabb. Belege bei Scroggs 48f; zur eschatologischen Doxa 1 QS 4,23; CD 3,20; zum Zusammenhang beider Begriff bei Paulus Kittel 191ff (bes. 207ff); Jervell, Imago 173ff, 180ff; Thüsing, Per Christum 125ff; Käsemann, Röm 89.

[461] Jervell, Imago 173.

[462] 2.Kor 3,4ff; dazu Käsemann, Geist und Buchstabe 257f, der auf die Entsprechung zur Rechtfertigung des Gottlosen hinweist; weiter G. Barth, Eignung 269f.

[463] Vgl. Löwe 50; Lührmann, Rechtfertigung 439.

[464] S.o. A.399.

[465] Sie wird in Gal 5,5 ausnahmsweise als *zukünftige* Offenbarung der δικαιοσύνη beschrieben; dazu Schlier z.St.

In einer Art Nachtrag zu 3,8ff greift der Apostel in 4,21f noch einmal die Frage nach der Verheißung Abrahams und damit nach der Zugehörigkeit der Gemeinde zu seinem Samen auf[466]. Der exegetische Nachweis dieser Zugehörigkeit beruht jetzt auf der Tatsache, daß Abraham laut Aussage des „Gesetzes" zwei Söhne hatte, einen von der Sklavin Hagar und einen von der Freien, dessen Geburt in wunderbarer Weise geistgewirkt war[467]. Mit der Hagar setzt Paulus den Sinai gleich und damit das jetzige Jerusalem, das unter dem Gesetz versklavt ist und sich nur seiner fleischlichen Abstammung rühmen kann. Die Gläubigen dagegen sind die Kinder der Freien, d.h. des oberen Jerusalems, Nachkommen des Isaak, des Erben der Verheißung. Die schwierige allegorische Beweisführung[468] ist im Grunde nur Einkleidung der sachlichen Argumentation. Diese beruht auf zwei Schlüssen: 1. Da die Verheißung den Kindern der Freien gilt, erben sie nur die, welche frei sind — frei vom Gesetz![469] 2. Nicht die natürliche Abstammung von Abraham zählt, sondern die Abstammung κατὰ πνεῦμα — durch das Wunder. Es kann im Zusammenhang des Gal kein Zweifel bestehen, daß Paulus dabei vor allem an die Heidenchristen denkt[470], in denen Abraham gewissermaßen aus dem Nichts Kinder erwachsen sind.

Ein drittes Motiv tritt durch die Erwähnung und Gegenüberstellung von jetzigem und oberem Jerusalem hinzu. Erscheint es zunächst als literarisches Mittel zur Vermittlung zwischen zwei Frauengestalten und zwei Menschengruppen[471], so gewinnt auf dem Hintergrund der damit angedeuteten Tradition die paulinische Beweisführung bald einen neuen Akzent. Die Frage nach der Abrahamskindschaft wird zur Frage nach der Zugehörigkeit zum oberen Jerusalem und das heißt nichts anderes als zum kommenden Äon[472]. Im Zeichen von Gesetz und

---

[466] Barrett, Allegory 9ff, denkt daran, daß Material der Gegner aufgegriffen wird.

[467] V. 23,29; vgl. Oepke, Gal zu V. 23; anders Schlier z.St.

[468] Zu den Schwierigkeiten s. Oepke, Schlier u. Mußner z.St.; die mir einleuchtendste Lösung hat Gese vorgelegt; zur Methode allgemein s. A.T. Hanson 90—103.

[469] Daß christliche Freiheit immer auch Freiheit vom Gesetz ist, wird freilich nur aus der Grunderfahrung des Paulus verständlich, daß Christus das Ende des Gesetzes ist (vgl. Galley 41).

[470] Doch geht es nicht um das Verhältnis von Juden und Christen, sondern um die, „„die unter dem Gesetz' und ‚die frei sind vom Gesetz'"", Berger, Abraham 63.

[471] Vgl. syrBar 3,1ff und 4.Esra 10,6ff.

[472] Die Tradition vom himmlischen Jerusalem kommt im Judentum in zwei Ausprägungen vor: Im *Rabbinat* ist das obere Jerusalem das präexistente Ur-

Evangelium treten der alte Äon, repräsentiert vom jetzigen Jerusalem und beherrscht vom Gesetz, und die himmlische Welt auseinander. Zu ihr gehört man nur durch das Wunder des göttlichen Rufs. Der Geburt durch die Unfruchtbare entspricht die Schöpfung aus dem Nichts und die Rechtfertigung des Gottlosen[473]. Auch hier werden aufweisbare Kriterien für die Legitimität der Gemeinde, die neben dem Evangelium gelten sollen, abgelehnt.

Diese Zielsetzung des Textes darf nicht aus den Augen gelassen werden, will man nicht spekulativen Tendenzen im Material, das Paulus in ganz bestimmter und begrenzter Absicht verwendet, zum Opfer fallen. Paulus identifiziert die Gemeinde nicht mit dem oberen Jerusalem[474], er sagt auch nicht, daß sie es vertritt „wie Kinder ihre Mutter ... vertreten"[475]. „Die Zukunft des neuen Bundes, das obere

---

bild des irdischen, löst dieses aber nicht ab, sondern bestätigt seinen Rang; vgl. Taan 5[a] (= MTeh 122 § 4 [254[b]]), Tan 125[b], Hag 12[b] (Billerbeck III, 573, 532); zur Präexistenz vgl. Goldberg, Schöpfung 41; zur Priorität des irdischen Jerusalems vor dem himmlischen ders., Heiligkeit 28f.

Dagegen wird in der *Apokalyptik* das ebenfalls präexistent gedachte himmlische Jerusalem als eschatologische Erfüllung die Stätte des irdischen einnehmen, wobei zu berücksichtigen ist, daß alle Belege die Zerstörung der Stadt voraussetzen; vgl. syrBar 4,1ff; 4.Esra 7,26; 8,52; 10,25–54; 13,36; TestDan 5,12f; Apk 3,12; 21,2.10ff; ähnliche Motive in einigen (nach Billerbeck) jüngeren Midraschim (Billerbeck III, 796). Das obere Jerusalem steht zusammen mit dem Paradies, dem Garten Eden und dem zukünftigen Äon (vgl. 4.Esra 8,52; syrBar 4,3; TestDan 5, 12f; Apk 22,2). In 4.Esra 10,25ff.40ff ist damit das Motiv von Zion, der unfruchtbaren Mutter (!), verbunden (vgl. Apk 21,2: die heilige Stadt als Braut). Vgl. zum Ganzen Volz 371–376; Strathmann, ThWNT VI, 530ff; Fohrer – Lohse, ThWNT VII, 324f, 336f; G. Jeremias 245 (für Qumran); Ford, Jerusalem 225f; Raeder (für Apk). Brandenburger, Fleisch 200ff, möchte die Antithese aus der *dualistischen Weisheit* ableiten.

[473] Barrett, Allegory 16; Klaiber, Sola gratia 216f.

[474] So Mundle, Kirchenbewußtsein 39; Cerfaux, L'église 386; Dietzfelbinger, Heilsgeschichte 16; Burchard, Joseph u. Aseneth 120f; dagegen Luz, Bund 321. Die singuläre Stelle darf also auch nicht dazu verführen, in der Kirche „eine himmlische, hypostasierte Größe, die von den einzelnen Christen mehr oder weniger unabhängig existiert", zu sehen (Dahl, Volk 248).

[475] Schlier, Gal 223. Der Repräsentationsgedanke scheint auch in der sonstigen Verwendung des Motivs nicht vorzukommen. In Jes 50,1; Jer 50,12; syrBar 3, 1ff; 4.Esra 10,7ff handelt es sich nicht einfach um die „Personifikation eines Volks" (Michaelis, ThWNT IV, 645,28). Zion als Mutter ist Lebensgrund und Heimat des Volks und nicht mit ihm identisch (vgl. die Belege bei Liddell – Scott s.v. I, 3 [of one's native land]). „Wie das gegenwärtige Jerusalem Ziel, Zentrum und Heimat der jüdischen Gemeinde ist, so ist das obere Jerusalem Ziel, Zentrum und Heimat der christlichen Gemeinde" (Galley 41; ähnlich Bieder, Ekklesia 4; Mußner, Gal 326f). Gal 4,26 steht also Phil 3,20 nahe, wo die räumliche Kategorie der oberen Heimat die Gewißheit der ausstehenden Zu-

Jerusalem wirkt bereits in der Gegenwart"[476], dort wo man aus der Rechtfertigung und der vom Geist gewirkten und vom Geist bestimmten Freiheit lebt. Nicht weniger, aber auch nicht mehr will Paulus in Gal 4,21ff sagen[477].

Die Gemeinde — so können wir zusammenfassend sagen — ist nicht mit der neuen „Heilsordnung" identisch[478], sie lebt vielmehr durch die „gnädige Verfügung Gottes, durch die er den Menschen seine Gemeinschaft schenkt"[479]. So präzisiert Paulus die Rede vom neuen Bund auf Grund seiner Rechtfertigungslehre und markiert einen wesentlichen Unterschied zu Auffassungen, wie sie etwa die Damaskusschrift vertritt. „Dadurch, daß der Apostel seine Gemeinde ausschließlich an Gottes Tat und Stiftung bindet, löst er sie von allen zeitlichen, örtlichen und nationalen Schranken, an die sie eine gesetzliche Kasuistik binden könnte."[480]

2.4.2.3 Die Exodusgemeinde als Typos

Sowohl in 2.Kor 3 als auch in Gal 4 ist die Diatheke vom Sinai das negative Gegenbild zur Offenbarung Gottes im Evangelium. Geprägt vom Gesetz führt sie in Unmündigkeit und Sklaverei, in Verurteilung und Tod. Es ist aber daran zu erinnern, daß Paulus das „Mosegeschehen" dem Christusgeschehen auch positiv gegenüberstellen kann, wenn er in 1.Kor 10 den Durchzug durchs Meer als Taufe auf Mose kennzeichnet. Er nennt die Teilnehmer des Exodus „unsere Väter" und antwortet damit nicht polemisch auf Ansprüche judaistischer Gegner, sondern stellt — wie wir sahen — ihr Geschick „typologisch" in den Dienst der Gemeindeparänese[481]. Klarer als an anderen Stellen gibt Paulus damit zu verstehen, daß es ihm nicht darum geht, die Gemeinde in die Kontinuität zur vergangenen Heilsgeschichte zu bringen. Die Geschichte des alten Gottesvolkes hat darin ihren Sinn, daß

---

kunft bezeichnet (Bieder, aaO 19). Die Diss. von S. Zimmer, Zion als Tochter, Frau und Mutter, München 1959 (s. ThWNT VII, 291 Lit.) war bibliographisch nicht zu ermitteln.

[476] Luz, Bund 321; Löwe 50; Mußner Gal z.St.

[477] Vgl. die „Auslegung" der Allegorie in 5,1ff, auf die Brandenburger, Fleisch 202f, aufmerksam macht.

[478] Anders Käsemann, Leib und Leib Christi 177.

[479] Goppelt, RGG I, 1516f. In diesem Sinne könnte auch auf Gal 3,15ff hingewiesen werden, wo διαθήκη ausdrücklich „(letztwillige) Verfügung" meint; vgl. Kutsch 136ff.

[480] R. Schreiber 107; vgl. Lührmann, Abendmahlsgemeinschaft 284f.

[481] S.o. 2.3.2.

sie der Gemeinde am Ende der Zeiten positiv und negativ den Weg weist.

Aus dem Abschnitt lassen sich einige wichtige Folgerungen ziehen:

a) Paulus ist nicht nur in der Auseinandersetzung mit Judaisten am AT interessiert. Er sieht in ihm das gültige Zeugnis von Gottes Handeln auf das endgültige Heilsgeschehen in Christus hin. Dem wahren Israel am Ende der Zeiten gelten die dort ausgesprochenen Verheißungen, aber auch das warnende Beispiel des Abfalls Israels.

b) Paulus entwirft kein geschlossenes und kontinuierliches Bild der Heilsgeschichte und ihrer Epochen. Er entnimmt vielmehr dem AT die konstitutiven Aussagen über Gottes Handeln an seinem Volk. Gott läßt sich das Heil, das er wirkt, nicht aus den Händen reißen. Er deponiert es nicht in einer „Kirche" — nicht in der alttestamentlichen und nicht in der von Korinth. Doch darf das nicht mißverstanden werden. Auch wenn der Ruf zur Verantwortung und Selbstprüfung vor Gott notwendigerweise einen individualistischen Akzent trägt (vgl. 1.Kor 10,12), so bleibt es doch die gemeinsame Verantwortung der ganzen Gemeinde und das Bestehen der gemeinsamen Versuchung im Vertrauen auf Gottes Treue, worauf Paulus hier abhebt[482].

c) Es ist bezeichnend, daß auch in 1.Kor 10 die Identität mit dem alttestamentlichen Geschehen christologisch vermittelt ist. Wie in Gal 3,16 ist es nicht nur eine allegorische Verzierung, daß Paulus in V. 4 die im Judentum geläufige Felsenallegorie[483] auf Christus bezieht. Wo Heil geschieht, da ist Christus gegenwärtig. Damit ist das Heil als freies, unverfügbares und schlechthin verpflichtendes Gnadenhandeln Gottes gekennzeichnet, und ohne daß die spezifische Terminologie auftaucht, erweist sich die durch die Rechtfertigungslehre interpretierte Christologie auch hier als Fundament der paulinischen Theologie. Die „heilsgeschichtliche" Linie der Ekklesiologie kann ohne die „christologische" nicht verstanden werden[484].

2.4.3 Gemeinde als Volk Gottes — eine Zusammenfassung

Obwohl es bei Paulus keineswegs als Oberbegriff der Thematik erscheint, nehmen wir noch einmal das traditionelle Stichwort von der

---

[482] Vgl. Eichholz, Verkündigung 20.
[483] Das Material bei Billerbeck III, 406—408; vgl. Feuillet, Christ 87ff.
[484] Die Terminologie nach Löwe; ähnlich H. F. Weiß, Volk 412ff.

Gemeinde als neuem Gottesvolk auf. Wir fassen damit alle Motive zusammen, durch die der Apostel die Gemeinde als Ziel und Erbe der
Verheißung der Schrift darstellt und ihre Kontinuität und Diskontinuität zum Gottesvolk des Alten Testaments beschreibt. Folgende
Grundsätze sind dabei bestimmend:

1. Paulus überträgt die heilsgeschichtlichen Würdetitel des alttestamentlichen Gottesvolkes auf die Gemeinde aus Juden und Heiden,
um die Treue dessen zu bezeugen, der die Gottlosen rechtfertigt.
Nur so läßt sich erklären, wie er die alttestamentlichen Überlieferun-
gen unter dem Aspekt von Gesetz und Evangelium kritisch wertet
und auswählt[485]. „Der hermeneutische Ansatz für seine Auslegung
des Alten Testaments ist die Erkenntnis der *iustificatio impii*."[486]
Dieser Satz Vielhauers zur paulinischen Schriftauslegung gilt auch für
seine Verarbeitung der Motive der Gottesvolktradition, ebenso seine
Fortsetzung: „Nicht die Kontinuität der Geschichte, sondern die
Identität Gottes ist es, was die Einheit der Schrift mit der Heilsoffenbarung in Christus konstituiert."[487] Darum ist auch die Kontinuität
zur alttestamentlichen Verheißung „kein Produkt geschichtlicher
Entwicklung"[488] und nicht an menschlichen Merkmalen abzulesen
oder abzusichern. Sie ist „allein im Glauben geschenkt"[489].

2. Damit ist die Richtung der paulinischen Polemik bestimmt: Wo
er dem Anspruch begegnet, daß nur die durch die Beschneidung aufweisbare Kontinuität mit der Heilsgeschichte Israels das Heil für die
Gemeinde und ihre Glieder garantiere, entreißt er dem historischen
Israel entschlossen jedes Anrecht auf das Erbe der Verheißung[490].
Kontinuität zur Verheißung gibt es nur im Glauben an die Treue Gottes, nicht im Aufweis fleischlicher Vorzüge und Leistungen. Wie für
die Anthropologie gilt das auch für die Ekklesiologie. Wo man aber

---

[485] Gegen Oepke, Gottesvolk 204; Cerfaux, Théologie 196; Stendahl, Jude 140f,
die umgekehrt die Rechtfertigungslehre ganz in den Dienst des Gottesvolkgedankens gestellt sehen. Darum muß Cerfaux zwischen einer gefühlsmäßigen, rhetorischen und polemisch übertreibenden Verwerfung der Privilegien Israels und ihrer
theologisch durchdachten Anerkennung (Röm 9—11) unterscheiden (63ff). „Dans
ces dernières formules parle le théologien. Plus haut, c'était le polémiste" (67).
Damit ist die Art des theologischen Denkens bei Paulus gründlich verkannt.
[486] Vielhauer, Paulus und das AT 219.
[487] AaO; ähnlich Galley 46; v. Unnik, Conception 190f.
[488] Klein, Römer 4, 162; vgl. auch Koehnlein 372. Von einer „Paganisierung
der Geschichte Israels" zu sprechen (Klein aaO), scheint uns jedoch unangemessen. Sie bleibt für Paulus Ort des Handelns Gottes.
[489] Käsemann, Einheit und Vielfalt 263.
[490] Das bestimmt Eigenart und Schärfe der Auseinandersetzung im Gal; s.o.
149ff; Luz, Geschichtsverständnis 279ff.

die Garantie des Heils in den Gnadenmitteln der Kirche sucht und dabei vergißt, daß durch sie der lebendige Herr Gehorsam fordert, wird das Geschick der Väter zum Zeugnis dafür, daß auch die Gemeinde verloren ist, wenn sie nicht völlig aus der Treue Gottes lebt[491].

Indem Paulus die Gottesvolktradition nicht aufgibt, aber durch die Rechtfertigungslehre interpretiert, bewahrt er die Gemeinde davor, in der Enge einer jüdischen Sekte oder eines hellenistischen Mysterienverbandes dem eigenen religiösen Besitz zu leben. Hält der Gottesvolkgedanke den geschichtlichen Charakter der Gemeinde fest, so reißt die iustificatio impii den universalen Horizont des Heiles auf und weist der Gemeinde ihren Auftrag zu. T. W. Manson hat in Abgrenzung zu den Vorstellungen der Jerusalemer diesen entscheidenden Akzent klar herausgearbeitet: „For Paul the supreme privilege of the messianic community is not to inherit a status but to perform a function, to give the Gospel world-wide proclamation."[492]

3. Weil Paulus in Christus und seinem Evangelium die Offenbarung der endzeitlichen Gerechtigkeit Gottes sieht, gilt die Verheißung der Väter nur „in ihm". Die christologische Begründung bleibt die Basis der heilsgeschichtlichen Argumentation. Die zur Gottesvolktradition und zum Motiv vom Leibe Christi gehörenden Vorstellungen erscheinen zwar in verschiedenem Kontext, lassen sich aber grundsätzlich nicht trennen[493]. Keinesfalls aber ist die christologische Linie in der paulinischen Ekklesiologie nur ein Aufleuchten des Scheines der Gnosis über dem heilsgeschichtlichen „Urgestein"[494]. Zwar ist die Diskussion um Abrahams Samen mit der juridischen Ausprägung des Rechtfertigungsgedankens besonders eng verbunden[495], unsere Untersuchung hat aber ergeben, daß Christus als Gerechtigkeit Gottes für uns Grundlage allen paulinischen Redens von der Gemeinde ist[496]. Das neue Sein der Gemeinde findet seinen stärksten Ausdruck in den

---

491 Sehr schön zeigt Barrett, Conversion 371, daß wir in 1.Kor 10,1—13 die christlich ekklesiologische Parallele zur Auseinandersetzung um Rechtfertigung aus Glauben oder durch „Werke" (= opere operato!) vor uns haben.
492 T. W. Manson, Doctrine 8.
493 Vgl. Löwe 143ff; Dahl, Volk 225f; H. F. Weiß, Volk 416ff.
494 So Oepke, Gottesvolk 230, Leib Christi 364f.
495 Das ist das Hauptargument Oepkes, Leib Christi 364.
496 Die Gegenüberstellung Oepkes, Leib Christi 365: Gottes Volk ≙ Rechtfertigung ≙ Christus für uns, und: Leib Christi ≙ Christusmystik ≙ Christus in uns, benennt zwar richtig zwei verschiedene Symbolstrukturen im paulinischen Vorstellungsmaterial, verkennt aber den Grad ihrer theologischen Verarbeitung (vgl. Theißen, Symbolik 301f).

christologischen Aussagen[497]. Entscheidend ist aber, daß er *beide* Vorstellungskreise theozentrisch interpretiert: Gemeinde entsteht und besteht aus dem schöpferischen Handeln Gottes in Jesus Christus, in dem er seine Treue zu seiner Verheißung und zur ganzen Menschheit erweist.

2.4.4 Die Treue Gottes zu Israel in ihrer Bedeutung für die Kirche

In den meisten der bisher behandelten Texte erschien die Gemeinde als eine Gemeinschaft, in der es weder Juden noch Heiden gibt und die gerade darum das eschatologische Gottesvolk und die neue Schöpfung bildet. Im Römerbrief aber ändert sich das Bild. Neben dem programmatischen Ἰουδαίῳ τε πρῶτον von 1,16, das schon Marcion zu einer Textänderung veranlaßt hat, steht die auffallende Verschiebung der Argumentation in 4,16[498]. Daß Paulus hier absichtlich differenziert, zeigen dann die Kapitel 9—11, wo das Thema „Verheißung für Abrahams Samen" unter der Frage nach Israels Geschick wieder aufgenommen wird. Am deutlichsten wird die Veränderung des Standpunktes in dem in sich widerspruchsvollen, sachlich aber völlig eindeutigen Bild vom Ölbaum Israel, in den die Heiden als wilde Zweige eingepropft sind[499].

In seinem Vortrag „Paulus und Israel" hat E. Käsemann die These aufgestellt und kurz erläutert, daß „auch das Verhältnis des Paulus zu Israel" allein aus der „Erfahrung der Rechtfertigung des Gottlosen" zu begreifen sei[500]. Ch. Müller ist dieser These in seiner Dissertation „Gottes Gerechtigkeit und Gottes Volk" nachgegangen und hat sie durch eine Fülle exegetischer Beobachtungen erhärtet[501]. Durch Käsemanns Römerbriefkommentar ist sie jetzt auch in der Einzelausle-

---

[497] Vgl. Dahl, Volk 228: „Der Begriff ‚Leib Christi' ist freilich der charakteristischste Ausdruck des paulinischen Kirchengedankens, denn durch ihn kommt die Eigenart des *neuen* Gottesvolkes am klarsten zum Ausdruck"; ähnlich Schnakkenburg, Kirche 127; Käsemann, Theol. Problem 186ff; H. F. Weiß, Volk 418f.

[498] S. Oepke, Gottesvolk 208f, und oben 156.

[499] 11,16ff. Für Richardson, Israel 101 und Wilckens, Rechtfertigung 45, ist dies die entscheidende ekklesiologische Konzeption des Paulus, für Stendahl der Sinn der Rechtfertigungsbotschaft (Jude 11ff, 44ff). Hier knüpft auch Eph 2,11—22 an und stellt diese Aussage in die Mitte des paulinischen Evangeliums.

[500] AaO 194.

[501] Vgl. auch Senft; Souček, Israel 147ff, und Luz, Geschichtsverständnis 267ff, der von einer anderen Fragestellung ausgehend zu korrespondierenden Ergebnissen kommt. Zur Forschungslage vgl. Kümmel, Probleme.

gung eindrucksvoll durchgeführt und bestätigt worden. Wir können uns darum darauf beschränken, von diesem Ansatz her die Argumentation des Paulus in drei für unser Thema wichtigen Punkten zusammenzufassen:

a) Indem Israel in den Werken des Gesetzes die eigene Gerechtigkeit suchte, hat es die verheißene Gerechtigkeit Gottes verfehlt. So steht es unter dem Zorn Gottes, während Heiden, die nicht nach der Gerechtigkeit suchten, sie im Glauben geschenkt erhalten[502].

b) Das Israel κατὰ σάρκα bildet so eine ständige Warnung für die Gemeinde, sich auf eine wie immer geartete eigene Gerechtigkeit zu verlassen und der securitas zu verfallen[503].

c) Weil Gott die Gottlosen rechtfertigt, gibt es auch Hoffnung für Israel. Indem Gott Israel ebenso wie die Heiden in den Ungehorsam einschließt, führt er es unter sein Erbarmen[504]. Damit stoßen wir wieder vom Gottesvolkgedanken auf die umfassendere Hoffnung einer neuen Menschheit unter Gottes Erbarmen[505].

Für unsere Fragestellung ist besonders Punkt b) wichtig. Er zeigt, daß Paulus zu seinen Ausführungen in Röm 11 nicht nur durch die Sorge um Israel oder die Freude an tiefgründiger Geschichtsspekulation veranlaßt wird. Paulus sieht offensichtlich die Gefahr, daß die Heidenchristen es als selbstverständlich ansehen, im Glauben zu stehen[506]. Die Botschaft von Gottes souveränem Erbarmen dient nicht nur als „antijudaistische Kampfeslehre", sondern stellt auch der christ-

---

[502] Röm 9,33—10,4; Phil 3,4—9; vgl. Käsemann, Israel 195. In seltsamer Umkehrung der paulinischen Argumentation sagt O. Betz, Heilsgeschichtl. Rolle 16: „Dennoch steht der homo religiosus des Gesetzes näher bei Gott als der gesetzlose Heide. Denn es sind die Heiden, über denen sich der Zorn Gottes in der Gegenwart offenbart ... (Röm 1,18—32)". Ähnlich abgeblendet ist die kritische Dialektik von 9,33ff bei Marquardt 40ff.
[503] Röm 11,20—22; 1.Kor 10 (vgl. auch Röm 2); dazu Käsemann, Israel 196; Ch. Müller, Gottes Gerechtigkeit 95f.
[504] Röm 11,25ff; vgl. Käsemann, aaO 197; Müller, aaO 107f; Dahl, Future 146, 156.
[505] Darauf verweist besonders nachdrücklich Beasley-Murray, Righteousness 450; vgl. auch Schrenk, Geschichtsanschauung 75; Schwantes 18ff.
[506] Bartsch, Gegner 40f, möchte in der hinter 11,17ff sichtbar werdenden Frontstellung eine Auseinandersetzung innerhalb der römischen Gemeinde sehen. Doch kann es sich auch um eine sich allgemein im Heidenchristentum ausbreitende Haltung handeln (vgl. Bornkamm, Paulus 110; Eckert, Israel 12f). Die gegenüber dem Gal verschiedene Situation wird von Luz, Geschichtsverständnis 286, scharf herausgearbeitet (vgl. auch Dahl, Future 141f). Soll in ihr das Gleiche gesagt werden, so muß es gerade neu und anders gesagt werden.

lichen Gemeinde gegenüber das entscheidende Kriterium dar, wenn zu befürchten ist, daß das „Gläubigsein" (Röm 11,20) zu einem neuen Ansatzpunkt für Selbstgerechtigkeit und kirchliche Exklusivität wird[507].

Der Apostel nimmt in Röm 9—11 seine Polemik in Gal und Phil nicht durch einen abgeklärten heilsgeschichtlichen Entwurf zurück, sondern verzichtet bewußt auf eine einlinige Ekklesiologie, ja, nimmt widersprüchliche Aussagen in Kauf, um „die Wirksamkeit und Radikalität der Gnade Gottes an[zu]sagen, die die Kontinuität von Gottes Handeln wahrt und trotzdem Gnade bleibt"[508].

Von hier aus greifen wir noch einmal zurück auf die Frage nach der Zeit der Kirche und ihrem Ort in der Geschichte. Verfehlt ist nach dem Gesagten jeder Versuch, in Röm 9—11 und vergleichbaren Stellen den Entwurf einer Heilsgeschichte post christum zu sehen, der sich in der Geschichte der Kirche verifizieren läßt. Zu sehr steht die Souveränität des Handelns Gottes im Mittelpunkt des Denkens des Apostels und zu eindeutig übergreift das erhoffte Heil Israels den Raum der bestehenden Kirche, als daß man dabei an kirchengeschichtliche Entwicklungen denken dürfte. Zwar sieht Paulus in seiner Mission unter den Heiden ein Stück des geheimnisvollen Weges Gottes zum Heile Israels[509], aber am Ende dieses Wegs steht nicht eine universale Kirche aus Juden und Heiden, sondern Gott, zu dem hin alle Dinge sind[510].

---

[507] „Die bedingungslose Barmherzigkeit Gottes fordert die unbedingte Solidarität unter den Menschen" (Haacker, Judentum 172); vgl. Souček, Israel 150ff; Eichholz, Theologie 284—292; Stendahl, Jude 54f.

[508] Luz, Geschichtsverständnis 286 (anders Jervell, Paulus 47). Berücksichtigt man die polemische Spitze und die Tatsache, daß die „bleibende Auszeichnung eines innerweltlichen Teilbereichs" (d.h. Israels) allein von der Treue Gottes her gedacht ist, erweist sich der von Klein, Gottes Gerechtigkeit 228 A.9, konstatierte Widerspruch doch als echte Dialektik (vgl. auch Davies, People 31ff). In Anlehung an Oepke (Gottesvolk 211) könnte man sagen, daß Klein nicht „zwischen theozentrischer und anthropozentrischer Betrachtungsweise" unterscheidet.

[509] Vgl. Stuhlmacher, Römer 11,25—32, 564ff. Zur Frage nach dem „Wie" der Rettung vgl. Mußner, Ganz Israel, der wie Zeller 245ff für einen „Sonderweg" Gottes plädiert (im Gegensatz zu einer innergeschichtlichen Bekehrung); anders Wiefel, Mission. Eigenart 226, oder Cooper 90f ($o\H{υ}τως$ = „By faith") u. Jeremias, Beobachtungen 198ff. Plag löst den Widerspruch zwischen V. 25—27 und 28—32 literarkritisch; dazu Stuhlmacher aaO. Zur Diskussion beider Lösungen vgl. auch Davies, People 23ff. Güttgemanns, Heilsgeschichte 54f, hält eine „tendenzkritische" Behandlung der Alternative für nötig.

[510] Im Mittelpunkt der eschatologischen Erwartung steht bei Paulus die umfassende Herrschaft Gottes (Röm 11,36; 1.Kor 15,28); die entsprechenden ekklesiologischen Motive (1.Kor 6,2f; Röm 8,19) stehen durch ihre Funktion im

Als verfehlt erscheint angesichts Röm 11 aber auch die Begrenzung des „geschichtlichen" Handelns Gottes auf die individuelle Glaubensentscheidung. Sagt doch Paulus in Röm 11,16ff de facto nichts anderes, als daß das sola fide das sola gratia zwar entscheidend interpretiert, aber nicht in dem Sinne definiert, daß damit nun doch eine menschliche Begrenzung der Treue Gottes zu seiner Verheißung entstünde[511]. Gerade weil von Paulus „Gott als der creator ex nihilo und der Glaube als der Ort erkannt sind, wo die Geschichte ihre Macht an das göttliche Heil abtreten muß"[512], erwartet Paulus Heil selbst dort, wo nichts als Unglaube zu sehen ist, erwartet Heilsgeschehen *in* der Geschichte[513], das nicht *aus* der Geschichte ableitbar, sondern nur im Vertrauen auf Gottes Treue zu erhoffen ist[514].

Wie sich dieses Heil verwirklichen wird — etwa ebenfalls in der Glaubensentscheidung einzelner —, wird von Paulus nicht erörtert und muß in unseren Erwägungen unberücksichtigt bleiben. Entscheidend ist vielmehr, daß er diese Hoffnung nicht aus einem heilsgeschichtlichen Schema ableitet, sondern die Rettung Israels um der iustifi-

---

jeweiligen Kontext eher am Rande (anders Greeven, Kirche 118, und vor allem Baumgarten, Apokalyptik 82, 178, 242; vgl. aber Hamilton 40). Ziel der Gedanken von Röm 11 ist jedenfalls nicht, „die endgültige Rechtfertigung der Kirche" zu sichern (so Ruether 104, mit dem Vorwurf des „Antijudaismus" 101; dazu Davies, People 18,23ff).

[511] Vgl. die Auslegung von Röm 11,16ff durch Rengstorf, Ölbaum-Gleichnis, bes. 145f. Doch müßte die Paradoxie noch schärfer betont werden, als dies 162—164 geschieht. Das gilt noch mehr für O. Betz, Heilsgeschichtl. Rolle 18, der in Gefahr steht, die Kontinuität doch wieder bei Israel als „Bewahrer des Gottesworts" zu suchen (vgl. die gerade entgegengesetzte Interpretation von Klein, Präliminarien 237ff). Die Frage nach dem Glauben an Christus darf nicht ausgeschaltet we_den (gegen Marquardt 40ff; vgl. die Diskussion mit Stendahl bei E. P. Sanders, Attitude; Dahl, Future 155; Davies, People 31).

[512] Klein, Bibel und Heilsgeschichte 42f.

[513] Man wird Paulus keinen modernen Geschichtsbegriff unterlegen dürfen, der Geschichte nur als Summe *menschlicher* Anstrengungen sehen kann, und sie damit ex definitione als „Gemächte der Sünde" (Klein aaO; Fuchs, Ende 91) qualifizieren. Konkret dürfte Paulus das Motiv von der Völkerwallfahrt im Auge gehabt haben (s.o. 140). Wie stark er dabei sein eigenes Werk mit einbezieht — nach Nickle war es die Absicht der Kollekte „to prod the unbelieving Jews to profess faith in Christ" (156; vgl. 133ff) —, muß offenbleiben (positiv Stuhlmacher, Röm 11,25—32, 565ff, der sich mit Cullmann auf Mk 13,10 bezieht; Dahl Future 153f; dagegen Zeller 279ff; s.o. A.375).

[514] Vgl. Käsemann, Anthropologie 21: „Kontinuität resultiert in aller Geschichte allein aus der Treue Gottes und manifestiert sich deshalb im Wunder"; vgl. ders., Rechtfertigung 124; Zeller 266, der einen „Weg zwischen ... Cullmann und Klein" sucht; Reventlow 61f (zu Ez 37).

catio impii willen erhofft! Die Heilsgeschichte ist „nicht die Vollendung, geschweige denn der Ersatz für die Rechtfertigung, sondern
ihre geschichtliche Tiefe"[515].

2.5 Glaube und Geist – Kennzeichen neutestamentlicher Gemeinde

Zwei Motive verwendet Paulus immer wieder, um die Christen als
wahren Samen Abrahams und als Gemeinde der neuen Heilsordnung
Gottes zu kennzeichnen: Es ist die Wirklichkeit des Geistes, der als
Angeld künftiger Herrlichkeit die Christen erfüllt, und es ist der Glaube, durch den sie Gottes rechtfertigendes Handeln empfangen. Die
enge Verbindung zwischen Ekklesiologie und Rechtfertigungslehre,
die uns immer stärker ins Auge gefallen ist, wird durch das Gewicht,
das das zweite Motiv besitzt, in Frage gestellt. Denn es scheint selbstverständlich zu sein, daß nicht die Gemeinde glaubt, sondern der
einzelne. Das Gegenüber des rechtfertigenden Handelns Gottes ist
folglich der einzelne und nicht die Kirche. Mit dieser Feststellung ist
aber die Frage nach der Beziehung von Glaube und Gemeinde nicht
erledigt, sondern in ihrer Problematik erst anvisiert.

2.5.1 Die ekklesiologische Bedeutung des Glaubens

H. Conzelmann hat wiederholt den Glaubensbegriff des Paulus als Beweis dafür angeführt, daß die Theologie des Paulus primär am Individuum orientiert sei[516]. Demgegenüber steht die pointierte Behauptung Lohmeyers und Neugebauers, daß Glaube bei Paulus ausschließlich ein ekklesiologischer Begriff sei[517]. Unter dieser Fragestellung
überprüfen wir kurz die Belege[518].

Wir beginnen mit dem selteneren *Verb*[519]:

Aus der urchristlichen Missionssprache übernommen ist der *Aorist*: 1.Kor 3,5;
15,2.11; Gal 2,16 (hier mit adverbialer Bestimmung: εἰς Χριστὸν Ἰησοῦν); Röm

---

[515] Käsemann, Rechtfertigung 134; Lohse, Grundriß 102.
[516] Fragen an G. v. Rad 125, Grundriß 193, 243, Rechtfertigungslehre 203.
[517] Lohmeyer, Grundlagen 115ff, 183–187; Neugebauer 164–171; zur Problemstellung aus kath. Sicht vgl. Beutler.
[518] Vgl. Bultmann, ThWNT VI, 203–224 (X, 1233–38); Kertelge, Rechtfertigung 161–227; Lührmann, Glaube 46–59, RAC 10, 1979, 48–122.
[519] Es wäre reizvoll zu untersuchen, ob die Bevorzugung des Substantivs gegenüber dem Verb bei wichtigen Begriffen (δικαιοσύνη, πίστις, ἀγάπη; oft gegen LXX und übriges NT) nur stilistische Eigenheit des Paulus ist oder einem
theologischen Sachverhalt entspricht.

10,14 (bis).16; 13,11. Er bedeutet: zum Glauben kommen, sich bekehren, das Kerygma von Jesus Christus annehmen (so deutlich in 1.Kor 15). Formelhaft kann das zur Bedingung des Heils erklärt werden (Röm 10,9; vgl. die paulinische Erläuterung in V. 10) [520]. Dem entspricht der Rückgriff auf die Glaubensformel in 1.Th 4,14 und Röm 6,8. Der einmal gewonnene Glaubensgrund und Glaubens-inhalt bleibt für das Leben der Christen maßgebend. Dem entspricht weiter der präsentische Sprachgebrauch in 2.Kor 4,13, sowie die Infinitive in Röm 15,13 und Phil 1,29. Hierher gehört auch der technische Gebrauch von οἱ πιστεύοντες im Sinne von „die Gläubigen" bzw. „die Christen" in 1.Th 1,7; 2,10.13; 1.Kor 14,22 [521].

Den Übergang von der traditionellen Wendung zum typisch paulinisch polemi-schen Sprachgebrauch bildet 1.Kor 1,21 [522]; ganz sicher ist er vollzogen in Gal 3,22: Unter dem Einfluß des Rekurses auf das Glauben Abrahams (Gal 3,6; Röm 4,3.5.17.18) und in der Antithese zum Vertrauen auf gesetzliche Leistun-gen wird aus der unbetonten Bezeichnung für Leute, die zum Glauben an Je-sus Christus gekommen sind, eine präzise Definition der existentiellen Haltung, die Gottes rechtfertigendem Handeln gegenüber angemessen ist. Die Verbindung zum urchristlichen Glaubensbegriff wird damit keinesfalls aufgegeben; rechter Glaube hält sich an Gottes Heilstat in Christus (Röm 4,24) [523]. Dabei bleibt der Blick nicht an der bestehenden Gemeinde haften. Das Part. Praes. wird zur *Ziel-formel* für die universale Gültigkeit und Wirkung der Gerechtigkeit Gottes: Röm 3,22 (εἰς πάντας τοὺς πιστεύοντας); 4,11 (πατέρα πάντων τῶν πιστευόντων); 1,16; 10,4 (παντὶ τῷ πιστεύοντι) [524].

---

[520] Sieht man von den auf Abraham bezogenen Belegen ab, so ist dies das ein-zige Vorkommen des Verbs im Sing.; in 1.Kor 11,18; 13,7; Röm 14,2 liegt ei-ne andere Bedeutung vor.

[521] Vgl. Bauer s.v.; Lohmeyer, Grundlagen 116; Wißmann 37; Mundle, Glau-bensbegriff 92ff; Binder 71f. Bultmann übersieht seltsamerweise diesen Sprach-gebrauch bei Paulus, obwohl er ihn für die spätere Zeit feststellt (ThWNT VI, 215,15ff A.306; Theologie 91f; vgl. Eph 1,19; 1.Petr 2,7; im Aorist, aber deut-lich technisch: 2.Th 1,10; Act 2,44; 4,32; Hebr 4,3 (Mk 16,17), anders das Perf. in Act 18,27; 19,18; 21,20.25). Dagegen nimmt Paulus nur zögernd das in der jüdischen Weisheit und Apokalyptik gebräuchliche πιστός für die Chri-sten auf (Belege bei Billerbeck III, 189; vgl. bes. syrBar 54,21: „Du verherr-lichst die Gläubigen entsprechend ihrem Glauben"). Bei Paulus erscheint πιστός im Sinne von „gläubig" nur Gal 3,9 von Abraham (so oft im hell. Judentum, vgl. Bauer 1319); anders deuteropaulinisch: 1.Kor 7,14 (v.l.); 2.Kor 6,15 (?); Kol 1,2 (?); Eph 1,1; 1.Tim 4,3.10.12; 6,2 (weitere Belege bei Bauer). Doch verwendet Paulus häufig ἄπιστος im Sinne von nichtchristlich (s.o. 60 A.234). Er kennt also das Gegensatzpaar, benutzt es aber nicht (vgl. 1.Kor 14,22!).

[522] Hier in der Polemik gegen das „Schauen" von Zeichen und „Erkennen" von Weisheit (vgl. 2.Kor 5,7).

[523] Paulus will also in Röm 4 gerade die Einheit von πίστις als „gläubiges und bedingungsloses Sichunterwerfen unter den Gott, der auch den Gottlosen gna-denweise gerecht macht", und von πίστις Ἰησοῦ Χριστοῦ erweisen und kennt nicht den Widerspruch, den Wißmann 90 hier sieht (vgl. Lührmann, Glaube 51ff).

[524] Der Singular betont die universale Geltung. — Im Gegensatz zu unserer Auffassung sieht Mundle auch an diesen Stellen in den πιστεύοντες lediglich

Überblickt man die Belege für das *Substantiv* so fällt zunächst die Wendung ἡ πίστις ὑμῶν auf (1.Th 1,8; 3,2.5.6.7.10; 1.Kor 2,5; 15,14.17; 2.Kor 1,24; 10,15; Röm 1,8.12; Phil 2,17). Sie bezeichnet den Christenstand einer Gemeinde, der bekannt wird (1.Th 1,8; Röm 1,8), den Paulus kennenlernen möchte (1.Th 3,5), durch den er getröstet wird (1.Th 3,2.7; Röm 1,12), den er nicht beherrschen will (2.Kor 1,24), dessen Gefährdung ihn aber auf den Plan ruft (1.Kor 15,14. 17; 2,5), auf dessen Wachstum er hofft (1.Th 3,10; 2.Kor 10,15) und für den er mit dem Einsatz seines Lebens wirkt (Phil 2,17). Paulus kann also verhältnismäßig kollektiv und undifferenziert vom „Glauben" einer Gemeinde reden. Aber, wie die Belege zeigen, hypostasiert oder dogmatisiert er den Glauben nicht. Auch wo sich der Begriff der Bedeutung „Heilsstand" nähert, meint er nichts anderes als die gehorsame Annahme des Kerygmas und das Leben der Gemeinde in der bleibenden Verantwortung ihm gegenüber [525]. Wo Paulus im Stil der Diatribe den einzelnen anredet oder an eine Einzelperson schreibt, kann er darum durchaus auch vom individuellen Glauben sprechen (Röm 11,20; Philem 5). Bezeichnend für das Ineinander von persönlicher Verantwortung und übergreifender Wirklichkeit im Glaubensbegriff ist die Fortsetzung in Philem 6: „deine Teilnahme am Glauben (ἡ κοινωνία τῆς πίστεώς σου) möge wirksam werden ...". Auf der gleichen Linie liegt die Art, in der Paulus von individuellen Unterschieden in den Auswirkungen des Glaubens spricht (Röm 12,3.6; 14,1(f).22f).

Absolut gebraucht Paulus πίστις in Gal 1,23 [526]. Das dürfte übernommen urchristlichen Sprachgebrauch widerspiegeln. Die Verbindung mit εὐαγγελίζεσθαι läßt zunächst an die Bedeutung von „Glaubensbotschaft" im Sinne der fides quae creditur denken [527], die Konstruktion mit πορθέω (vgl. V. 13) macht jedoch πίστις zum titularen Charakteristikum der christlichen Bewegung [528]. Hierher gehört auch Gal 6,10, wo die Christen οἰκεῖοι τῆς πίστεως heißen. Ähnlich objektivierend muten die Stellen an, an denen vom „Stehen im Glauben" die Rede ist (1.Kor 16,13; 2.Kor 1,24; Röm 11,20) [529]. Der Glaube erscheint hier

---

ein Synonym für „Christen" (Glaubensbegriff 93f). Unbestreitbar gibt es für Paulus keinen Glauben als den, der in die Christusgemeinschaft und dadurch in die Gemeinde führt. Wer aber daraus folgert: „In dem paulinischen ‚Allein durch den Glauben' ist das extra ecclesiam nulla salus, der Absolutheitsanspruch der Kirche mitgesetzt" (aaO 103), der verkennt den Charakter der lutherschen particula exclusiva und verfehlt den polemischen Akzent der paulinischen Aussagen! Damit wird die Rechtfertigungslehre zur Waffe im Kampf zweier Religionsgemeinschaften und verliert ihre grundsätzliche kritische Funktion innerhalb der christlichen Gemeinde (vgl. auch Bultmann, Theologie 283f).
[525] Das zeigen m.E. gerade auch die Belege in 1.Kor 15.
[526] Zu Gal 3,23.25 s.u. 178.
[527] Zur „Verkündigung des Glaubens" s. Gal 3,2.5; Röm 1,5; 10,8.17 (auch Phil 1,27); anders 1.Th 3,6 und Röm 1,8.
[528] Wißmann 36; Mundle, Glaubensbegriff 92f; Bultmann, ThWNT VI, 214, 18ff, u. Mußner, Gal 99, halten an dieser und einer Reihe anderer Stellen die Wiedergabe mit „Christentum" für gerechtfertigt; Bauer s.v. nimmt technischen Gebrauch im Sinne von „Religion" an. Das ist jedoch unwahrscheinlich, vgl. Lührmann, Glaube 50f.
[529] Zur Wendung „stehen in" vgl. „stehen in der Gnade" (Röm 5,2), „im Evangelium" (1.Kor 15,1), „in einem Geist" (Phil 1,27), „im Herrn" (1.Th 3,8; Phil 4,1).

fast als Bereich, der Heil verbürgt und in dem es zu bleiben gilt[530]. Umgekehrt kann Paulus auch von dem Glauben sprechen, den man hat, und polemisch Glauben und Schauen einander entgegensetzen, also die existentielle Haltung betonen (Röm 14,22; Philem 5; 1.Kor 13,2; 2.Kor 5,7).

Aufschlußreich sind in diesem Zusammenhang 2.Kor 13,5 und Gal 2,20, wo Paulus das Sein bzw. Leben im Glauben dem Χριστὸς ἐν ὑμῖν (ἐμοί) parallel setzt[531]. Beides ist durch die theologia crucis geprägt (vgl. besonders 2.Kor 13, 4)[532]. Im Kontext der Auseinandersetzungen im 2.Kor heißt das: Die Gegenwart Christi in der Gemeinde wird nicht an Visionen und ähnlichen ekstatischen Erlebnissen erkannt, sondern am Festhalten des Gekreuzigten „im Glauben". Was hier ekklesiologisch formuliert ist, wird in Gal 2,20 unter anthropologischem Aspekt präzisiert[533]. Daß das Ich, das der Sünde verfallen war, zusammen mit dem Gesetz abgetan wurde und Christus nun Zentrum eines Lebens für Gott ist, macht den Christen nicht zur willens- und verantwortungslosen Marionette, sondern realisiert sich darin, daß er sich im Glauben an den hält, der sich für ihn dahingegeben hat. Paulus polemisiert also nach zwei Richtungen: Erstens gegen die Meinung, der Glaube (als Annahme der Heilsbotschaft) bedürfe der Ergänzung durch das Gesetz, das die Existenz bestimmt und sichert. Wo man an den Gekreuzigten glaubt, steht man unter seiner Herrschaft. Zweitens gegen die Auffassung, die pneumatische Erfahrung des Christus in uns mache den Glauben überflüssig[534]. Auf die Gemeinde bezogen heißt das (2.Kor 13,5): Die Gemeinde lebt in und mit Christus nur so, daß sie sich im Glauben an den Gekreuzigten hält und ihm gehorcht.

Damit stehen wir bei der Verwendung des πίστις-Begriffs im ausdrücklichen Zusammenhang der Rechtfertigungslehre. Auch hier finden wir Formeln, die ursprünglich technisch im ekklesiologischen Sinn gewesen sein könnten: οἱ ἐκ πίστεως (Gal 3,7.9; Röm 4,16) entspricht οἱ ἐκ περιτομῆς (Gal 2,12; Röm 4,12) und könnte also einfach die Christen im Gegensatz zu den Juden meinen[535]. Doch gewinnt es im paulinischen Kontext einen umfassenderen Sinn und wird aus einer religiösen Herkunftsbezeichnung zur Beschreibung der „Grundweise"

---

[530] Nur diese Seite sieht Binder 56—59.

[531] Vgl. Mundle, Glaubensbegriff 158f.

[532] Liegt in 13,4a eine geprägte christologische Formel vor, an die Paulus mit dem Stichwort „Glaube" anknüpft? Zum Sinn von Pistis an dieser Stelle vgl. Bultmann, 2.Kor 247.

[533] Beides ergänzt sich, wie der Vergleich der beiden Stellen zeigt: Die in 2. Kor 13,5 geforderte Prüfung vollzieht sich im einzelnen Gemeindeglied. Das Ich in Gal 2,20 steht paradigmatisch für die Gemeinde, wie aus dem Zusammenhang hervorgeht (s.o. 144).

[534] Ἐν πίστει steht für ein korrespondierendes ἐν Χριστῷ, das man erwarten würde! (Käsemann, Frühkatholizismus 247 A.5; zur Problematik in Korinth: Conzelmann, Rechtfertigungslehre 204). Wenn Shedd 178 den Glauben als „medium of identification" bezeichnet, verfehlt er gerade die fruchtbare Dialektik, in die Paulus Gal 2,20 (und 3,26ff) Identitätsaussagen und Leben im Glauben stellt (vgl. Theißen, Symbolik 300f).

[535] Vgl. W. Bauer 466; Schlier, Gal 84 A.5; und die Schwierigkeiten, die sich Röm 4,16 aus diesem Sprachgebrauch ergeben (s.o. 156); auf Analogien verweist Mußner, Gal 216 A.25.

des Lebens, des „Lebensprinzips"[536]. Aus der ekklesiologischen Frage nach dem
Verhältnis von Juden- und Heidenchristen gewinnt Paulus den schärfsten und
radikalsten Ausdruck für seine Anthropologie[537]. In den zentralen Formeln der
paulinischen Rechtfertigungslehre δικαιοσύνη bzw. δικαιοῦσθαι ἐκ/διὰ πίστεως
Ἰησοῦ Χριστοῦ[538] findet sein Verständnis vom Heilshandeln Gottes am Menschen die
unverwechselbare sprachliche Gestalt. Entscheidend ist wiederum die Dialektik
des Glaubensbegriffs: Der Gegensatz zu den Werken gibt dem Glauben seine Dimension als existentielle Haltung. Es liegt aber im Wesen des Glaubens begründet, daß er sein Vertrauen nicht auf die eigene Haltung, sondern auf die Heilstat
Gottes in Christus setzt, die er im Glauben dankbar annimmt. Fides Christi ist
Glaube an Christus[539]. Doch genügt das Subjekt-Objekt-Verhältnis zur Beschreibung dieses Tatbestandes nicht. Schon aus dem Gegenbegriff ἔργα νόμου ergibt
sich, daß Christus mehr ist als nur Gegenstand des Glaubens. Er ermöglicht den
Glauben und bestimmt den Glaubenden[540]. Darum kann das Kommen des Glaubens in Gal 3,23ff im heilsgeschichtlichen Ablauf an der Stelle des Kommens
Christi stehen (vgl. mit Gal 4,3ff). Nähert sich der Begriff hier auch scheinbar
wieder der Bedeutung „Christentum", so gewinnt er doch durch die Konfronta-
tion mit dem Nomos das unverwechselbar paulinische Profil[541].

---

[536] Schlier, Gal 128; Kertelge, Rechtfertigung 184.
[537] Daß Stendahl, Jude 39ff, diese Dimension für Paulus leugnet, kann ich nur
aus dem Willen zur Polemik gegen eine einseitig individualistische Interpretation erklären. Die Frage des Verhältnisses von Juden und Heiden hat ihre soteriologischen Implikationen (vgl. E. P. Sanders, Attitude 181ff) und läßt sich
daher von der Frage, „wie der Mensch erlöst werden kann", nicht trennen
(gegen Stendahl aaO 40). Ähnliches wäre zur Interpretation von Marquardt
37ff zu sagen; seine Auslegung von Röm 3,30 und 9,32 (40) kann nur als Ver-
gewaltigung des Textes betrachtet werden.
[538] Röm 1,17; 3,22.25.26.30.31; 4,16; 5,1; 9.30.32; 10,6; Gal 2,16; 3,7.8.9.
11.12.14.22.24.26; 5,5; Phil 3,9; vgl. auch Röm 3,28; 4,5.9.11.12.13.14. Zu
den exegetischen Einzelfragen dieser Formel vgl. Kertelge, Rechtfertigung
170ff.
[539] Vgl. Dahl, Volk 214 (zu Röm 4): „Nicht der Glaube als eine psychologi-
sche Haltung, sondern der Glaube an das Wort Gottes macht die Gläubigen zu
Kindern Abrahams"; s. dazu auch o. 156f; Lührmann, Glaube 52f.
[540] Vgl. Schlier, Gal 92f; Käsemann, Glaube 146. Dieser Tatbestand hat immer
wieder zu dem Versuch geführt, πίστις Ἰησοῦ Χριστοῦ als Gen.subj. zu bestimmen (vgl. K. Barth, Röm 70 [dazu S. XVII]; M. Barth 452f; G. Howard, Faith
of Christ, Romans 3 : 21–31, 228ff; Schenk, Gerechtigkeit Gottes [epexegeti-
scher Gen.]; vermittelnd Williams 272–76). Dagegen sprechen jedoch die parallelen präpositionalen Wendungen; vgl. Bultmann, ThWNT VI, 211,2; Lührmann,
Glaube 58.
[541] Den Charakter des Glaubens als eines „überindividuellen Gesamtphänomen(s)"
stellen für diese Stelle stark heraus: Stuhlmacher, Gerechtigkeit Gottes 81; Neugebauer 164; Luz, Geschichtsverständnis 153f. Für Binder 43 ist sie der entscheidende Beweis für seine Auffassung des Glaubens als einer „Gottesaktion".
Dies einseitige Verständnis führt jedoch zu Schwierigkeiten mit dem Verb (vgl.
Binder 46f, 72f). Differenzierter behandeln Käsemann, Glaube 147; Lührmann,
Glaube 58f, und Mußner, Gal 254f, die Stelle. Für ihre Sicht, d.h. gegen eine
Ablösung des Glaubens vom glaubenden Menschen trotz der personifizierenden

Der ausführliche Überblick erlaubt klare Schlüsse: Der „*ekklesiologische Charakter*" des Glaubens, den Lohmeyer und Neugebauer herausgestellt haben, erklärt sich zu einem Teil aus dem Charakter der Quellen. Es sind Gemeindebriefe, die Paulus keinen Anlaß geben, zur persönlichen Glaubensentscheidung aufzurufen. Er hat Leute vor sich, die zum Glauben gekommen sind, und die er im Plural anspricht, weil er immer die gesamte Gemeinde anredet[542]. Daneben lassen sich ekklesiologische Akzente feststellen, wo Paulus allgemein urchristliche Terminologie übernimmt. Die Gemeinde wird an die allen gemeinsame Grundlage ihres Glaubens erinnert, die in bestimmten Credoformulierungen definiert ist[543]. Weiter kann πίστις den Christenstand einer Gemeinde umschreiben, in dem sie steht und den es zu bewahren gilt[544]. Von diesem Sprachgebrauch her erklärt sich, daß Paulus eine Art „Individuation" des Glaubens kennt ähnlich dem χάρισμα-Begriff[545].

Wo Paulus eigenständig formuliert, wird jedoch πιστεύω und πίστις zum Zentralbegriff der *Anthropologie*. Ansatzpunkt dafür bildet auch hier die urchristliche Missionssprache, in der πιστεύειν die Entscheidung des einzelnen bedeutet, der Botschaft von Jesus Christus Gehorsam zu leisten[546]. Dieser einmalige Akt der Vergangenheit (Aorist) wird durch nichts überholt; er bleibt bestimmend für die Existenz des Christen vor Gott. Das stellt Paulus gegen die Ansprüche auf Vollendung durch Gesetzesprediger und Enthusiasten fest[547]. Zwischen diesen beiden Fronten bestimmt der Glaube die Existenz des Christen als Leben zwischen „nicht mehr" und „noch nicht"[548]. Gegenüber

---

Redeweise, spricht der Vergleich mit Gal 5,6, wo πίστις den vergangenen Heils- und Unheilsbereichen περιτομή und ἀκροβυστία gegenübersteht und doch Bestimmung der Existenz bleibt.

[542] S.o. 1.3.1.

[543] 1.Th 4,14; 1.Kor 15,2.11; Röm 6,8; 10,9.

[544] Belege s.o. 176f.

[545] S.o. 176, dazu Bultmann, ThWNT VI, 220.

[546] Vgl. Bultmann, ThWNT VI, 209; 218,15ff, Theologie 315ff; Käsemann, Glaube 145; Lührmann, Glaube 49f; T. W. Manson, Church's Ministry 24.

[547] Gal 3; Röm 4; 1.Kor 1; 2.Kor 5. Die Anthropologie, die Paulus im Rahmen der Rechtfertigungslehre entwickelt, entspricht völlig derjenigen, die er in ganz anderer Frontstellung in Korinth geltend macht. Sie ist also nicht nur Hilfsmittel zur Lösung der zeitbedingten Frage der Zulassung der Heiden zum Gottesvolk wie Stendahl (Apostle 204, Jude 139ff, in Auseinandersetzung mit Käsemann) meint. Gerade Bultmanns Interpretation der paulinischen Anthropologie, die Stendahl angreift (Apostle 207), zeigt diese Einheit auf.

[548] Bultmann, ThWNT VI, 223,39—224,18, Theologie 323; präziser Käsemann, Glaube 148: „Es geht um das stets neue Hören und Festhalten des göttlichen Wortes, das zu ständigem Exodus treibt und immer sich nach vorn, nämlich in Gottes Zukunft, ausstreckt".

den Ruhmestiteln derer, die sich auf die Erfüllung des Gesetzes oder auf ekstatische Erscheinungen berufen, wird das sola fide zum eindeutigen anthropologischen Äquivalent des sola gratia. Christsein heißt nichts anderes, als Gottes Tat in Christus gehorsam anzunehmen. Darum erscheint bei Paulus der Glaube nicht so sehr als Bedingung, sondern vielmehr als universale Ermöglichung des Heils[549]. Ist er doch von keiner menschlichen Vorleistung abhängig und hat nur eine Voraussetzung: die Predigt des Glaubens (Röm 10,14—18). In ihr wirkt die Macht des Evangeliums, das alle menschlichen Ausgrenzungen überwindet und jedem die Möglichkeit zum Glauben schenkt (Röm 1,16f)[550]. Es offenbart die Gerechtigkeit des Gottes, welcher Gott der Juden und Heiden ist und ein Herr, reich zum Erbarmen für alle, die ihn anrufen[551]. Die Universalität der Schöpfertreue Gottes ermöglicht die Individualisierung, die den einzelnen aus den überkommenen Kollektiven herauslöst und in die Entscheidung des Glaubens stellt.

---

[549] In Röm 10,9 zitiert Paulus einen Bekenntnissatz, der den Glauben und die Homologie als Bedingung des Heils nennt. Doch auch hier geht es nach Ausweis des Kontextes um die Nähe der Gerechtigkeit Gottes und die Universalität des Heils (vgl. V. 11f; dazu Käsemann, Geist und Buchstabe 280).

[550] Gelegentlich kann Paulus den Glauben selbst als Geschenk bezeichnen (Phil 1,29). Daß der Glaube verweigert werden kann (1.Kor 1,18ff; 2.Kor 2,14ff), spricht nach Paulus nicht gegen die Macht des Evangeliums. Es zwingt jeden in die Entscheidung, sei es zum Heil oder zum Unheil. Insofern ist die Unterscheidung zwischen ἀπολλύμενοι und σῳζόμενοι nicht einfach aufgehoben (gegen Wilckens, 1.Kor 2,1—16,515f). Daß Gott die Glaubenden (und nicht schlechthin die Verlorenen) rettet, bedeutet nicht, daß diese von sich aus durch den Glauben ihr Verlorensein überwinden, sondern daß sie sich in der Begegnung mit der rettenden Botschaft der Erkenntnis des Verlorenseins öffnen und das Evangelium dadurch zu seinem Ziel kommt (s.o. 76ff).

[551] Röm 10,12 u. 3,29. Röm 3,27—29 korrigiert also Stuhlmachers (Gerechtigkeit 86ff) und Kertelges (Rechtfertigung 71ff) Auslegung von Röm 3,21—26 nicht in der Weise, wie Gräßer (ThLZ 93, 1968, 33ff) meint. V. 27f. zieht die anthropologische Konsequenz von 26b, V. 29 begründet den „Lehrsatz" von V. 28 durch den Hinweis auf Gottes Universalität (vgl. Kuß, Käsemann und Wilckens z.St.). Περιτομή und ἀκροβυστία umschreiben die ganze Menschheit. Paulus verbindet hier das Rechtfertigen Gottes mit einem kollektiven Objekt (ähnlich Gal 3,8). Das spricht m.E. gegen die Folgerung, die „Vereinzelung" sei „die Bedingung der Universalität des Heils (Conzelmann, Grundriß 243). Das gilt, auch wenn Klein darin Recht hätte, daß Paulus ἄνϑρωπος in V. 28 betont im Sinne der „Kategorie des ‚Menschen' überhaupt" gebrauche (Individualgeschichte 183, Römer 4, 149 A.17). Denn V. 28 wird durch V. 29 begründet, nicht umgekehrt. Zu Recht sieht Klein (Römer 4, 150) in V. 29f den genauen „Ausdruck des Glaubens an die Gottesgerechtigkeit" und nicht nur eine Reminiszenz an einen „theoretischen Monotheismus" oder eine „ungeschichtliche(n) Menschheitsidee" (vgl. Dahl, One God 189ff).

Formuliert man umgekehrt, gerät man in Gefahr, den Glauben vor das Evangelium zu stellen[552].

Indem der Gemeinde die Zielrichtung des Evangeliums gezeigt wird, wird die ganze Menschheit als ihr Wirkungsbereich festgelegt. Sie ist gleichzeitig gewarnt, den Bereich des Handelns Gottes zu begrenzen. Wo das Wort Glauben findet, da rechtfertigt Gott, da entsteht Gemeinde. Das einzige menschliche Kriterium für die Zugehörigkeit zu Abrahams Same, d.h. zur eschatologischen Heilsgemeinde, ist der Glaube.

Dennoch wird der Glaubensakt des einzelnen[553] nicht zum Fundament der Gemeinde und zum Angelpunkt der Theologie. Weil die Entscheidung des einzelnen durch den Erweis der heilschaffenden Treue und Gerechtigkeit Gottes in Christus ermöglicht wird, kann Paulus den das Individuum übergreifenden Sprachgebrauch von πίστις in der Urchristenheit aufnehmen und vertiefen, ohne daß es zur Diastase oder Konkurrenz zwischen Gemeinschaftscharakter und individueller Verantwortung des Christseins kommt. Will man von einem prae der Gemeinschaft sprechen, so ist dies auch hier nur möglich, wenn es *christologisch* bestimmt wird. Denn der Glaube verbindet mit Christus, der für den Bruder gestorben ist[554], und stellt unter die Herrschaft des Kyrios, der zum Dienst in der Welt sendet[555]. Die gemeinschaftsgründende Kraft des Christusglaubens geht also weit darüber hinaus, daß die Glaubenden ein gemeinsames Objekt der Ver-

---

[552] So etwa, wenn Conzelmann sagt: „Der Glaube löst ihn (scil. den einzelnen) aus seinem bisherigen Kollektiv: dem Judentum, Heidentum ... und konfrontiert ihn mit dem Evangelium" (Rechtfertigungslehre 203, Fragen 125, Grundriß 193, 243, anders 1.Kor 61f). Das Gleiche gilt für die These Kleins, der *Glaubensakt* stifte „die Gleichheit von Judenchristen und Heidenchristen" (Individualgeschichte 190), die auch an Gal 2,15—21 nicht zu bewähren ist. 2,16 möchte Paulus die Judenchristen bei ihren eigenen anthropologischen Konsequenzen aus dem Kreuzesgeschehen behaften (vgl. das ὑπὲρ τῶν ἁμαρτιῶν ἡμῶν in 1.Kor 15,3f und Hasler 242f) und fordert sie auf, diese Konsequenzen radikal zu Ende zu denken und dann auch die ekklesiologischen Konsequenzen zu ziehen (vgl. den Zusammenhang mit 2,11ff; dazu o. A.398). Nicht der Glaubensakt stiftet die Gleichheit, sondern das Christusgeschehen.
[553] Zur Bedeutung der Kategorie des einzelnen bei Paulus vgl. Käsemann, Anthropologie 10ff; C. D. Müller, Erfahrung 164.
[554] Röm 14,15; 1.Kor 8,11.
[555] Vgl. die Zusammenstellung von Glaubensbekenntnis und Homologie in Röm 10,9f. Heine leitet den Gemeinschaftscharakter von Glauben aus der Notwendigkeit geschichtlicher Vermittlung ab (149, 207f). Dafür sind hermeneutische Überlegungen maßgebend; doch könnte man auch auf Texte wie 1.Th 1,8; Röm 1,8; 10,14ff hinweisen.

ehrung besitzen. Wer glaubt, ist ἐν Χριστῷ (Gal 2,17; 3,26; vgl. auch 3,14; Röm 3,24f). Das führt auf unsere Beobachtung zurück, daß die Rechtfertigungsaussagen oft von der Formel ἐν Χριστῷ begleitet sind, weil Paulus einerseits die Beziehung zum Heilsgeschehen klar stellen will, andrerseits den Existenzbereich des Christen umschreibt[556]. In Christus sein heißt also auch, zum Leib Christi zu gehören, der in der Gemeinde seine konkrete Gestalt gewinnt.

In den Leib Christi wird man durch die Taufe eingefügt[557]. Wie aber verhalten sich Glaube, Taufe, Rechtfertigung und Zugehörigkeit zur Gemeinde zueinander?

2.5.2 Rechtfertigung, Taufe und Gemeinschaft in Christus

Geht man von der Missionssituation aus, in der Paulus steht, so ist man geneigt, eine einfache zeitliche Reihenfolge anzunehmen: Durch den Glauben wird der einzelne gerechtfertigt, danach wird er durch die Taufe in die Kirche aufgenommen[558]. Obwohl wir mit gutem Grund vermuten können, daß in der paulinischen Missionspraxis erst getauft wurde, wenn das Evangelium im Glauben angenommen worden war, stellt Paulus nirgends einen ordo salutis auf, der Glaube, Rechtfertigung, Taufe und Aufnahme in die Gemeinde in eine theologisch bedeutsame Reihenfolge bringen würde. Nur an einer Stelle wird die zeitliche Trennung sichtbar: 1.Kor 1,17a. Der Missionar Paulus überläßt das Taufen möglichst bald den damit beauftragten Erstbekehrten, ohne daß damit die Taufe abgewertet würde[559].

Daß es nicht zu einer systematischen Hintereinandersetzung von Glaube und Taufe kommt, mag an drei Momenten liegen, die schon in der vorpaulinischen Taufanschauung zu finden sind.

1. Bei der Taufe wird das Bekenntnis des Glaubens vor der Gemeinde verbindlich abgelegt[560].

---

[556] S.o. 2.2.1; zur Parallelität von Glauben und ἐν Χριστῷ vgl. Neugebauer 171ff, der seine richtigen Beobachtungen aber teilweise überzieht.
[557] 1.Kor 12,13; Gal 3,27 (Röm 6,3); auf die Problematik der Formel εἰς Χριστὸν βαπτίζεσθαι kann hier nicht eingegangen werden. Die Parallele von 1.Kor 12,13 und Gal 3,27 spricht jedenfalls für ein lokales Verständnis (s.o. 44, 107; weiter Dinkler, RGG VI, 631; Löwe 63ff; anders Delling, Zueignung 73ff, Bezugnahme 219—221).
[558] So O. Betz, Rechtfertigung und Heiligung 41.
[559] So die neueren Ausleger; z.B. Kümmel in Lietzmann — Kümmel, 1.Kor 168 (gegen Lietzmann); Conzelmann, 1.Kor 51; Dinkler, RGG VI, 633; sehr gut Ollrog 89f. Vgl. jetzt Pesce, der aber keine befriedigende Lösung bietet.
[560] Vgl. Röm 10,9; dazu die Kommentare, weiter Dinkler RGG VI, 630, 633; Conzelmann, Grundriß 297; Beasley-Murray, Taufe 140.

2. Die vorpaulinischen Rechtfertigungsaussagen sind zum Teil gerade mit der Taufe verbunden gewesen[561].

3. Nach Ausweis dieser Stellen sah man in der Taufe nicht allein einen Initiationsritus, sondern auch den ganz persönlichen Vollzug der Heilszueignung durch die Übereignung des Täuflings an Christus[562]. Damit ist für die judenchristliche Gemeinde untrennbar die Aufnahme in das erneuerte Gottesvolk und für die hellenistische Gemeinde die Einfügung in den Leib Christi verbunden. Dennoch sind beide Aussagen nicht einfach identisch; unsere Beobachtungen zur Zuordnung von Christologie und Ekklesiologie gelten gerade auch für die Taufaussagen[563].

Ebenso wie Paulus in der Auseinandersetzung mit seinen Gegnern auf den urchristlichen Glaubensbegriff zurückgreift und ihn im Sinne seiner Rechtfertigungslehre interpretiert, so beruft er sich auch auf das gemeinsame Widerfahrnis der Taufe, um es für die Rechtfertigung zu beanspruchen[564]. Darum kann es für ihn keinen ordo salutis geben. Es geht ihm weder um „einen bestimmten Glaubensakt als Voraussetzung für die Taufe"[565] noch um eine notwendige Vollendung des Glaubens in der Taufe. Die negativen Konsequenzen, die eine solche Konstruktion haben würde, macht (unbeabsichtigt) eine Äußerung T. W. Mansons klar: „In other words it is not faith alone which makes a man a Christian. Faith is the indispensable first step and nothing can take its place. But it is in baptism that a man, who already believes, is incorporated into the community which is the body of Christ ..."[566]. Damit ist das sola gratia preisgegeben und die Gefahr,

561 1.Kor 6,11; 1,30; vgl. dazu Dahl, Doctrine 101ff; Hahn, Taufe 104ff; Dinkler, Röm 6,1–14, 99.
562 Vgl. die Formel „taufen auf den (im) Namen Jesu" und dazu Delling, Zueignung 9–83; ähnlich G. Barth, Gesichtspunkte 151ff.
563 S.o. 2.2.3 und Strobel 100: „Indem der Täufling Christus übereignet wird, wird ihm das Heilsgeschehen, das an Christus gebunden ist, zugeeignet. Das bedeutet: Die Taufe drückt ein christonomes Verhältnis aus und erst als solches ein ekklesiologisches." Zum Verhältnis Einzelner/Gemeinde in den Taufaussagen vgl. Dinkler, Röm 6,1–14, 100.
564 Vgl. Conzelmann, Grundriß 297: „Da Paulus ... den Glauben durch die Rechtfertigungslehre interpretiert, stehen bei ihm Taufe und Rechtfertigung in enger Verbindung, zumal beide mit dem Kirchengedanken verklammert werden". Zur Parallelität von Tauf- und Rechtfertigungsaussagen vgl. Lohse, Taufe 240f, Grundriß 106f; Hahn, Taufe 117ff; vorsichtig Dinkler, Röm 6,1–14, der lieber von einer „komplementären Verwendung" sprechen möchte (103).   565 Hahn, Taufe 120.
566 Significance 70; ähnlich A. Schweitzer, Mystik 117f; umgekehrt stellt für Binder das Glauben der Christen nur den „nach der Taufe einsetzende[n] Vollzug der pistis" dar (82).

daß Glaube und Taufe zu Stufen menschlicher Leistung werden, tritt offen zu Tage. Paulus sieht dagegen in Glaube und Taufe nichts anderes als komplementäre Seiten des Heilsempfanges. Es gibt für ihn „keinen Glauben ohne Taufe, wie es keine Taufe gibt, bei der nicht mit einem Bekenntnis ... der Glaube formuliert würde"[567].

Die enge Verklammerung von Taufe, Glaube, Rechtfertigung und Gemeinde tritt am deutlichsten in Gal 3,26ff hervor. V. 26 nimmt die These von der soteriologischen Gleichstellung von Juden und Heiden, die in 2,16f durch die Rechtfertigungslehre begründet wurde, wieder auf[568]. Das begründende ὅσοι γὰρ εἰς Χριστὸν ἐβαπτίσϑητε steht parallel zu διὰ τῆς πίστεως ἐν Χριστῷ Ἰησοῦ und führt von der Aussage über die Christusbeziehung des einzelnen zur grundsätzlichen Aufhebung der soteriologischen und sozialen Unterschiede in Christus und damit in der Gemeinde. Dient der Satz hier dem Nachweis der Vermittlung der Abrahamskindschaft durch den Glauben, in Christus[569], so verwendet ihn Paulus in 1.Kor 12,13, um aus der soteriologischen Gleichstellung die Verpflichtung der einzelnen abzuleiten, in der Gemeinde mit ihren unterschiedlichen Gaben zu dienen. Die soziale Relevanz der Rechtfertigungslehre läßt sich offensichtlich durch die Verwendung von Taufaussagen besonders klar darstellen[570].

Das Proprium der Taufe stellen in diesem Zusammenhang drei Motive dar, die Paulus aus der Tradition übernimmt und in seinem Sinn interpretiert:

a) Die Auffassung der hellenistischen Gemeinde von der Taufe als Mitsterben und Mitauferstehen mit Christus wird von ihm als Bezeichnung eines Herrschaftswechsels verstanden und dementsprechend paränetisch verwandt[571].

b) Mit der Taufe wird der Geist geschenkt, der als Kraft zum neuen Leben die Existenz in der Gemeinschaft begründet[572].

---

567 Frankemölle 14; ähnlich Beasley-Murray, Taufe 200f; Lohse, Taufe 242f; und besonders prägnant Kertelge, Rechtfertigung 246: „Die in der Taufe begründete Christusgemeinschaft ist keine andere als die Glaubensgemeinschaft mit Christus."
568 Vgl. das betonte πάντες.
569 S.o. 92ff, 152 und Lohse, Taufe 243.
570 Vgl. dazu 1.Kor 6,11 (1,30) und Dahl, Doctrine 103f.
571 Röm 6; vgl. dazu Lohse, Taufe 236f; Dinkler, Röm 6,1–14, 96; Schnackenburg, Adam-Christus-Typologie 54, der aber darüber hinaus betont, daß die Taufe „eine heilsgeschichtlich-kosmische Perspektive" erschließt.
572 1.Kor 6,11; 12,13; vgl. Léenhardt, Études 33; Dinkler, RGG VI, 629, 632; Kertelge, Rechtfertigung 248f; Haufe, Taufe und Heiliger Geist; Halter 416ff.

c) Die Taufe gliedert in den Leib Christi ein. Was am einzelnen in der Taufe geschieht, fügt ihn unausweichlich in die Gemeinschaft ein[573]. Das bedeutet keine Glorifizierung der Gemeinde. Im Gegenteil, indem Paulus die Taufe von der theologia crucis her interpretiert, expliziert er auch sein Verständnis der Kirche. „Diese repräsentiert nicht, auch nicht vorläufig und unvollkommen, die eschatologische Erfüllung, sondern sie lebt in der Gleichgestalt mit Christi Kreuz. Die Gemeinde der Getauften, eingesenkt in den Tod ihres Herrn, ist der Sünde abgestorben und vermag deshalb vor Gott einen neuen Wandel zu führen in der glaubenden Gewißheit künftigen Lebens. Die Gestalt des neuen Äon in der Geschichte ist die Gestalt des Kreuzes."[574]

2.5.3 Geist, Rechtfertigung und Gemeinschaft

Die Beschreibung der Taufe in 1.Kor 12,13 lenkt uns zurück zum Motiv des Geistes als Wesensbestimmung der christlichen Gemeinde: „In einem Geist wurden wir alle zu einem Leib getauft" (vgl. auch 1.Kor 6,11). Das wird durch den Verweis auf das Herrenmahl unterstrichen: „Und alle haben wir einen Geist zu trinken bekommen" (vgl. 10,3f). Die Wirklichkeit des Geistes kennzeichnet das, was in Taufe und Herrenmahl geschieht, als Begegnung und Erfüllung mit Gottes Macht und Gegenwart. Durch das Wirken des Geistes gewinnt die missionarische Verkündigung ihre Vollmacht (1.Th 1,5f; 1.Kor 2,4; Röm 15,19), im Geist ergreift Gott vom Leben des Christen und der Gemeinde Besitz (1.Th 4,8; 1.Kor 3,16; 6,19)[575].

Alle diese Aussagen sind nicht spezifisch paulinisch, sondern spiegeln Anschauungen wider, die von der ganzen Urchristenheit geteilt wurden. Paulus aber verwendet sie ganz gezielt für seine Argumentation. Wir sind darauf besonders bei Gal 3,1—5 aufmerksam geworden[576]. Daß die Glaubenspredigt des Apostels durch die Gabe des Geistes be-

---

[573] Gal 3,27f; 1.Kor 12,13; mit wünschenswerter Klarheit stellt Léenhardt, Baptême 57, fest: „Le baptême n'est pas le sacrement par lequel l'Eglise *se recrute*; il est le sacrement de l'union au Christ, par laquelle l'Eglise *se constitue*". S. Hahn, Taufe 121ff; Kuß, Paulus 417; Descamps; Halter 434ff.

[574] Löwe 81.

[575] Zum Verhältnis Verkündigung — Glaube — Geist vgl. Delling, Nahe ist dir das Wort; zum Motiv der Gemeinde als Tempel des Heiligen Geistes oben 1.2.8.

[576] S.o. 151.

stätigt wurde, spricht gegen die Notwendigkeit einer „Vollendung"
des rechtfertigenden Glaubens durch Befolgung des Gesetzes. Paulus
spielt dabei weniger auf individuelle Erfahrungen jedes einzelnen an,
sondern auf ekstatische und wunderhafte Erscheinungen in der Gemeinde, die ihr als ganzer die Gewißheit gaben, Gemeinde der Endzeit zu sein, wie es auch schon in der Urgemeinde der Fall war[577].
So bestätigt der Empfang des Geistes durch den Glauben, daß der
Segen und die Verheißung Abrahams zu den Heiden gekommen ist
(3,14)[578]. Seinen tiefsten Ausdruck findet das im neuen Gottesverhältnis der Gemeinde. Als Söhne Gottes haben sie den Geist seines
Sohnes empfangen, der ruft: „Abba, Vater!"[579]. Der Versuch, „im
Gesetz" gerechtfertigt zu werden, steht daher im unversöhnlichen
Gegensatz zu der Haltung, die in der Verbindung mit Christus be-
stimmend ist: durch den Geist aus dem Glauben die Hoffnung der
Gerechtigkeit zu erwarten (5,5)[580].

Der Geist bewahrt und gestaltet die Freiheit, zu der Christus befreit
hat. Mit ihm ist die Macht auf dem Plan, die den Platz der Sarx ein-
nimmt und so die Existenz der Christen nicht zu einem Vakuum
werden läßt, in das andere Mächte wieder versklavend einbrechen
können (5,13ff). Der Geist treibt zur Frucht und erfüllt, was das Gesetz eigentlich fordert, ohne daß das Werk zur Leistung pervertiert
wird (5,19—23). Darum wird für den, der im Geist lebt und handelt,
der Blick frei, neidlos und ohne Vorurteile dem Bruder beizustehen
(5,25—6,2). Der Geist der Gnade ermöglicht wahre und helfende Gemeinschaft[581].

Wie die Gemeinde so ist auch der Dienst des Apostels vom Geist bestimmt. Nicht auf dem tötenden Buchstaben beruht seine Legitima-

---

[577] Jervell, Volk 88: „Die geistgewirkten Wunder ... zeugen von der Existenz
des Gottesvolkes"; vgl. Käsemann, RGG II, 1273; Schweizer, ThWNT VI, 420,
27ff (dagegen Stalder, Heiligung 317f); zur Urgemeinde s. Bultmann, Theologie
43f; Vos 76f. Eine Polemik gegen Pneumatiker (Schmithals, Geisterfahrung
111f) kann ich hier nicht erkennen.
[578] ἐπαγγελία πνεύματος ist Gen. appositionis; vgl. Schweizer, ThWNT VI, 424
A.619; Schlier, Gal z.St.; zur Bedeutung vgl. Vos 91ff.
[579] Die Formulierung zeigt sehr schön die Verflechtung von Anthropologie und
Ekklesiologie. Man wird davon ausgehen dürfen, daß die Abba-Rufe in der gottesdienstlichen Versammlung laut wurden (Oepke, Gal 134; Käsemann, Schrei
223; Kuß, Röm 602f). Dennoch schreibt Paulus ἐν ταῖς καρδίαις ἡμῶν.
[580] Vgl. Schweizer, ThWNT VI, 424,5ff; Schlier, Gal 234; Vos 105f.
[581] Vgl. Schweizer aaO; Friedrich, Geist: „Geist ist ein ekklesiologischer Begriff" (67); ähnlich Ridderbos 156.

tion, sondern auf dem Geist, der lebendig macht und in die Freiheit führt (2.Kor 3,1–18)[582].

In Röm 8 hat Paulus diese Ansätze der Verbindung von Rechtfertigung und Geist weitergeführt[583]. Der Geist ist Machtbereich, in dem der Gerechtfertigte lebt, und Triebkraft, die im Christen wirkt. Er befreit den, der sich von ihm bestimmen läßt, vom Zwang der Sünde zu neuem Leben[584]. Konsequenz ist, daß Paulus nun ausdrücklich feststellt, jeder, der Christus angehört, habe den Geist[585]. Der Geist verbürgt als Angeld der Ewigkeit Leben und Frieden[586], denn der Geist, der in den Christen wohnt, ist der Geist dessen, der Jesus von den Toten erweckt hat, ja, es ist der Christus selbst (vgl. V. 10 und 11). Darum ist er nie Besitz, sondern Kraft, die zu neuem Handeln in Freiheit treibt, und Relation, nämlich Geist der Sohnschaft (V. 14ff). Man kann diese Konzeption in dem paradoxen Satz zusammenfassen: Durch den Geist wird das *extra nos* des Heils *in uns* Ereignis[587].

---

[582] S.o. 162 und Vos 139ff. Die Affinität des Freiheitsmotivs bei Paulus zu den Geistaussagen ist erstaunlich. Fast überall, wo er von Freiheit redet, spricht er auch vom Geist; vgl. Gal 4,22ff (dazu Vos 102f); 5,1ff.13ff; 2.Kor 3,7ff; Röm 6,17ff (s. 7,6!); 8,2ff.16ff; und er tut dies immer im Zusammenhang mit der Rechtfertigungsbotschaft; vgl. Niederwimmer 192ff; Schlier, Freiheit 224ff, Herkunft 125ff. Daß bei Schürmann, Freiheitsbotschaft, das Geistmotiv nur en passant erwähnt wird, scheint symptomatisch: Im Mittelpunkt steht Freiheit als „An-Ordnung Gottes", die in der Kirche „verwahrt" wird (26,28)! Zum Verhältnis von Rechtfertigung und Freiheit vgl. Schnackenburg, Befreiung 57ff, 62ff.

[583] Röm 8 betont stärker die anthropologischen und soteriologischen Konsequenzen, ohne deswegen eine individualistische Konzeption zu entwerfen (vgl. Stalder, Heiligung 432f). Falsch ist die Vermutung von H. D. Betz, Geist 92, „das fast naive Vertrauen auf den Geist" gehöre nur in die enthusiastische Frühzeit.

[584] Damit gewinnt die Rechtfertigungslehre einen neuen Horizont: „Ohne die Pneumalehre wäre die Rechtfertigungsgnade nicht wirklich als Schöpfertat Gottes ... verstanden" Wendland, Gesetz 51.

[585] 8,9b; Schweizer, Geist und Gemeinde 21, ThWNT VI, 421,25ff. In der Gemeinde vor und neben Paulus scheint man damit gerechnet zu haben, daß jeder Christ in der Taufe den Geist erhält (1.Kor 6,11; 12,13; 2.Kor 1,22), unklar blieb jedoch das Verhältnis zu besonderen Geistträgern (Bultmann, Theologie 141, 159ff; Käsemann, RGG II, 1273). Zum affirmativen Verständnis von Röm 8,9 vgl. Kuß, Michel und Käsemann z.St.

[586] Röm 8,6.23; vgl. 14,17 (hier unter Aufnahme einer präsentisch-ekklesiologischen Akzentuierung des Begriffs der Gottesherrschaft, vgl. Baumgarten, Apokalyptik 90f; Käsemann, Röm z.St.); 2.Kor 1,22; 5,5. Zum Geist als Gabe der Endzeit vgl. Hamilton; Rigaux, L'anticipation; Arrington 141ff.

[587] Dabei ist das „in uns" nicht nur anthropologisch zu verstehen (= in mir), sondern auch ekklesiologisch (= unter uns). Vgl. Michel, Röm 254: „Die Lehre

Die christologische Präzisierung des Geistgedankens, die für Paulus typisch ist[588], bildete schon das entscheidende Rüstzeug für seine Auseinandersetzung mit den Enthusiasten in Korinth. Denen, die meinten, durch den Geist dem Bereich des Kreuzes entrückt zu sein und in der Ekstase in himmlische Sphären versetzt zu werden[589], prägt der Apostel ein, daß die ἀπόδειξις πνεύματος καὶ δυνάμεως allein in der Predigt des Gekreuzigten geschieht (1.Kor 2,1—5), daß Weisheitsrede für die Vollkommenen nichts anderes sein kann und darf, als daß der Geist Gottes in das Geheimnis des Kreuzes führt und erkennen läßt, was Gott uns geschenkt hat (2,6ff)[590]. Geben Taufe und Herrenmahl den Geist, so kommt alles darauf an, zu erkennen, daß die Gabe „den Charakter des Gebers" trägt und „Anteil am Geber selbst" schenkt[591]. Auch der grundsätzliche Abschnitt 1.Kor 12,1—3 erklärt ja nicht nur jedes Bekenntnis für geistgewirkt — was zu den bekannten Auslegungsschwierigkeiten führt —, sondern bindet umgekehrt alle Geistesgaben an das Bekenntnis zu diesem Herrn[592].

Diese Bindung des Geistes an den Kyrios und an Kreuz und Auferstehung erlaubt Paulus, die beiden Grundprobleme der Korinther, das Problem der Ethik und der Gemeinschaft, aus einem einheitlichen Grundansatz zu lösen.

a) Weil der Geist als Kraft der Auferstehung gesehen wird, kann die Diastase von Leib und Geist überwunden werden[593]. Der Geist ist auch darin Angeld der Ewigkeit, daß er die Leiber, die Gott einst

---

vom Geist Gottes wahrt die Botschaft von der Rechtfertigung ‚extra nos', aktualisiert sie aber im konkreten irdischen Leben". Schmithals, Geisterfahrung, spricht von der „christologischen Differenz" (110f).
[588] Dazu Schniewind, Seufzen 98ff; K. G. Kuhn, Πειρασμός 214 (in Abgrenzung von Qumran); Käsemann, RGG II, 1274, Geist und Buchstabe 261, Schrei 214; Hamilton 3ff, 15,38; Hahn, Verständnis 143.
[589] Vgl. Schrenk, Geist; Conzelmann, 1.Kor 31, Rechtfertigungslehre 204.
[590] Mit Schweizer, Geist und Gemeinde 20, ThWNT VI, 422,24—423,10 (vgl. 421 A.605); Bonnard, L'Esprit 83; Schottroff 217ff. Paulus verwandelt die „gnostische Terminologie", indem er sagt, „daß die Ablehnung der Kreuzespredigt einen Menschen zum Psychiker macht" (Winter 232). Dagegen sehen Bultmann, Theologie 184f; Wilckens, Weisheit 53ff (vgl. aber 95f) in dem Abschnitt eine nur leicht modifizierte Übernahme gnostischer Weisheitsspekulation, und Widmann möchte sogar eine antipaulinische Interpolation annehmen. Von ganz anderem religionsgeschichtlichen Hintergrund aus bestimmen Ellis, Wisdom; Barbour, und jetzt auch Wilckens, 1.Kor 2,1—16, das Verhältnis zur Kreuzesbotschaft.
[591] Käsemann, Anliegen 15; vgl. 1.Kor 10,3f; 12,13; 2.Kor 3,17.
[592] Vgl. Schweizer, ThWNT VI, 423,33ff; Conzelmann, 1.Kor z.St.; Kertelge, Apostelamt 176; Hasenhüttl, Charisma 89ff; weiter u. Kap. 3, A.92.
[593] Vgl. 1.Kor 15,45ff; 6,12ff; zum Folgenden vgl. Käsemann, RGG II, 1274f.

auferwecken wird, beschlagnahmt, um als Herr in ihnen zu wohnen. Der Leib des Christen ist wie die Gemeinde Tempel Gottes und seines Geistes (1.Kor 6,19; 3,16). Weil der Leib Mittel zur Kommunikation ist[594], wird auch die Begegnung mit dem Nächsten unter die Herrschaft des Kyrios gestellt.

b) Das Wirken des Geistes ist aber nicht nur auf den einzelnen gerichtet. Die Gemeinschaft der Gemeinde in Korinth war offensichtlich dadurch bedroht, daß man den Besitz des Geistes bei jedem einzelnen an besonders auffallenden Phänomenen, insbesondere an der Zungenrede, verifizieren wollte. Für Paulus aber garantiert Ekstase nicht die Gegenwart des Geistes und die Gleichheit der Phänomene nicht die Einheit der Gemeinde. Weil er die Einheit im Geber, in dem *einen* Gott, Herrn und Geist, verbürgt sieht, kann er die *Vielfalt* der Gaben als Wirkung des Geistes verstehen und für die Gemeinschaft fruchtbar machen (1.Kor 12,4ff). Die πνευματικά sind für ihn χαρίσματα, Individuation der schenkenden Gnade. Gegenüber jedem Anspruch auf einen individuellen geistlichen Habitus wird bis hinein in die unscheinbarsten Betätigungen in der Gemeinde das sola gratia festgehalten[595].

Der Zusammenhang von Geist, Rechtfertigung und Gemeinschaft steht damit klar vor Augen: Im Blick auf das Wirken des Geistes kann Paulus vom neuen Leben und sittlichen Wandel des Christen als Geschenk und freiem Gehorsam sprechen und damit auch die Paränese von der Rechtfertigung aus gestalten. Umgekehrt hat die entschlossene Verknüpfung der Rede vom Geist mit einer von Rechtfertigung und theologia crucis geprägten Christologie seiner Pneumatologie die entscheidende Ausrichtung gegeben. „Pneuma ist Gegenwart der Gnade, Ausbruch des Lebens aus dem rechtfertigenden Gnadenurteil Gottes."[596] Die unberechenbaren ekstatischen Phänomene herrschen nicht mehr in gemeinschaftszerstörender Willkür, sondern werden zum Indiz für die grundsätzliche Unverfügbarkeit des Geistes und den Gnadencharakter *allen* christlichen und kirchlichen Lebens[597]. Nicht die Erscheinungsform der Gaben ist der Maßstab, sondern ihr

---

[594] Käsemann, Anliegen 32.
[595] Zur Charismenlehre s.u. 3.2.
[596] Wendland, Gesetz 47; vgl. Minde, Theologia crucis 137ff. Völlig vernachlässigt ist der Zusammenhang von Geist und Rechtfertigung bei Ladd, Holy Spirit. Das gilt im Grunde auch für Knoch, Geist Gottes, obwohl er sonst alle Motive, die mit dem Geistthema zusammenhängen, ausführlich behandelt.
[597] Bousset, Kyrios Christos 129; Schweizer, ThWNT VI, 431,1ff.

Urheber: der Gott, der am Kreuz gehandelt hat[598], und uns durch seinen Geist zur leibhaften Verantwortung in der Gemeinschaft ruft[599].

Die zentrale Bedeutung des Geistes für das Thema „Rechtfertigung und Gemeinde" läßt sich am klarsten an der Verwendung des aus apokalyptischer Tradition entstammenden Motivs vom Geist als ἀπαρχή und ἀρραβών ablesen[600]: Gegen die Gesetzesprediger vermag es zu zeigen, daß die Rechtfertigung aus Glauben ins eschatologische Gottesvolk stellt und Kraft zu neuem Leben schenkt. Gegen die Enthusiasten hält es fest, daß wir noch nicht im Schauen, sondern im Glauben leben und auf Hoffnung gerettet sind, inmitten einer unerlösten Schöpfung in leibhafter Verantwortung stehen, noch nicht als Verwandelte, sondern als der Interzession des Geistes Bedürftige. Die Gewißheit der Vollendung und das Wissen um die noch ausstehende Erfüllung sind unauflöslich ineinander verwoben.

Glaube und Geist gehören darum aufs engste zusammen und kennzeichnen nach Gal 5,5 die Wirklichkeit der Gemeinde, die auf dem Weg ist dem Heil Gottes entgegen. Aus Glauben lebt sie allein im Vertrauen auf Gottes Handeln in Christus. Durch den Geist ist sie erfüllt von der Gegenwart der Liebe Gottes, die alles Glauben umgreift[601], zu wahrem Gehorsam befreit und Leben in Gemeinschaft begründet und ermöglicht.

Paulinische Gemeinde ist „Kirche in der Kraft des Geistes"[602]. Für Paulus aber bedeutet dies: Sie lebt allein aus der freien, souveränen Gnade Gottes. Die Botschaft von der Rechtfertigung des Gottlosen gilt nicht nur dem einzelnen Sünder, sie prägt auch das Wesen der Gemeinde.

---

[598] Vgl. Conzelmann, Grundriß 294: „Der Geist führt nicht über das Kreuz hinaus"; ähnlich Wendland, Gesetz 46f, Geist 293; v. Campenhausen, Recht 3; Bonnard, L'Esprit 83; Vos 117f (zu Röm 5,5).
[599] Vgl. Schweizer, ThWNT VI, 430,18ff: „So wird der Gemeindegedanke das eigentliche Regulativ"; s. auch v. Campenhausen, Amt 62.
[600] Belege s. A.586; weiter Schmithals, Geisterfahrung 109ff.
[601] Gerade das Motiv des Geistes scheint mir zu zeigen, daß in Gal 5,6 δι' ἀγάπης ἐνεργουμένη nicht konditional eine zusätzliche Qualität nennt, „die der rechtfertigende Glaube besitzen muß" (Mußner, Gal 354), sondern die Wirklichkeit beschreibt, die den Glauben bestimmt (vgl. Oepke, Schlier, G. Barth und Lührmann z.St.).
[602] So der programmatische Titel des Buchs von Moltmann.

2.6 Zusammenfassung

Mit unserem letzten Abschnitt über die Bedeutung des Geistes für die Gemeinde stehen wir an der Grenze der Frage nach dem Grundansatz paulinischer Ekklesiologie. Denn hier drängt ja alles weiter zur nächsten Frage: Wie lebt die Gemeinde aus dem Glauben im Geist? Was sind die Merkmale, die Leitlinien und Grenzen solcher Existenz? Es wäre eine paulinischem Denken unangemessene Abstraktion, vom Wesen der Gemeinde zu reden, ohne Gestaltung und Entfaltung ihres Lebens einzubeziehen[603]. Dennoch dürfte es hilfreich sein, die bisherigen Ergebnisse zusammenzufassen, bevor wir diese Aufgabe im nächsten Teil unserer Untersuchung in Angriff nehmen.

Wir sind ausgegangen von der Frage, wie Gemeinde entsteht und wodurch sie sich als Gemeinschaft konstituiert. Diese Frage hat uns in verschiedene Themenbereiche paulinischer Ekklesiologie geführt, und wir sind auf folgende Grundgedanken gestoßen:

1. Durch das Evangelium wird die Gemeinde aus der Welt ausgesondert. Weil sich diese Scheidung an der Kreuzesbotschaft vollzieht, erwächst aus ihr nicht selbstgerechte Abwendung von der Welt, sondern die Verpflichtung, die Botschaft von der Versöhnung in ihr aufzurichten.

2. Die Existenz der Gemeinde gründet in der Hingabe des Sohnes. Durch sie versöhnt Gott seine Feinde, ruft Schwache, Verachtete und Gottlose in seine Gemeinschaft und fügt Menschen verschiedenster Art und Herkunft in eine Gemeinschaft ein, die von der „Proexistenz" des Christus konstituiert und bestimmt wird. Als Leib Christi repräsentiert die Gemeinde die von ihm heraufgeführte neue Menschheit. Gerade darum weist sie ständig auf ihn als Ursprung und Fundament ihrer Existenz zurück und über sich selbst und ihre Grenze hinaus.

3. Auf ihrem Weg zwischen Berufung und Parusie lebt die Gemeinde allein von der Treue Gottes. Als Träger der Botschaft vom Kreuz erfährt sie seine Kraft in der Anfechtung und Bedrängnis einer Existenz, die Gottes Liebe unter den Bedingungen des alten Äons verkündigt und lebt.

4. Die Gültigkeit der Verheißung Gottes für Israel ist nicht an äußere Merkmale oder menschliche Gesetzeserfüllung gebunden. Sie ist

---

[603] Küng, Kirche 16: „Das Wesen der Kirche ist also immer in der geschichtlichen Gestalt zu sehen, und die geschichtliche Gestalt immer vom Wesen her und auf das Wesen hin zu verstehen."

im Kommen des Christus verbürgt und von Anfang an dem zugesprochen, der sich im Glauben an sie hält. Die Kontinuität der Verheißungsgeschichte liegt bei Gott, und wie Israel so hat auch die Gemeinde ihre Offenheit für das Wunder seiner Gnade immer neu zu bewähren.

5. Im Geist schenkt sich Gott denen, die zu Christus gehören, und eröffnet ihnen damit ein Leben als freie und mündige Kinder Gottes. Als unerzwingbares Geschenk ist der Geist Zeuge der Gnade, als in uns gelegte Macht der Liebe ist er Kraft zu neuem Gehorsam und als Pfand zukünftiger Vollendung ist er Grund zur Hoffnung. Sein Wirken prägt die Gemeinde zu einer Gemeinschaft, die — ohne den Blick von der eigenen Schwachheit und der bedrängenden Realität der Welt zu wenden — allein aus der Gewißheit der Rechtfertigung und der unverbrüchlichen Liebe Gottes lebt.

Der rote Faden, der sich durch diese Sätze zieht, ist nicht zu übersehen. Die Botschaft von der Rechtfertigung des Gottlosen findet in ihnen ihre ekklesiologische Entsprechung. Sie prägt auch dort das Denken des Apostels, wo sie expressis verbis noch nicht auf den Begriff gebracht zu sein scheint, etwa im 1.Th und 1.Kor.

K. L. Schmidt hat im Jahre 1927 seine Untersuchung des paulinischen Kirchenbegriffs mit der These geschlossen: „Die rechte Erfassung dessen, was Kirche ist, steht und fällt mit der rechten Erfassung dessen, was Rechtfertigung ist."[604] Dieser Satz, den Schmidt nicht weiter begründet hat, trifft die Sache voll. Man könnte ihn auch umkehren: Die rechte Erfassung dessen, was Rechtfertigung ist, steht und fällt mit der Erkenntnis, daß auch die Kirche von Gottes rechtfertigendem Handeln begründet und geprägt ist, und somit „eine bloß individualistische Interpretation der Rechtfertigungslehre vom Apostel her nicht legitimiert werden kann"[605]. Hier liegt auch der

---

[604] Kirche 315; fast gleichlautend ThWNT III, 516,7f. Dort fährt Schmidt fort: „Darum geht es wie im ganzen Kampf des Paulus, ob er sich nun gegen Judaisten oder gegen Gnostiker richtet". Auf Schmidt berufen sich Dahl, Volk 212, 217 (A.25 und S. 323; vgl. ders. Doctrine); Gyllenberg 37ff (mit problematischen Konsequenzen). Das gleiche Anliegen vertreten Wendland, Mitte 44—48; Käsemann, Amt 119, 127, Gottesgerechtigkeit 192f; Stuhlmacher, Gerechtigkeit 210—217; Luz, Rechtfertigung 380; Blank, Paulus 303. Eigentümlicherweise haben weder Häring (vgl. 304ff, 313f, 344ff) noch G. Hainz, Probleme 369ff, die zentrale Bedeutung dieser Einsicht für die Ekklesiologie Käsemanns erkannt.
[605] Käsemann, Amt 119; vgl. Lührmann, Sklave oder Freier 83: „die Gemeinde als Verkörperung der Rechtfertigung". Zum Problem Individualismus und Rechtfertigung vgl. U. Meyer, Herkunft; Stendahl, Apostle (und dazu Käsemann, Rechtfertigung); M. Barth 450ff. Nicht gerecht wird man dem Problem, wenn man die Bedeutung der Rechtfertigungslehre auf den Kampf um das „Recht der

Konvergenzpunkt, von dem aus sich die Antinomien, die wir in der paulinischen Ekklesiologie festgestellt haben, verstehen lassen. Zwar ist noch einmal deutlich geworden, daß Paulus nirgends dazu gezwungen ist, zu begründen, warum es überhaupt Kirche und Christsein als Gemeinschaft gibt. Dies ist von niemand bestritten worden. Aber der Hinweis auf die Diskussionslage genügt nicht, um zu erklären, warum Paulus sich laufend mit Gemeindeproblemen beschäftigt und doch die Kirche nicht zu einem Thema sui generis werden läßt. Die Erklärung liegt in der Einbeziehung der Kirche in das Rechtfertigungsgeschehen[606].

Die Existenz der Gemeinde ist Zeichen für das Wirksamwerden der Offenbarung der Gerechtigkeit Gottes. Wo der Schöpfer seine Treue offenbart und sein Recht einholt, entsteht neue Schöpfung. Weil Christus sich in Liebe für alle hingibt, wächst die Gemeinschaft seines Leibes als Gemeinschaft des Dienstes und gegenseitiger Hingabe. Weil der Gott Abrahams zu seiner Verheißung steht, erweckt er ihm Nachkommenschaft aus allen Völkern. Darin liegt die Bedeutung der Gemeinde und die Begründung dafür, daß Paulus sich nicht damit begnügen kann, daß unter seiner Verkündigung „einige gerettet werden" (1.Kor 9,23), sondern daß er sich um Gemeinden müht, die als irdische Konkretionen der Gnade die Wirklichkeit neuen Menschseins in Christus auch als Gemeinschaft bezeugen.

Aber gerade als Zeichen sind sie nichts aus sich selbst, sondern weisen weiter auf den, der ihre Existenz begründet: Christus. Darum kann der Apostel in der ekklesiologischen Paränese nie isoliert vom Wesen der Kirche her argumentieren, sondern muß, um dieses Wesen zu bestimmen, immer wieder zurückgreifen auf das Christusgeschehen und das in ihm offenbarte rechtfertigende Handeln Gottes. So ist auch die Gemeinde in ihrer Scheidung von der Welt nichts anderes als Zeuge für die rettende Kraft der Versöhnung und die wirkende Macht der Rechtfertigung des Gottlosen.

Heiden, Vollmitglieder des Gottesvolkes zu werden," (Stendahl, Jude 140f) eingeschränkt (ähnlich schon Cerfaux, Théologie 193f, 196; Oepke, Gottesvolk 204, 209f).

[606] Wenn Küng, Rechtfertigung 221, schreibt: „Durch die Kirche im Glauben wird der Einzelne der allgemeinen Rechtfertigung teilhaftig" (vgl. Gal 3,26!), verkehrt er das irreversible Gefälle von Christologie und Ekklesiologie, dessen signum die Rechtfertigungsbotschaft ist (s.o. 2.2.3; weiter Maron 219, 256ff). Deren zentrale Stellung für die paulinische Theologie hoffen wir gegen neuerliche Zweifel an diesem Sachverhalt (Stendahl; E. P. Sanders, Paul 435ff, 482ff, Attitude 175; vgl. Hübner, Proprium) mit dieser Arbeit bestätigt zu haben.

Wie Paulus freilich das Recht Gottes über dieser Gemeinde aufrichten will, ohne sie erneut unter das Gesetz zu stellen, wie er die in Christus geschenkte Heiligkeit bewahren will, ohne sie von kultischen oder moralischen Reinigungsriten abhängig zu machen, und wie er dabei die Autorität seines Amtes (oder anderer Ordnungsfaktoren) ins Spiel bringen will, diese Fragen sind noch offen geblieben.

3. GESTALTUNGSPRINZIPIEN PAULINISCHER
EKKLESIOLOGIE

In den ekklesiologischen Erörterungen des Paulus sind grundsätzliche Wesensbestimmung der Gemeinde und konkrete Anweisung für die jeweiligen Einzelprobleme ineinander verflochten. Dennoch läßt sich auch in ihnen die für den Apostel fundamentale Zuordnung von Indikativ und Imperativ erkennen. Das von Gott geschenkte Sein der Gemeinde will konkrete Gestalt gewinnen in der Gestaltung ihres Lebens. Haben wir das Wesen der Gemeinde richtig gezeichnet als Gemeinde, die in der Offenbarung von Gottes Gerechtigkeit ihren Ursprung und Bestand hat, dann muß auch ihre Ordnung und das gemeinsame Leben ihrer Glieder davon bestimmt sein, daß sie im Dienst der Gerechtigkeit steht und statt im Vertrauen auf menschliche Sicherung im Vertrauen auf ihren Herrn lebt.

Wir werden daher im Folgenden nach den Prinzipien zu fragen haben, nach denen sich für Paulus das Leben der Gemeinde gestaltet und ordnet. In welcher Form wird die grundlegende Bedeutung des Evangeliums geltend gemacht? Wie wird die Gemeinde geordnet und wie werden Konflikte geregelt? Wie gestalten sich Amt und Recht in einer Gemeinde, die in Christus aus der Kraft des Geistes lebt?

3.1 Evangelium und Amt

3.1.1 Die bleibende Bedeutung des Evangeliums

Das Evangelium als Wort vom Kreuz trifft in der missionarischen Verkündigung die Hörer als Ruf zur Entscheidung. Gereicht es denen, die sich ihm verweigern, zum Verderben, so wird es den Glaubenden zur Gotteskraft. Deshalb beschränkt sich die Bedeutung des Evangeliums nicht auf die missionarische Verkündigung[1]. Es ist das

---

[1] Gegen Oepke, Missionspredigt 50f; mit Friedrich, ThWNT II, 732,40; Molland 44; Bormann 19ff; Stuhlmacher, Evangelium 83; Schütz, Paul 53ff; Fitzmyer, Gospel 339ff.

bleibende Fundament der Gemeinde (1.Kor 3,10f), auf dem es zu
stehen gilt, wenn anders man nicht vergeblich geglaubt hat (1.Kor
15,1f). Wenn die Galater in Gefahr stehen, sich einem andern Evangelium zuzuwenden, das freilich gar kein Evangelium sein kann, verlassen sie nicht nur die initiale Verkündigung des Paulus, sondern
den Grund ihres Christseins (Gal 1,6f). Die Teilhabe am Evangelium
bleibt die entscheidende Bestimmung des Christstandes (Phil 1,5),
die immer wieder neu zu gewinnen ist (1.Kor 9,23)[2]. Damit wird
nicht nur die missionarische Existenz von Apostel und Gemeinde im
Dienste des Evangeliums umschrieben, sondern ganz umfassend die
Ausrichtung des gesamten Lebens der Gemeinde und des einzelnen
auf das Evangelium (Phil 1,27). In diesem Zusammenhang wird auch
deutlich, daß bei Paulus Ekklesiologie und Anthropologie nicht zu
trennen sind. Geht es doch in den Gemeinden von Korinth und Galatien nicht nur um Glauben und Heil einzelner Christen, sondern um
die Frage, ob die Gemeinde als ganze noch auf dem Grund Jesu Christi stehe.

Überblickt man die *inhaltliche* Füllung, die Paulus dem Begriff εὐαγγέλιον gibt, so sind zwei Linien festzustellen:

a) Unter diesem Stichwort wird festgefügte, katechetische Tradition
zitiert (1.Kor 15,3ff; Röm 1,3f)[3]. Es ist zu vermuten, daß der Begriff schon vor Paulus mit diesen christologischen Bekenntnissen verbunden war[4].

b) Im Evangelium wird Gottes Gerechtigkeit geoffenbart (Röm 1,
16f), es ist die Botschaft des Heils für alle, die glauben. Die paulinische Heidenmission ist in diesem Verständnis des Evangeliums ver-
ankert (vgl. Röm 15,16; 1.Kor 9,23; Gal 1 u. 2)[5].

Die Art, wie Paulus Röm 1,3f mit 1,16f verklammert, macht klar,
daß er beide Linien nicht unverbunden nebeneinander setzt, sondern bewußt die christologische Bekenntnistradition durch die Rechtfertigungslehre interpretiert und umgekehrt[6]. Die christologischen
Heilstatsachen implizieren eine bestimmte Soteriologie, nämlich die

---

[2] S.o. Kap. 2, A.5, bes. Eichholz, Bewahren 141f; weiter Asting, Verkündigung
386; Schütz, Paul 36—53.
[3] Bormann 36ff; Wengst, Apostel 148; Schütz, Paul 54ff („The Gospel as Tradition"); vgl. auch 1.Th 1,9f (2,2) und dazu Stuhlmacher, Evangelium 258ff.
[4] Darauf verwies schon Seeberg 45ff; vgl. Stuhlmacher aaO und Schütz, Paul
108ff.
[5] Zu dieser Differenzierung vgl. Michel, Art. Evangelium, RAC VI, 1116.
[6] Vgl. Bornkamm, Paulus 249—251; Stuhlmacher, Römerbriefpräskript 384f;
Wegenast 79; vgl. Röm 3,24ff (dazu u. A.25).

Rechtfertigungsbotschaft, und werden nur durch sie richtig verstanden[7], die Rechtfertigung wiederum bezieht sich auf das Christusgeschehen, wenn sie nicht Selbstrechtfertigung sein soll[8].

Umstritten ist aber die Frage, ob für Paulus die verwendeten Bekenntnistraditionen einen dem späteren kirchlichen Dogma vergleichbaren Rang besitzen. Dabei ist die Fragestellung zu differenzieren:

1. Wie verhält sich die Benutzung solcher Traditionen durch Paulus zu seinem Anspruch auf apostolische Ursprünglichkeit seiner Verkündigung?

2. Welchen Rang hat die von ihm verwendete und die von ihm begründete Tradition gegenüber seinen Gemeinden?

Den Schlüssel zur Lösung der ersten Frage bietet die Beobachtung, daß Paulus in 1.Kor 15,3ff offensichtlich die ihm vorgegebene Formel erweitert, zumindest um die Erscheinung, die ihm selbst zuteil wurde (V. 8)[9]. Das bedeutet keine Entwertung des Normativen der Tradition, wenn auch klar wird, daß Paulus sich nicht ins rabbinische Traditionsprinzip zwängen läßt[10]. Indem sich Paulus unter die Osterzeugen einreiht, beansprucht er die gleiche Ursprünglichkeit des Apostolats wie die Urapostel. Darum gerät er nicht in Widerspruch zu sich selbst, wenn er dennoch formulierte Bekenntnisse aus der jüdisch-hellenistischen oder palästinischen Gemeinde aufnimmt. Die Gleichheit der Verkündigung wird erwiesen, ohne daß Abhängigkeit bestünde[11].

Man kann sogar sagen, daß Paulus in 1.Kor 15,8ff dem zeitlichen prae der Zeugen der Urgemeinde den sachlichen Vorrang bestritten. Es liegt in dem Wesen der Gnade Gottes, daß sie zur Unzeit Verfolger zu Aposteln macht[12]. Damit aber wird Paulus selbst zum Be-

---

7 Conzelmann, Überlieferungsproblem 150; anders Molland 63ff.

8 Vgl. Röm 4,24f und dazu oben 157.

9 Zum traditionsgeschichtlichen Problem vgl. Graß 94ff; Stuhlmacher, Evangelium 266–282; Kremer; Lehmann, Auferweckt 17–158; Wengst, Formeln 92–101; Schütz, Paul 84–113.

10 Vgl. Wegenast 65–68, der aber den Vordersatz vernachlässigt (vgl. die Anfrage in der Rez. von Kümmel, ThLZ 89, 1964, 755f).

11 Gegen Dinkler, RGG VI, 971; vgl. Schlier, Kerygma 216 A.17 (zur Kritik s. u.); Blum 31,37; Roloff, Apostolat 86,93ff; Delling, Verkündigung 807; Wengst, Apostel 154, 158f; Schütz, Paul 102f; v. d. Osten-Sacken, Apologie 260f.

12 Vgl. Schütz, Paul 103ff, und außer 1.Kor 15,10 auch Gal 2,6 (dazu Stuhlmacher, Evangelium 92, und die textlinguistischen Erwägungen zu 1.Kor 15,3ff bei Schenk, Aspekte 474). Paulus sagt nicht, „daß die entscheidende Autorität durch das *frühere* Evangelium und das *frühere* Apostolat repräsentiert wird", wie Schlier, Gal 68, behauptet. Das μή πως in Gal 2,2 ist indirekte Frage (Oep-

gründer von Tradition für seine Gemeinden[13]. Der Epheserbrief zieht daraus die Konsequenz und läßt die Kirche auf dem Grund des Apostel und Propheten erbaut sein (2,20), während Paulus selbst als Fundament Jesus Christus nennt, gelegt durch die apostolische Verkündigung (1.Kor 3,10).

Bestätigt das die These Schliers, daß auch für Paulus die *Paradosis* „eigentlich das Evangelium", bzw. „die Norm des Evangeliums" sei, die „zeitlich und zuletzt auch sachlich dem Evangelium als Verkündigung" vorausgeht[14]?

Bleiben wir bei 1.Kor 15, wo Paulus am eindeutigsten Tradition als heilsnotwendiges Evangelium kennzeichnet. Er weist damit die Korinther auf die Grundlage des Christseins hin, die allen Christen gemeinsam ist. Die feste Formel unterstreicht den consensus ecclesiae, der in V. 11 noch einmal herausgestellt wird. Der consensus erscheint aber nicht als Bedingung für die Gültigkeit, sondern als Auswirkung der Wirklichkeit der Auferstehung[15]. Diese Wirklichkeit bezeugen die ab V. 5 genannten Personen[16]. Dagegen wird nichts davon gesagt, daß die Glaubensformel (als Formel!) „auf Jesus Christus selbst zurückgeht" und somit „die Elongatur der Offenbarung des Auferstandenen in einem sich fortsetzenden apostolischen Wort des Herrn" darstellt[17]. Sofern sie die entscheidenden Daten des Christusgeschehens bezeugt, hat die Formel zweifellos ihren Ursprung in diesem Ge-

---

ke und Mußner z.St.; Georgi, Kollekte 18); und selbst wenn es Ausdruck der Besorgnis sein sollte, wie Schlier annimmt, ließe der Kontext die Konsequenzen, die er daraus zieht, nicht zu. Es geht um die sachliche Übereinstimmung, nicht um kirchenrechtliche Instanzen (vgl. Delling aaO und seinen Hinweis auf Gal 2, 12—14; Roloff, Apostolat 72; Wengst, Apostel 155ff; Holtz, Apostelkonzil 120, 126f; Bjerkelund, Vergeblich 176f, 186f). Holmberg 26ff dagegen meint, daß Paulus und die Heidenmission de facto von der Anerkennung durch Jerusalem abhängig waren und spricht in Anlehnung an Stuhlmacher (Evangelium 87) von sakralrechtlicher Bindung (153f).

[13] Zum Gedanken der Traditionsbildung vgl. Holl 153ff; Stuhlmacher, Evangelium 275, vgl. 70f: „Paulus versteht sein Evangelium als Offenbarung selbst, d.h. er versteht es als traditionsbejahend, aber nicht als an vorpaulinisch normative Tradition gebunden". Ähnlich Wengst, Apostel 154ff, 159f; Hahn, Apostolat 77 A.89. Zu einfach ist die Aufteilung in „Autorität von Gott" und „Information von Jerusalem" bei Ladd, Revelation 229f.

[14] Kerygma 216.

[15] Schenk, Textling. Aspekte 476. Schlier, Kerygma 217 A.17, Hauptanliegen 151, sieht im consensus ein *konstitutives* Moment (ähnlich Lemonon 168—193).

[16] Daß sie als Tatsachenzeugen gedacht sind, zeigt die Zwischenbemerkung V. 6b; vgl. Käsemann, Traditionsgeschichte 141; Schütz, Paul 109; anders K. Barth, Auferstehung 83; Bartsch, Argumentation; Conzelmann z.St.

[17] Schlier, Kerygma 217 (A.17 von 216).

schehen und trägt es weiter. Nur darin liegt ihre Autorität, nicht in der Tatsache ihrer Tradierung durch bestimmte Instanzen! Offenbarungscharakter haben die Formeln nur, wo durch sie der Auferstandene und Erhöhte als der Gekreuzigte verkündigt wird[18].

Das zeigt die Fortsetzung von 1.Kor 15,1–11 in V. 12ff, wo Paulus nicht einfach Gehorsam für die autoritative Paradosis verlangt, sondern aus dem Zusammenhang von zukünftiger Auferstehung mit der Auferstehung Christi und gegenwärtigem Glauben argumentiert.

Das zeigt weiter 1.Kor 1,17ff, wo sich Weisheitsrede und Wort vom Kreuz keineswegs einfach als modi dicendi gegenüberstehen, wobei der λόγος τοῦ σταυροῦ mit der festformulierten Paradosis identisch wäre[19]. Es geht um das inhaltliche Problem, ob die Korinther das Kreuz als Erweis von Gottes Weisheit und Macht gelten lassen. Wie Wilckens gezeigt hat[20], ist aus der Paradosis allein die Konzentration auf das Kreuz, die 1,17ff; 2,1ff beherrscht, nicht zu erklären. Besonders deutlich tritt der Zusammenhang in 2.Kor 5,14ff vor Augen, wo Versöhnungstat Gottes und gegenwärtiger Ruf Gottes im λόγος τῆς καταλλαγῆς der Apostel (als Verkündigung!) untrennbar verbunden werden[21].

Die Verwendung von traditionellen Bekenntnisformeln hat bei Paulus also eine zweifache Funktion: 1. Sie behaftet die Gemeinde bei dem von ihr abgelegten Glauben an das Evangelium. 2. Sie bindet die gegenwärtige Verkündigung der Gnade an die geschichtlichen Ereignisse von Kreuz und Auferstehung. Als einmaliges Geschehen bedürfen sie der Überlieferung. Daher rührt die Bedeutung der Auferstehungszeugen auch bei Paulus. Wo man die Bindung an das ἐφ᾽ ἅπαξ und damit das extra nos des Heils festhält, wird ihr Zeugnis zur entscheidenden Norm. Nicht weil es von bestimmten Gremien autorisiert ist, sondern weil der Gekreuzigte und Auferstandene Norm der Verkündigung ist[22]. Weil aber diese „Tradition" nicht isoliert werden kann vom Ereignis gegenwärtiger Verkündigung, muß Paulus etwa im

---

18 Vgl. Molland 83: „Für ihn kommt es auf den Inhalt an, und nur die Situation in Korinth bringt ihn dazu, eine Formel als Wiedergabe des Evangeliums wörtlich zu zitieren."
19 Schlier, Kerygma 214ff.
20 Wilckens, Kreuz und Weisheit 97ff.
21 Vgl. Bultmann, Begriff 289, Theologie 301ff, 307ff; und bewußt auf die Traditionsauffassung Schliers eingehend Goppelt, Tradition 216ff. Dagegen unterscheidet Hofius, Gott 16ff, zwischen dem λόγος τῆς καταλλαγῆς als der Proklamation Gottes im Christusgeschehen und der ihr zugeordneten apostolischen Verkündigung.
22 Vgl. Hahn, Schrift und Tradition 458; Wengst, Apostel 161.

Gal trotz offensichtlicher Übereinstimmung im traditionellen Bekenntnis bei seinen Gegnern das Evangelium als verfehlt ansehen. Hier wird die Rechtfertigungslehre zur Norm des Evangeliums[23].

Die andere Frage, inwieweit Paulus seine Rechtfertigungslehre durch vorpaulinische Lehrtradition autorisiert, bzw. selbst zum verbindlichen Bekenntnis erhebt, ist selten gestellt worden. Zur Antwort auf die erste Teilfrage könnte man auf die Formeln in 1.Kor 1,30; 6,11 und Röm 3,24–26 verweisen, in denen schon vor Paulus das Heil als Rechtfertigung beschrieben wurde[24]. Die Traditionsstücke im 1.Kor werden allerdings nicht im Zusammenhang der Rechtfertigungslehre verwandt, und auch in Röm 3 benutzt Paulus die Tradition nicht, um seine Lehre zu autorisieren, sondern nimmt sie auf, weil sie Rechtfertigungsaussagen mit dem Kreuzesgeschehen verknüpft[25].

Schwieriger ist der zweite Teil der Frage zu beantworten. Paulus kommt in der Diskussion gelegentlich zu Formulierungen, die den Charakter eines autoritativen Lehrsatzes tragen (z.B. Gal 2,16; Röm 3,28). So kann Paulus sehr dezidiert vom τύπος seiner Lehre sprechen (Röm 6, 17)[26]. Weiter läßt sich innerhalb des Corpus Paulinum und der Apostelgeschichte beobachten, daß man gewisse Formulierungen der paulinischen Rechtfertigungslehre kannte und als typisch paulinisch zitierte, sowenig man sie ins Zentrum der eigenen Theologie rückte (vgl. Eph 2,8; 2.Tim 3,15; Tit 3,7; Apg 13,38f). Doch zeigen gerade dieses Stellen, daß es sich dabei um geläufige Motive, nicht aber um in fester Formulierung überlieferte und als verbindlich geltende Glaubenssätze handelt[27]. Paulus selber stilisiert die entsprechenden Aussagen nicht als Glaubens*bekenntnis*, sondern als *Urteil* des Glaubens. Könnte man bei dem λογιζόμεθα in Röm 3,28 an ein autoritatives Urteil des Paulus denken, so zeigt in Gal 2,16 die Art der Argumentation im Kon-

---

[23] Vgl. Dietzfelbinger, Irrlehre 45; Asting, Verkündigung 408ff; Gräßer 121; Wengst, Apostel 160; Kahl 15f (deren These von der grundsätzlichen äußeren Diskontinuität des Evangeliums aber weit über das Ziel hinausgeht).

[24] Klein, RGG V, 826; Hahn, Taufe 104—117. Evtl. wäre hier auch Röm 4,25 zu nennen, vgl. Käsemann, Röm 121f (Lit!), anders Wilckens, Röm 279f.

[25] Käsemann, Röm 3,24—26,100; Lührmann, Christologie 359; v. d. Minde 66; Wilckens, Röm z.St. (Lit!).

[26] Zur Diskussion um diese Stelle vgl. Käsemann, z.St. (auch zu 2,16 und 16, 17). Zur Wendung „mein (unser) Evangelium" vgl. Schütz, Paul 71—78: „the personal pronom refers to Paul's involvement with the Gospel" (77), nicht auf eine besondere Lehre.

[27] Andrerseits scheinen die Pastoralbriefe bemüht zu sein, durch solche Formeln auch *inhaltlich* die Sukzession der Lehre zu befestigen (vgl. Luz, Rechtfertigung 378f; Trummer 173—193.

text und das εἰδότες, daß der Gemeinde dieser Sachverhalt nicht als Dogma vorgesetzt wird, sondern daß sie in das Urteil einstimmen soll.

Dennoch ist die Rechtfertigungslehre mehr als immer neu zu vollziehende existentiale Interpretation des Credo[28]. Sie wurzelt im Verständnis der Offenbarung selbst: In Tod und Auferstehung Jesu ist Gottes Gerechtigkeit erschienen und offenbart sich dem Glauben in der Verkündigung des Evangeliums. Der Glaube an den Gott, der Jesus von den Toten erweckt hat, ist der Glaube an den Gott, der den Gottlosen rechtfertigt (Röm 4,24.5). Fides quae creditur und fides qua creditur sind im Gottesbegriff verbunden und verhalten sich *nicht* wie Tradition und Interpretation zueinander[29].

Darum kann der rechte Glauben nicht durch Dogmenbildung gesichert werden. Paulus hat es auch nicht versucht. Bindet er die Gemeinde immer wieder an die anfängliche Verkündigung, so nicht an bestimmte Formulierungen, sondern an den Tatbestand, daß die Gemeinde unter der Verkündigung des Heilsgeschehens das Heil erfahren hat[30]. Diese Wirklichkeit bleibt bestimmend für Gemeinde und einzelnen[31].

Es ist nicht nur eine Formulierungsvariante zu Eph 2,20, wenn Paulus trotz des Bewußtseins seiner einzigartigen Berufung als Auferstehungszeuge für die Heiden in 1.Kor 3,10f nicht sich und seine

---

[28] Dazu Stuhlmacher, Evangelium 38, 281 (gegen Molland 62f). Das gilt gegenüber Schlier (Kerygma 216) wie gegenüber Conzelmann (Analyse 141); vgl. Luz, Aufbau 173 A.35; Wengst, Apostel 153.

[29] Schlier stellt also vor falsche Alternativen, wenn er behauptet, der Rechtfertigung ohne Leistungen aus dem Gesetz könne nur die gehorsame Annahme des Dogmas entsprechen (Hauptanliegen 152, Kerygma 220). Die gehorsame Annahme des Kerygmas kann als sacrificium intellectus genauso zum „geleisteten Werk" werden wie ein Glaube, der „nur eine Entschlossenheit des Menschen zu sich selbst und seiner eigenen Freiheit ist" (220). Man könnte Schlier fragen, ob er nicht selbst schon auf diesem Wege ist, wenn er von „der eilenden Anstrengung des Glaubens" spricht, der es bedürfe! Der Glaube bleibt vom Aberglauben bedroht und wird auch nicht durch das kirchliche Dogma gesichert. Die Dialektik des paulinischen Glaubensbegriffs, in der sich Glaube als Bindung an die Heilstat extra nos und Glaube als Gegensatz zu Leisten und Schauen wechselseitig interpretiert und prüft, darf nicht auseinander gerissen werden; vgl. Lührmann, Glaube 53ff.

[30] Vgl. v. Campenhausen, Begründung 32f; Delling, Verkündigung des Anfangs.

[31] Richtig Roloff, TRE III, 439: Paulus wird „zum normativen Ausgangspunkt einer Tradition ... allerdings nicht in der Weise, daß er seinen Gemeinden und Schülern bestimmte Überlieferungsinhalte zur Rezption und Tradierung überlieferte, sondern so, daß er gewonnene Einsicht in die Struktur des Evangeliums für sie normativ werden läßt".

Verkündigung als Fundament der Kirche bezeichnet, und daß er nicht
schreibt, kein andrer als ein Apostel können den Grund legen, sondern sagt: kein andrer Grund könne gelegt werden außer dem, der
gelegt *ist*: Jesus Christus. Die Autorität des Apostels wird nicht formalisiert, sondern bleibt an die Sache des Zeugnisses gebunden. Auch
das Zeugnis des Apostels weist zurück auf den Bezeugten, und er allein ist konstitutiv für die Gemeinde [32].

Gerade im Gal, in dem Paulus den göttlichen Ursprung seines Apostolats mit Nachdruck verteidigt, erweist sich, daß es im Streit um das
rechte Evangelium nicht genügt, sich auf „autorisierte Tradition" zu
berufen [33], sondern sich jede Verkündigung der Kirche am Evangelium
von der Rechtfertigung des Sünders messen lassen muß (2,15ff). Und
auch in 2.Kor 5,14ff, wo Paulus in der Tat „das Verkündigtwerden
als Geschehen" in die Offenbarung einbezieht [34], verweist er zur Rechtfertigung seiner Verkündigung nicht formal auf seine Autorisation,
sondern auf ihre Übereinstimmung mit der am Kreuz geschehenen Versöhnung (vgl. auch 2.Kor 6,3ff).

Gilt dieses Begründungsgefälle für die grundlegende apostolische Verkündigung, so noch vielmehr für die Weiterverkündigung des Evangeliums durch die Gemeinde, obwohl dies Problem Paulus kaum beschäftigt zu haben scheint [35]. Der einzelne wird in der Verkündigung
immer auch mit der Gemeinde konfrontiert, die vor ihm geglaubt
hat und die Botschaft weiterträgt [36]. Doch fehlt bei Paulus eine systematische Auswertung dieses Tatbestandes, etwa in dem Sinne, daß
gegen die aktuelle Verkündigung hier und jetzt nicht ein zeitloser Gehalt des Evangeliums ausgespielt werden darf. Sicher unzulässig ist es
aber, die Befunde auf die These zuzuspitzen, daß wie die Kirche durch

---

[32] Vgl. Bieder, Irrlehre 18; Stalder, Autorität 175ff, 224ff, der im Blick auf
den Apostel von „primär abgeleiteter Autorität" spricht, ähnlich Holmberg 160:
„his autority is delegated". Dagegen sieht Rohde 53 zwischen 1.Kor 3,10 und
Eph 2,20 keinen Unterschied (de facto auch Klein, Abfassungszweck 139f).
[33] Zur Sache s.u. A.73; die Formulierung nach Bultmann, Kirche 181, mit dessen These wir uns im Folgenden auseinandersetzen.
[34] Bultmann, Kirche 179, doch vgl. Hofius, Gott 16ff.
[35] Darum fragt sich, ob Paulus wirklich mit einer längeren Zeit der Kirche gerechnet und von Zentren aus Mission „organisiert" hat (so Conzelmann, Weisheit 180). Zum Problem vgl. Greeven, Missionierende Gemeinde 66; Lippert
171; Thüsing, Aufgabe 69f; Kertelge, Verkündigung 193, und Ollrog 130ff, der
die missionarische Mitarbeit vor allem in der Delegation von Gemeindegesandten
sieht.
[36] Dazu im einzelnen Holmberg 73ff.

das Wort, so auch „das Wort durch die Kirche konstituiert" werde[37]. Angesichts dessen, was Paulus über die Autorisierung seiner Verkündigung sagt, muß für die Gemeinde, die sich auf ihn beruft und an sein apostolisches Zeugnis hält, der Satz Gauglers gelten: „Nirgends geht das Wort so in die Kirche ein, daß dadurch *das absolute Gegenüber* von Wort und Kirche ... aufgehoben wäre."[38]

An dies Gegenüber wird die Gemeinde durch geprägte katechetische Formeln erinnert, die Paulus zitiert. Darin liegt ihre Funktion und ihr Gewicht[39]. Aber durch sie ist der Gemeinde ihr Gegenüber nicht in die Hand gegeben und die Übereinstimmung mit dem Evangelium ein für allemal garantiert. Sie weisen zurück auf das unverfügbare Fundament der Gemeinde, Jesus Christus[40].

Für die paulinischen Gemeinden wird dies Gegenüber vor allem durch den Apostel und seine Verkündigung verkörpert. Dafür sind seine Briefe ein beredtes Zeugnis. Doch ist deutlich geworden, daß auch seine Autorität nicht einfach identisch ist mit der des Evangeliums. Immerhin führt die Funktion, die er lehrend und mahnend den Gemeinden gegenüber ausfüllt, zwangsläufig zu der Frage, ob das Gegenüber von Christus (Evangelium) und Gemeinde nicht in einem konstitutiven Gegenüber von Amt und Gemeinde innerhalb der christlichen Kirche repräsentiert sein müsse[40a].

3.1.2 Die Frage nach einem konstitutiven Amt

Im Rahmen dieser Problemstellung fragen wir nach der grundsätzlichen Bedeutung des Amtes, bzw. der Ämter in den paulinischen

---

[37] So Bultmann, Kirche 181; vgl. die rechtstheologische Unterstützung durch Dombois, Recht der Gnade 121. Am einseitigsten wird das historische Faktum der Weitergabe des Kerygmas durch die Kirche für deren grundsätzliche Priorität durch J. Knox (Church 121ff) ausgemünzt. Mit Gaugler, Wort, ist jedoch klar zu stellen, daß es nicht um das Problem des Vorkommens von Tradition und amtlicher Verkündigung im NT, sondern um die grundsätzliche Zuordnung von Kirche und Wort geht (21ff). Wird die Kirche als Mittler zwischen Christus und das Wort gestellt, „ist zu fragen, ob hier gesehen sei, daß dieses Wort ... auch als das Wort der Zeugen Wort *des Christus* bleibt, *so* daß also die hier für Christus mit Recht bezeugte Überordnung aus der Sache heraus auch für dieses, Sein Wort postuliert werden muß" (25f).
[38] Gaugler, Wort 26.
[39] Wengst, Apostel 161.
[40] Goppelt, Tradition 216f.
[40a] So sieht Gnilka, Responsabilité 464f, 469, im Amt den Garanten des extra nos des Heils. Umgekehrt sagt Ernst, ThGl 70, 1980, 77: „Das Amt ist ein Organ, nicht das Gegenüber der Kirche".

Gemeinden. Es geht uns also nicht um Detailerörterungen zu einzelnen Begriffen, sondern nur um die entscheidende Frage, „ob die Kirche des Neuen Bundes nach dem Willen Gottes und der Anordnung ihres Stifters Jesus Christus in ihrer irdischen Gestalt eine gegliederte, gestufte (‚hierarchische‘) Ordnung mit Leitungsgewalt bestimmter Organe tragen soll oder ob das ‚heilige Volk Gottes‘ als solches alle Gewalt besitzt und die notwendige Ordnung nur durch die jeweilige Verfügung des Heiligen Geistes (wie immer sie sich auch äußere) hergestellt wird. Oder kürzer: *Ist eine bestimmte grundlegende Ordnung für die Kirche Jesu Christi konstitutiv?* “[41] Hier entscheidet sich ja, ob in der Kirche allein der Glaube rechtfertigt oder auch der Gehorsam gegen eine hierarchische Struktur, ob die Kontinuität der Kirche allein in der Treue Gottes liegt, oder ob Gott seine Treue an die Kontinutät und Sukzession eines kirchlichen Amtes gebunden hat und in ihm sichtbar macht.

3.1.2.1 Die Organisation der paulinischen-Gemeinden

Über die innere Organisation der paulinischen Gemeinden erfahren wir wenig, wahrscheinlich, weil es darüber noch nicht viel zu berichten gibt. In Philippi finden wir Episkopen und Diakone (Phil 1, 1). Alles, was wir über sie sagen können, ist das, daß diese Ämter noch nicht identisch sind mit dem späteren Episkopat und Diakonat. Alles weitere sind Spekulationen[42].

Im 1.Thess ermahnt Paulus die Gemeinde, diejenigen anzuerkennen und in Liebe zu achten, die sich unter ihnen mühen, ihnen im Herrn vorstehen und sie ermahnen (5,12ff). Ganz ähnlich wird die Mahnung an die Gemeinde in Korinth begründet, das Haus des Stephanas anzuerkennen und sich ihm und ähnlichen Leuten unterzuordnen (1.Kor 16,15f)[43]. Das διὰ τὸ ἔργον αὐτῶν in 1.Th 5,13 macht deut-

---

[41] Schnackenburg, Kirche 26 (Hervorhebung von mir), ähnlich Barrett, Signs 20, der aber fragt ob die Alternative richtig ist. Vgl. weiter Kaiser 60, 202 und die Internationale Theologenkommission in IKaZ 4, 1975, 118,121; vorsichtiger Jaubert, Fait communautaire 33; Sesboué 348, der eine sehr differenzierte Antwort gibt (402ff, 415; vgl. auch Delorme, Diversité 344). Zur ökumenischen Diskussion s. Schütte; Raiser 77–102; Müller-Fahrenholz 93–139; Gaßmann; Mumm.

[42] Vgl. Gnilka, Phil Exkurs z.St.; Best, Bishops; Lohse, Entstehung; ausführlich aber mit gleichem Ergebnis Hainz, Anfänge (Lit!). Lemaire, Ministères 99, sieht in den Begriffen einen globalen Ausdruck für die „Verantwortlichen“ in Philippi; ähnlich Grelot, Structure 395; dazu und zum Folgenden Holmberg 100ff.

[43] Harnack, Κόπος, hat den urchristlichen Sprachgebrauch von κοπιᾶν untersucht. Ihm zufolge hat Paulus das Wort „für Missions- und Gemeindearbeit“ ein-

lich, „daß Paulus solche ‚Amtsträger' ... weder in Korinth noch in Thessalonich selbst eingesetzt hat, sondern daß diese aus den Reihen der Gemeinde selbst hervorgingen und sich ausschließlich auf Grund ihres geleisteten ἔργον legitimierten"[44]. Darin liegt kein Widerspruch zur Gnadenlehre. „Grundsätzlich beruht jeder solche Dienst für Paulus nicht auf einer menschlichen Regelung oder einem willkürlichen Entschluß, sondern ist die Betätigung einer Gabe, die der Geist schenkt."[45] Das sola gratia ist für Paulus kein Formalprinzip, dessen kirchliche Entsprechung das rite vocatus oder der character indelebilis des Priesters bilden müßte, sondern führt zum Vertrauen auf die wirkende Kraft der Gnade[46].

Angesichts der Lage in Korinth fällt auf, daß Paulus diese Leute zwar in ihrem guten Einfluß moralisch unterstützt, aber keine konkreten Aufgaben an sie delegiert, weder in Sachen Kirchenzucht, noch in der Frage der Rechtshändel, der Leitung des Herrenmahls oder der Ordnung des Gottesdienstes[47]. Nicht einmal die Sammlung der Kol-

---

geführt „im Hinblick auf die schwere Handarbeit, die er leistete" (5), und es durch Übertragung auf andere Mitarbeiter zum terminus technicus gemacht. Lohse, Gemeinde 191, nimmt daher an, daß 1.Th 5,12 Leute gemeint sind, „die den Auftrag missionarischer Verkündigung erfüllen" (so für 1.Kor 16,15 auch Ollrog 71). Die beigeordneten Partizipien (προϊστάμενοι, νουϑετοῦντες) lassen aber eher an gemeindeleitende oder -ordnende Funktionen denken (Greeven, Propheten 348f; Rohde 44f), wobei der Kontext in Röm 12,8 auch auf das Moment der Fürsorge verweist (Reicke, ThWNT VI, 701,39ff; v. Campenhausen, Amt 70). Zum Personenkreis s. Ollrog 84ff (Lit!), der die Art dieser ordnenden und leitenden Tätigkeit und ihren Zusammenhang mit dem Einsatz für die Mission gut charakterisiert.

[44] Roloff, Apostolat 134; vgl. Hainz, Ekklesia 316–318, Amt 121, der auch die Legitimität des Apostels an seinem „Werk" hängen sieht (vgl. 1.Kor 9,1); Laub, Gemeindegründer 32ff. Ohne Begründung vermutet Harnack, aaO 10, eine Beauftragung durch Handauflegung; ähnlich – trotz Einschränkung – Hainz, Ekklesia 46: „offizieller Art muß" (!) die Beauftragung gewesen sein. Grelot, für den dieser Personenkreis als Keimzelle des späteren kirchlichen Amtes wichtig ist (Structure passim), hält zumindest die Anerkennung durch den Apostel für konstitutiv (Origine 459). Typisch Schlier, Prinzip 98: „Aus dem Apostolat gliedern sich dann lokale Ämter aus"; ähnlich Roberts e.a. Richtig das ignoramus bei Gnilka, Amt 96, und die Feststellung von Giesriegl 203, daß es sich um „keine für dauernd übertragene Vollmacht" handelt.

[45] V. Campenhausen, Amt 73; vgl. auch 1.Kor 3,12ff und dazu Ollrog 171; s.o. Kap. 2, A.299.

[46] Vgl. die charakteristische Verbindung von κοπιᾶν und χάρις in 1.Kor 15,10 und den Hinweis Harnacks, aaO 6, auf 1.Th 1,3: urheberische Kraft ist die Liebe.

[47] V. Campenhausen, Amt 70f. Die Frage der „presidency of the eucharist", die katholische Autoren bewegt (Bourke 507) und Sohms Sicht von der Ent-

lekte wird ihnen anvertraut[48]. Paulus spricht immer die Gemeinde als ganze auf ihre Verantwortung an und will sie zum Handeln veranlassen[49].

Begreiflicherweise hat in diesem Zusammenhang 1.Kor 12,28 immer wieder Aufmerksamkeit erregt. Neben dem Apostel werden Propheten und Lehrer durch die aufzählende Nummerierung und die Benennung mit Personalsubstantiven hervorgehoben. Es ist daher vermutet worden, daß sie die eigentlich gemeindeleitende Autorität darstellen[50]. Aber auch die Verantwortung, die diesen Männern kraft ihrer Gabe gegeben ist, wird von Paulus bei keinem der vielen Problemfälle aus der Gesamtverantwortung der Gemeinde herausgehoben[51]. Die Funktion des Abschnittes im Kontext[52] und die Sorglosigkeit in der Reihenfolge bei ähnlichen Aufzählungen[53] sprechen trotz der feierlichen Eingangswendung (οὓς μὲν ἔθετο ὁ θεὸς ἐν τῇ ἐκκλησίᾳ) gegen die Annahme, Paulus benenne hier die der Gemeinde von Gott eingestiftete Ordnung der Ämter[54].

Möglicherweise war in anderen Gemeinden, wie etwa in Philippi, schon mehr geordnet. Auch in Korinth mögen gewisse Bedürfnisse des All-

---

stehung des Kirchenrechts entscheidend beeinflußt hat (I, 68ff), ist für Paulus ohne Belang. Grelot, für den das „presider" eine wichtige Funktion der 1.Th 5,12; 1.Kor 16,15f; Röm 12,8 u. Phil 1,1 Genannten ist (Structure 396, 407ff), hilft sich durch die Auskunft: „on ne discute pas de ce qui va de soi" (409). Auch Bläser, Amt u. Eucharistie 41ff, ersetzt das nicht zu erbringende exegetische Argument durch die petitio principii; vgl. dagegen kath. Stimmen bei Gaßmann 90 und Wilckens, Eucharistie 78f.

[48] V. Campenhausen, Amt 71f; Greeven, Propheten 350f.

[49] So auch Gnilka, Amt 96; Holmberg 117; Banks 139ff. Jaubert, Fait communautaire, betont, daß die Gemeinde, die als ganzes angesprochen wird, „ne manque jamais de responsables" (33; vgl. aber auch 18ff); ähnlich Goppelt, Kirchenleitung 5ff. Giesriegl 116—126 (Lit!) untersucht das Problemfeld genau, mit dem Ergebnis, daß das Fehlen von „bevollmächtigten Leitungsorganen" in Korinth wahrscheinlicher ist.

[50] Greeven, Propheten passim; Kertelge, Gemeinde 115ff.

[51] Ihr Eingreifen in den von Greeven, Propheten 350ff angeführten Fällen ergibt sich daher auch nicht kraft amtlicher Zuständigkeit, sondern aus sachlicher Notwendigkeit.

[52] Dazu u. 216f.

[53] Vgl. Greeven, Geistesgaben 119; Kuß, Röm 554ff. Der Versuch Schürmanns, Gnadengaben 384ff, „eine Art gemeinsamer Ordnung in den Listen festzustellen ...", beweist eigentlich eher das Gegenteil" (Brockhaus 205 A.7).

[54] Vgl. Soiron 77ff; Wikenhauser 77ff; aber auch Kertelge, Gemeinde 110: „Eine ‚Rangordnung' ... wird hier von Paulus auf die ‚Setzung' Gottes zurückgeführt". Gegen eine Überinterpretation des ἔθετο wendet sich Lips 192 A.50, der auf die Formulierung in V.18 verweist.

tags bald klarere Regelungen nötig gemacht haben (vgl. 1.Kor 6,1ff)[55]. Doch bleibt das alles auf praktische Bedürfnisse ausgerichtet und den Verhältnissen der jeweiligen Gemeinde angepaßt, und nichts deutet darauf hin, daß der Apostel darin eine notwendige und unumkehrbare Entwicklung auf ein konstitutives Amt hin gesehen hat[56].

Auch für die Rolle der Mitarbeiter des Apostels gilt nichts anderes. Zweifellos werden sie von Paulus für ihre Aufträge mit konkreter Vollmacht ausgestattet, und die Übereinstimmung ihrer Lehre mit der des Apostels wird betont (1.Kor 4,17). Nirgends findet sich jedoch eine Andeutung dafür, daß die Funktion eines Mitarbeiters oder Boten des Apostels institutionell beschrieben und damit als dauernde Delegation amtlicher Autorität durch den Apostel verstanden würde[57]. Die heikle Mission des Titus (2.Kor 2,12f; 7,5ff) läßt etwas davon ahnen, wie sehr es bei solchen Aufträgen auf das persönliche Geschick des Gesandten ankam, und zeigt, wie stark die Autorität des Apostels der Mittelpunkt der Auseinandersetzungen blieb[58].

---

[55] Vgl. die Zusammenfassung bei Holmberg 118.

[56] V. Campenhausen, Amt 74. Hainz, Anfänge 107, sieht darin ein unerlaubtes argumentum e silentio, durch das „die charismatische (Un-)Ordnung der Gemeinde in Korinth zur Norm erhoben" werden soll. „Es muß offen bleiben, daß auch Paulus" das Bischofsamt „als eine notwendige Entwicklung akzeptiert hat". Die neuere katholische Exegese spricht in diesem Zusammenhang vom „embryonalen" Charakter der korinthischen Kirchenordnung (Budillon 484; Schürmann, Kirche 307); vgl. auch Bläser, Amt und Eucharistie 24ff. Problematisch ist jedoch auch, wenn Stuhlmacher, Evangelium- Apostolat 37f „eine deutliche Affinität zwischen dem paulinischen theologischen Gemeindegedanken und der historisch damals vorliegenden Notwendigkeit ..., die Gemeinde in vereinsdemokratischer Weise zu organisieren" (38), sehen möchte. Die Quellen sagen weder etwas darüber, daß Paulus diese Notwendigkeit sah, noch darüber, daß er sie theologisch deutete. Zur älteren Vereinshypothese vgl. Linton 21ff und Gilmour 289ff.

[57] Einen Überblick geben Schulze-Kadelbach 68ff; Ellis, Co-workers; Judge, Gemeinschaft 152—162; und jetzt umfassend Ollrog. Holmberg 58—72 ist vor allem an Barnabas und Silas und der durch sie angeblich repräsentierten Verflechtung mit der Arbeit der Jerusalemer Gemeinde interessiert (69ff). Nach Hainz, Ekklesia 303ff, Amt 116ff, ist in Phil 2,19ff Timotheus „als Nachfolger des Apostels in Aussicht genommen" (ähnlich Lohmeyer, Phil 118; dagegen aber mit durchschlagenden Argumenten Vögtle, Apostolizität 535ff).

[58] Daß in 1.Kor 3,5ff Paulus und Apollos trotz der verschiedenen Funktion ihrer Verkündigung als σύνεργοι θεοῦ zusammengefaßt und der Gemeinde gegenübergestellt werden, liegt an der Situation und der Funktion ihres Dienstes, begründet aber kein Recht sui generis für einen Kreis apostolischer Mitarbeiter, die der Gemeinde „sozusagen ‚von außen' gegenübertreten" (Hainz, Amt 119, Ekklesia 49ff, 306ff). Der Kreis dieser „Mitarbeiter" ist ja außerordentlich vielfältig und seine Grenzen sind fließend (vgl. Ollrog 9ff, 93ff). Bei der Bestimmung der von ihnen ausgeübten Autorität wäre also nach der gerade wahr-

Damit stehen wir an der entscheidenden Frage in dieser Sache, dem Verhältnis von Apostel und Gemeinde.

3.1.2.2 Die apostolische Vollmacht[59]

Wir haben die widersprüchliche Art und Weise, in der Paulus seine Vollmacht geltend macht, bereits als eine der Antinomien der paulinischen Ekklesiologie beschrieben[60]. Sie tritt nicht nur im rechtlichen Verhältnis von Apostel und Gemeinde, sondern in fast allen Äußerungen des Paulus über sein Apostolat zutage.

In den Präskripten seiner Briefe betont er seine außerordentliche Stellung als Apostel[61]. Er ist durch Gott berufen und nicht von Menschen. Und demgemäß ist auch sein Evangelium, das er verkündet, nicht κατὰ ἄνϑρωπον (Gal 1,11f). Er hat den Herrn gesehen und ist vom Mutterleib ausgesondert als Apostel für die Heiden[62]. Seine apostolische Verkündigung legt das Fundament für die Gemeinden: Jesus Christus[63]. Seine Verkündigung an die Heiden stellt eine entscheidende Phase im Heilsplan Gottes dar[64].

Aber obwohl Paulus so die grundlegende Bedeutung seines Dienstes für die Gemeinde klar stellt, kann er sich sub specie dei mit allen andern Mitarbeitern zusammenfassen (1.Kor 3,5—7)[65]. Obwohl er um die Einzigartigkeit seiner Berufung und die Besonderheit seines apostolischen Leidens weiß, stellt er sie ebenso wie den Verzicht auf

---

genommenen Funktion zu differenzieren (Verkündiger, Bote des Apostels, Mitarbeiter in einer Gemeinde etc.); vgl. Ollrog 162ff, der sich leider nicht mit Hainz auseinandersetzt. Er sieht in den Mitarbeitern vor allem von den Gemeinden zur Verfügung gestellte Missionsgehilfen (95ff, 119ff) und wendet sich gegen die Vorstellung, sie seien besonders mit der Gemeindeleitung betraut gewesen (85ff, 90 A.145). Nach Judge, Gemeinschaft 148ff, bildet der Mitarbeiter- und Fördererkreis eine Art Missionsgesellschaft (ähnlich Banks 161ff).

[59] Lit. zum paulinischen Apostelbegriff s. bei Rengstorf, ThWNT I, 406—446 (X, 2, 986—9); Roloff, TRE III, 430—445; zur Forschungsgeschichte s. Linton, Kredel, Agnew, Lémaire, Ministries, und Kirk, Apostleship.

[60] S.o. 65ff und Lehmann, Vollmacht.

[61] Vgl. bes. Gal 1,1ff; Röm 1,1ff. Die „amtliche" Ausgestaltung des Präskripts hat ihre nächste formale Parallele in Gepflogenheiten diplomatischer Korrespondenz, wie sie z.B. in 1.Makk 12ff vorliegt; vgl. auch Schlier, Eph 29, u. Roller 89.

[62] Gal 1,1f; 1.Kor 9,1f; Gal 1,15; vgl. Roloff, Apostolat 41—57.

[63] S.o. Kap. 1, A.162; weiter Chevallier, Esprit 22ff, 64; Roloff, Apostolat 104—125; Hainz, Ekklesia 257f; Ollrog 167ff, 175ff.

[64] Röm 11,13ff.

[65] Hainz, Ekklesia 296ff; Ollrog 166. Chevallier, Esprit 47f, betont zu stark den Unterschied zwischen dem Apostel und seinen Mitarbeitern.

Vollmacht und Freiheit als typisch für jeden Christen hin[66]. Obwohl sein Apostolat mehr als ein Charisma unter anderen ist[67], faßt er es mit anderen Diensten unter dem Stichwort ἡ χάρις ἡ δοϑεῖσα zusammen (Röm 12,3.6)[68]. Obwohl die Gemeinde in Korinth nur einen Vater im Herrn, Paulus, hat, gilt für sie: „Alles ist euer, es sei Paulus oder Apollos oder Kephas ...“ (1.Kor 3,21f). Obwohl sich Paulus der Zeichen eines Apostels rühmen könnte, bleibt letztlich der Ruhm Gottes, der seine Kraft in Schwachheit vollendet, die einzige Legitimation[69]. Obwohl seine Verkündigung Dienst der Versöhnung ist, der durch Gottes Heilstat aufgerichtet worden ist und durch den sich die eschatologische Scheidung zwischen Geretteten und Verlorenen vollzieht[70], ist doch seine Person *und* sein Amt nicht Inhalt der Verkündigung (2.Kor 4,5)[71].

---

[66] S.o. 2.3.3 und u. A.276.

[67] Da 1.Kor 12,28 nicht eindeutig als Charismenliste gekennzeichnet ist, nennt Paulus sein Apostolat nach Auffassung vieler Exegeten nie Charisma (v. Campenhausen, Amt 35 A.1; Roloff, Apostolat 127; Kertelge, Apostelamt 177; Hahn, Apostolat 59f). Andere dagegen meinen, die Einbeziehung des Apostolats in den Kontext von 1.Kor 12 impliziere, daß Paulus es unter die Charismen rechne (Greeven, Geistesgaben 111f; Friedrich, Geist 83; Hasenhüttl, Charisma 77 A.1, 165ff). Nach Brosch 102 meint 1.Kor 12,28 einen charismatischen Apostolat im Unterschied zu dem der Zwölf und des Paulus (ähnlich Saß 104f). Stuhlmacher nimmt an, daß Paulus sich hier um bestimmter Polemik willen ausnahmsweise unter die Charismatiker einreiht (Evangelium-Apostolat 36; vgl. Grau 250; Schütz, Paul 258f; Grelot, Structure 406). Eine andere Unterscheidung treffen Giesriegl 87; Hahn, Grundlagen 22: „In seinem Apostelamt steht er der Gemeinde gegenüber, in seiner Gliedschaft am Leibe Christi steht er mitten in ihr“. Beachtenswert ist die Formulierung von Schlier, Grundelemente 213: „Der Apostolat *gründet* nicht im Charisma und ist also seiner Herkunft nach kein Charisma. Aber wir müssen hinzufügen: der Apostel übt dieses sein Amt charismatisch aus“.

[68] Dazu Grau 53ff; Chevallier 146f; Lohse, Amt 340f; Hahn, Apostolat 59. Satake 104, 106 möchte auch für diese Stellen an der Unterscheidung von Apostolat und Charismen festhalten.

[69] Vgl. v. Campenhausen, Amt 44f; 1.Kor 4,11f; 2.Kor 10—13 und dazu Käsemann, Legitimität, u. Eric Fuchs.

[70] S. 2.Kor 2,14ff; 4,1ff; 5,18ff; dazu o. 81ff, weiter Bultmann, Theologie 307ff; Gulin 307f; Léenhardt, Etudes 63; Hainz, Ekklesia 355. Nach Saß 69ff, 74ff wird damit die Mittelstellung des Apostels zwischen Gott und Gemeinde, ja eine Identifizierung von Christus und Apostel beschrieben (ähnlich Schmauch 30). Dagegen sprechen 1.Kor 3,21f und 1,13ff, die eine solche Bindung an den Apostel geradezu verbieten (vgl. Roloff, Apostolat 123; Hainz, Ekklesia 277; C. B. Becker, Unity 75).

[71] V. Campenhausen, Amt 39. Schütz, Paul, möchte diese Spannung gerade in „the personal figure of the apostle“, seinem Charisma als „embodiment and manifestation“ der grundlegenden Norm gelöst sehen (252ff, bes. 263f). Aber

Wir stehen damit am Ursprung dieser Dialektik, beim Verhältnis von
Apostel und Evangelium. Beide gehören für Paulus aufs engste zusammen. Das zeigen die Auseinandersetzungen im 2.Kor und Gal. Die
Anerkennung des Apostolats des Paulus in Jerusalem bedeutet die
Anerkennung des Rechts auf Heidenmission. „Das Recht des gesetzesfreien Evangeliums ruht auf seiner Berufung zu dessen Dienst, und
sein apostolischer Dienst erweist sich in der Verkündigung dieses Evangeliums."[72] Damit ist aber auch die sachliche Priorität des Evangeliums erkannt. Um seinetwillen kämpft Paulus um die Anerkennung
seines Apostolats und um seinetwillen stellt er immer wieder klar, daß
nicht er und sein Amt Grund und Herr der Gemeinde sind, sondern
Jesus Christus. Daß nicht das Amt die Wahrheit des Evangeliums garantiert, zeigt mit radikaler Schärfe Gal 1,8f: Nicht einmal einen Engel, geschweige denn sich selbst nimmt Paulus von dem Anathema
gegen Verkündiger eines andern Evangeliums aus[73].

Wie verhält sich dazu die betonte Behauptung des göttlichen Ursprungs
des paulinischen Apostolats? Zweifellos begründet sie die Dignität des
paulinischen Evangeliums. Das widerspricht aber nicht dem eben Gesagten. Gerade dadurch, daß allein Gott das Evangelium legitimiert,
wird es jeder Sicherung durch menschliche Kriterien entzogen, sei es
die Forderung nach aufweisbaren pneumatischen Erscheinungen, sei
es der Nachweis der Bevollmächtigung durch besondere Autoritäten[74].
Nicht von ungefähr taucht überall da, wo es um die Aufweisbarkeit
der apostolischen Vollmacht und damit um die Legitimität der Verkündigung geht, Rechtfertigungsterminologie auf[75]. Die eschatologische Herrlichkeit offenbart sich im Evangelium als der Verkündigung
des Kreuzes und ist nicht aus menschlichen Vorzügen, ja nicht ein-

---

dann stellt er fest: Paulus „can identify the self with reference to the gift with-
out equating the self with the gift" (272).

[72] V. Campenhausen, Amt 38.

[73] Vgl. v. Campenhausen, Apostelbegriff 270: „Die Wahrheit kann über ihr eigenes Gewicht hinaus nicht noch einmal durch eine Unfehlbarkeit des Apostels
gesichert werden; zuletzt muß das von den Aposteln gelegte Fundament auch
die Apostel tragen, gerade auch im Urteil der Gemeinde, und nicht umgekehrt".
Vgl. C. B. Becker 40; Gräßer 95—98; Eckert, Verkündigung 205; Ollrog 177f.
Die „sakralrechtlichen Relationen" von Apostolat und Evangelium, die Stuhlmacher (Evangelium 69) hier feststellt, sind also nicht einfach kirchenrechtlich
fixierbar (vgl. Gräßer 98, 120; Hay 44).

[74] Vgl. 2.Kor 5,12ff; 12,1—12 einerseits und 2.Kor 3,2; 11,5; 12,11 (zur um-
strittenen Deutung Georgi, Gegner 241ff; Käsemann, Legitimität 485ff, und die
Kommentare z.St.) und Gal 1 u. 2 andrerseits.

[75] Vgl. 2.Kor 3,4ff (s.o. 159ff) und 2.Kor 5,12ff (s.o. 95ff).

mal aus dem AT ableitbar. Nicht umsonst begegnet in diesem Zusammenhang auch das Motiv der Freiheit, das zunächst in der Diskussion um das Gesetz beheimatet ist (vgl. Gal 5,1ff mit 2.Kor 3,17 und 1. Kor 3,21ff)[76]. Es gibt für Apostel und Gemeinde nur eine Bindung, die an Christus[77].

Darum bringt der Anspruch des Apostels, allein von Gott berufen zu sein, die Gemeinde nicht einfach in die Abhängigkeit und unter die Herrschaft einer nicht überprüfbaren, formalen Autorität. Die apostolische Vollmacht ist zwar — wie jede geistliche Autorität — der distanzierten, objektiven Beurteilung nicht zugänglich. Sie führt aber die Gemeinde in die Wirklichkeit Christi und unter die Macht des Geistes und damit in die Freiheit, die allein bestimmt ist durch die Herrschaft Christi und die Verantwortung für den Bruder. Gerade in 1.Th 4,8 und 1.Kor 14,37, wo die göttliche Autorität des apostolischen Wortes ihren stärksten Ausdruck findet, spricht Paulus nicht nur vom Gehorsam, sondern von der rechten Erkenntnis durch den der Gemeinde wie dem Apostel gegebenen Geist[78].

Unter solchen Voraussetzungen kann freilich eines Tages Geist gegen Geist stehen. Daß Paulus für diesen Fall keine eindeutigen formalen, in den Institutionen der Gemeinde abgesicherten Kriterien bietet, kann nach allem, was wir bis jetzt gesehen haben, nicht in der Vernachlässigung solcher Fragen angesichts der nahen Parusie begründet sein, sondern vor allem darin, daß er im Vertrauen auf die Treue Gottes auch das Geschick der Gemeinde an nichts anderes bindet als an den gekreuzigten und auferstandenen Herrn und seine Gegenwart im Geist[79].

---

[76] V. Campenhausen, Amt 50: „Diese Freiheit widerstreitet nicht nur der Wiederaufrichtung des alten jüdischen Gesetzes; sie wird genau so wesentlich, wenn sich in der Gemeinde selbst neue, persönlich bestimmte Autoritäten erheben und ihren Glauben beherrschen wollen ...".

[77] V. Campenhausen, Amt 39; Roloff, Apostolat 124.

[78] Vgl. in 1.Th 4,8 das $\epsilon i\varsigma\ \dot{v}\mu\tilde{\alpha}\varsigma$ (Mss ändern!) und V. 9. Dazu v. Campenhausen, Amt 54, Apostelbegriff 272; Schrage, Einzelgebote 114f, der auf Gal 6,1 verweist, und Hasenhüttl, Charisma 83, der das gleiche Prinzip auch in 1.Kor 5,3ff findet: „Damit steht aber die Gemeinde nicht unter der Vollmacht des Paulus und auch Paulus nicht unter derjenigen der Gemeinde, sondern beide unter dem Wirken des Geistes, der jedem eine unterschiedliche Funktion zuteilt"; ähnlich Ritter, Amt 32.

[79] Vgl. Käsemann, Amt 127, 134; s. auch Phil 1,18, wo Paulus sich über persönliche Animosität und institutionelle Einwände, ja über zweifelhafte Motive hinwegsetzt, „wenn nur ... Christus verkündigt wird", aber auch 1.Kor 7,40, wo er sagt: „Ich meine aber auch den Geist Gottes zu haben".

Im übrigen sollte man nicht vergessen, daß schon z.Zt. des Paulus auch Amt gegen Amt stand. Das zeigt die Auseinandersetzung mit Petrus in Antiochien (Gal 2,11ff)[80], und auch im 2.Kor wird man damit rechnen müssen, daß sich die Gegner auf eine der des Paulus überlegene amtliche Legitimation beriefen[81]. Im Galaterbrief wird die Rechtfertigungslehre zum Kriterium der Auseinandersetzung[82]. Im 2.Kor liegen die Dinge kaum anders. Paulus begnügt sich nicht damit, seine legitimen Rechte auf die korinthische Gemeinde zu verteidigen. Die entscheidende Begründung seiner Vollmacht sieht er darin, daß sein Dienst im Zeichen des Kreuzes geschieht[83]. „Es läßt sich daher ... niemals im voraus ausmachen, wer in der Kirche Recht haben darf und wer nicht. Die Wahrheit muß ihr Recht erweisen; um diesen Erweis kommen die, die sich auf sie berufen, somit nicht herum."[84] Daß die Wahrheit des Evangelims in der Gemeinde bestehen bleibt (Gal 2,5), hängt also allein vom gehorsamen Hören auf sein Wort, der Botschaft vom Kreuz, ab und davon, ob sie dieser Botschaft in all ihren Konsequenzen Raum gibt.[85].

Versuchen wir eine erste Antwort auf unsere Ausgangsfrage: Der Apostel ist mit der grundlegenden Evangeliumsverkündigung betraut. Das gibt seiner Person und seinem Dienst die einzigartige Vollmacht, von der sein Werk und seine Briefe getragen sind. Das macht seine Botschaft für die Gemeinde bis heute verbindlich. Von einer damit ver-

---

[80] S.o. 147f.

[81] S. A.74.

[82] S. Gräßer 116: „Die Rechtfertigung des Gottlosen ist das Kriterium zur Unterscheidung von Evangelium und Nicht-Evangelium."

[83] Vgl. Stuhlmacher, Evangelium — Apostolat 34f: Paulus „kennt und bejaht die den Aposteln durch ihre einzigartige Sendung zugewachsene Autorität und Vollmacht (1.Kor 9,3ff). Doch ist das Autoritätsproblem bei ihm neu und bis an die Grenze der Paradoxie reflektiert (...). Da er den gekreuzigten Christus als die Rechtfertigung des Gottlosen predigt, kann die Autorität des Apostels gerade darin deutlich werden, daß er als der in Ohnmacht und Schwachheit Vollmächtige, als der im Leiden Erhaltene und als der unverdientermaßen Begnadete die Blicke von sich weg auf Christus wendet (2.Kor 12,9f)." Treffend auch Thüsing, Dienstfunktion 82ff.
Mutatis mutandis gilt das Gleiche für 2.Kor 5,14ff. Die Vollmacht der apostolischen Verkündigung, „Vergegenwärtigung des Versöhnungshandelns Gottes in Christus" zu sein (Hainz, Ekklesia 277; s.o. Kap. 2, A.192), wird nicht an der Existenz eines herausgehobenen Amtes verifiziert, sondern allein am geschehenden Dienst und seiner Bestimmtheit durch das Kreuz (2.Kor 5,14f). Eine kategoriale Unterscheidung zur Existenz jedes Christen wird nicht getroffen (s.o. 95ff). Das scheint mir bei Scheffzyk 299ff und Kertelge, Offene Fragen 588ff, zu wenig bedacht.

[84] V. Campenhausen, Tradition 15.

[85] Für die Urkirche konkretisierte sich das in der Frage der Heidenmission.

bundenen Begründung einer „von Gott bestimmten, von vorneherein verpflichtenden Grundverfassung der Kirche, die dem Prinzip der ‚Sendung von oben' folgt,"[86] lassen die Quellen nichts erkennen und die Art, wie der Apostel mit seiner Autorität umgeht, widerrät dem Versuch, dies als ein in ihr impliziertes, verborgenes Prinzip zu deduzieren. „Wenn es eine über Person und Lebenszeit des Apostels hinausweisende Instanz und Autorität gibt, dann nur das Evangelium selbst in der von Paulus geprägten und auch bewußt gepflegten Tradition. Das Evangelium ist die eine Autorität, die über die Gemeinde gebietet, und die einzige Autorität, deren sie bis zur nahen Parusie wirklich bedarf, weil im Evangelium Christus selbst anwesend ist und die Glaubenden begleitet."[87] Doch muß dies zunächst im weiteren Horizont der paulinischen Auffassung von der Ordnung der Gemeinde überprüft werden.

---

[86] Schnackenburg, Kirche 33.
[87] Stuhlmacher, Evangelium-Apostolat 35; vgl. Schweizer, Gemeinde 194 (Lit!); Marxsen, Nachfolge 89f; Hahn, Apostolat 77; Roloff, TRE II, 522; Banks 182ff. Inhaltlich entfalten diesen Kanon der Apostolizität Barrett, Signs 89ff; Stalder, Autorität. Doch wird gegen diese Folgerung von katholischen Exegeten z.T. leidenschaftlich protestiert. Sie übersehe „den fundamentalen Unterschied" zwischen der Urkirche und der nachapostolischen Kirche, „die die Offenbarung in der Form der apostolischen Tradition zu wahren hat" (Schürmann, Gnadengaben 410f). Zugegeben wird, daß bei Paulus selbst die Weiterführung des apostolischen Amtes strukturell wenig vorgebildet ist. Der Charakter der „charismatischen Frühgemeinde" wird jedoch als Ausnahme angesehen und für uns, die wir in der nachapostolischen Zeit leben, der Ansatz des Lukas und der Pastoralbriefe für „konstitutiv und verbindlich" erklärt (Schürmann, Kirche 308; Ernst, ThGl 58, 1968, 180f [doch vgl. jetzt ThGl 70, 1980, 72—85!]; Bourke 493ff, der sich damit vor allem gegen Küng, Kirche 419ff: „Apostolizität in der Nachfolge", wendet). Ansatzpunkt für den Brückenschlag von Paulus zu den Pastoralbriefen ist meist die Rolle der Mitarbeiter (s.o. 207). Wie gewagt aber die Vermittlung zwischen historischer Wirklichkeit und dogmatischem Postulat dabei ausfällt, zeigt etwa Schlier: „Was zu Lebzeiten der Apostel, als das apostolische Amt alle Ämter noch lebendig in sich schloß, nur wie eine persönliche Anweisung aussah *und auch war*, das wird jetzt in seinem verborgenen rechtlichen und institutionellen Sinn offenbar und wirksam." (Grundelemente 224 [Hervorhebung von mir]; vgl. Bläser, Amt und Gemeinde 183; Hainz, Ekklesia 304ff, Amt 119f). Vorsichtiger spricht Giesriegl 204f von der (historischen) Notwendigkeit, nach Fortfall der Leitung durch den Apostel die Überlieferung durch den „in einer besonderen Berufung gründenden Dienst" zu bewahren.
Aber auch für Lukas und die Pastoralbriefe ist die Grundfrage Bläsers (aaO 168): „Ist das apostolische Wort die einzige Richtschnur und Norm kirchlicher Gemeinschaft, oder begegnet dieses Wort eben nur in der Verkündigung der Kirche in der Weise des von Christus gestifteten Amtes?" nicht so sicher im zweiten Sinne zu beantworten. Das ist jedenfalls die Tendenz der in Kap. 1,

3.2 Charisma und Dienst

Wenn Paulus darauf verzichtet, bestehende Schwierigkeiten durch Übertragung erweiterter Vollmachten an gemeindliche Funktionsträger zu beheben, so warm er deren Bemühungen auch sonst empfehlen und unterstützen mag, auf welche Weise soll dann nach seinen Vorstellungen die vom Geist gewirkte Ordnung erkannt und anerkannt werden? Die Antwort darauf gibt die Lehre von den Charismen, die er in 1.Kor 12—14 und Röm 12 entfaltet[88].

Wir haben dies Thema in unserer Untersuchung schon mehrfach berührt: Wo man über die Auffassung des Paulus vom Leib Christi, vom Geist oder vom Amt nachdenkt, muß man auch von den Charismen reden. Das beweist die außerordentliche Bedeutung dieses Themas. Nirgends spricht der Apostel so grundsätzlich vom Wesen und vom Leben der Gemeinde wie hier. Wir befinden uns offensichtlich im Zentrum seiner Ekklesiologie. Dennoch entwickelt Paulus auch hier seine Gedanken im Rahmen einer konkreten Problemstellung. Der Beginn von 1.Kor 12 περὶ δὲ τῶν πνευματικῶν weist auf eine Anfrage der Korinther hin[89], die über die Bewertung der Geistesgaben Auskunft haben wollten. Die Lage läßt sich verhältnismäßig klar rekonstruieren: In Korinth sahen viele in der Gabe der Glossolalie das untrüglichste Zeichen für den Besitz des Geistes, weil man die damit verbundenen ekstatischen Phänomene als völliges Ergriffen- und Erfülltsein von der Macht des Pneuma interpretierte. Die Tendenz ging offensichtlich dahin, daß man nur den, der in Zungen re-

A.3 u. 4 genannten neueren Literatur; vgl. vor allem die kritische Darstellung des ganzen Themas bei Vögtle, Apostolizität (bes. 551f, 578ff), weiter Delorme, Diversité; Sesboüé; H. Denis; und die Referate zur Debatte auf kath. Seite bei Schnackenburg, Apostolizität, und Kertelge, Gemeinde 139f A.125 (Lit!).

[88] S. Brockhaus 126f (Lit); Giesriegl 44ff; zur Geschichte des Begriffs Grau; Hasenhüttl, Charisma 104ff; zur Frage Amt und Charisma bietet Brockhaus 7ff einen umfassenden Überblick (Lit!) und den Versuch einer Definition der Begriffe (24 A.24). Seither erschienen: Schulz, Charismenlehre; Herten; Hahn, Charisma; Schelkle, Amt. Das Verhältnis zum soziologischen Charisma-Begriff wird von Schütz, Paul 249ff; Holmberg 136ff diskutiert.

[89] Vgl. die Kommentare z.St. Wir fassen wegen 14,1 πνευματικῶν als Neutrum (mit Grau 44, Käsemann, Amt 111; Maly, Gemeinde 50; Conzelmann, 1.Kor 241; Brockhaus 150). Holtz, Kennzeichen 368f, nimmt an, daß die Korinther nach den πνευματικοί fragten, Paulus aber von den πνευματικά spricht (ähnlich Hahn, Charisma 422 A.12). Zum religionsgeschichtlichen Hintergrund vgl. Ellis, Spiritual Gifts.

den konnte, als Geistträger anerkennen wollte[90]. Das führte zu unerträglichen Spannungen zwischen den Gemeindegliedern und chaotischen Zuständen im Gottesdienst, wo jeder sein Geisterfülltsein demonstrieren wollte. Auf diesem Hintergrund sind die Ausführungen in 1.Kor 12—14 zu sehen. Wie die Wiederaufnahme der Thematik in Röm 12 zeigt, hat Paulus ihr über die akute Krisenbewältigung hinaus grundsätzliche Bedeutung für das rechte Verständnis vom Leben in der Gemeinde zugemessen. Was er sich in der Auseinandersetzung mit den korinthischen Enthusiasten erarbeitet hat, ist ihm zum Modell für die geistgewirkte Ordnung der Gemeinde geworden[91].

3.2.1 Die Vielfalt der Gaben und der eine Geist

Die Antwort des Paulus auf die Anfrage der Korinther beginnt in 12,2f mit einer knappen Grundsatzerklärung, die in manchen Einzelheiten für uns reichlich änigmatisch ist. Doch scheint der Grundgedanke klar zu sein. Nicht das Phänomen ekstatischen Hingerissenwerdens ist untrügliches Indiz für das Wirken des Heiligen Geistes, sondern die rechtswirksame Unterstellung unter die Herrschaft Jesu im Bekenntnis ΚΥΡΙΟΣ ΙΗΣΟΥΣ[92]. Damit ist zunächst nicht weniger behauptet, als daß jeder, der sich zum Herrn Jesus bekennt, vom Geist erfüllt ist. Gleichzeitig ist damit angedeutet, daß alles Wirken des Geistes zum Vollzug der Herrschaft Christi drängt.

In 12,4—30 folgt eine Reihe außerordentlich klar stilisierter und durchstrukturierter Abschnitte:

V. 4—6 wird in drei parallelen Sinnzeilen die verschiedene Zuteilung von Charismen, Diensten und Kräften auf den *einen* Geist, Herrn und Gott zurückgeführt, „der alles in allen wirkt".

V. 7—11 differenziert diese Aussage: Die „Offenbarung des Geistes" — zweifellos ein Schlagwort der korinthischen Enthusiasten — „wird

---

90 Greeven, Propheten 307ff; Brockhaus 154ff.
91 Käsemann, Röm 320; Herten 79ff; weiter u. 221f.
92 Ziel der Verse ist nicht, eine allgemeine, leicht zu handhabende Formel zur Unterscheidung der Geister zu geben (mit Maly, 1.Kor 12,1—3; Greeven, Propheten 307f A.6; Holtz, Kennzeichen 374ff; gegen Bornkamm, Paulus 188; Kramer 61, 165; vorsichtiger (Lietzmann —) Kümmel, 1.Kor 187), sondern gegen die ekstatische Engführung Weite und Tiefe der Wirkung des Geistes deutlich zu machen (Eichholz, Charism. Gemeinde 9ff; Herten 62). Die Frage nach der Echtheit des verbalen Bekenntnisses stellt sich in diesem Zusammenhang nicht. Auf das Problem des Ἀνάθεμα Ἰησοῦς kann hier nicht eingegangen werden.

jedem einzelnen zum Nutzen (aller) gegeben". Das wird durch die
folgende Liste demonstriert, die nach dem Prinzip aufgebaut ist: jedem eine andere Gabe, aber immer derselbe Geist, was durch den
Schlußsatz in V. 11 noch einmal kräftig unterstrichen wird. Die Aus-
wahl der Gaben in dieser Zusammenstellung steht unter dem Gesichtspunkt der Fülle, des Reichtums und der menschliche Möglichkeiten überschreitenden Kraft des Wirkens des Geistes[93]. All das
hätten auch die Korinther gerne als φανέρωσις τοῦ πνεύματος anerkannt, wenn ihnen auch die Endstellung der Glossolalie verwunder-
lich gewesen sein mag. Worauf es Paulus zunächst ankommt, ist, die
Vielfalt und Verschiedenheit der Gaben vor Augen zu stellen, die
ein und derselbe Geist schenkt.

V. 12–27 bringt den Vergleich der Gemeinde mit einem Leib. Die
Einleitungsformel des Gleichnisses zerbricht aber dort, wo nach der
Bildhälfte die Sachhälfte genannt werden müßte[94]. Die Gemeinde
wird nicht einfach mit einem Organismus verglichen; sie wird mit
dem Leib Christi identifiziert, ein Gedanke, der für Paulus so entscheidend ist, daß er ihn nicht nur in V. 13 einflicht, sondern ihn in
V. 27 noch einmal aufgreift. Das ist der Rahmen, in dem der Vergleich tragfähig ist. Nur weil die Gemeinde immer schon Leib Christi ist, „kann sie auch mit einem Leib verglichen werden, in dem alle
Glieder solidarisch zusammenwirken"[95]. Der Vergleich selbst ruht
auf drei Grundgedanken: 1. Der Leib besteht nicht aus *einem* Glied,
sondern aus vielen. 2. Weil die vielen Glieder in *einem* Leib leben,
sind sie alle aufeinander angewiesen. 3. Jedes Glied hat seine Aufgabe und seinen Wert (= Ehre), darum sorgen alle Glieder füreinander
und tragen Leid und Freude gemeinsam[96]. Ab V. 18 durchbricht die
paränetische Absicht immer wieder das Gleichnis. Die Bildrede wird
zur allegorischen Einkleidung für das, was Paulus der Gemeinde sagen möchte.

V. 27 und 28 leiten dann expressis verbis über zur Anwendung auf
die Gemeinde. Wie Gott in einen Leib verschiedene Glieder gesetzt
hat, so auch in die Gemeinde verschiedene Funktionen. Die Aufzählung, die jetzt folgt, unterscheidet sich von der in V. 8–10 be-
trächtlich und ist sehr viel sorgfältiger aufgebaut. An der Spitze steht
— durch die Zählung besonders hervorgehoben — die Trias Apostel,
Propheten, Lehrer. Es kann kein Zweifel sein, daß Paulus die Funk-

---

[93] Herten 63–65; Hahn, Charisma 422ff.
[94] S.o. 43.
[95] Herten 66.
[96] Ähnlich Maly, Gemeinde 190.

tion, die diese Personen ausüben, als besonders wichtig für die Gemeinde betrachtet[97]. Dann folgen Wunderkräfte und Heilungsgaben und mit den Stichworten ἀντιλήμψεις und κυβερνήσεις werden offensichtlich auch die Gaben der Leute in die Charismenliste aufgenommen, die Paulus sonst als κοπιῶντες, προϊστάμενοι oder νουθετοῦντες bezeichnet[98]. Wiederum steht am Ende — fast provozierend — die Zungenrede.

Trotz dieser eindeutigen Gewichtung ist nicht die von Gott gesetzte hierarchische Ordnung der Ämter der Zielpunkt dieser Aufzählung[99]. Das Ziel des Gedankenganges markieren vielmehr V. 29f, in denen mit fast pedantischer Genauigkeit zu den einzelnen Punkten der Liste gefragt wird: Sind etwa alle Apostel? ... Die Antwort ist selbstverständlich und der Schluß ist unausweichlich: Die *Vielfalt* der Dienste ist von Gott gegeben und von Gott gewollt, trotz der unterschiedlichen Funktion der einzelnen Gaben[100]. Damit hat Paulus

---

[97] Kertelge, Gemeinde 109f; Hahn, Grundlagen 23 („unerläßliche Funktionen, die in einer Gemeinde unter keinen Umständen fehlen dürfen"), Charisma 437. Die Trias ist wahrscheinlich traditionell (Brockhaus 95f; Merklein, Amt 249ff; Hahn, Apostolat 60 A.29). Dafür spricht nicht nur die äußere Form, sondern auch die Schwierigkeit ein so klar umrissenes Propheten- und Lehramt mit dem Bild, das die Gemeinde in Korinth bietet (vgl. Kap. 14), in Einklang zu bringen. Greevens Versuch, dies zu tun (Propheten 310ff; Kertelge, Gemeinde 121), zeigt die Problematik! Unklarheit herrscht jedoch über Herkunft und Bedeutung der Tradition. Harnacks These (Entstehung 18f, 31—45) von den gesamtkirchlichen charismatischen Ämtern ist meist aufgegeben (Roloff, TRE II, 521; doch vgl. Kraft!). Lemaire, Ministères 84, sieht in der Trias eine „hiérarchie missionaire", die auf antiochenische Missionstradition zurückgeht. Die Genannten sind „essentiellement des ministres de la Parole" (Diversité 62). Gegen das Vorliegen von Tradition spricht Crone 210f.

[98] Goppelt, Kirchenleitung 4f; Barrett, Ministry 47ff; Schürmann, Gnadengaben 398ff; Brockhaus 105ff. Ollrog 88f vermutet, daß Paulus hier eine gewisse Vollständigkeit beabsichtigt, und macht darauf aufmerksam, daß die „Mitarbeiter" nicht als Sondergruppe erscheinen. Eine Besprechung aller in den verschiedenen Listen aufgezählten Charismen bieten Schürmann, aaO 388ff; Giesriegl 44ff; Knoch, Geist 110ff; Smalley.

[99] Vgl. Stuhlmacher, Evangelium — Apostolat 36 A.19; Roloff, Apostolat 125f; Chevallier 212; Crone 211; ähnlich von den kath. Exegeten Hasenhüttl, Charisma 233; Gewiess 158f; Gnilka, Amt 97; vorsichtig Schnackenburg, Kirche 31f: keine Hierarchie, aber „heilige Ordnung" (s.o. A.54). Nach Eichholz, Charism. Gemeinde 20, entspricht selbst „eine Wertskala ... kaum der Intention des Paulus" (vgl. Greeven, Geistesgaben 112, 119; dagegen Schürmann, aaO 384ff; Giesriegl 132ff).

[100] So auch Kertelge, Apostelamt 175f: „Es geht Paulus an dieser Stelle nicht zuerst um eine Vor-, Neben- oder Unterordnung der aufgezählten Gruppen oder Charismen im Verhältnis zueinander; vielmehr soll in der Mannigfaltigkeit der untereinander sehr verschiedenen Geistwirkungen der *eine* Geist als die gründende und tragende christliche Wirklichkeit erkannt werden."

noch einmal den Grundgedanken aufgegriffen, der auch die anderen
Abschnitte (4—11 und 12—27) bestimmte: die verschiedenen Gaben schenkt der *eine* Gott. Dies gilt es zu erkennen. Und wenn man
schon eine Rangordnung sucht und nach besseren Gaben strebt (12,
31a)[101], dann müssen andere Maßstäbe gesucht werden, als sie bisher
von den Korinthern angelegt wurden. Doch führt dies schon zum
nächsten Thema des Abschnittes. Bevor wir es aufnehmen, fassen
wir die theologischen Leitlinien von Kap. 12 zusammen:

1. Die Strukturanalyse des Kapitels läßt *einen* Grundgedanken mit
großer Deutlichkeit hervortreten: die freie Souveränität Gottes in
der Zuteilung der Gaben. Diese Aussage steht nicht nur in V. 6 und
V. 11 jeweils als eindrucksvoller Abschluß einer Gedankenreihe, sie
durchbricht in V. 18 und V. 24 das Bild vom Leib und wird dann in
V. 28 in der Sachhälfte noch einmal aufgenommen: Gott setzt ein,
wie er will.

2. Gottes souveräne Zuteilung bedeutet nicht Willkür, sondern ermöglicht sinnvolles Zusammenwirken. Paulus unterstreicht dies im Bild
vom Leib mit der Aussage: „Gott hat den Leib so zusammengefügt,
daß er dem Bedürftigen besondere Ehre gab, damit es keine Spaltung
im Leib gibt, sondern die Glieder einträchtig füreinander sorgen" (V.
24f). Die Unterschiede in der Begabung sind in Gott aufgehoben.

Daß Gott den Leib zusammenfügt, wird in der Sachhälfte durch den
Hinweis auf die vorgegebene Wirklichkeit des Leibes Christi begründet (V. 13). Welchen Sinn hat aber in diesem Kontext die eingescho-
bene Bemerkung εἴτε Ἰουδαῖοι εἴτε Ἕλληνες, εἴτε δοῦλοι εἴτε ἐλεύ-
θεροι? Ist sie nur überschießendes Element einer überkommenen
Formel, das „den geraden Gang der Beweisführung störend unter-
bricht"[102]? Dagegen spricht das doppelte πάντες, das in diesem Vers
ausdrücklich dem dreifachen ἕν gegenübergestellt wird[103]. Die Einheit des Leibes Christi erweist sich gerade darin, daß in ihm die soteriologischen Qualifikationen keine Rolle mehr spielen und die sozialen Schranken überwunden sind. Das ist die Basis, die Paulus braucht,
um von den *verschiedenen* Gaben sprechen zu können, die Vorbedin-

---

[101] Zu ζηλοῦτε vgl. Iber: 12,31 ist Indikativ, beschreibt die Haltung der Korinther und wird durch 12,31b korrigiert. Der Imperativ wird positiv erst nach
Kap. 13 und 14,1 unter dem Gesichtspunkt der οἰκοδομή aufgenommen (so auch
Kieffer 42f; Giesriegl 137; kritisch Holtz, Kennzeichen 366; Wischmeyer 31ff).
[102] Lietzmann (— Kümmel), 1.Kor z.St.
[103] Damit wird nicht ausgeschlossen, daß eine Formel vorliegt; es geht um die
Art ihrer Auswertung. S.o. Kap. 2, A.103.

gung, die den Organismusgedanken im religiösen Bereich erst sinnvoll macht: Alles, was folgt, begründet nicht aufs neue *soteriologische* Unterschiede, sondern ist organische Entfaltung der grundsätzlichen Einheit im Leibe Christi[104].

In dem ganzen Passus geht es ja darum, daß gewisse unscheinbare Gaben und Dienste nicht verachtet werden angesichts der Phänomene, die als πνευματικά imponieren. Alle Gaben sind χαρίσματα, Ausfluß und Konkretion der Gnade, gleich ob es sich um das Wirken eines Apostels, um das eindrucksvolle Geschehen der Glossolalie oder um den stillen Dienst der Hilfeleistungen handelt. Der rühmende Stolz auf eine bestimmte Geistesgabe ist daher ausgeschlossen. Was gilt, ist der Ruhm der Gnade und die Möglichkeit zum Dienst, die mit der Gabe gegeben ist. Die kritische Funktion des sola gratia bewährt sich nicht nur gegenüber Nomisten, sondern auch gegen Enthusiasten, und die Charismenlehre erweist sich darin — wie Käsemann treffend formuliert hat — als „die Projektion der Rechtfertigungslehre in die Ekklesiologie hinein"[105].

3.2.2 Gemeinde für andere

Nach dem Gesagten überrascht jedoch die Fortsetzung von 12,31a in 14,1, wo Paulus das ζηλοῦν der Korinther nach besonderen Geistesgaben aufgreift und in den folgenden Versen positiv in den Wunsch kleidet, alle möchten die Gabe der Prophetie erhalten. Widerspricht sich hier Paulus nicht selbst? Gibt es doch wertvollere Gaben? Der Widerspruch löst sich auf, wenn beachtet wird, daß Paulus in 1.Kor 12 und 14 aus verschiedenen Richtungen gegen die Überbewertung der Zungenrede argumentiert[106]. In 1.Kor 12 wird jede Betätigung als gottgegeben betrachtet. Indem Paulus den Begriff χάρισμα einführt und damit alles, was in der Gemeinde geschieht, von der Macht und

---

[104] S.o. 107 zum Motiv vom Leib Christi; insofern ermöglicht die Charismenlehre echte Individualität (Schütz, Charisma 233).

[105] Amt 119; Schulz, Charismenlehre 444, 454.

[106] Vgl. die Endstellung in allen Aufzählungen (Greeven, Propheten 307); es geht also in 12—14 durchweg um das Problem der Zungenrede (Hasenhüttl, Charisma 233). Im übrigen hat schon Lauterburg 21 und nach ihm Grau 163 darauf hingewiesen, daß das Streben nach den Charismen nicht deren Geschenkcharakter beeinträchtigt, sondern zeigt, daß der Christ in der Verantwortung bleibt (vgl. auch K. Barth, Auferstehung 45f; Maly, Gemeinde 193, und Reiling 65, der mit v. Unnik ζηλοῦν mit „to practise zealously" wiedergibt).

Gabe der χάρις ableitet[107], nimmt er den sogenannten πνευματικά ihren besonderen Nimbus. Alle Christen haben Charismen[108]. Darum sind alle Christen πνευματικοί[109]. Auf diesem Hintergrund nimmt Paulus in Kap 14 die Frage der πνευματικά im engeren Sinne noch einmal auf und wertet sie, nun nicht mehr unter dem Aspekt des religiösen Besitzes, sondern unter dem des Nutzens für die Gemeinschaft und insbesondere für die gottesdienstliche Versammlung.

Zwar anerkennt er ein relatives Recht der Zungenrede zur privaten Erbauung (14,4.18). Ziel der christlichen Dienste und der Gaben des Geistes bleibt aber die Erbauung der Gemeinde. Nicht die wunderhafte Erscheinung rechtfertigt die Geistesgaben, sondern allein die Tatsache, daß sie einem andern helfen[110]. Darum sollte Zungenrede übersetzt und möglichst die Gabe der Prophetie angestrebt werden. Wichtig ist dabei, daß die Erbauung der Gemeinde ganz personal verstanden wird: der *andere* in der Gemeinde soll erbaut werden[111].

Eine überraschende Ausweitung dieser Ausrichtung auf den „andern" vollzieht sich in 14,23ff. Kriterium ist nicht nur die Verständlichkeit für die Gemeinde, sondern auch für den Nichtchristen[112]. Durch die

---

[107] Vgl. O. Michel, Gnadengabe 135; Grau 53—57, 63, 160ff; Chevallier 145ff; Hasenhüttl, Charisma 118ff; Kertelge, Gemeinde 104ff; Käsemann, Röm 320f; Doughty, Priority 176ff; kritisch Brockhaus 140f (dazu wiederum Conzelmann ThWNT IX, 395 A.25; v. Lips 184ff); Hahn, Charisma 425. Paulus benutzt den Begriff, den er in die christliche Terminologie einführt, zur Qualifikation der πνευματικά, einem terminus technicus, den andere geprägt haben (vgl. Grau 124, 153, 169f; ähnlich Käsemann, Amt 110f, Röm 321; Chevallier 155, 163; Hahn, Charisma 422ff).

[108] Vgl. Friedrich, Geist 76f; Schürmann, Gnadengaben 382ff; Gnilka, Amt 98f; Hasenhüttl, Charisma 234, u.v.a.m.

[109] Friedrich, Geist 66; Schweizer, ThWNT VI, 421 A.605.

[110] Käsemann, Amt 112; zur Gemeinschaftsbezogenheit des Charismas vgl. Lauterburg 9ff; Grau 28, 52, 58; Gnilka, Amt 98f; Hasenhüttl, Charisma 123f, 238ff. Hierin hat die Übereinstimmung des Paulus mit den korinth. Enthusiasten, die Saake herausstellt, ihre klare Grenze.

[111] Vgl. 1.Kor 14,17 mit 14,1.12; dazu o. Kap. 1, A.23 u. Pedersen, Agape 169f.

[112] Vgl. Schweizer, Service 339f; U. B. Müller, Prophetie 26ff; Crone 214ff; Maly, Gemeinde 203ff; Hill, Prophets 112ff; Stendahl, Jude 123ff, u. B. C. Johanson (mit problematischen Konsequenzen). Der Abschnitt paßt nicht zur These von Dautzenberg, Prophetie, daß es die Prophetie mit Offenbarung von Geheimnissen zu tun hat. Er hält ihn daher für einen „Sonderfall prophetischer Erkenntnis und Wirksamkeit" (299; vgl. 243ff). Aufschlußreich ist der Vergleich von 1.Kor 14,23ff mit 1 QS 9,16—18, wo das in der Gemeinde gebotene Zurechtweisen (הוכיח ≙ ἐλέγχειν) gegenüber Leuten, die nicht zur Ge-

Aufdeckung des Verborgenen, die Beurteilung und Überführung wird der Fremde dazu gebracht, in der Proskynese Gott zu huldigen und seine Gegenwart in der Gemeinde zu bekennen. Der Gottesdienst der Gemeinde ist keine Mysterienfeier, sondern offen für den Dienst an der Welt[113].

Die gleiche Linie findet sich in Röm 12 und 13. Der Befund im Römerbrief ist in diesem Zusammenhang besonders wichtig. Während die Argumentation in 1.Kor 12–14 sehr stark auf die Verhältnisse in Korinth ausgerichtet war, bieten die Kapitel im Röm zweifellos eine gewisse systematische Zusammenfassung der paulinischen Paränese.

V. 1 und 2 leiten ein: Paulus möchte die Konsequenzen der Barmherzigkeit Gottes für das Handeln der Christen aufzeigen. Geistlicher Gottesdienst geschieht darin, daß sie ihre Leiber zu lebendigem, heiligem und Gott wohlgefälligen Opfer zur Verfügung stellen (V. 1)[114]. An die Stelle der Gleichschaltung mit diesem Äon tritt Verwandlung durch Erneuerung des Denkens im Fragen nach dem Willen Gottes.

Erstes und nächstes Handlungsfeld für den Dienst des Christen ist die Gemeinde (V. 3–8). Der unerwartete Einsatz bei den Charismen enthüllt die verborgene Basis der paulinischen Argumentation: Gottes Barmherzigkeit stiftet Gemeinschaft. Wo er Gnade gibt, schenkt er sie als Begabung zu konkretem Dienst. Solcher Dienst muß um der Gemeinschaft willen in der notwendigen Selbstbescheidung und gemäß dem Maß des Glaubens geschehen (12,3)[115]. Über das durch das Christusgeschehen gesetzte Maß führen auch die Geistesgaben nicht hinaus. Sie dienen ihm und müssen sich an ihm messen lassen. Die Notwendigkeit der Verschiedenheit der Gaben und ihre innere Zusammengehörigkeit wird wie in 1.Kor 12 am Bild des Leibes aufgezeigt (V. 4.5). Aber auch hier ist es nicht nur Bild: *Ein* Leib zu sein in Christus bezeichnet die Grundlage der Gemeinschaft, die allem menschlichen Mühen um sie vorausliegt. Der nächste Abschnitt

---

meinde gehören, verboten wird; vgl. G. Jeremias, Lehrer 86; Lichtenberger, Menschenbild 213f.

[113] So ist auch die Mahlfeier „Verkündigung des Todes des Herrn" (11,26) und nicht prinzipiell dem Außenstehenden verschlossen (Bornkamm, Verständnis 125f; Hahn, Gottesdienst 61 A.31).

[114] Dazu und zum Folgenden Käsemann, Gottesdienst; Schlier, Wesen.

[115] Schürmann, Gnadengaben 406f sieht in μέτρον πίστεως (12,3) und ἀναλογία τῆς πίστεως (12,6) im Gefolge der klassischen katholischen Interpretation die Bindung an die Tradition (regula fidei); dagegen Michel, Röm 375, 377f: Schlier unterscheidet: 12,3 meint fides qua creditur (Röm 367); 12,6 fides quae creditur (Röm 370; vgl. Käsemann, Röm 329).

(V. 6—8) hebt einige Charismen heraus: Dienste der Wortverkündi-
gung (prophetische Rede, Lehre, seelsorgerliche Ermahnung), der
Nächstenliebe und der Gemeindeleitung. Offensichtlich ist ein fester
Personenkreis im Blick, der diese Funktionen dauernd wahrnimmt,
Vorformen späterer Ämter, allerdings in großer Vielfalt und Weite[116].
Paulus mahnt, sich in Treue und Konzentration auf das Wesentliche
dem Dienst zu widmen, in dem man steht. Gegenüber 1.Kor 12 fehlen einige Gnadengaben: z.B. Heilungskräfte und Zungenrede. Paulus
ging es nicht darum, eine vollständige Liste der möglichen und notwendigen Geistesgaben zu erstellen, seine Aufzählung ist an örtlichen
Gegebenheiten orientiert. Im Römerbrief dagegen will er einige für
das Zusammenleben der Gemeinde grundlegende Funktionen herausstellen.

Neben diese herausgehobenen Dienste wird in V. 9—21 das weite
Feld der praktischen Betätigung in Gemeinde und Welt gestellt, in
dem jedes Gemeindeglied die ihm geschenkte Liebe und Gnade zu
bewähren hat, jeder auf seine individuelle Weise und in seiner spe-
ziellen Situation. So geschieht „Gottesdienst im Alltag der Welt"[117].
Darum ist es nur folgerichtig, wenn ab V. 14 die Haltung gegenüber
Außenstehenden in den Blick kommt. Daß Christen nicht dem Schema dieser Welt gleich sind (V. 2), kommt hier als Angriff des Guten
auf das Böse zu seinem konkreten Austrag. Es liegt also im Gefälle
von Kap. 12, wenn dann in 13,1—7 auch das Verhältnis zum Staat
besprochen wird[118].

Zusammengefaßt wird dies alles durch die Mahnung zur Liebe als
des Gesetzes Erfüllung (13,8f). Schon in Gal 5,14 (vgl. 5,22; 6,2)
hatte Paulus auf die Frage, wodurch das Zusammenleben in Gemein-

---

[116] Wird durch diesen „Ansatz einer ersten Gemeindeordnung" (Käsemann,
Röm 320; Herten 82f) auch ein Schritt über die Ausführungen in 1.Kor hinaus-
getan, so wird doch dadurch gerade das charismatische Gemeindemodell in seinen Grundzügen bestätigt. Man darf in ihm also nicht lediglich ein „Durchgangsstadium der paulinischen Gemeindeverfassung" sehen (gegen Goppelt, Apost.
Zeitalter 128; Rohde 56). Daß Paulus die ferne Gemeinde in Rom auf die Charismen anredet, „heißt das nicht: Er muß Gemeinde schlechthin so verstanden
haben, wie er es in 1.Kor 12 tut?" (Eichholz, Charism. Gemeinde 6f; vgl. Thüsing, Dienstfunktion 87; anders Holmberg, Analysis 194f).
[117] Käsemann, aaO 203f; kritisch zu dieser Formulierung und der damit verbundenen Intention Schlier, Röm 385 A.63. Daß auf die Darstellung der Gnadengaben im Leibe Christi die Entfaltung des Liebesgebotes folgt, erinnert an
die Akoluthie von 1.Kor 12 und 13 (s. Herten 82).
[118] Dazu Käsemann, Grundsätzliches, Röm z.St.; J. Friedrich — W. Pöhlmann —
P. Stuhlmacher, Situation.

de und Welt geregelt werde, wenn das Gesetz nicht mehr gelte, mit dem Hinweis auf das Liebesgebot geantwortet[119]. Röm 13,8 macht in seinem Zusammenhang unmißverständlich deutlich, daß das „einander" Lieben seine Grenze nicht an der Gemeinde findet, ja daß die Liebe die einzige, aber umfassende Verpflichtung gegenüber der Welt ist[120]. Das weist noch einmal zurück auf 1.Kor 13, wo Paulus mitten in der Diskussion um die πνευματικά den „höheren Weg" der Liebe aufzeigt. Dabei ist die Liebe kein Charisma *neben* den andern Geistesgaben oder deren Ersatz, sondern ihre Erfüllung, die sie erst sinnvoll macht und sie als ein Stück Ewigkeit übergreift (V. 13)[121]. 1.Kor 13,13 zeigt „mit aller Deutlichkeit, daß Paulus auch den Menschen in der Vollendung nur als den verstehen kann, der auf Gott angewiesen und ohne Ende für ihn offen ist, ständig ein Empfangender, der den Grund seines Lebens nicht in sich selber hat (πίστις), ständig ein Hoffender, der auf Gott harrt (ἐλπίς)"[122].

Zu Glaube und Hoffnung gehört die Liebe, die damit nicht mehr als persönliche Tugend angesehen werden kann, sondern im Gegensatz zu allem religiösen und moralischen Besitz das wahre Geschenk des Geistes und die Aus-Wirkung des Glaubens ist, der sich an das Kreuz Christi hält[123]. Denn die Liebe Christi, die im Kreuz erschienen ist, läßt den Blick auf eigene Leistung und Begabung nicht zu, sondern richtet ihn auf die Not des andern[124]. „Aus dieser Liebe und in dieser Liebe hat die Kirche ihr Leben."[125] Das sola gratia findet seine Entsprechung nicht nur im sola fide, sondern ekklesiologisch gerade

---

[119] Er nimmt damit allgemein urchristliche Tradition auf, vgl. Mk 12,28ff par; 1.Petr 4,8; Jak 2,8.
[120] Vgl. Michel u. Käsemann, Röm z.St.; Schweizer, Leib Christi und soziale Verantwortung 131; Souček, Bruder 369f, der zeigt, daß auch Gal 6,10 so zu verstehen ist: Die Gemeinde ist „der erste Ort, an dem die Liebesverpflichtung konkret erkannt und betätigt werden kann und soll ... Ihre Liebe macht aber auf dieser Grenze nicht halt, sondern überschreitet sie und wird für ‚alle' gültig" (370). Vgl. 1.Th 3,12 und Schrage, Einzelgebote 252.
[121] Vgl. Dreyfus 403, 410ff; Bornkamm, Weg 104f, 107; Pedersen, Agape 176ff; Wischmeyer 162, und die Weiterführung in Kol 3,14: die Liebe ist das Band der Vollkommenheit (s. auch Kieffer 69).
[122] Bornkamm, Weg 108f; vgl. Baumgarten, Apokalyptik 195f, und Wischmeyer 144ff, die für eine nicht-eschatologische Bedeutung von μένει eintritt.
[123] Vgl. Gal 5,6.22ff; Bornkamm, Weg 111; Conzelmann, 1.Kor 273.
[124] Vgl. 2.Kor 5,14ff (dazu Bornkamm 110 und o. 95f) und Gal 6,2; weiter Wengst, Zusammenkommen 555ff. Die Beschränkung von 1.Kor 13 auf eine „Ethik des Gottesdienstes" bei Pedersen, Agape 181, engt den Text zu sehr ein.
[125] Bornkamm, Weg 110.

auch in der radikalen Unterstellung aller kirchlichen Aktivität unter
das Geschenk und das Gebot der Liebe[126].

3.2.3 Geistgewirkte Autorität und Ordnung

Die Betrachtung der paulinischen Charismenlehre hat uns weit über
unsere ursprüngliche Fragestellung hinausgeführt. Was Paulus über
die Bedeutung der Charismen sagt, erschöpft sich nicht im Problem-
kreis Autorität und Ordnung. Es zielt auf Begründung und Gestaltung des Handelns des Christen aus Gottes freier Gnade[127]. Daß die
Herrschaft des Kyrios in den Gaben der anderen begegnet, verschafft
jedem in der Gemeinde geschehenden Dienst seine Autorität. Geistgewirkte Ordnung entsteht durch das Miteinander von treuer Hingabe an das von Gott geschenkte Charisma (Röm 12,6—8) und dank-
barer Anerkennung dessen, was der Herr durch den andern in der
Gemeinde tut.

Diese Ordnung wird aber der Gemeinde nicht einfach kraft apostolischer Vollmacht auferlegt, sondern soll von der Gemeinde selbst
gefunden werden, indem sie sich auf die Gegenwart ihres Herrn aus-
richtet und seine Gaben nicht zur individuellen Erbauung mißbraucht,
sondern für die Gemeinschaft wirksam werden läßt. Ordnung der Gemeinde ist also tatsächlich „eine jeweils vom Heiligen Geist herzu-
stellende, von der Gemeinde zu erkennende und anzuerkennende Ordnung"[128], weil nur so das wahre „Prinzip der ,Sendung von oben'"
klar wird: das Leben der Gemeinde aus dem Gehorsam gegen ihren
Herrn und seinen Geist[129]. Das bedeutet nicht, daß es in der Gemeinde keine Institutionen von Dauer geben dürfte, die ordnende Funk-

---

[126] Die Erwähnung der Liebe in Gal 5,6 ist also keine Ergänzung oder gar Korrektur des sola fide, das durch die Wirksamkeit der Liebe erst gültig würde, sondern Vollzug des sola fide im *Tun* des Christen; vgl. Hahn, Charisma 443; s.o.
Kap. 2, A.601.
[127] Vgl. die Grundthese des Buches von Brockhaus 226ff; ähnlich schon Käsemann, Amt 119: „Die Charismenlehre ist ... die konkrete Darstellung der Lehre
vom neuen Gehorsam und ist es als Lehre von der iustificatio impii". Ihm folgt
Schulz, Charismenlehre.
[128] Schnackenburg, Kirche 33.
[129] V. Campenhausen, Ordnung 158, Apostelbegriff 270f; aber auch Goppelt,
Kirchenleitung 7. Wer dagegen behauptet: „Das Charisma unterliegt der Beurteilung durch das Amt", bzw.: Paulus „bewertet die Geistesgaben. Das Charisma muß sich vor dem Amt beglaubigen und ist dem Amt unterstellt" (Giesriegl
207; ähnlich Schlier, Hauptanliegen 154), und sich dabei auf 1.Kor 14 beruft,
verkennt die Argumentation des Paulus völlig.

tion ausüben. Das heißt aber, daß sich diese Ämter immer wieder darauf befragen lassen müssen, ob sie durch ihre Existenz die Autorität des Herrn der Gemeinde bezeugen und ihr Raum geben. „Es darf in der Gemeinde keine Ordnung geben — und wäre es der Gehorsam gegen den Apostel selbst —, die ihr die Begegnung mit dem lebendigen Herrn erspart."[130] Oder — um v. Campenhausen zu zitieren —: „Die Kirche entsteht nicht durch die Ordnung und lebt nicht von der rechten Ordnung, sondern allein in Christi Geist; wenn sie aber geistlich lebt, dann ist und kommt sie auch in Ordnung, dann stellt sie durch den Geist des Friedens auch die rechte Ordnung in ihrer Mitte her, ohne sich an diese Ordnung zu verkaufen."[131] Darum bleibt es bedeutungsvoll, daß Paulus in 1.Kor 14,33 als positiven Gegenbegriff zur Unordnung den Frieden nennt, um zu zeigen, daß das, was der Geist schenkt, weit über das hinaus geht, was Menschen ordnen können: Leben aus der Kraft der Liebe und der hereinbrechenden Herrschaft Gottes[132].

In dieses Modell einer „charismatischen Gemeindeordnung" hinein stellt der Apostel auch sich und seinen Dienst[133]. Er spricht „durch

---

[130] Schweizer, Gemeinde 193.
[131] V. Campenhausen, Ordnung 158.
[132] Vgl. Röm 14,17; v. Campenhausen aaO; Wendland, Geist 293; Greeven, Propheten 356; Käsemann, Sätze 81; dagegen Schnackenburg, Kirche 25, und vor allem Schürmann, Freiheitsbotschaft 26, Neubundl. Begründung 54f.
[133] Der Begriff kann mißverstanden werden, weil ihm kein einheitlicher, juristisch faßbarer Verfassungsentwurf zu entsprechen scheint (Brockhaus 218f). Die *historische* bzw. *soziologische* Analyse stößt in den paulinischen Gemeinden auf eine Vielzahl sehr unterschiedlicher Autoritäten, die zwar alle als „charismatisch" im soziologischen Sinne bezeichnet werden müssen, aber deutliche Differenzen in ihrer Struktur und im Grad ihrer Institutionalisierung aufweisen (man vgl. die verschiedenen Auffassungen vom Apostolat, die Vorstellungen, die hinter der Trias in 1.Kor 12,28 zu vermuten sind [Kertelge, Gemeinde 109 spricht von „Berufsstand"]; das Auftreten „freier" Missionare wie Apollos und der Mitarbeiter des Paulus, die Autorität der „Erstlinge", der Gastgeber der Gemeinden und derer, die sich „mühen", die ersten Ansätze zu Gemeindebeamten in Phil usw.; die Untersuchung dieser Zusammenhänge steckt trotz der Arbeiten von Theißen und Holmberg noch in den Anfängen). Das Bild wird aber noch verwirrender, weil Paulus diese amtlichen Funktionen mit enthusiastischen Erscheinungen verbindet und dazu auch diakonische Betätigungen stellt (Schulz, Charismenlehre 444). Jeder Versuch hier *theologisch* zu differenzieren (etwa zwischen Ämtern und Charismen, personengebundenen und funktionsbezogenen Charismen etc) ist zum Scheitern verurteilt, weil Paulus selbst kein Interesse an solcher Unterscheidung zeigt. *Alle* Erscheinungen sind hineingenommen in das, was Küng „die charismatische Struktur der Kirche" nennt (226ff; vgl. Schulz, aaO 452f; v. Lips 199f). Das Bemühen, die (heilsgeschichtliche begründete) Singularität des Apostolats zum Inbegriff bzw. Ansatzpunkt „des kirchlichen Am-

die Gnade, die mir gegeben ist", (Röm 12,3) und kennzeichnet damit seine Autorität als charismatische (vgl. 12,6; 1,5)[134]. Zwar hat die Funktion, die er ausübt, durch ihre einzigartige Beziehung zum Evangelium ihr besonderes Gewicht, aber sie ist nicht grundsätzlich und kategorial von anderen geschieden[135]. Er kann darum seine Tätigkeit mit der anderer in der Gemeinde unter dem Oberbegriff διακονία zusammenfassen und scheint damit (wie das ganze NT) bewußt die Verwendung geläufiger profaner oder religiöser Amtsterminologie zu vermeiden[136].

Folgerichtig versucht er, auf jede autoritäre Ausübung seiner apostolischen Vollmacht zu verzichten, und schreibt lieber lange Briefe, die der Gemeinde ein eigenes Urteil ermöglichen sollen, anstatt einfach zu gebieten. Seine Legitimation ist das Werk, das Gott durch ihn tut, was freilich nun gerade nicht bedeuten kann, daß er Leistungsbilanzen vorzulegen hat (1.Kor 4,1ff). Kriterium für die Autorität und Legitimität des Dienstes ist, wieweit er transparent wird für die Botschaft des Gekreuzigten. Selbst wo Paulus sich widerwillig, geradezu als Narr, darauf einläßt, von seinen Erfolgen zu reden, wird ihm unter der Hand ein Leidenskatalog daraus. Nicht nur für die Gemeinde als Ganzes, sondern auch für den in ihr geschehenden Dienst ist die theologia crucis die entscheidende nota ecclesiae[137].

---

tes" zu machen, das den Charismen gegenübertritt (Giesriegl 200, 206; Lemonon 269), ist daher verfehlt. Vorsichtiger, aber auch widersprüchlicher (man vgl., was 338, 345 über die Charismen gesagt ist, mit der „Dialektik des Amtes" 352ff, 362ff), tendenziell jedoch in die gleiche Richtung zielt Hainz, Ekklesia (dazu das klare Ergebnis der kritischen Untersuchung von Vögtle, Apostolizität 577f).
[134] Zur Differenzierung vgl. o. A.67, 68.
[135] Roloff, Apostolat 124; noch schärfer: Barrett, Conversion 380.
[136] Schweizer, Gemeinde 154ff; Hahn, Grundlagen 16ff; Lemonon 14ff; Pesch, Nicht Herrschaft; Roloff, TRE II, 510, 518; Weiser, EWNT I, 726ff (Lit!); de Lorenzi, die alle auch auf die christologische Wurzel dieses Phänomens hinweisen (vgl. Mk 10,43−45; Luk 22,27; Röm 15,8). Ollrog 73f meint allerdings, daß bei Paulus der Begriff διάκονος vor allem in Verbindung mit missionarischer Tätigkeit verwendet wird und daher die Bedeutung „Beauftragter" gewinnt (par. zu συνεργός). Laut Hahn, Charisma 427, wird mit διακονία dagegen „vor allem die Art und Weise bezeichnet, mit der eine Aufgabe in der Gemeinde auszuüben ist"! Ganz ausgezeichnet wird das Verhältnis von Exusia und Diakonia von Thüsing, Dienstfunktion, bestimmt.
[137] Thüsing, aaO 86: Jesus selbst hat „für die Verwirklichung dieses Miteinanders" von Exusia und Diakonia „das Scheitern und den Tod auf sich genommen ..., so daß sich letztlich das ‚Kreuz' als das eigentliche Strukturprinzip dieser Spannungseinheit erweist". Ich verweise ferner darauf, daß die soziologische Analyse der apostolischen Autorität durch Holmberg, die bewußt von einer theologischen Interpretation der Phänomene absieht, im Ergebnis in allen entscheidenden Punkten mit unserer Analyse übereinstimmt (vgl. die Zusammenfas-

Wie wenig sich im übrigen autoritatives Reden einzelner Charismatiker und prüfendes Urteil der Gemeinde ausschließen, zeigt sehr schön das Beispiel der Prophetie. Sie zielt nach 1.Kor 14,25 auf Proskynese und Homologie, auf Anerkennung des in ihr redenden Gottes. Und doch ist ihr die διάκρισις πνευμάτων beigegeben, wie der Zungenrede die Auslegung (1.Kor 12,10; 14,29ff)[138]. Die Unverfügbarkeit des Geistes schaltet die Verantwortung des einzelnen und der Gemeinde nicht aus (14,32).

So begründet auch der Verweis auf die Liebe als Grund und Norm allen charismatischen Handelns nicht den Verzicht auf konkrete Einzelmahnung. Paulus hat auf die Frage, wie sich ein Christ zu verhalten hat, nicht gesagt: „Dilige et fac quod vis", sondern „klar und unmißverständlich herausgestellt ..., *was* die Liebe verbietet und *was* sie gebietet"[139], und er hat es auch als wesentliche Aufgabe und Vollmacht charismatischer Gemeinde angesehen, daß in ihr solche konkrete Auslegung des Willens Gottes geschieht. Das Wirken des Geistes schließt verbindliche Weisung nicht aus, sondern schafft die Möglichkeit freien Gehorsams.

Innerhalb dieses Rahmens ist die Gemeinde also frei, ihr Leben nach den Erfordernissen ihrer Situation zu ordnen. Ob dies Ordnen im Geist Christi geschieht, erweist sich allein darin, daß die Gemeinde auch mit ihrer Ordnung bezeugt, daß sie aus der Gnade Jesu Christi und von seinem Wort als sein Eigentum lebt[140]. Gerade darum muß die Frage Schnackenburgs: „Ist eine bestimmte grundlegende Ordnung für die Kirche Jesu Christi konstitutiv?" dort, wo man die Rechtfertigungslehre ernst nimmt, entschlossen mit Nein beantwortet werden. Nicht, weil das Volk Gottes „als solches alle Gewalt besitzt"[141], sondern weil es wie jedes seiner Glieder allein aus Glauben lebt. Dieser Glaube aber „is directed not towards its own order or

---

sung 161f; 188ff), was *soziologisch* zur Feststellung des „rather non-charismatic character of charismatic authority in Pauline churches" führt (161)!

[138] Daß es sich dabei um die Aufgabe der „Unterscheidung der Geister" (d.h. prophetische Rede „kritisch nachzuprüfen", Greeven, Propheten 319 A.27) handelt, ist gegen Dautzenberg, διάκρισις πνευμάτων, festzuhalten (s. U. B. Müller 27f; Grudem; Crone 222f). Robeck 45 hält dies für Aufgabe der ganzen Gemeinde, ähnlich Wengst, Zusammenkommen 551ff.

[139] Schrage, Einzelgebote 270.

[140] Vgl. die 3. These des Barmer Bekenntnisses und auf katholischer Seite jetzt Sesboüé 415.

[141] „Es gibt in der Urkirche weder einen Primat des Amtes noch einen Primat der Gemeinde, sondern allein einen Primat Jesu Christi, des Herrn der Kirche" Wendland, Geist 296f.

orthodoxy, but towards God, who raises the dead and calls being out
of non-being. Hence the church that lives by faith lives also by the
power of God."[142] Wir fügen dieser Fragestellung nur noch die Antwort hinzu, die ein in dieser Sache so unverdächtiger Zeuge wie L.
Newbigin auf die Frage gegeben hat, warum trotz aller positiven Argumente die ungebrochene apostolische Sukzession nicht das entscheidende Kriterium für Sein oder Nichtsein der Gemeinde sein
kann: „It is that God's people have their standing before Him, their
participation in His divine life, solely by grace through faith, that
the Church exists always and only by His sheer, unmerited mercy —
the mercy of Him who raises the dead, justifies the sinner, and calls
the things that are not as though they were."[143]

3.3 Rechtfertigung und Recht

Mit der Ablehnung einer konstitutiven hierarchischen Ordnung und
dem Entwurf eines charismatischen Gemeindemodells ist die Frage
nach dem Recht in der Gemeinde noch nicht erledigt. Daß Paulus
autoritative Weisungen erteilt, ist nicht zu leugnen. Er erwartet auch,
daß durch das Wirken des Geistes in der Gemeinde verbindliche Mahnung und rechtsgültige Entscheidung laut wird. Wenn aber das Evangelium die entscheidende Autorität für die Gemeinde darstellt, erhebt
sich die Frage: Kann aus dem Evangelium der Rechtfertigung aus
Gnaden Recht abgeleitet oder begründet werden[144]?

3.3.1 Ursprung und Wesen des Rechts in der Gemeinde

Die paulinischen Briefe sind durchzogen von Anordnungen des Apostels und mehr oder weniger konkreten Paränesen, die gebietend,
mahnend und ratend das Leben der Gemeinde und des einzelnen
Christen bestimmen. Da Paulus seine Anweisungen nicht kommen-
tarlos auf Grund seiner apostolischen Autorität erteilt, sondern argu-

---

[142] Barrett, Signs 93.
[143] Newbigin 79.
[144] Anders als die bekannte Schrift gleichen Titels von K. Barth fragen wir in
diesem Abschnitt nicht nach der Bedeutung des Rechtfertigungsgeschehens für
das Verhältnis von Kirche und Staat, sondern nach seiner Bedeutung für die
Ordnung der Gemeinde.

mentierend das Einverständnis seiner Gemeinde sucht, liegt es nahe, zu fragen, womit er seine Entscheidungen begründet. V. Campenhausen ist dieser Frage nachgegangen[145] und zu dem Ergebnis gekommen, daß neben vielfältigen Hinweisen auf das sittliche Gefühl, den gemeinsamen Brauch, die Schrift und Worte des Herrn der Beweisgang immer auf einem Hauptgedanken ruht: „Alles, was Paulus an bestimmter Ordnung und rechtlicher Regelung in der Gemeinde wünscht, fordert und empfiehlt, soll als notwendiger Ausdruck, als Entfaltung und Bewährung dessen begriffen werden, was mit dem wesenhaften neuen Sein, mit der Wirklichkeit der Kirche und dem Christenstande jedes einzelnen Christen unmittelbar wirksam gegeben ist. Insofern hat das Kirchenrecht einen ‚übernatürlichen‘ Ursprung.“ ... „Der neuen Lebenswirklichkeit ... entspricht ... eine einzige Norm, und das ist das Wort Gottes in Christus, das lebendig überlieferte und gepredigte ‚Evangelium‘, mit dem er seine Gemeinden ‚erzeugt‘ (1.Kor 4,15) und den Geist in ihnen geweckt hat (Gal 3,2).“[146] Unbeschadet mancher Einwände zur Einzelexegese können wir dieses Ergebnis hier zunächst aufnehmen und durch einen Blick auf grundsätzliche Äußerungen untermauern.

In Röm 10,9f faßt Paulus die durch die Glaubensgerechtigkeit geschenkte ‚Nähe‘ des Heils in zwei Sätzen zusammen, die urchristliche Bekenntnisformeln aufnehmen. Gottes Gerechtigkeit kommt dort zu ihrem Ziel, wo man glaubt, daß Gott Jesus von den Toten auferweckt hat, und eschatologische Rettung geschieht, wo man Jesus als Kyrios bekennt. Neben den Akt der gläubigen Annahme des Christuskerygmas tritt damit — diesen befestigend und proklamierend — die feierliche, öffentliche Akklamation des Kyrios Jesus, durch die man sich diesem Herrn gehorsam unterstellt[147]. Das neue Sein der Christen hat damit von vorne herein rechtlich verpflichtenden Charakter. ‚Sitz‘ dieser Verpflichtungserklärung war wohl zunächst die Taufe, dann aber auch jeder Gottesdienst, in dem der Name Christi angerufen und durch die Homologie auf die Verkündigung geantwortet wurde[148].

Daß damit nicht ein gelegentliches Zitat urchristlicher Bekenntnistradition überbewertet wird, sondern die Meinung des Paulus ge-

---

[145] Begründung kirchlicher Entscheidung.
[146] AaO 29f, 34.
[147] Zum Taufbekenntnis als Rechtsakt vgl. W. Maurer, Bekenntnis 4ff; zur Akklamation Stoodt, Wort 72ff, Schrift 358.
[148] Vgl. 1.Kor 1,2; Röm 10,12f; zur Homologie im Gottesdienst vgl. Conzelmann, Christus 124f; Kramer 61—80; aber auch v. Campenhausen, Bekenntnis 222ff.

troffen ist, zeigen zwei weitere, voneinander unabhängige Stellen, von denen die eine das Taufbekenntnis weiterführt und die andere an die Homologie anknüpft. In Röm 6 fragt Paulus nach den Konsequenzen der Herrschaft der Gnade „durch Gerechtigkeit zum ewigen Leben durch unsern Herrn Jesus Christus", die auf Grund der Rechttat und des Gehorsams des einen für „die vielen" angebrochen ist (5,19—21). Die Folgerung aus der Tauftheologie ist klar: Weil der in den Tod Jesu Getaufte für die Macht der Sünde rechtlich tot ist[149] und ihr darum nicht mehr zum Sklavendienst verpflichtet, ist er frei zum gehorsamen Dienst für Gott und seine Gerechtigkeit[150]. Damit ist die Rechtsgrundlage für die Paraklese des Apostels in 12,1ff genannt, wo er „durch das Erbarmen Gottes"[151] mahnt, die Leiber als lebendige und heilige Opfer Gott zur Verfügung zu stellen[152] und unabhängig von der Art dieses Äons mit erneuertem Sinn nach dem Willen Gottes zu fragen. Auch in Phil 2,6—11 macht Paulus die Gemeinde durch das Zitat des Hymnus, der Christusgeschick und Kyriosakklamation verbindet, auf die verpflichtende Wirklichkeit aufmerksam, von der sie lebt und die darum ihr Verhalten untereinander bestimmen muß[153]. Das Ineinander von Indikativ und Imperativ, für das Röm 6 und Phil 2 klassische Beispiele sind, erweist sich als maßgebende Bestimmung des Rechts in der Kirche.

Sie wird an andrer Stelle durch die Verbindung von Geist und Recht dargestellt: Nach 1.Kor 12,3 ist die Akklamation selbst geistgewirkt. Auch in 1.Th 4,8 geht es nicht nur um die Erkenntnis, daß Paulus als der Gebietende den Geist hat, sondern um den Gehorsam gegen den Geist, der der Gemeinde *selbst* gegeben ist und sie zum Gehorsam befähigt, aus ihr ϑεοδίδακτοι macht, die wissen, was not tut[154]. Paulus greift damit zurück auf die Grundaussage des ersten Teils des 1.Thess: den Dank, daß die Gemeinde das Wort des Apostels als Wort Gottes aufgenommen hat, trotz aller äußerer Schwierigkeiten, und daß πνεῦμα und δύναμις der Verkündigung nun in ihr wirkt (1.Th 2,13). Daß er auf Grund der Verkündigung mit dem „gleichen Geist des Glaubens" in der Gemeinde rechnen kann (2.Kor 4,13), gibt dem Apostel

---

[149] Röm 6,7 (vgl. 7,1ff); vgl. K. G. Kuhn, Röm 6,7; Delling, Tod Jesu 342; Käsemann, Röm 162. Zur Rechtsterminologie der Taufsprache: Dinkler, Taufterminologie; Moule 464ff; Halter 59f.

[150] S.o. 120f.

[151] Vgl. Schlier, Wesen 78ff.

[152] Vgl. die parallele Formulierung in 6,13.16 und 12,1.

[153] S.o. 87ff.

[154] S.o. 211. Im geistgewirkten Gehorsam erfüllt sich die Verheißung von Jer 31,31ff; vgl. Schniewind, Aufbau 203f.

die Möglichkeit, autoritativ zu sprechen, ohne Herr des Glaubens anderer zu werden, auf Gehorsam zu hoffen, ohne seine Autorität und die anderer formal abzusichern und zu erzwingen[155].

Damit sind die Stichworte für das zentrale Probelm dieses Abschnitts genannt: Ist das so umschriebene Recht apostolischer und prophetischer Weisung mit den Kategorien des Rechts überhaupt zu fassen?

R. Sohm hat dies verneint, da der Begriff des Rechts formale Festlegung und Erzwingbarkeit in sich schließe[156]. Dagegen hat sich Widerspruch erhoben, und zwar nicht nur von katholischer, sondern auch von protestantischer Seite aus[157]. Aus der Sicht des Exegeten haben O. Linton[158], H. D. Wendland[159], W. Maurer[160], E. Käsemann[161] und D. Stoodt[162] die Existenz eines dem NT eigentümlichen Rechtes beschrieben, das im Wirken des Geistes und der Präsenz des Kyrios in Verkündigung und Sakrament begründet ist[163]. Für die Frage, ob auf diese Tatbestände die Kategorie des Rechts angewandt werden darf, muß darüber hinaus auf das Votum der Juristen gehört werden[164].

Erik Wolf hat — Anregungen Karl Barths aufnehmend — vom „bekennenden Kirchenrecht" gesprochen. Die neutestamentliche Gemeinde kennzeichnet er als „bruderschaftliche Christokratie" und das in ihr waltende Recht als „Recht des Nächsten"[165]. Indem so Kirchenrecht als Recht sui generis interpretiert wird und damit der Weg zum Rechtsdualismus beschritten scheint, bleibt die Frage nach dem Rechts-

---

[155] Vgl. Wendland, Geist 291, 300.
[156] „Das Kirchenrecht steht mit dem Wesen der Kirche im Widerspruch" Kirchenrecht I, 1.
[157] Uns interessieren hier nur die Stimmen derer, die das von Sohm anvisierte historische Problem sehen und das Recht im NT nicht einfach in Analogie zum kanonischen bzw. Vereins-Recht interpretieren.
[158] Linton 187, 194f.
[159] Wendland, Geist.
[160] W. Maurer, Bekenntnis 3—23, Ursprung 62ff.
[161] Anliegen 26, Amt 112, 125, Sätze heiligen Rechts.
[162] Stoodt, Wort (58,70ff); die Arbeit von Meurer ist nur an der „strafenden" Seite des Rechts interessiert.
[163] Zurückhaltend mit der Kategorie des Rechts sind jedoch v. Campenhausen, Amt, und Schweizer, Gemeinde (vgl. Stoodt, Schrift 358f; W. Maurer, Ursprung 60ff; Dreier 35f).
[164] Zur methodischen Kluft zwischen Exegese und Kirchenrecht s. Schüssler-Fiorenza, Richten 427.
[165] Erik Wolf, Rechtsgedanke (bes. 65ff), Recht des Nächsten, Ordnung der Kirche. K. Barth hat diese Anregungen seinerseits wieder aufgenommen und weitergeführt in KD IV, 2 § 67 (= Ordnung der Gemeinde).

charakter solchen „Rechtes" schwierig[166]. Dagegen versucht H. Dombois im Rahmen einer monistischen Rechtslehre die Eigenart urchristlichen und kirchlichen Rechts zu erfassen. Diese Eigenart ist rechtsgeschichtlich von der „Form des personenrechtlichen Kontraktes" her zu erklären, dessen Wesen nicht in formal fixierten Normen liegt, sondern in der Relation von Personen[167]. Es ist ja nicht zu übersehen, daß gerade bei Paulus entscheidende Aussagen über das Heilshandeln Gottes mit Hilfe von Begriffen gemacht werden, die ein solches Rechtsverhältnis beschreiben: „Bund, Apostolat, Testament, Erbe, Eigentum, Kindschaft"[168]. Diese Begriffe beschreiben den Stand der Gnade, in den das Heil hineinstellt, als Neubegründung des zerstörten Rechtsverhältnisses zu Gott, wobei Gnade nicht als Durchbrechung des Rechts, sondern als besonderer Rechtstypus aufzufassen ist[169].

Soweit deckt sich die juristische Erklärung mit dem exegetischen Befund. Die Gegenüberstellung von Gnadenrecht und Gerechtigkeitsrecht bei Dombois und die daraus resultierende gelegentliche Abwertung der Rechtfertigungslehre muß man aber von Paulus her als verfehlt bezeichnen[170]. Erstens gehört der biblische Begriff צדקה/δικαιοσύνη sicher nicht zum Normenrecht, sondern zum Statusrecht[171]. Zweitens hat unsere bisherige Untersuchung ergeben, daß Paulus gerade die oben genannten Begriffe und Rechtsverhältnisse von seiner

---

[166] Zur Problematik der Eigengeartetheit des Kirchenrechts in der Konzeption der dualistischen Rechtsordnung und der monistischen Lehre vgl. S. Grundmann, Einführung, aber auch dessen kritische Würdigung der grundsätzlichen rechtstheologischen Bedeutung der Arbeiten Wolfs (in: Ev. Kirchenrecht 34); weiter Steinmüller 259ff, 400ff; Dreier 19ff, 61ff, 72ff.
[167] Dombois, Hist.-Krit. Theologie 300, Rechtstheol. Erwägungen 590f, RdG 90–122.
[168] Dombois, RdG 90–121; Steinmüller 624ff.
[169] RdG 163ff. Dagegen meint Planer-Friedrich, daß die „Rechtfertigung kein Rechtsakt" sei (4).
[170] Vgl. RdG 171ff, 185, und die Kritik bei Grundmann, Ev. Kirchenrecht 29 („Vielmehr ist die Gnade die Gerechtigkeit Gottes"), ‚Recht der Gnade' (Rez. Dombois) 500ff; dazu auch Steinmüller 617, 620, 633ff, der zwischen theologischer und juristischer Gerechtigkeit unterscheidet, und Ernst Wolf, Rez. Dombois, ZevKR 10, 1963/4, 81,85.
[171] Die für das AT grundlegende Arbeit von Fahlgren spricht zwar von „sedaka als Norm des Gemeinschaftsverhältnisses" (82 u.ö.), die Übersetzung mit „Gemeinschaftstreue" und die Definition als „aufbauende und zusammenhaltende Kraft in der Gesellschaft" (aaO) entspricht aber der Beschreibung des Statusrechts bei Dombois (vgl. auch Koch 70ff). Dombois sagt neuerdings selbst: „Die biblische Gerechtigkeit ist ein statusrechtlicher Begriff" (Jur. Bemerkungen 177); vgl. Steinmüller 620.

Rechtfertigungslehre her interpretiert, um unwiderruflich klar zu machen, daß sich das Heil auf keinen menschlichen Rechtsanspruch gründet, sondern allein durch den Zuspruch des Evangeliums erfahren wird, der uns in das rechte Verhältnis zu Gott und damit in den gläubigen Gehorsam stellt[172]. Die Verklammerung von Indikativ und Imperativ wird auch hier durch die Wirklichkeit des Geistes dargestellt[173]. Er stellt in die Gemeinschaft mit Gott und macht ein Leben in freiem Gehorsam möglich. Rechtsbegriffe und Geistaussagen interpretieren sich gegenseitig[174]. Das souveräne Gnadenhandeln Gottes in der Offenbarung seiner Gerechtigkeit hat rechtskräftige Gestalt und damit verbindlichen Charakter: es beschlagnahmt den Menschen zum heilsamen Dienst Gottes, indem es ihn mit dem Geist der Freiheit und der Liebe erfüllt. Unter der Herrschaft Christi wird der Mensch frei, seinen Schöpfer zu ehren und das Recht des Nächsten wahrzunehmen. So kommt Gott zu seinem Recht. Damit ist das die Gemeinde begründende und in ihr geltende konstitutive Recht umschrieben, das Gehorsam ohne Gesetz ermöglicht[175]. Nicht die Übereinkunft der Gemeindeglieder begründet das Recht der Gemeinde, sondern Gottes Handeln in Christus[176]. So ist auch die Gemeinde selbst als berufenes Gottesvolk und Leib Christi kein Produkt menschlichen Entschlusses, sondern Institution göttlichen Rechts[177]. Dabei verstehen wir unter Institution den „rechtliche[n] Ausdruck typischer Beziehungsformen oder Gemeinschaftsformen, die zwar gestaltet werden können, aber in ihrem Ansatz vorgegeben sind"[178]. Der Begriff ist streng zu trennen

---

[172] Das will wohl auch Dombois durch das ‚Recht der Gnade' herausgestellt wissen, vgl. 168, 192 und die damit verbundene Kritik der gängigen Rechtfertigungslehre; dazu Käsemann, Gottesgerechtigkeit 186ff; Steinmüller 476f, 684f (A.25!).

[173] Vgl. zum Motivkreis: „Bund — Testament — Apostolat — Rechtfertigung — Geist" Gal 3, 2.Kor 3; zu „Kindschaft — Erbe — Rechtfertigung — Geist" Gal 4, Röm 8.

[174] Dabei ist zu beachten, daß die endzeitliche Gabe des Geistes durch die Begriffe ἀπαρχή und ἀρραβών ebenfalls mit rechtlichen Termini beschrieben wird.

[175] Vgl. die These Stuhlmachers, Gerechtigkeit 216: „Die Kirche als Herrschaftsbereich des Christus ist durchwaltet von δικαιοσύνη θεοῦ, von Gottes Recht an und über seiner Schöpfung", die wir hier und im Folgenden präzisieren möchten. S. Grundmann, Einführung 8, nennt als ius divinum die „Durchdringung des menschlichen Herzens mit dem gotteigenen Geist der Liebe".

[176] Dombois, Rechtstheol. Erwägungen 590.

[177] S. Grundmann, Einführung 8.

[178] Dombois, RdG 905. Wir gebrauchen den Begriff „Institution" also nicht in dem depravierten Sinn von institutioneller Verfestigung, der im protestantischen Schrifttum vorherrschend ist, sondern im Sinn der nach 1945 von evangelischen

von der Auffassung der Kirche als „Anstalt" im Sinne eines „sich selbst erhaltende[n] transsubjektive[n] Gefüge[s]" oder als „Inbegriff heilsamer geistlicher Gesetze"[179], sondern beschreibt per definitionem das Ineinander von personaler Annahme (als ‚Akt') und damit nicht kausal zu verknüpfender, übergreifender Gemeinschaftsbezogenheit (als ‚Status'), das uns in unserer Untersuchung des paulinischen Kirchenbegriffs immer wieder begegnet ist[180].

„Die Kirche selbst ist insofern Institution, als sie selbst als soma Christou der Raum und der Inbegriff personaler Institutionsvorgänge ist, durch welche Menschen dem Leib Christi zugeordnet und in ihm an den Ort ihres Dienstes gestellt werden."[181] Das geschieht in der apostolischen Verkündigung, in der Taufe, dem Herrenmahl und im Gottesdienst der Gemeinde, der durch die Akklamation konstituiert wird[182]. Zwar bezeichnet Paulus nur die missionarische Verkündigung expressis verbis als unentbehrlich für Glauben und Gemeinde (Röm 10,14—18). Doch zeigt die Art, wie er etwa in der Paränese an Taufe und Herrenmahl anknüpft, daß er im Sakrament ebenso wie in der grundlegenden

---

Kirchenrechtlern erarbeiteten Institutionenlehre; vgl. Marsch, RGG III, 783—785; Dombois (ed.), Recht und Institution; Steinmüller 561—612; Dombois, EStL² 1020: Institution ist die „Einheit von Stiftung und Annahme". Zum soziol. Vorgang der „Institutionalisierung" vgl. Holmberg 162—195.

[179] Dombois, RdG 921. Der Blick in die neuere Literatur läßt freilich vermuten, daß die überkommene Prägung die Oberhand behalten wird (vgl. die Definition bei Hasenhüttl, Herrschaftsfreie Kirche 99ff, und die kritische Rückschau von Marsch, Institutionen-Gespräch 134ff).

[180] Vgl. Dombois, RdG 907; Marsch, RGG III, 784; S. Grundmann, Ev. Kirchenrecht 26—28. Diese Fassung des Begriffs verbindet also, was Leuba in „Institution und Ereignis" terminologisch trennt. Daß das Recht der Kirche nicht aus dem Kirchenbegriff abzuleiten ist, sondern „identisch mit dem sie konstituierenden Vollzuge" ist (Dombois), stimmt mit dem Ergebnis unserer Untersuchung des Begriffs ἐκκλησία überein (vgl. auch Wolf, Ordnung 23). Wenn Dombois aber Käsemanns Entwurf als „dezisionistisch" bezeichnet, scheint er selbst einem „institutionellen" Vorurteil (im hergebrachten Sinne) zu unterliegen (Hist.-krit. Theologie 304ff; RdG 801). Daß jeder Akt zu einem Status führt (RdG 907), gilt auch für die paulinische Charismenlehre, aber es ist der Status des Dienstes, wie 1.Th 5,12f; 1.Kor 16,16 deutlich zeigen. Ein zusätzliches instituierendes Handeln findet nicht statt, das bleibt historisch für Paulus einfach festzustellen. Wäre Dombois hier „historisch-kritischer" geblieben und hätte er die Eigenart paulinischen Denkens mitberücksichtigt — auch wenn er nicht einseitig paulinisch orientiert sein möchte (RdG 801) —, dann wäre die liturgisch-sakramentale Schlagseite seines Werkes nicht so stark geworden (vgl. die Rez. von Grundmann, Abhandl. 494, 504, und Ernst Wolf, ZevKR 10, 1963/4, 82ff).

[181] Dombois, RdG 920.

[182] Zur Bedeutung der Akklamation s.o. 229; zur Auffassung von Dombois vgl. Steinmüller 752f.

Evangeliumsverkündigung den im Geschenk der Gnade liegenden Anspruch Gottes verkörpert sieht, dem die Gemeinde in der gottesdienstlichen Homologie durch die Kraft des Geistes freudig zustimmt. Das in diesen grundlegenden Handlungen der Gemeinde verkündigte und akzeptierte Recht Gottes „ist die richtungweisende Basis aller menschlichen Rechtsetzung in der Kirche und steckt auch den Raum ab, in dem diese möglich ist"[183].

In all dem dürfte sich Paulus wenig vom übrigen Urchristentum und der frühen Kirche unterscheiden. Bezeichnend für seine Theologie ist dagegen die Art, wie er daraus die Anordnungen für die Ordnung der Gemeinde und das Leben des einzelnen ableitet. Auch in seinen Gemeinden entstehen Ordnungsprobleme in der gottesdienstlichen Gemeindeversammlung und beim Herrenmahl, und er ordnet sie vom Wesen des Gottesdienstes und des Mahles her. Aber das bedeutet nicht, daß er aus dem Abendmahlsgeschehen eine grundlegende Ordnungsstruktur ableitet, die dem Mahl und der Gemeinde eingestiftet ist, sondern daß er inhaltlich von der theologia crucis aus nach dem angemessenen Verhalten der Gemeinde fragt[184].

Das Taufgeschehen begründet kein rechtliches oder geistliches Abhängigkeitsverhältnis zwischen Täufer und Täufling, sondern weist auf die unverbrüchliche Herrschaft Christi, die für den Christen bis hinein in das leibliche Leben verbindlich ist[185]. Nicht einmal die grundlegende Evangeliumsverkündigung des Apostels führt zu einer hierarchischen Ordnung; vielmehr zielt die daraus erwachsende Autorität des Apostels einzig darauf, in den Gehorsam Christi zu führen[186].

---

[183] S. Grundmann, Einführung 8.

[184] Die Darstellung der eucharistischen Versammlung, die Sohm gibt (Wesen 61ff, Kirchenrecht I, 68ff), wird von Paulus nicht gestützt. Damit ist der Satz, „daß der sakramentale Kultus Recht erzeugt" (Maurer, Bekenntnis VI), für Paulus nicht geleugnet, sondern präzisiert (vgl. Käsemann, Anliegen 22—26; Stoodt, Wort 57). Der Historiker wird sich auch durch die beschwörende Frage von Dombois (RdG 368), ob man zweierlei Sakramentsrecht in der Urkirche annehmen wolle, nicht von der Feststellung abhalten lassen, daß dessen Konzeption von der repraesentatio patris im handelnden Vorsitz (und alle daran anknüpfende Spekulationen; RdG 394ff) bei Paulus keinen Anhalt haben (s.o. A. 47). Auch die Pastoralbriefe zeigen kein Interesse an der Ableitung des rechtlich geordneten Amtes aus dem Kultus.

[185] Vgl. Röm 6 und 1.Kor 6.

[186] 2.Kor 10,4—6 (vgl. Röm 1,5). Gehorsam gegen Christus und gegen den Apostel können in statu confessionis zusammenfallen (vgl. 2.Kor 10,5f und Windisch u. Schlatter z.St.; grundsätzlich Hainz, Ekklesia 221), müssen es aber nicht, wie sich aus Phil 1,14ff ergibt.

Auch die Ordnung der gottesdienstlichen Versammlung und das Verhalten der einzelnen in ihr wird nicht aus liturgischen Bedürfnissen angesichts der Gegenwart Gottes abgeleitet, sondern gerade umgekehrt aus der Tatsache, daß die Gegenwart Gottes in den Gaben der Gemeinde für ihre Glieder hilfreich und für den Nichtchristen erkennbar werden müssen.

Von hier aus wird der Sakramentsbegriff Dombois fraglich. Nicht das repräsentierende Handeln der Gemeinde steht im Mittelpunkt, sondern die Frage nach dem angemessenen Verhalten angesichts der Gegenwart des Herrn und seines Heils[187]. Für Paulus gibt es repraesentatio nur als Verkündigung (2.Kor 5,19f). Was das *menschliche* Handeln anlangt, sind auch Taufe und Herrenmahl nichts anderes als Verkündigung (vgl. 1.Kor 11,26). „Dieses Geschehen der διακονία τῆς καταλλαγῆς ist der einzige auf der menschlich-geschichtlichen Ebene uns begegnende Rechtsvorgang, der mit göttlicher Vollmacht, e iure divino geschieht und darum Recht Gottes setzt."[188] Die Gemeinde hat nicht den Auftrag, dieses Recht repräsentierend zu verleiblichen, sondern ihm zu gehorchen. Das Spezifikum von Taufe und Herrenmahl kommt darum nicht als besonderes Handeln der Gemeinde zur Sprache, sondern als besonderes Handeln Gottes, der das Heilsgeschehen bis ins Leibliche und in die konkrete Gemeinschaft hinein befreiend und fordernd vergegenwärtigt[189].

Damit werden noch einmal zwei Grundzüge paulinischer Ekklesiologie klar gestellt, die mit der engen Verflechtung von Rechtfertigung und Ekklesiologie zusammenhängen:

1. Die Gemeinde lebt vom Vertrauen darauf, daß in Verkündigung, Taufe und Herrenmahl Christus und sein Werk gegenwärtig wird. In ihrem gehorsamen Dienst begegnet der Welt das Heil in Christus, ohne daß dem Tun der Gemeinde eine eigene Bedeutung im Sinne einer Heilsmittlerschaft zugemessen würde. Institution göttlichen Rechts als im Christusgeschehen vorgegebene Gemeinschaftsform, in der die Heilsverkündigung geschieht und zu der diese hinführt, ist sie deshalb, weil die Botschaft von Rechtfertigung und Versöhnung nach Gottes Willen auf die frei bejahte Notwendigkeit und geistgewirkte Möglichkeit eines Lebens der Liebe in der Gemeinschaft zielt[190].

---

[187] Vgl. RdG 461, dazu Ernst Wolf, ZevKR 10, 1963/4, 91.
[188] Diem 317, wobei nach A.6 auch Taufe und Herrenmahl zur Verkündigung gehören (vgl. Fridrichsen, Gemeinde 63).
[189] Diese Linie wird natürlich besonders in der Polemik des 1.Kor deutlich, ist aber nicht nur polemisch, sondern grundsätzlich, wie Röm 6 zeigt.
[190] „Die Rechtfertigung eben versetzt in die von Gott gewollte Gemeinschaft

Darum repräsentiert die Gemeinde das Heilsgeschehen nicht so, daß es ihrer Rechtsordnung unfraglich und unvergänglich eingestiftet wäre, sondern nur so, daß sie immer wieder neu fragt, ob in der Gestalt ihres Dienstes in der Welt wirklich der Dienst der *Versöhnung* geschieht und der Anspruch der Herrschaft *Gottes* laut wird[191], ob die Rechtfertigung des Sünders und die Liebe zum Nächsten die Ordnung der Gemeinde und den Maßstab ‚privaten' Handelns bestimmen.

2. Wo man aus der Rechtfertigung lebt, muß Gemeinde im Gottesdienst nicht mehr durch Observanz kultischer Gesetze aus der profanen Welt ausgegrenzt werden, um die Verbindung mit der Gottheit herzustellen[192]. Gott hat mit seinem versöhnenden Handeln nach der Welt gegriffen und befähigt so zum Gottesdienst in der Profanität der Welt. Kirchenrecht kann damit nicht mehr kultisches Recht sein. Denn es regelt ja nicht wie dieses „das Verhältnis zwischen Gott und Mensch, es vergöttlicht nicht menschliche Einrichtungen und Tradition … Es fließt vielmehr aus der vom Evangelium der Gnade eröffneten Freiheit des offenen Zugangs zu Gott und hilft, den Leib Christi irdisch in der realen Gemeinschaft glaubender Christen zu verwirklichen."[193] Alles ordnende Handeln in der Gemeinde und jede paränetische Weisung an die einzelnen erhält seine Autorität und seine Begrenzung aus dem Recht Gottes, das er zum Heil der Welt geltend macht. Es ist Antwort und Bekenntnis derer, die unter dem Kreuz den eigenen Rechtsanspruch aufgegeben haben und von der Macht der Sünde und des Gesetzes freigekauft wurden, für die darum die Liebe Gottes Beweggrund und Maß allen Handelns ist.

Es scheint allerdings schwierig zu sein, in modernen Kategorien das Verhältnis zwischen diesem Grundrecht der Gemeinde und dem positiven Kirchenrecht zu bestimmen. Man mag von konstituierendem

---

umfassender Mitmenschlichkeit". Im „Wunder der Gemeinde" liegt die Begründung des Rechts! (Ernst Wolf, Rechtsdenken 204f).

191 Auch die apostolische Verkündigung wird von Paulus immer wieder unter dieses Kriterium gestellt (vgl. 2.Kor 6,3 im Zusammenhang mit 5,12ff) und gerade die theologia crucis als movens seines Dienstes hervorgehoben.

192 Vgl. Conzelmann, Grundriß 283: „Paulus bestimmt das Kultische im Sinne der *theologia crucis* …: Der Kult ist nicht Handeln des Menschen auf Gott hin".

193 Wendland, Geist 300. Der katholische Theologe wird diese Alternative nicht akzeptieren, ist er doch der Überzeugung, daß sich in der Rechtsordnung der Kirche und ihren Heilsmitteln Gottes heilsame An-Ordnung verleiblicht hat, durch deren autoritatives Wort das Recht der Gnade nach den Menschen greift. Darum ist die Ordnung primär vor der Verkündigung (frei nach Schürmann, Freiheitsbotschaft 26, und noch schärfer: Neubundl. Begründung 54f). Das ist aber nicht paulinisch.

und regulierendem Recht sprechen[194], von ius divinum und ius humanum[195], oder das Verhältnis dialektisch fassen[196], für Paulus treffen diese Distinktionen alle nicht genau zu, weil er sich um keine
kategoriale Unterscheidung bemüht. Deutlich aber ist, daß bei ihm
das Gefälle herrscht, das durch diese Unterscheidungen angedeutet
werden soll. Denn nur so ist die Dialektik seines Amtsverständnisses
zu erklären und nur so ist Paränese möglich, die einerseits zum konkreten Gehorsam ruft und andrerseits doch nicht zum neuen Gesetz
wird[197], sondern Raum gibt für das δοκιμάζειν ... τί τὸ θέλημα τοῦ

---

[194] Die Unterscheidung „konstituierendes und regulierendes" Kirchenrecht
stammt von Bultmann (Theologie 449f, Wandlung 139), der anders als Sohm
in der Kirche als historischem Phänomen regulierendes Recht zuläßt, aber ein
die Kirche als eschatologisches Phänomen konstituierendes Recht ablehnt
(aaO; vgl. Theologie 452). Das ist historisch fragwürdig (vgl. die Kritik Stuhlmachers, Gerechtigkeit 215 A.1) und offensichtlich auch juristisch problematisch (vgl. Dombois, Hist.-krit. Theologie 290: „Was regulativ einer kritischen
Begrenzung und Ordnung unterworfen werden kann, muß der rechtlichen Be-
urteilbarkeit zugänglich sein und deshalb auch konstitutive Rechtselemente
und -aspekte enthalten". Ähnlich RdG 34; Steinmüller 649f; 816 A.7). Stuhlmacher hat daher Bultmanns Terminologie gewissermaßen umgedreht und „es
als Grundfrage des Kirchen-Rechts bezeichnet, ob es dem die Kirche konstituierenden Gottes-Recht Raum gewährt oder es verdrängt" (aaO). Ein Ansatzpunkt für diese Änderung der Terminologie findet sich bei Bultmann selbst
(450), wo unter Hinweis auf Holl vom Ursprung der regulierenden Rechtsordnung aus dem Walten des Geistes gesprochen wird. Eine ähnliche Differenzierung zwischen dem Kirchenrecht als abgeleiteter Größe und seinem übernatürlichen Ursprung im Heilsgeschehen findet sich bei v. Campenhausen, Begründung
30.
[195] Vgl. S. Grundmann, Einführung 8; Dreier 92ff. Scharf abgelehnt wird die
Unterscheidung von ius divinum und humanum von Diem 334f, der selbst die
Beziehung von „Ordnung der Kirche zu dem in ihr verkündigten Gottesrecht"
als „Nach-vollziehen" und „Nach-ordnen" dessen versteht, „was im Vollzug der
verbindlichen Verkündigung des Gottesrechts bereits geordnet ist" (335). Vgl.
K. Barth, Ordnung 27f, der das von der Gemeinde zu erfragende, aufzurichten-
de und auszuübende Recht von ihrem christokratischen Grundrecht her als
„Dienstrecht" bestimmt.
[196] Erik Wolf, Rechtsgedanke 74: „Das Kirchenrecht kann auf dem Boden des
Satzes vom Christen als ,simul iustus simul peccator' bleiben. Nur aus dem Wissen, daß die Kirche immer zugleich im Recht und im Unrecht ist, kann refor-
matorisches Kirchenrecht erwachsen"; (vgl. Dreier 88 u. — mit anderem Akzent — Planer-Friedrich 9).
[197] Buonainti 309: „Die Kirchenlehre des Paulus ist ebenso zwingend und ebenso normativ, wie sie nicht-kurial, nicht-liturgisch, nicht-gesetzgeberisch ist." Daß
damit das Grundproblem evangelischen Kirchenrechts genannt ist, hat S. Grundmann in seiner Rez. von J. Klein, Skandalon (Abhandl. 509f) eindringlich dargestellt. Für die paulinische Paränese wird diese Frage verfolgt von Schrage, Einzelgebote, und Merk.

ϑεοῦ, τὸ ἀγαϑὸν καὶ εὐάρεστον καὶ τέλειον (Röm 12,2)[198]. Der νόμος τοῦ Χριστοῦ ist ja kein neuer Kodex der paränetischen Worte Jesu[199] (oder des Apostels), sondern die Zusammenfassung des Willens Gottes im Gebot der Liebe.

Exemplarisch sei auf 1.Kor 6,1ff verwiesen. Paulus fordert die Gemeinde auf, Schiedsgerichte zu bilden, um Streitigkeiten nicht vor den Heiden austragen zu müssen. Der Lauf der Zeit macht es nötig, daß in der Gemeinde rechtliche Regelungen getroffen werden[200]. Doch gibt Paulus keine genaueren Anweisungen für das Gerichtsverfahren. Er fordert kein „verchristlichtes Recht, sondern Christen als Richter"[201]. Daneben stellt er den Hinweis auf die Möglichkeit des Rechtsverzichts aus der Erfahrung des Heils. Damit ist keine Faustregel für den Schiedsspruch gegeben[202], wohl aber auf den Geist verwiesen, in dem die Schlichtung zu geschehen hat, und auf das, was die eigentliche Aufgabe der Gemeinde bleibt: die Verkündigung der Rechtfertigung, die Liebe bis zum Verzicht auf das eigene Recht ermöglicht, weil man bei Gott Lebensrecht gefunden hat[203].

3.3.2 Das Recht des Jüngsten Tages

Was ist aber von diesem Ansatz aus zu Stellen zu sagen, an denen Paulus Sätze des heiligen Rechts dekretiert, den Fluch über Gegner ausstößt und in scharfer Form Kirchenzucht übt? Steht dies nicht in unversöhnlichem Widerspruch zur Rechtfertigungsbotschaft?

---

[198] Dazu Therrien (umfassende Materialsammlung) und Wengst, Zusammenkommen, der zu Recht die Gemeindebezogenheit dieses Vorgangs herausstellt.
[199] So W. D. Davies, Rabb. Judaism 144f, und Dodd, Ἔννομος Χριστοῦ; anders Schürmann, Gesetz 292f, der die Paradoxie des Ausdrucks erkennt.
[200] So mit Recht Kuß, Jesus 53. Zu den Einzelheiten vgl. Dinkler, Problem der Ethik.
[201] Dinkler, aaO 218.
[202] Dinkler, aaO 212ff, und Dombois, RdG 145, weisen darauf hin, daß der Rechtsverzicht keine gesetzliche Forderung des Paulus, sondern eine im Heilsgeschehen begründete Möglichkeit der Freiheit des Christen ist, die der Rechtsbehauptung kritisch gegenübergestellt wird (ähnlich Meurer 155f).
[203] Vgl. Schüssler-Fiorenza, Richten 429, und bes. Horst, EKL III, 459: „Das Evangelium enthält ein Ja auch zum R(echt) der Kirche, doch ein Nein zu ihrer Verrechtlichung. Es ist nicht darauf aus, neues, besseres Recht zu schaffen, wohl aber die eigenmächtige Inanspruchnahme des R(echt)s zu unterbinden und im doppelten Liebesgebot die Grundnorm biblischen R(echts)handelns erneut herauszustellen".

Zur Beantwortung dieser Frage müssen wir auf unsere grundsätzlichen Ausführungen zur Offenbarung der Gerechtigkeit Gottes zurückgreifen. Im Evangelium offenbart sich am Glaubenden die eschatologische Gerechtigkeit Gottes und vollzieht sich in Annahme oder Ablehnung des Heils proleptisch das Endgericht[204]. Der proleptische Charakter der eschatologischen Gerechtigkeit liegt nicht darin, daß sie nur vorläufig ist und durch die Bewährung des Christen im Endgericht ratifiziert werden muß, sondern — wie immer es auch um die Frage nach dem Gericht nach den Werken stehen mag[205] — darin, daß sie uns nur als fremde in Christus gegenwärtig ist.

Paulus drückt das durch zwei Gedankenreihen aus:

1. Positiv: Die Gemeinde und jeder Christ lebt aus dem Vertrauen zur Treue Gottes und im Gehorsam gegenüber dem Evangelium in der Gewißheit der endgültigen Errettung.

2. Negativ: Wer aus dem Bereich des Christus tritt, bzw. sich in ihm unangemessen verhält, stellt sich unter das Gericht und verfällt dem Zorn Gottes, dem er schon entrissen war.

Das Recht des Jüngsten Tages markiert damit die Grenze der Gemeinde, nicht als Eintrittsbedingung, sondern als rechtskräftige Warnung, die zurückführen soll in den Bereich des Gehorsams Christi[206].

Das spezifisch Paulinische läßt sich dabei an einzelnen Stellen sehr schön herausarbeiten.

Das Anathema in der Abendmahlsliturgie (1.Kor 16,22 εἴ τις οὐ φιλεῖ τὸν κύριον, ἤτω ἀνάθεμα) war ursprünglich wohl Scheideformel bei Beginn der Feier, die die Ungläubigen vor der Präsenz des kommenden Weltenrichters warnt und Unwürdige zum Fernbleiben auffordert[207]. Sie wird an unserer Stelle zum warnenden Hinweis für

---

[204] Ausgewertet für die Frage nach dem Kirchenrecht bei Dombois, RdG 67, 110, 143ff, 209f u.ö. (vgl. Steinmüller 480f, 733f); s.o. zu Röm 1,16ff; 1.Kor 1,18ff; 2.Kor 2,14ff; 4,1ff (s.o. 2.1.2).
[205] Dazu Braun, Gerichtsgedanke; Jüngel, Paulus 66ff; Mattern; Stuhlmacher, Gerechtigkeit 228ff; Synofzik.
[206] 1.Kor 6,9–11; s.o. 1.4.1 und 2.1.2.
[207] Vgl. Bornkamm, Verständnis 123ff, der die wichtigsten Parallelen anführt und dem Wiefel, Fluch; Neuenzeit, Herrenmahl 122, und Sandvik 28ff beipflichten. Nach Kiss sprechen alle Anathemastellen keinen injurativen Fluch, sondern nur das Gebot der Isolation aus (92). Für antikes Denken dürfte der Unterschied nicht sehr groß sein! Roetzel 142–158 bezweifelt die Herkunft aus der Abendmahlsliturgie und hebt auf die Funktion im jetzigen Kontext als apostolisches Gerichtswort ab (zustimmend Luz, Rez. ThLZ 99, 1974, 424ff). Nicht nur als Scheideformel wie Did 10,6, sondern als Fluch über un-

jeden in der Gemeinde gemacht, der sein Leben nicht in der Liebe zum Herrn, sondern im Stolz auf die eigene Freiheit lebt[208]. Die konditionale Form, die sie mit den Sätzen heiligen Rechts teilt[209], macht

---

erkannte Sünde fassen die Wendung U. B. Müller, Prophetie 201ff; Hunzinger, TRE V, 164.

[208] Vgl. Conzelmann, 1.Kor 359f. Nach Schlatter, Paulus 460, und Bornkamm, Verständnis 125f, soll die Formel nicht einfach Gläubige und Ungläubige scheiden, sondern zur Selbstprüfung anleiten; dagegen Conzelmann 360 A.32.

[209] Vgl. Bornkamm, Verständnis 125. Das εἰ τις, das für alle entsprechenden Sätze des Paulus charakteristisch ist (vgl. 1.Kor 16,22; 3,17; 14,38; Gal 1,9; positiv 1.Kor 8,3), entstammt nicht dem kasuistischen Recht (so Käsemann, Sätze 72; dagegen Stuhlmacher, Gerechtigkeit 134; vgl. aber Liedke 153 A.3), wo der konditionale Stil die Aufgabe hat, die Tat möglichst genau zu spezifizieren, sondern betont die Allgemeingültigkeit (zu übersetzen: ‚jeder der‘, vgl. Liddell – Scott und W. Bauer s.v.). Die nächste Stil- und Sachparallele finden wir in den Fluchformeln griechischer Grabinschriften (vgl. CIG 2664 bei Deißmann, Licht 75 A.6, 258, eine genaue Parallele zu 1.Kor 16,22 u. Gal 1,9). In der LXX findet sich die Wendung selten (vgl. K. Beyer, Syntax 226f); eine exakte Parallele liegt in Ex 32,33 vor, verwandt ist die Ex 21,12–17, Lev 20, 9ff zugrundeliegende Reihe (zu ἐάν τις in den Grabinschriften vgl. die Belege bei Berger, NTS 17, 1970, 24 A.1; Latte 84f) und der Sache nach auch die Reihe in Dt 27,11–26. Allen Formeln und Reihen ist gemeinsam, daß sie Tatbestände mit der göttlichen Strafe bedrohen, die aus irgend welchen Gründen menschlicher Rechtspflege entzogen sind, sei es, daß diese versagt (vgl. Latte 76ff; Wiefel, Fluch 218ff zu Fluchtafeln und Grabinschriften; zu Lev 20,9ff Elliger, Lev 273, 275, 277), sei es, daß die Verbrechen heimlich geschehen (vgl. zu Dt 27 Alt, Ursprünge 314; G. v. Rad, 5. Mose 121; s. auch 1 QS 2,4ff) oder sei es, daß die Art des Vergehens nicht von der weltlichen Gerichtsbarkeit betroffen wird (so Wiefel, Fluch 225f, zu 1.Kor 5,1ff). Hierher gehört auch die Fluchreihe in 1 QS 2,4ff, insbesondere die im Blick auf 1.Kor 5,1ff wichtige Stelle 2,12ff, wo durch den Fluch der heuchlerische Eintritt in die Gemeinschaft abgewehrt werden soll (vgl. Lichtenberger, Menschenbild 106–118; zur Geschichte solcher Scheideformeln im Griechentum von der Polis über die Mysterien bis zu den Vereinen vgl. Wiefel 229ff). Allen Belegen (außer Ex 21, Lev 20) ist weiter gemeinsam, daß von einer menschlichen Unterstützung der göttlichen Sanktionen nicht die Rede ist (vgl. Kohlmeyer 12). Wenn unsere Feststellung zutrifft, daß Paulus auch in der Ordnung der Gemeinde von dem Vertrauen auf *Gottes* Handeln ausgeht, so leuchtet ein, warum gerade bei ihm Sätze heiligen Rechts gehäuft auftauchen. Das spezifisch Urchristliche dieser Sätze ist ihre eschatologische Fassung: durch den Hinweis auf das Endgericht wird einerseits die Realität des göttlichen Urteils unterstrichen, andererseits bleibt der eschatologische Vorbehalt, der Raum zur Buße gewährt (vgl. Käsemann, Sätze 72; Hunzinger, TRE V, 165). Aus der Weisheitsliteratur, die neuerdings zur Erklärung dieser Formeln herangezogen wurde (E. Schweizer, Gesetz 66; K. Berger, NTS 17, 1970, 24–31; beide Arbeiten befassen sich vor allem mit Mt), könnte das Prinzip der adäquaten Vergeltung stammen, das ebenfalls unter dem Aspekt des Gerichts umgeformt und zum ius talionis wurde (vgl. Gal 6,7 mit Prov 22,8; der Hauptbeleg Käsemanns aus

sie dafür geeignet. Der Gebetsruf um das Kommen des Herrn bekräftigt das Anathema[210].

Daß einige der Glieder der korinthischen Gemeinde Hurer, Götzendiener, Ehebrecher u.ä. waren, hat ihre Aufnahme in die Gemeinde nicht verhindert, obwohl das der Sinn der in 1.Kor 6,9ff (vgl. Gal 5,21) vorliegenden Formeln ursprünglich gewesen sein könnte[211]. Denn sie sind ja gereinigt, geheiligt, gerechtfertigt. Das Recht des Jüngsten Tages, das Paulus mit der Formel vor ihnen aufrichtet, soll die Gemeinde warnen, wiederum Unrecht zu tun und somit dem Gericht zu verfallen[212]. Ganz ähnlich wird die Formel in Gal 5,19—21 verwandt. Paulus gründet seine Paränese positiv auf die Gegenwart des Geistes, negativ auf die Verkündigung eschatologischen Rechtes[213].

Ähnlich verhält es sich mit anderen Sätzen heiligen Rechtes, etwa in 1.Kor 3,16f und 14,38. Sie sind grundsätzlich an einem *Tatbestand* orientiert, verzichten auf die Androhung innerkirchlicher Rechtsfolgen und stellen mit prophetischer Gewißheit unter das adäquate

---

Gen 9,6 [aaO 69] ist damit freilich noch nicht erklärt). Die Formeln mit εἴ τις sind aus der Weisheitsliteratur nicht zu belegen und abzuleiten. Berger, ThZ 28, 1972, behandelt sie in A.68 (327ff) ausführlicher. Obwohl er die Herkunft aus dem Sakralrecht nicht leugnen kann, lehnt er für die christl. Sätze das Vorliegen einer Rechtssituation ab, begnügt sich bei den paulinischen Belegen aber mit rhetorischen Fragen (330). Auch Roetzel 150ff und U. B. Müller, Prophetie 198f, wenden sich gegen die Ableitung aus der Weisheitsliteratur.

210 Zur Funktion des Maranatha vgl. K. G. Kuhn, ThWNT IV, 474,28ff, der darin einen scharfen Hinweis auf die *Gegenwart* des Herrn sieht und darum hier die präsentische Übersetzung der imperativischen vorzieht (dazu 475,10ff). Bornkamm, Verständnis 125, versteht beide Möglichkeiten als Bekräftigung des Fluchs. Dagegen plädiert Wengst, Formeln 53f, für die imperativische Fassung nach Apk 22,20 und sieht als Sitz im Leben die prophetische Verkündigung von Sätzen Heiligen Rechts.

211 Zur Formelhaftigkeit der Reich-Gottes-Sprüche s.o. Kap. 1, A.50. Handelte es sich ursprünglich um Gerichtspredigt in der missionarischen Verkündigung (vgl. Gal 5,21; so Oepke, Gal 179f)?

212 Der Anschluß erfolgt unter dem Stichwort ἀδικεῖν – ἄδικοι. S. Käsemann, Sätze 72: „Der Charismatiker warnt nicht bloß, sondern proklamiert die bereits gegenwärtige Macht des Richters, deren Antizipation vor dem jüngsten Tage im Dienst der Gnade steht, nämlich Raum der Umkehr gewährt". Vgl. Roetzel 129f.

213 Die Paränese in der Urchristenheit ist „zunächst apokalyptisch begründet worden" (Käsemann, Anfänge 96; vgl. Wendland, Kirche 16; Stuhlmacher, Gerechtigkeit 134). Man wird dieser Begründung also nicht nur „unterstreichende Bedeutung" zumessen dürfen (v. Campenhausen, Begründung 30, A.64; Gager 336: „big stick"!).

Gericht Gottes[214]. Hierher gehört auch das Anathema gegen die Verkündiger eines andern Evangeliums in Gal 1,8f: es ist zweifellos nicht nur hypothetisch gesprochen, bleibt aber sowohl in der Autorisierung, als auch in der Zielrichtung *sachlich* orientiert[215].

Eine Abwandlung des Gedankens liegt in 1.Kor 11,30ff vor: Damit die Gemeinde nicht zusammen mit der Welt verurteilt wird, wird sie vom Herrn gerichtet und gezüchtigt. Das ist die Ursache für die vielen Krankheits- und Sterbefälle in der korinthischen Gemeinde. Dieser Gedanke, der aus der jüdischen Leidenstheologie übernommen ist[216], ist freilich nur ein Ausrufezeichen hinter dem eigentlichen Anliegen des Paulus: Jeder prüfe sich selbst und spreche sich selbst das Urteil[217], um nicht durch unangemessene Teilnahme am Herrenmahl dem Gericht zu verfallen. Der Selbstbeurteilung steht die „Unterscheidung des Leibes" parallel, eine offensichtlich bewußt doppeldeutig formulierte Wendung, die die Verantwortung angesichts der Gegenwart des Heilsgeschehens beim Mahl und angesichts der durch sie konstituierten Gemeinschaft des Leibes Christi ausspricht[218]. Über sich selbst zu urteilen, kann also nichts anderes bedeuten, als in der Gegenwart des Weltenrichters das eigene Versagen in der Gemeinschaft zu erkennen und sich dem im Kreuz Jesu vollzogenen Gericht zu stellen[219].

Denkt Paulus in 1.Kor 11,28ff beim „Urteilen" und „Richten", das gefordert ist, offensichtlich in erster Linie an die Selbstbeurteilung des einzelnen, so geht es in 1.Kor 5,1—13 um ein Gericht, das die Gemeinde über eines ihrer Glieder verhängt. Dieses Gericht über οἱ ἔσω entspricht dem Gericht, das Gott an οἱ ἔξω vollziehen wird. Der Unterschied liegt darin, daß das Gericht der Gemeinde nicht zur

---

[214] Es ist also durchaus noch das heilige Recht im Sinne der Antike bestimmend und noch nicht das hierarchische Kirchenrecht, das nach Peterson 428 A.14 „das spezifisch Neue" im Urchristentum bildet.

[215] Auf die Bedeutung dieser „allgemeinen" Formulierung der Strafformeln verweist Hasenhüttl, Charisma 80f.

[216] Vgl. Lohse, Märtyrer 29ff. Zum Gerichtsmotiv in 1.Kor 11,27ff vgl. Käsemann, Anliegen 22—26; Moule 468ff; C. B. Becker 170. Dagegen möchte Mattern 102 den Gedanken der Vorwegnahme des Endgerichts durch Sühne ausschalten und nimmt ein besonderes Züchtigungsgericht an, das die Aufgabe hat, die Gemeinde vor dem Endgericht zu bewahren.

[217] Die „an die Ungläubigen adressierte Warnungs- und Ausschlußformel" wird „paränetisch gegen die Teilnehmer des Herrenmahls in Korinth" gewandt (Bornkamm, Verständnis 129; vgl. Moule 473; Synofzik 49—53).

[218] S.o. Kap. 2, A.173.

[219] Greeven, Kirche 131; Roetzel 92f; vgl. auch 2.Kor 13,4f und dazu o. 177.

völligen Vernichtung führen wird, sondern durch die Vernichtung des Fleisches die Rettung des Geistes bewirken soll[220]. Es entspricht also der Verhängung von Krankheit und Tod zur Züchtigung der Gemeinde durch den Kyrios in 1.Kor 11,30f, wobei sich Paulus dort nicht in Erörterungen darüber einläßt, ob diese Schicksalsschläge immer gerade die trafen, die besonders schuldig geworden waren[221], oder allgemein der *ganzen* Gemeinde zur Besinnung dienen sollen.

Doch zurück zu 1.Kor 5: Entscheidend für das Verständnis des ganzen Kapitels ist, daß es primär um das Versagen der Gemeinde geht[222]. V. 2 kommt eine Schlüsselstellung zu. Die Gemeinde in Korinth ist blind gegenüber massiver Verfehlung in den eigenen Reihen, verkennt also die Wirklichkeit der Sünde und damit auch die Radikalität der Gnade Gottes, die auf diese Realität bezogen ist. Der Enthusiasmus der Korinther erweist sich als Aufgeblasenheit. Trauern hätten sie sollen zum Zeichen des Schreckens über den Einbruch der Sünde in die Gemeinde. Damit wäre ihre Distanz zur Tat dieses Mannes deutlich geworden und gleichzeitig eine letzte Möglichkeit der Solidarität mit dem Schuldigen genützt[223]. Konsequenz dieser Haltung wäre gewesen, daß der Übertäter aus der Gemeinde entfernt worden wäre[224]. So hätte die „normale" Reaktion einer Gemeinde ausgesehen und alles, was nun in V. 3—5 kommt, ist gewissermaßen Rechtshilfe für eine Gemeinde, die nicht nach dem Recht des Kyrios fragt. Bleibt der Gemeinde de facto auch kein Entscheidungsspielraum[225], so macht die schwierige Konstruktion des Satzes[226] doch gerade das eine deut-

---

[220] Vgl. Doskocil 66; Synofzik 56 (s.u. A.236).

[221] Das scheint die Meinung Schlatters zu sein (Paulus 329), der die Parallele von 11,30f zu 5,5 ebenfalls hervorhebt; vgl. auch Bohren 113. Die unbestimmte Formulierung spricht jedoch dagegen.

[222] K. Barth, Auferstehung 13; Conzelmann, 1.Kor 115; Roetzel 118f. Darum fehlt jede den Einzelfall betreffende Kasuistik. Nach Meinung des Paulus liegt der Fall klar.

[223] Zu diesem „Trauern" über die Schuld anderer vgl. Bultmann, ThWNT VI, 42,18ff; 43,15ff und die dort genannten Belege: 1.Esra 8,69; 9,2; 2.Esra 10,6 (LXX); 2.Kor 12,21; 1.Clem 2,6.

[224] ἵνα ist fast konsekutiv (Weiß, 1.Kor 126 gegen Bachmann z.St.). Vgl. Schlatter, Paulus 175: „Hätte sie getrauert, so hätte sie erreicht, daß der Schuldige von ihr geschieden würde. Entweder hätte er selbst die Verbindung mit der Gemeinde gelöst, weil er ihren Widerspruch gegen sein Verhalten nicht ertragen hätte, oder das göttliche Urteil hätte der trauernden Gemeinde beigestanden und den Schuldigen entfernt."

[225] Doskocil 64; Schnackenburg, Kirche 28; Roetzel 118; anders Hasenhüttl, Charisma 78, 83; Giesriegl 155—157; Meurer 121.

[226] Dazu Conzelmann, 1.Kor 117; Forkman 141f.

lich, daß es Paulus darauf ankommt, daß die ganze Gemeinde das von Paulus in Vollmacht gefällte Urteil als Urteil des in seiner Dynamis anwesenden Herrn anerkennt und übernimmt[227]. Wer dem Herrn Jesus Christus nicht gehorcht, wird dem Herrn dieser Welt, dem Satan, zur Vernichtung übergeben. Die Devotion[228] ist die konkrete Anwendung des sakralen Rechts, das in der allgemeinen Fluchformel vor der Feier des Herrenmahls zum Ausdruck kommt[229].

---

[227] Vgl. Lietzmann und Barrett z.St.; Schweizer, Gemeinde 175; Kertelge, Gemeinde 113. Entscheidend ist, daß die Autorität des Kyrios von der ganzen Gemeinde anerkannt wird (so auch Doskocil 64; Fuchs, Grenze 46f; Stoodt, Wort 79; Hasenhüttl, Charisma 78; Forkman 142f). Kohlmeyer 34 sieht in diesem „Gemeinderecht" „die ursprünglichste Grundlage urchristlichen Kirchenrechts". Rechtssoziologische Beschreibung des zugrundeliegenden Denkens bei Linton 192f und Dombois, RdG 942f.

[228] Dazu Latte 62ff; Deißmann, Licht 256ff; Wiefel, Fluch 216ff; Speyer, RAC VII, 1245.

[229] Wiefel, Fluch 224—229 hat diesen Zusammenhang noch einmal klar herausgestellt: „Das in Fluch- und Bannungsformeln Gestalt gewinnende scheidende Handeln ist ein wesentlicher Bestandteil der urchristlichen Gemeindeversammlung" (229; vgl. auch Wiles 142ff). Welchen Rechtscharakter trägt dieses Handeln? Ein äußerer Zwang wird nicht ausgeübt, ebensowenig liegt ein „kirchenrechtlich geordnetes Disziplinarverfahren vor" (Schmitz, Grenze 17). Hat also Sohm recht? (so Schmitz, aaO A.7). Dennoch geschieht mehr, bzw. anderes „als die innere Überführung durch das Wort", bzw. die „Bezeugung dafür, daß ein Glied vom Heil gefallen ist und tatsächlich zur Gemeinde nicht mehr gehört" (v. Campenhausen, Recht 25). Die Übergabe eines Menschen an den Satan kann nicht anders beschrieben werden als ein Akt heiligen Rechts mit zwingender Gewalt, die freilich nicht in den Händen der Ausübenden liegt. Der Rechtscharakter bleibt, auch wenn Paulus die Freiheit Gottes betont, was den entscheidenden Unterschied zur magischen Devotion bildet (vgl. Stoodt, Wort 79ff, der Anregungen Käsemanns weiterführt, und Dombois, RdG 881: Das Gnaden-Kirchenrecht kennt keinen Zwang, wohl aber die Sanktion). Darum sind auch die andern Formeln heiligen Rechts nicht „lediglich" als „beschwörende Drohformeln und Proklamationen der geistlichen Anrede" anzusehen (v. Campenhausen, Begründung 35 A.83). Umstritten ist in diesem Zusammenhang die Frage, ob mit der Übergabe an den Satan der Ausschluß aus der Gemeinde verbunden ist. Dafür entscheiden sich Linton 137 (mit Hinweis auf 5, 13); Bohren 110 (Aufhebung der Taufe?); Käsemann, Sätze 73f; v. Campenhausen, Amt 147 A.1; Kohlmeyer 8f; Doskocil, RAC VII, 11; Synofzik 54ff. Dagegen sieht Kümmel (bei Lietzmann 1.Kor 174, unter Berufung auf M. Goguel, L'église primitive 242ff) darin keinen Ausschluß aus der Kirche, da ja gerade endgültiges Heil bewirkt werden soll. Jedenfalls ist der Ausschluß aus der Gemeinde (V. 7—13) nur sichtbare Konsequenz des weiterreichenderen Geschehens (Weiß, 1.Kor 129). Die Kirche ist noch nicht in einer Weise Heilsanstalt, daß der Ausschluß aus ihr in den Mittelpunkt der Formulierungen rücken würde. „Die Strafe wird primär von Gott her gesehen und nicht vom Wesen der Gemeinschaft aus begründet" (Doskocil 67).

Begründet wird das ganze Verfahren durch den Hinweis auf die ge-
fährliche, geradezu ansteckende Macht der Sünde, die — wenn sie in
der Gemeinde geduldet wird — eine verheerende Wirkung hat (V. 6).
Das gleiche Bild, mit dem Paulus die Warnung ausspricht, gibt ihm
aber auch die Möglichkeit an die Hand, von der Wirksamkeit der
Gnade und der geschehenen Erlösung zu sprechen, durch die der
Kampf mit der Sünde schon entschieden ist und immer wieder neu
entschieden werden kann, nimmt man nur die Realität der Sünde
ernst[230]. Es ist darum nicht Aufgabe der Gemeinde, sich dadurch
von der Welt zu scheiden, daß man sich aus ihr zurückzieht und sie
verurteilt[231]. Das Gericht über die Welt steht allein Gott zu. In der
Verantwortung der Gemeinde liegt es, vor der Welt und in der Welt
durch ihren Gehorsam Zeugnis für das Recht Gottes abzulegen, das
im Kreuz verwirklicht ist[232].

Anders als etwa bei Matthäus ist die Gemeinde für Paulus kein corpus permixtum[233]. Auch bei ihm gibt es den eschatologischen Vorbehalt. Aber er besteht nicht darin, daß Gott sich vorbehält, in
der Gemeinde die Bösen von den Guten zu scheiden, sondern umgekehrt darin, daß seinem Gericht vorbehalten ist, den Frevler zu
retten, wenn seine Verfehlung von der Gemeinde ins Gericht genommen wurde[234]. Dürfte das bisher Gesagte im wesentlichen all-

---

[230] Auf das typische Nebeneinander von Indikativ und Imperativ in V. 7 weist
(Lietzmann —) Kümmel, 1.Kor 174 hin; vgl. schon Schlatter, Paulus 181; K.
Barth, Auferstehung 12.
[231] Forkman 150f; vgl. auch Barth, Auferstehung 12: „Es handelt sich darum,
das Recht *Gottes* zur Geltung zu bringen".
[232] Vgl. Stuhlmacher, Gerechtigkeit 216. Daß Paulus so hart durchgreift, weil
er einen Konflikt mit den röm. Behörden befürchtet (Meurer 120f), ist reine
Vermutung.
[233] Vgl. Mt 13,24—30.36—43; 22,10—14; Bornkamm, Enderwartung 40f. Zu
Paulus s. Th. Schlatter, Tot für die Sünde 47f.
[234] Vgl. Michel, Zeugnis 67ff, 70. Daß es sich um die Rettung des Frevlers und
nicht nur um die Rettung des πνεῦμα als Gotteskraft handelt, scheint trotz des
Einspruchs von Bornkamm (nach v. Campenhausen, Amt 147 A.1) Konsensus
geworden zu sein; vgl. Schweizer, ThWNT VI, 434,3ff; Käsemann, Sätze 74;
Bohren 112; Schmitz, Grenze 16f; Kohlmeyer 12; Doskocil 63; Stuhlmacher,
Gerechtigkeit 231; Mattern 105f; Synofzik 56. Donfried, Justification 109,
meint allerdings, es gehe nicht um die Rettung eines einzelnen, sondern darum,
„that God's spirit may be saved, i.e. may continue to dwell in your midst
(1.Cor 3,16)" (ähnlich A. Y. Collins 259f). Dagegen spricht aber das Verb (ἵνα
... σωϑῇ) und der Hinweis auf den Tag des Herrn (vgl. auch 1.Kor 3,15). Als
antithetische Parallele vgl. man 1 QS 2,14f: „sein Geist werde vernichtet ...
ohne Vergebung" (dazu Lichtenberger, Menschenbild 107 A.24). Ob man freilich sagen kann, die Rettung des Frevlers sei das *erste* Anliegen des Paulus an

gemein urchristliche Auffassung über die Reinheit der Gemeinde darstellen, so scheint mit dem Motiv der Rettung eine spezifisch paulinische Modifikation vorzuliegen[235]. L. Mattern hat zu seinem Verständnis außer auf 1.Kor 11,30f auch auf Röm 8,13f hingewiesen. Die Devotion an den Satan zum Verderben des Fleisches entspricht dem Abtöten des Fleisches, das Aufgabe jedes Christen ist[236]. Auch das Motiv von der Rettung des πνεῦμα findet eine Erklärung in Röm 8[237]. In Vers 10 heißt es: „Wenn Christus in euch ist, dann ist der Leib zwar tot um der Sünde willen, der Geist aber Leben um der Gerechtigkeit willen." Die Unklarheit an beiden Stellen, ob anthropologisches Pneuma oder Gottes Geist gemeint ist[238], hat ihre Ursache also in dem Bemühen, den Zuspruch der Treue Gottes in der Rechtfertigung im Anthropologischen auszusagen — bis hart an die Grenze eines substanzhaften Dualismus — und doch die Kontinuität allein im geschichtlichen Handeln Gottes zu sehen[239]. Auch wenn dies in 1.Kor 5,5 fast einem charakter indelebilis des Christen nahe zu kommen scheint und uns das ganze Verfahren vor allem auf Grund seiner Nachgeschichte dubios vorkommt[240], so muß man doch sehen,

---

dieser Stelle (Bohren 111; Barrett, 1.Kor 127; Schweizer, Gemeinde 175; Meurer 124ff), scheint fraglich, wenn man den Zusammenhang betrachtet: die Sorge um die Gemeinde steht im Vordergrund. Aber Reinigung der Gemeinde und Rettung des Frevlers schließen sich eben nicht aus (Roetzel 118; Hunzinger, TRE V, 167).

[235] Vgl. einerseits Mt 18,15—17; Act 5,1—11, andrerseits im corpus paulinum 2.Th 3,14f; 1.Tim 1,20; 2.Tim 2,25f, aber auch 1.Tim 5,19—21; Tit 3,10f (dazu Schweizer, Gemeinde 72f; Forkman 115ff).

[236] Mattern 108: „der Gerichtsakt, zu dem Paulus die Gemeinde auffordert, [ist] nichts anderes als der Vollzug dessen, was der Korinther selbst hätte tun sollen: Das Vernichten der Taten des Fleisches — nun radikal durch die Vernichtung des Fleisches"; vgl. Roetzel 119ff. Forkman 146f verbindet diesen Gedanken mit dem der Sühne. Cambier möchte daher εἰς ὄλεθρον τῆς σαρκός nur als Vernichtung dessen, was fleischlich ist, verstehen. Der Text legt das nicht nahe.

[237] Darauf hat schon Fuchs, Grenze 47ff hingewiesen.

[238] Zu 1.Kor 5,5 vgl. Bultmann, Theologie 209; Schweizer, ThWNT VI, 434, 3ff; zu Röm 8,10f vgl. Michel, Röm z.St.

[239] Röm 8,11 hält fest, daß Gott der Handelnde ist; vgl. in V. 10 διὰ δικαιοσύνην. Schlatter, Paulus 178: Paulus denkt an das, „was der Glaubende und Getaufte vom Christus empfängt". Fuchs, Grenze 47: „Der Geist bezeichnet also geradezu einen Vorbehalt in der menschlichen Existenz, nämlich den Vorbehalt, mit dem sich der Herr diese Existenz für seinen Tag vorbehält". Vgl. Synofzik 56.

[240] Zur Aufgabe der Sachkritik vgl. Weiß, 1.Kor 132f (mit Beispielen aus der Auslegungsgeschichte) und Conzelmann, 1.Kor 118 A.36, der darauf hinweist, daß unsere Stelle die soteriologische (!) Begründung von Ketzer- und Hexen-

daß Paulus auch hier von der Rechtfertigung des Gottlosen aus argumentiert: Nicht das Idealbild der reinen Gemeinde leitet ihn, die im Bewußtsein ihrer Würde den Versager ausstößt[241]. Sondern gegenüber einer Schar von Enthusiasten, die im Bewußtsein der eigenen Geistbegabung das leibliche Versagen bei sich und anderen großzügig übersieht[242], stellt er das Bild einer Gemeinde, die als Zeugen für Gottes Recht die Verantwortung füreinander tragen, sich unter dem Versagen des anderen beugen (V. 2) und für das Urteil Gottes offen sind[243]. Verfluchung und Hoffnung auf Rettung schließen sich nicht aus, weil Paulus einerseits durch das Motiv der Rettung des Geistes „das Festhalten des Schöpfers an seinem … Werk"[244] bezeichnet, aber andrerseits durch die Notwendigkeit der Vernichtung des Fleisches die Verwandlung der Treue Gottes in einen anthropologischen charakter indelebilis und damit das Abgleiten in die Verkündigung einer billigen Gnade gerade verhindert[245].

Wo das Wort vom Kreuz verkündigt wird, weiß man, daß es Gnade nur durchs Gericht gibt. Dies anzuerkennen, Gott Recht zu geben in seinem Gericht am Kreuz, gehört zum Wesen der Rechtfertigung aus Glauben[246]. Wer sich diesem Gericht entzieht, sei es im Streben nach eigener Leistung und Weisheit, sei es in der Verachtung des Rufs zur Verantwortung im leiblichen Leben, muß ins Gericht gestellt werden, soll er nicht dem Endgericht zum Opfer fallen. So ist die prophetische Verkündigung des Gottesrechts eine der grundlegenden Institutionen der Gemeinde. Im Sinne unserer obigen Definition bedeutet das nicht

---

verbrennungen geliefert hat. Hier vollzieht der Mensch das Gericht! Vgl. weiter Thyen 144f.

[241] Vgl. Schweizer, Gemeinde 175f; v. Campenhausen, Ordnung 176; vgl. auch V. 7ff und dazu Conzelmann, 1.Kor 119: „Die Heiligkeit ist nicht Ziel, sondern Voraussetzung des Verhaltens"; (weiter Meurer 130ff).

[242] Vgl. Barrett, 1.Kor 122; Schüssler-Fiorenza, Richten 428.

[243] Vgl. Schlatter, Paulus 180f.

[244] Stuhlmacher, Gerechtigkeit 231 A.1.

[245] Vgl. Schweizer, ThWNT VI, 434,6ff. Die Paradoxie, die hier waltet, entspricht der in der Hoffnung auf die Rettung Israels (s. Stuhlmacher, aaO 231); vgl. auch 1.Kor 3,15 (dazu Schlatter, Paulus 178; Conzelmann, 1.Kor 96; Meurer 125f). Da es nicht um die Sühnkraft des Todes eines Menschen geht, entsteht kein Widerspruch zur paulinischen Soteriologie (gegen Goguel, RHPhR 18, 1938, 315; Bohren 113 A.149).

[246] Zur Gerichtsdoxologie vgl. Stuhlmacher, Gerechtigkeit 131, 218—220. Roetzel erkennt die Bedeutung der Kreuzestheologie für die Gerichtsthematik (107) und die Verbindung von Ekklesiologie und Gerichtsmotiv (175f). Er zieht jedoch keine Konsequenzen für die Rechtfertigungslehre, relativiert sie als nur für das Individuum bedeutsam, anstatt ihren Einfluß auf die Ekklesiologie wahrzunehmen (176; dazu Luz, Rez. ThLZ 99, 1974, 424ff).

eine organisatorische Festlegung, sondern die Offenheit der Gemeinde für die unerwartete und unverrechenbare Kritik und Zurechtweisung des Geistes[247]. Auch diese Institution steht im Dienst der Verkündigung der Gerechtigkeit Gottes. Das strenge Festhalten an den Formen des heiligen Rechts schließt die Verwechslung mit menschlichem und damit jeweils eigenem Recht der Kirche aus[248]. Als „bekennendes Kirchenrecht" bezeugt es nicht die Fähigkeit der Gemeinde, vorbildliches Recht und reinen Tisch im eigenen Hause zu schaffen, sondern die Souveränität Gottes, der durch die Botschaft vom Heil die Welt richtet und durchs Gericht rettet, der den Gottlosen rechtfertigt und jede angemaßte Frömmigkeit zerstört. So bleibt klar, daß die Gemeinde von der Rechtfertigung des Sünders in Christus lebt, auch wo sie Gottes strafendes Handeln anzusagen hat.

3.4 Freiheit und Verantwortung

3.4.1 Der Kyrios und die Brüder

Zwei Texte in den paulinischen Briefen widersprechen dem Befund des vorigen Abschnitts, insbesondere in 1.Kor 5. Der Mahnung, die drinnen zu richten (V. 12), steht die Aufforderung gegenüber: „Laßt uns nicht mehr einander richten!" (Röm 14,13; vgl. 14,3.4.10)[249], dem Aufruf „Entfernt den Bösen aus eurer Mitte!" (V. 13) die Mahnung zur Hilfe für den, der beim Fehltritt ertappt wird (Gal 6,1). Dabei ist keineswegs sicher, daß Paulus in Gal 6,1 so abschwächend formuliert, wie das gelegentlich dargestellt wird[250]. Eine grundsätzliche oder kasuistische Abgrenzung gegenüber Fällen wie in 1.Kor 5 fehlt jedenfalls und ist von der Art paulinischer Briefe her auch nicht zu erwarten. Dabei weist die Situation durchaus ähnliche Züge zu der

---

[247] Greeven, Propheten 352ff; Käsemann, Sätze 73, sehen in den Propheten die Künder Heiligen Rechts; dagegen U. B. Müller, Prophetie 183 (ähnlich Hill, Role 273f): „Die Verkündigung und Anwendung eschatologischen Gottesrechtes gehört nicht ins Zentrum der Prophetie" (vgl. aber Müller 200!).
[248] Vgl. Stoodt, Wort 82; Gräßer 120 (zu Gal 1,8).
[249] S. auch 1.Kor 4,5; Mt 7,1; Jak 4,11f. Synofzik behandelt die Texte, ohne das Problem in seiner Schärfe zu sehen (39ff, 107), Forkman 192f nennt es, ohne ihm nachzugehen.
[250] Vgl. Luthers Übersetzung und Oepke, Becker, Gal z.St. (anders Schlier).

in Korinth auf: Leute, die sich οἱ πνευματικοί nennen[251], kümmern sich nicht um die Brüder, die sich verfehlt haben, sondern scheinen eher am Maßstab der Gefallenen ihren eigenen geistlichen Stand und ihren Ruhm herauszustellen[252]. In Galatien was also der Unrechtscharakter der παραπτώματα allen Beteiligten klar, während die Korinther sich am Verhalten des Blutschänders als einer Demonstration christlicher Freiheit eher delektiert zu haben scheinen[253]. Darum ruft der Apostel im Gal zum helfenden Handeln auf, und zwar gerade die Pneumatiker. Getreu seinem Geistverständnis spricht er die ganze Gemeinde damit an und packt sie bei ihrem eigenen Selbstverständnis[254]: Im Geist leben heißt: im Geist konkrete Schritte tun, und das wiederum bedeutet, nicht einander zu reizen und zu beneiden, sondern einander im Geist der Milde und der Liebe zurecht zu helfen[255]. Motiviert und zugleich abgesichert wird die Mahnung durch den Hinweis auf die Versuchlichkeit jedes einzelnen. Wer so seine eigene Gefährdung erkennt, hat Verständnis für den, der der Versuchung unterlegen ist, und achtet darauf, daß er selbst nicht aus der bewahrenden Macht der Gnade herausfällt. Mag es auch um eine Nuance zu weit gehen, bei Paulus von einer „Solidarität aller Sünder" zu sprechen[256], so ist doch ganz sicher von der Solidarität derer die Rede, die wissen, daß sie der Macht der Sünde nur so lange enthoben sind, als sie aus der Treue Gottes in Christus leben (vgl. 1.Kor 10,1—13). Auch hier ist das simul iustus et peccator ekklesiologisch gefaßt. Darum wider-

---

[251] Dieser im Rahmen des Gal auffallende Ausdruck meint keine besondere Gruppe innerhalb der Gemeinde (Lietzmann, Gal z.St.), sondern spricht die ganze Gemeinde auf ihr Selbstverständnis an, das sich auch in 3,2ff widerspiegelt (Jewett, Agitators 209; Schlier u. Mußner zu 6,1). An eine gnostische Bewegung zu denken (Schmithals, Häretiker 32), ist nicht nötig.

[252] Vgl. 5,26 und 6,4; Lührmann, Gal z.St.

[253] Vgl. die Vermutungen von Schmithals, Gnosis 224, aber auch den energischen Widerspruch von Thyen 144.

[254] Vgl. Schlier, Gal 270; ein ironischer Unterton wird kaum herauszuhören sein (mit Oepke und Mußner gegen Schlier).

[255] Man könnte dazu das Gebot der Zurechtweisung des Bruders in Qumran vergleichen, das durch das Liebesgebot begründet wird; vgl. 1 QS 5,24—6,1 (9, 16—18); CD 6,20ff; 7,2; 9,2—8 (dazu G. Jeremias, Lehrer 85f, 112). Die in ihrem rechtlichen Charakter treffendste ntl. Parallele zu diesen Texten ist jedoch Mt 18,15—17.

[256] Oepke, Gal 187; ähnlich Mußner, Gal: „Die Kirche weiß sich als Gemeinschaft von Sündern" (399). Doch sind die πνευματικοί keine ἁμαρτωλοί. Treffend spricht Souček, Israel 151, von einem Handeln „im Sinn der Solidarität, die auf die Glaubensgewißheit gegründet ist, daß wir nur aus der Barmherzigkeit Gottes leben und deshalb einer des anderen Last tragen sollen und können".

spricht es dem Text (und im Grunde auch seiner eigenen Auslegung), wenn Schlier z.St. sagt: „Die Kirche handelt mütterlich auch gegenüber den Sündern ... Die Kirche weiß um die moralische Gebrechlichkeit ihrer Glieder." Davon ist schlechterdings nicht die Rede. Im Gegenteil: Nach diesem Text kann es nicht „die Kirche" geben, die „mütterlich" an den Sündern handelt, sondern nur Gemeinde als Schar derer, die im Wissen um die eigene Versuchlichkeit aus der Treue Gottes leben und in der Kraft des Geistes durch gegenseitige Hilfe einander diese Treue konkret zuwenden[257].

Das Motiv der Selbstprüfung und der Selbstkritik wird in V. 3—5 weitergeführt. Es gilt zu erkennen, daß letztlich niemand aus sich selbst etwas ist (V.3)[258] und daß vor Gott jeder für das eigene Werk Verantwortung trägt und nicht durch den Vergleich mit dem andern gerechtfertigt wird[259]. Der Hinweis auf das Gericht nach den Werken jedes einzelnen erfüllt hier gegenüber dem Christen eine ähnliche Funktion wie in Röm 2 gegenüber dem Juden[260]. Er soll vor der Verurteilung anderer und vor der Selbstrechtfertigung aus deren Fehler bewahren und verweist damit auf die Rechtfertigung durch Gott. Gerade dadurch wird der Blick frei für die Not des andern. Wenn weder der Vorsprung vor anderen noch der Zustand des Kollektivs rechtfertigen, dann sieht man nicht mehr auf andere herab und trennt sich nicht ängstlich von ihnen, sondern wagt es, ihre Last mitzutragen[261], und erfüllt so in der Liebe das Gesetz Christi. Hier steht der Blick auf den einzelnen im Dienst des Gemeinschaftsgedankens[262].

Ähnlich liegen die Dinge in Röm 14. Das Richten des andern — hier auf Grund der Praktizierung oder Unterlassung bestimmter Speise- und

---

[257] Mußner, Gal 398, stimmt seltsamerweise dem Satz Schliers zu und formuliert (399) selbst: „Die Kirche liebt die Sünder, wie Christus sie geliebt hat", obwohl er kurz vorher die Kirche „als Gemeinschaft von Sündern" bezeichnet hat. Zum Hintergrund dieses Widerspruchs in der innerkatholischen Diskussion vgl. Maron 181ff in den Abschnitten „sündige" und „hypostasierte" Kirche. Zum exegetischen Problem vgl. auch o. Kap. 2, A.474f.

[258] Mit Oepke und Schlier z.St.

[259] Zu den Einzelheiten der Exegese von 6,4f vgl. die Kommentare. Eine theologische Parallele findet sich in Luk 18,9ff.

[260] Für Röm 2 ist das im Kontext ganz eindeutig (vgl. 3,19ff), für Gal 6,3ff kann es aus dem Vorhergehenden erschlossen werden; vgl. Synofzik 44.

[261] Paulus formuliert V. 2 und 5 bewußt paradox, ohne sich damit zu widersprechen (vgl. Schlier z.St. gegen Oepke).

[262] So für die ganze paulinische Theologie Conzelmann, Paulusforschung 248, Rechtfertigungslehre 203, der u.E. jedoch den Tatbestand zu sehr verallgemeinert. Umgekehrt wäre aber Gal 6,1ff oder Röm 14 von einer Konzeption der korporativen Erlösung, wie sie z.B. Shedd vorträgt, nicht verständlich.

Kalendervorschriften[263] — wird abgelehnt, weil jeder für sich seinem
Herrn verantwortlich ist. Daß damit nicht die Autonomie des einzelnen ausgerufen wird, zeigt V. 7ff: Keiner lebt oder stirbt *sich selbst*,
sondern wir (die Gemeinde[264]) leben und sterben *dem Herrn*, der
starb und lebendig wurde, um über die Lebenden und die Toten zu
herrschen. Im Bekenntnis der Gemeinde vollzieht sich also schon jetzt,
was Ziel des Christusgeschehens für die ganze Welt ist[265]. Weil *alle* vor
den Richterstuhl Gottes treten müssen, hat *jeder einzelne* Rechenschaft abzulegen[266]. Darum ist es sinnlos den andern zu richten oder
zu verachten.

Führt dieser Verzicht auf Beurteilung des andern und der Rat, daß
jeder seiner Meinung gewiß sein solle, nicht zum Verlust der Gemeinschaft? Dann nicht, wenn beachtet wird, daß für die Gemeinde nichts
anderes konstitutiv ist als das Bekenntnis zu ihrem Herrn und die Teilhabe an seinem Tod und Auferstehen[267]. Das verbindet die verschiedenen Lebensweisen, weil sie alle dem Herrn geschehen, das relativiert aber auch die offensichtlich in statu confessionis[268] vorgetrage-
nen Standpunkte der beiden Gruppen. Zwar gibt Paulus sachlich
grundsätzlich den sog. Starken recht (vgl. 1.Kor 8). Gerade weil
Christus Herr der ganzen Welt ist, bleibt nichts an sich profan (14,
14.20)[269]. Diese Erkenntnis kann aber ohne Schaden nur im Glauben ergriffen werden. Wer hier gegen seine Überzeugung handelt, sün-
digt[270]. Darum dürfen die Starken die Schwachen weder verachten,
noch zur Aufgabe ihrer Lebensweise zwingen. Denn so wenig deren
Observanz die Gemeinde konstituiert, so wenig wird sie durch die

---

[263] Zu den Einzelheiten vgl. außer den Kommentaren vor allem Nababan; Minear, Obedience (der fünf Gruppen erkennen will); Synofzik 45ff; Cranfield,
Observations.
[264] Zur Funktion des „Wir" vgl. Baumgarten, Apokalyptik 83f. Nababan 64
vermutet hinter 14,7–9 eine Bekenntnisformel (vgl. mit 2.Kor 5,14f; Gal 2,
20); vgl. Wengst, Formeln 45f.
[265] Zum Blick von der Gemeinde auf die Welt vgl. Nababan 79, 83, 87. Es ist
also fraglich, ob man 14,10 nur auf die Gemeinde beziehen darf (so Mattern
158ff).
[266] Im Sinne der Apokalyptik bedingen sich hier Universalität und Individualität. Synofzik 46 sieht dies, meint jedoch, Paulus wolle „einzig die individuelle
Verantwortlichkeit hervorheben".
[267] Vgl. Nababan 142f.
[268] So Nababan 37 treffend zum πιστεύει in V. 2.
[269] Vgl. Käsemann, Amt 116f; Conzelmann, Christus 126.
[270] Πίστις ist hier „die konkrete Gestalt des jeweiligen Glaubensstandes", Nababan 105ff. Der πίστις in Röm 14 entspricht in 1.Kor 8–10 die συνείδησις;
dazu Bultmann, Theologie 216ff; einschränkend Käsemann, Röm 366f.

Demonstration der Freiheit der Starken begründet[271]. Sie lebt allein von Christus, der für sie alle starb und damit in der Gemeinde Gerechtigkeit, Frieden und Freude, das Wesen der Gottesherrschaft, aufgerichtet hat. Weil er alle angenommen hat, können und sollen sich alle gegenseitig annehmen (14,1; 15,7). Wo man alles auf Christus gründet, kann man darauf verzichten, die Kontinuität der Gemeinde durch Uniformität zu sichern[272]. Die Starken sind nicht nur frei von den Skrupeln der Schwachen, sondern im Blick auf Christus auch frei von der selbstgefälligen Ausübung der eigenen Freiheit und fähig und verpflichtet, die Schwächen der Schwachen zu tragen (Gal 6,2). Maßstab ist darum wie in der Charismenfrage die Liebe und die gegenseitige Auferbauung, konkret: der Bruder, für den Christus gestorben ist (Röm 14,15; 1.Kor 8,11). So begründet der Christus pro nobis, wie ihn die Rechtfertigungslehre verkündigt, nicht nur grundsätzlich die Gemeinde, sondern regelt auch die praktischen Probleme des Zusammenlebens in der Gemeinschaft.

Diesen Kanon hatte Paulus schon in 1.Kor 8—10 herausgearbeitet. Mutatis mutandis ist die Argumentation die gleiche[273]. Doch ist in Röm 14f die christologische Beweisführung stärker ausgeprägt (vgl. bes. Kap. 15), während in 1.Kor 8—10 das Problem der christlichen ἐλευθερία in den Vordergrund tritt. Zwar taucht das Stichwort ἐλεύθερος erst in 9,1.19 auf, wird aber in 10,29 wiederaufgenommen und verklammert so die verschiedenen Abschnitte[274]. Freiheit vom Gesetz — Signum paulinischer Rechtfertigungslehre — begegnet hier in der Lebenspraxis der Gemeinde, zugleich aber als ‚Recht‘[275], das nach Meinung der Korinther auszuüben und auch gegenüber dem schwachen Bruder durchzusetzen ist. Paulus stellt klar, daß christliche Freiheit nicht unverzichtbare Rechte des einzelnen begründet, sondern gerade zum Verzicht, zur Rücksicht, zum Dienst in der Liebe bereit macht[276]. Das Wesen der Freiheit des Christen ist Liebe[277].

---

[271] V. 17a kann sich also gegen *beide* Gruppen richten; vgl. die Argumentation in 1.Kor 8,8.

[272] In der Rechtfertigungslehre wehrt sich Paulus „gegen die Vorstellung, daß Gott alle Menschen unter *einem* Schema gleichschalten wolle" (M. Barth 458).

[273] In 1.Kor 8—10 ist der Gegenstand des Streites klar zu erkennen. Es geht um die εἰδωλόθυτα. Allerdings tritt in 10,1—22 die εἰδωλολατρία in den Vordergrund, was die veränderte Argumentation veranlaßt (zum Einzelvergleich Nababan 99ff; Synofzik 47f).

[274] Mit Ch. Maurer, Grund 630ff; Jeremias, Chiasmus 289f; Horsley; gegen Conzelmann, 1.Kor 179 A.5.

[275] Vgl. 1.Kor 8,9. Darum läßt sich die Freiheit der Korinther und die ἐξουσία des Apostels vergleichend verbinden.

[276] „Der Christ ist zum Unterschied vom Gnostiker nicht einmal an seine eige-

Die Stellen sind für unser Thema deshalb so interessant, weil Paulus hier versucht, Richtlinien für das Zusammenleben in der Gemeinde zu geben, ohne gesetzlich zu werden. Er verzichtet darauf die Schwachen durch bestimmte Minimalforderungen zu schützen, wie sie etwa im Aposteldekret aufgestellt wurden. Er vermeidet es aber auch, aus der Freiheit vom Gesetz Normen abzuleiten, denen sich die Schwachen zu beugen haben. Er vertraut in jedem Fall auf die Wirksamkeit der Liebe, die im Glauben an Christus aufgeschlossen ist.

Wie wenig schematisch Paulus vorgeht, zeigt der Vergleich von Gal 2,11—21 mit Röm 14f. Wenn man annehmen darf, daß mit den Schwachen in Rom judenchristliche Kreise gemeint sind[278], so fällt das abweichende Urteil des Apostels auf. Um der Rechtfertigung und der Einheit der Gemeinde willen widerstand er in Antiochien den separatistischen Tendenzen des Petrus und der anderen Judenchristen, obwohl sich in deren Haltung auch Gewissensbedenken widerspiegeln, während er in Rom den Schwachen nachgibt. Doch die Situation hat sich geändert. In Antiochien waren die Heidenchristen bedrängt und diskriminiert, während in Rom — wie schon die Wahl der Gruppenbezeichnungen zeigt — die Gesetzesfreien moralischen Druck auf die anderen ausübten, der diese bis ins Mark ihrer christlichen Existenz bedrohte. Wir waren auf diese Wandlung der Situation schon beim grundsätzlichen Vergleich von Gal und Röm gestoßen und hatten gesehen, wie Paulus angesichts einer beginnenden Verachtung Israels die Rechtfertigungslehre kritisch gegenüber einem

---

ne Freiheit gebunden" (Niederwimmer, Freiheit 199f; vgl. Cranfield, Observations 199ff, und Gal 5; Röm 6,15ff). Paulus exemplifiziert dies an seiner apostolischen und missionarischen Existenz; vgl. Ch. Maurer, Grund; Dautzenberg, Verzicht, der zu Recht in dem Abschnitt das Zeugnis des „durch die Berufung und durch die Rechtfertigung geprägten Selbstverständnisses des Apostels" sieht (231). Zur Bedeutung von 9,19ff in diesem Zusammenhang vgl. Eichholz, Miss. Kanon; Bornkamm, Miss. Verhalten (s. auch o. Kap. 1, A.271).

[277] Man wird also Schürmann zustimmen können, wenn er schreibt, daß die Freiheit soziologisch bestimmt und der von Gott eröffnete Freiheitsraum der ekklesiologische Raum ist (Freiheitsbotschaft 28; vgl. W. Grundmann, Angebot 330, der von „gemeinschaftlicher Freiheit" spricht, u. Banks 23ff). Schürmanns These: „In ihr (sc. der Kirche) ist die wahre Freiheit der ‚Söhne Gottes' verwahrt; jedenfalls sollte sie in ihr gut aufgehoben sein" (aaO), läßt jedoch aufhorchen. Deckt hier die prätentiöse Sprache nicht doch den wahren Sachverhalt in der römischen und manch anderer Kirche auf, daß Freiheit „verwahrt" wird, statt geübt zu werden?

[278] Diese Annahme ist nicht sicher; doch vgl. den Exkurs bei Michel, Röm 419f; Käsemann, Röm 355f, und Cranfield, Observations 196f, der sich auch dem hier anvisierten Problem stellt (vgl. 199). Zum Verhältnis von Röm 14f und Gal s. auch Dietzfelbinger, Irrlehre 45.

selbstsicheren Heidenchristentum anwendet[279]. Der gleiche Vorgang findet sich hier, angewandt auf Fragen der vita christiana. Paulus leitet nicht aus einem formalen Rechtfertigungsprinzip Verhaltensweisen ab, die bleibend gültig sind, sondern bestimmt das Leben von Juden- und Heidenchristen immer wieder neu als Leben aus der Gnade und unter der Herrschaft des Kyrios und damit als Leben aus der Liebe. Gerade darum kann er für bestimmte Situationen konkret bestimmen, was die Liebe fordert, und ist frei, das Gleiche auch einmal ganz anders zu sagen und ohne Rücksicht auf abstrakte theologische Richtigkeit verstörte Gewissen wieder aufzurichten.

3.4.2 Doxologie und Brüderlichkeit

Paulus schließt seine Mahnungen in Röm 14,1–15,6 mit der Bitte, daß Gott den römischen Christen die einträchtige Gesinnung geben möge, damit sie einmütig mit einem Mund Gott die Ehre geben. Dieses Motiv wird in 15,7–9 eigentümlich weitergeführt: „Nehmt einander an, wie Christus uns angenommen hat zur Ehre Gottes." Die Möglichkeit, sich in der Gemeinde trotz aller Verschiedenheiten gegenseitig anzunehmen, gründet im Angenommensein durch Christus. Sogleich aber öffnen die folgenden Erläuterungen zur Heilstat des Christus den Horizont dieses Geschehens. Christus ist Diener der Beschneidung geworden, um die Verheißungen für die Väter zu bestätigen, die Heiden aber werden Gott um der Barmherzigkeit willen preisen. „Daß Christus uns angenommen hat, bekundet sich zutiefst und in kosmischer Weite darin, daß Gott sich der Heiden erbarmte."[280] Paulus möchte durch die folgenden Zitate zeigen, daß sich durch Christus „das eschatologische Heil für alle Völker eröffnet, und jetzt schon die Zeit gekommen ist, in der die ἔϑνη Gott verherrlichen"[281]. Noch einmal ist der missionarische Horizont des Römerbriefs umrissen und die Gestaltung der paulinischen Ekklesiologie aus der Rechtfertigungslehre ins Blickfeld gerückt[282]. Mit dem Motiv der Verherrlichung Gottes durch die Völker ist aber auch ein Hinweis auf die Bedeutung der Kollekte gegeben, von der Paulus in 15,25ff sprechen wird[283]. Paulus sieht in ihr keine Steuer für Jerusalem, aber auch nicht nur eine Unterstützung für die verarmte Urgemeinde, sondern – wie 2.Kor

---

[279] S.o. 2.4.4.
[280] Käsemann, Röm 372.
[281] Nababan 113, vgl. 143; vgl. Hahn, Mission 92.
[282] Zur zusammenfassenden Funktion von 15,13 vgl. Jewett, Benediction 26f.
[283] Hahn, Mission 93.

9,12ff zeigt – den Ausdruck dieses eschatologischen Dankes der Völkerwelt. Seine Sorge geht dahin, ob diese Dankesgabe in Jerusalem angenommen werden wird und das Evangelium im einmütigen Dank und gemeinsamer Verherrlichung Gottes durch Juden und Heiden seinem Ziel zueilt (2.Kor 9,13)[284]. Für diese Einheit des Dankes hat Paulus letztlich sein Leben gelassen[285].

Der Topos von der Verherrlichung Gottes durch den Dank vieler findet sich weiter in 2.Kor 1,11 (vgl. 20); 4,15[286]. Er beschreibt sehr schön den Sinn der Existenz der Gemeinde. In ihr wird Gott das gegeben, was die Menschheit ihrem Schöpfer bisher verweigert hat: Dank und Ehre (Röm 1,21). In ihr beginnt die endzeitliche Verherrlichung durch alle Kreatur (Phil 2,11). Doch geschieht das nicht durch kultische oder mystische Partizipation am himmlischen Gottesdienst[287], sondern in der λογικὴ λατρεία, die den Bruder annimmt, obwohl er anders ist (Röm 12 und 14f). Es geschieht in der fürbittenden Solidarität mit den Leidenden und dem gemeinsamen Dank für Gottes rettendes Handeln (2.Kor 1,11; 4,15) oder in der Geldsammlung für die notleidende Urgemeinde (2.Kor 9,12f)[288]. Gerade die Enthusiasten müssen ermahnt werden: „Verherrlicht Gott an eurem Leibe!" (1. Kor 6,20). Wo man im Gehorsam gegen die Christusbotschaft mit

---

[284] Vgl. 2.Kor 8,19. Zu 9,12f vgl. Georgi, Kollekte 74–77, bes. 76, wo er die Verbindungslinien zur Botschaft des Römerbriefes zieht: „Paulus trägt in 2.Kor 9,5ff, wie auch schon in 8,1ff, im Grunde nichts anderes vor als die Rechtfertigungslehre, wenn auch gleichsam in angewandter Form" (aaO 71). Bezüglich des Rechtscharakters der Sammlung rechnet Holmberg 35ff (bes. 43) mit verschiedener Interpretation der eingegangenen Verpflichtung durch beide Seiten. Die Deutung Bergers, Almosen, der ebenfalls eine Lösung zwischen „Steuer" und „karitativer" Gabe sucht, trifft wohl eher die Auffassung Jerusalems, so daß er im Blick auf 2.Kor 9,9f und Röm 15,27 vermuten muß, Paulus müsse gegenüber den heidenchristlichen Gemeinden „zu sekundären Motivationen" greifen (199). Zur Lage in Jerusalem vgl. Schmithals, Paulus und Jakobus, 68ff.

[285] Der Kampf um die Wahrheit des Evangeliums und das Festhalten an der Einheit der Kirche sind für Paulus keine Gegensätze, denn die Einheit der Kirche entspringt dem *einen* Evangelium (vgl. Schütz, Paul 156; Löwe 29; Nickle 155f; Lohse, Grundriß 103). Als Ausdruck der faktischen Abhängigkeit von Jerusalem deutet dies Holmberg 56f; als Auswirkung einer hierarchischen Einheit mit der Tendenz zu einer einheitlichen Spitze Schlier, Prinzip 98 (doch vgl. auch 110).

[286] Vgl. Boobyer; (Lietzmann –) Kümmel, Kor 197; Georgi, Kollekte 74.

[287] Vgl. 1 QH 3,21; 11,10f (dazu o. 37f und u. 259). Anklänge finden sich im Eph, wenn von der Kirche ἐν τοῖς ἐπουρανίοις gesprochen wird (1,3; 2,6; 3, 10); dazu Mußner, Beiträge 188ff.

[288] Vgl. Georgi, Kollekte 77, 79; Wiles 295. Zur Gemeindeversammlung als „Gottesdienst" vgl. Hahn, Gottesdienst 56ff; Knoch, Geist 193ff.

Leib und Leben Gott die Ehre gibt, verzichtet man auf eigenen Ruhm und hält eigene Gerechtigkeit für Schaden, lebt aus der Gerechtigkeit Gottes und empfängt die δόξα θεοῦ, die Adam verlor[289]. Wo man Gott die Ehre gibt, wird man frei zur wahren Geschöpflichkeit und fähig zur Gemeinschaft mit dem Bruder. Durch die Verkündigung des Evangeliums schafft Christus Raum für dies Geschehen, den Raum der Gemeinde[290]. In ihr geht es „nicht um Gott *und* den Menschen, sondern nur um Gottes Sache durch neue Menschen"[291]. Wo aber Gottes Sache zu ihrem Recht kommt, da ist auch die Sache des Menschen am Ziel.

3.5 Zusammenfassung

Unsere Beobachtungen zu den verschiedenen Themen paulinischer Ekklesiologie lassen sich in zwei Sätzen zusammenfassen:

Die Gemeinde ist in ihrer Existenz und der Gestalt ihres Lebens und Dienstes Zeugnis für das Wirksamwerden der Offenbarung der Gerechtigkeit Gottes in dieser Welt. Sie bezeugt dies, indem sie durch alles, was in ihr geschieht, darauf verweist, daß die Gerechtigkeit, Heiligkeit, Weisheit, Kraft und Liebe, in der sie lebt, nicht ihre eigene ist, sondern Gottes freies und unverfügbares Geschenk.

In dieser Dialektik liegt die Lösung des Rätsels der paulinischen Ekklesiologie und sind ihre Antinomien aufgehoben. Sie begründet das faktische Gewicht, das der Gemeinde bei Paulus zukommt, und zeigt zugleich, warum dies Thema immer nur als Funktion von Christologie und Pneumatologie zur Sprache kommen kann. Sie macht die radikale Unter-Scheidung der Gemeinde vom „Schema dieses Äons" zum Fundament des selbstlosen Dienstes in und an der Welt. Und sie verpflichtet das gemeinsame Leben und die Ordnung in der Gemeinde darauf, durchsichtig und durchlässig zu bleiben für die Gegenwart von Gottes Gnade und Gottes Recht im Evangelium. Kurz: Sie ist Ausdruck für das Urteil des Paulus, daß auch die Ekklesiologie aus der Verkündigung des Kreuzes und der Rechtfertigung des Gottlosen zu gestalten ist.

---

[289] S.o. 163; weiter Nababan 144: Ziel der Mission ist, daß im „δοξάζειν Gottes" „Gottes eigene, im Christusgeschehen offenbar gewordene δόξα zu ihrem Ziel" kommt; Stuhlmacher, καινὴ κτίσις 27–35; K. Weiß, Doxologischer Charakter.

[290] Hier setzt der Eph ein, wenn er die Eschatologie in das Wachstum des Leibes Christi umsetzt (dazu Schweizer, Missionary Body 323ff; Käsemann, Frühkatholizismus 245f).

[291] Gaugler, Heiligung 116; vgl. Djukanović 186; Delling, Teleologie 317; Bultmann, Theologie 353.

4. EXKURS: RECHTFERTIGUNG UND GEMEINSCHAFT IN QUMRAN

Wir sind bei unserer Untersuchung immer wieder auf Parallelen in den Schriften von Qumran gestoßen. Denn aus ihnen spricht das Selbstverständnis einer Gemeinschaft, das in einzelnen Punkten urchristlicher oder paulinischer Anschauung sehr nahe zu stehen scheint. Sehr bald nach dem Bekanntwerden dieser Schriften ist auch erkannt worden, daß diese Gruppe eine „Rechtfertigungslehre" vertrat, die durch ihre Begrifflichkeit und die Radikalität ihrer Aussagen zum Vergleich mit der paulinischen Rechtfertigungslehre herausfordert.

Dieser Vergleich ist inzwischen wiederholt durchgeführt worden[1]. Auf der Grundlage der dabei erzielten Ergebnisse versuchen wir, den Zusammenhang von Rechtfertigung und Gemeinschaft in Qumran zu erfassen und in einer knappen Skizze darzustellen. Traditions- und formgeschichtliche Untersuchungen, die — angeregt durch G. Morawe und S. Schulz[2] — vor allem durch J. Becker[3], P. Stuhlmacher[4] und H.-W. Kuhn[5] unternommen wurden, haben gezeigt, daß die ausgeprägten Rechtfertigungsaussagen in Qumran auf die Schicht der „Gemeinde"-psalmen in 1 QH und den Schlußpsalm von 1 QS beschränkt sind und ihren Sitz in den sog. Niedrigkeitsdoxologien haben[6]. An den gleichen Stellen wird das empfangene Heil auch als Eintritt in die Heilsgemeinde beschrieben, in der jetzt schon eschatologisches Heil Gegenwart wird[7].

Im Zentrum der Heilsaussagen von 1 QH steht der Dank für die von Gott geschenkte Einsicht und die Erkenntnis seiner Geheimnisse und Wunder (vgl. 1,21; 7,26f; 10,14; 11,9f.15ff.27f; 14,8.16.17; 18,3.27; 1 QS 11,3)[8]. Darum formt diese Aussage in 1 QH ein eigenes Gattungselement, das sog. soteriologische Bekenntnis, in dem der Beter ausspricht, was er erkannt hat[9].

---

[1] Erste Hinweise durch K. G. Kuhn und M. Burrows (vgl. Stuhlmacher, Gerechtigkeit 148 A.3); ausführlich: Dietzel; H. Braun, Röm 7,7—25; S. Schulz, Rechtfertigung; W. Grundmann, Lehrer; West; J. Becker, Heil; Stuhlmacher, aaO 148ff; Kertelge, Rechtfertigung 28ff; O. Betz, Rechtfertigung u. Heiligung, Rechtfertigung in Qumran.
[2] Rechtfertigung 169ff.
[3] Heil 37ff.
[4] Gerechtigkeit 159ff.
[5] Enderwartung.
[6] Vgl. H.-W. Kuhn, aaO 27f; Lichtenberger, Menschenbild 73ff (Lit!).
[7] 1 QH 3,19—36; 11,3—14.15ff; 15; 1 QS 11,2ff nach H.-W. Kuhn, aaO 44ff.
[8] Weiteres Material bei H.-W. Kuhn, aaO 156ff, und O. Betz, Offenbarung.
[9] Nach H.-W. Kuhn, aaO 26f; Lichtenberger, Menschenbild 66ff, spricht von „Heilsbekenntnis".

Den Inhalt dieser Erkenntnis formuliert am klarsten 3,21ff (und die Parallele in
11,7ff) [10]: Gott hat den verkehrten Geist des Beters gereinigt, damit er Gemeinschaft mit den Engeln gewinne; er hat ihm sein Los[11] zugeteilt mit den Geistern
der Erkenntnis, damit er gemeinsam mit ihnen Gott lobe (vgl. 11,10bff)[12]. Wie
H.-W. Kuhn nachgewiesen hat, wird damit der Eintritt in die Gemeinde als Eintritt in den himmlischen Tempelgottesdienst gesehen, an dem die priesterliche
Gemeinde teilhat[13]. Gleichzeitig wird im einleitenden Satz des Lobes (3,19f) das
Heil als Errettung vom Tod und Erhöhung zum Himmel beschrieben[14], und im
ersten Satz des soteriologischen Bekenntnisses (3,21) spricht der Beter von der
Erschaffung des Staubs zu ewigem Rat. Ganz parallel wird in 11,12 der Eintritt
in die (ewige) Gemeinschaft als Totenerweckung gepriesen[15].

Die Gegenwart des Heils vollzieht sich also im Lob. In ihm geschieht der gott-
gefällige Gottesdienst (1 QS 9,5f), den Gott in der Gemeinde als seinem heiligen Tempel schon jetzt ermöglicht[16]. Er hat selbst das Lob geschaffen (1 QH
1,27bff)[17], und der Beter erkennt im gemeinsamen Jubel und Lobpreis Gottes
das Ziel des gnädigen Eingreifens Gottes in sein nichtiges Leben (1 QH 3,23;
11,4f.14). Darum ist die Bedeutung von Gottes Handeln für den Menschen nicht
der einzige Inhalt der Erkenntnis, vielleicht nicht einmal der wichtigste. Das soteriologische Bekenntnis in 1 QH 11,7ff hat an seinem Anfang ein Element, das
in der Parallele 3,20ff fehlt[18]. Und zwar wird ein Thema der Doxologie aufgegriffen: Gottes Mund ist Wahrheit und in seiner Hand Gerechtigkeit. Erst in
Z. 8b 9a folgt dann die eigentlich soteriologische Aussage.

Ein solches doxologisches Moment findet sich immer wieder, wenn in den soteriologischen Bekenntnissen der Inhalt der Erkenntnis beschrieben wird, vgl.
1 QH 4,30f[19]; 11,17bf[20]; 13,18f[21]. Elemente der Doxologie finden sich auch in

[10] Zum Verhältnis beider Texte vgl. H.-W. Kuhn 80ff.
[11] Dazu H.-W. Kuhn 72ff und v. d. Osten-Sacken, Gott 78f.
[12] Von Reinigung und Vergebung sprechen: 1 QH 1,31bf (auch hier um zu loben); 7,30; (9,13) 11,30f (als Bitte); 14,24 und 1 QS 11,3; von der Aufnahme
in die Gemeinde der Himmlischen: 1 QH 14,17f; 1 QS 11,7ff.
[13] Enderwartung 69f; so schon Maier, Gottesvolk 56f, 107; s. auch Hengel,
Judentum 405. Zur präzisen Interpretation der Vorstellung (gegenwärtig oder
eschatologisch?) vgl. die Diskussion zwischen Brandenburger, Fleisch 101—
105; Hübner, Dualismus 272ff; Lichtenberger, Menschenbild 224ff.
[14] H.-W. Kuhn, Enderwartung 52ff, 56ff.
[15] Kuhn, aaO 80, 88; vgl. schon Sjöberg, Neuschöpfung 131ff.
[16] Zum Tempelmotiv s.o. 37; zur grundsätzlichen Bedeutung des Lobes für
die Theologie von Qumran und insbesondere der Hodajot; Becker, Heil 126ff;
Limbeck, Lobpreis Gottes; Klinzing 93ff.
[17] Vgl. Bergmeier — Pabst.
[18] H.-W. Kuhn, Enderwartung 89, nennt es „beschreibendes und berichtendes
Lob", beachtet es aber weiter nicht.
[19] 1 QH 4,29ff ist ein Zusatz zu einem Lehrerlied im Stil der Gemeindelieder
(Becker 132 A.1; H.-W. Kuhn 23 A.3; anders G. Jeremias, Lehrer 216f). Er
beginnt mit einer Niedrigkeitsdoxologie, die mit einem soteriologischen Bekenntnis fortgesetzt wird. Inhaltlich entspricht 4,30ff dem zweiten Teil der Niedrigkeitsdoxologie von 1,21—27 (26bf).
[20] Wird fortgesetzt mit einer Niedrigkeitsdoxologie.
[21] Stark zerstört.

1 QH 15,12f.13ff; 16,11 und in 4 QDibHam 6,3. Allen Stellen ist gemeinsam, daß in ihnen von der צדקה gesprochen wird, die allein Gott gehört, dem Menschen aber nicht zukommt. Sie teilen dieses Motiv mit den eigentlichen Gerichts- oder Niedrigkeitsdoxologien in 1 QH 1,26f; 12,30bff; 13,16bff; 15,16ff; 16,9bf; 17,19bff[22]. Dabei bestimmt das doxologische Motiv die Aussagen über die צדקה in 1 QH so sehr, daß konsequent nur von Gottes צדקה gesprochen wird[23]. In der Erkenntnis, daß Gott allein das Heil gehört[24], dem Menschen aber nicht, besteht das Heil. Indem der Beter dies bekennt, anerkennt er Gottes Gericht über den Menschen[25]. Dadurch wird ihm Gottes Gerechtigkeit zum Heil.

In 1 QH wird diese Folgerung nur angedeutet: Die Anerkenntnis des Urteils Gottes über die eigene Verfehlung macht frei zur Einsicht in die Hoffnung, die es auf Grund der Barmherzigkeit Gottes gibt (9,9ff; 9,14ff; 13,17). Wie die heilschaffende צדקה Gottes sich auswirkt, wird in verschiedener Weise ausgesagt:

1) Durch Gottes Gerechtigkeit wird der Mensch gereinigt (1 QH 4,37; 11,30f; 1 QS 11,3.14). Aufschlußreich sind die Variationen dieser Aussage: a) Durch den Geist wird gereinigt (1 QH 16,12; f 2,13; 1 QS 3,6f; 4,21 [eschatologisch]). b) Der verkehrte Geist wird gereinigt (1 QH 3,21). c) Reinigung und Rechtfertigung stehen parallel (1 QS 3,3; vgl. 11,14; 1 QH 6,9)[26].

2) Bei Gott sind die Werke der Gerechtigkeit und der vollkommene Weg (1 QH 1,26; 4,31 in Form der Doxologie). Heil besteht darin, daß Gott die Wege des Menschen festsetzt (1 QS 11,13.16; vgl. 11,11). Damit ist nur noch ein kleiner Schritt zur letzten Aussage:

3) Gott hat den Gerechten (und den Frevler) geschaffen (1 QH 4,38; 15,15; 16, 10)[27]. Ähnlich wie bei Paulus ist auch in Qumran der Wille, Gott allein die Ehre zu geben, Hintergrund der prädestinatianischen Gedanken[28].

Der Schlußpsalm von 1 QS zieht dann die terminologische Konsequenz aus diesen Aussagen. Gottes Gerechtigkeit allein bildet den „Heilsstand" des Beters, begründet sein „Recht"[29].

Die Niedrigkeitsdoxologien halten fest, daß es Gottes eigene Gerechtigkeit bleibt, die dem Menschen als fremde gegenüber steht[30]. Weil Gott allein die Gerechtig-

---

[22] Vgl. H.-W. Kuhn, Enderwartung 27ff; Becker, Heil 137ff.

[23] Becker, Heil 149.

[24] Zum traditionsgeschichtlichen Hintergrund der doxologischen Formel לך הצדקה vgl. Dan 9,7 (dazu Plöger, Dan z.St.; H. H. Schmid, Gerechtigkeit 143). Diese Formel muß zum Verständnis der Stat.-constr.-verbindung צדקת אל in 1 QS 11,12; 10,25 herangezogen werden, die folglich einem Gen.subj. nahe kommt („Gottes Gerechtigkeit ist ... der rettende Halt des angefochtenen Beters", Stuhlmacher, Gerechtigkeit 155; vgl. Garnet 73ff; Sanders, Paul 309f; anders Becker, Heil 120).

[25] 1 QH 9,9ff; 12,30bff; Becker, Heil 152f.

[26] Zum Motiv der Reinigung vgl. Neusner 50ff; Garnet 57ff; Klinzing 99ff; Lichtenberger, Menschenbild 118—122.

[27] Dazu Becker, Heil 153f.

[28] S.o. Kap 2, A.55; weiter Nötscher, Schicksalsglaube 44; Merrill 56ff.

[29] Zur Wiedergabe von משפט in 1 QS 11,12f vgl. Becker, Heil 122ff; anders O. Betz, Rechtfertigung in Qumran 31 A.47.

[30] Vgl. Becker, aaO 154.

keit gehört, kann über den Menschen an sich — als Fleisch — nichts Gutes gesagt werden. Niedrigkeits- und Heilsaussagen verhalten sich also nicht wie „einst
und jetzt" zueinander, sondern im Sinne des simul iustus simul peccator[31]. Allerdings handelt es sich um grundsätzliche Aussagen sub specie dei, die nicht am
Handeln des einzelnen Gemeindeglieds orientiert sind[32].

Diese radikale Anthropologie bewirkt nun einerseits eine bemerkenswerte Individualisierung der Frömmigkeit, die in dem durchgehenden „Ich" der Hymnen[33]
und dem Gewicht der allgemeinen Kategorie des Menschen[34] ihren Ausdruck findet. Andrerseits wird gerade an den entscheidenden Stellen mit Nachdruck herausgestellt, daß solche Erkenntnis nicht der anthropologischen Reflexion entspringt, sondern sich nur dem erschließt, den Gott in die Gemeinde und damit
in die Gemeinschaft mit dem Heer der Heiligen stellt[35]. In der Teilnahme am
Gottesdienst im himmlischen Heiligtum erblickt das Glied der Gemeinde die verborgenen Geheimnisse, die die Niedrigkeit des Menschen und die Größe des Er-
barmens Gottes erst aufdecken[36]. So gilt auch für die Hymnen, wie für die meisten Qumranschriften, das nulla salus extra ecclesiam[37], wobei 1 QH und 1 QS

---

[31] So die meisten Ausleger: H. Braun, Röm 7,7—25, 112; West 79; Becker 121;
H.-W. Kuhn, Enderwartung 172; Lichtenberger, Menschenbild 92f. Dagegen
möchte Goedhart 165ff die Niedrigkeitsaussagen auf die Zeit vor der Bekehrung
beziehen; ähnlich v. d. Osten-Sacken, Gott 135, der das paulinische ἐν σαρκὶ
κατὰ πνεῦμα zum Vergleich heranzieht (A.3), und Betz, Rechtfertigung und Heiligung 34.
[32] Vgl. Becker 153.
[33] Wir-Stücke finden sich nur in Fr. 10 und 18. Der Charakter dieses „Ichs",
den die ersten Untersuchungen als „typisch", aber nicht kollektiv beschrieben
haben (Bardtke, Das Ich; Maier, Gottesvolk 120 A.499), muß differenziert behandelt werden, seitdem G. Jeremias, J. Becker und H.-W. Kuhn mit überzeu-
genden Gründen zwischen Lehrer- und Gemeindeliedern unterschieden haben.
Doch erfordert auch die Tatsache ihre Erklärung, daß die Hymnen promiscue
zusammengeschrieben wurden (Stuhlmacher, Gerechtigkeit 152 A.1; Lichtenberger, Menschenbild 32). Auch die „Lehrerlieder" sind wohl gemeinsam rezi-
tiert und „gnomisch" verstanden worden (Becker 127; O. Betz, Rechtfertigung
und Heiligung 34).
[34] 1 QH 3,22; 4,30f; 11,10.20; 1 QS 11,10. Zum „Individualismus" vgl. Hengel, Qumran 346—348; Lichtenberger, aaO 216f.
[35] 1 QH 3,21f; 4,25; 11,14; 14,18; 1 QS 11,8f; vgl. Maier, Gottesvolk 107f;
115f, 118: v. d. Osten-Sacken, Gott 134: „Neuschöpfung des Geistes erfolgt
mit dem Eintritt in die Gemeinschaft von Qumran". Den korporativen Charakter von Rechtfertigung und Erlösung betont West 105f, 135ff; 220. Doch vgl.
die differenzierende Darstellung von O. Betz, Rechtfertigung in Qumran 33ff
(gegen Kertelge, Rechtfertigung 30ff), und Lichtenberger, Menschenbild 214—
218.
[36] Vgl. bes. 1 QS 11,8ff (nach Maier, Gottesvolk 120 „ein Kompendium der
Qumranesoterik") und den offensichtlich bewußt doppeldeutig benutzten Begriff סוד (Maier, aaO 118ff; Hübner, Dualismus 276f).
[37] Hengel, Judentum 407; Maier, aaO 131; Becker, Heil 165; Koffmann 441;
Hübner, Dualismus 223. Vgl. bes. den Begriff „nahebringen" נגש (hif): 1 QS
11,13f (9,16) parallel zur Rechtsprechung; 1 QH 12,23; 14,13.18f; 16,12

10,9ff das soli deo gloria mit einem Nachdruck festhalten wollen, der allen Respekt verdient[38].

Ähnlich dialektisch ist der Befund in der Frage des Gesetzes. Es kommt in den Hymnen als Heilsweg nicht in Betracht[39] und auch die geschenkte Erkenntnis wird nicht auf die Torainterpretation bezogen[40]. Dennoch bleibt auch in den Hymnen die Tora in der Interpretation des Lehrers Grundlage für die Gemeinde und damit konstitutiv für das Heil des einzelnen[41].

Man hat daher in Qumran von der Konzeption des sola gratia sub lege gesprochen, und der Interpretation des sola gratia durch das solo Christo und sola fide bei Paulus gegenübergestellt[42]. Man wird diesen Unterschied noch besser an der Ekklesiologie als an der Anthropologie der Gemeinde verifizieren können[43]. Die durch die Torainterpretation des Lehrers konstituierte Gemeinde nimmt ja als Begründung des Heils für den einzelnen die gleiche Stellung ein, wie die Christologie bei Paulus[44]. Sie ist das verbindende Glied der verschiedenen Schriften

---

(Zugang zur Gemeinde ist Zugang zu Gott); dazu Betz, Rechtfertigung in Qumran 33.

[38] Vgl. West 113.

[39] So fast alle neuere Ausleger; vgl. etwa Becker, Heil 116 (zu 1 QS 10,9—11, 22): „Man wird also von einer צדקה neben dem Gesetz reden müssen" (s. auch 142f).

[40] Darauf weist O. Betz, Offenbarung 110; doch vgl. Garnet 116f.

[41] Vgl. Lichtenberger, Menschenbild 201ff; weiter Becker, Heil 125: Das Gesetz bleibt „für die Erhaltung des Heilzustandes eine conditio sine qua non" (ähnlich 143); E. P. Sanders, Paul 320. Mit anderer Wertung stellt Limbeck, Ordnung 169ff, den Befund dar: Es geht um die „vollständige Einordnung in Gottes Werk und Willen", weil „nicht der Mensch, sondern die Ehre Gottes das letzte Ziel des ganzen göttlichen Wirkens darstellt" (170). Schöpfungsordnung und Gesetz bilden eine unauflösliche Einheit (182). Erst auf diesem Hintergrund zeichnet sich die innere Einheit von Gesetzesoffenbarung und „Erkenntnis" ab (so auch Betz, Offenbarung 118). Dies gilt besonders für die Lehrerlieder (Becker, Heil 71): 1 QH 4,11; 9,31; 12,24; 14,15.20; 16,13f.15.17; 17,23; 18,23.

[42] H. Braun, Röm 7,7—25, 114, 119; S. Schulz, Rechtfertigung 176f, 183; K. G. Kuhn, RGG V, 753; Becker, Heil 277f; Schelkle, Gemeinde 99.

[43] Die Beziehung zum Gesetz ist grundsätzlich ekklesiologisch bestimmt: „*Obedience to the commandments* was not thought of as earning salvation, which came rather by God's grace, but was nevertheless required as a *condition of remaining in the covenant*" (E. P. Sanders, Paul 320). Ähnlich schreibt West, nachdem er zuvor für den einzelnen jede Vorordnung des Gesetzes vor der gnädigen Gerechtigkeit abgelehnt hat (90f, 121, 141, 158): „The righteousness of the individual is intrinsically related to the concept of the right order of society" (220).

[44] Vgl. die ekklesiologische Verwendung von Jes 28,16 in 1 QS 8,7ff und 1 QH 6,26f gegenüber der christologischen im NT (vgl. Betz, Offenbarung 158ff). Die Anwendung in 1 QH 7,9 auf den Lehrer ist keine Ausnahme, da sie nicht auf die Person, sondern auf die durch ihn geschehene Torainterpretation bezogen ist (vgl. das Verständnis von Hab 2,4 in pHab 8,2ff). Auch sie ist später vielleicht kollektiv verstanden worden (Maier, Gottesvolk 140f).

und Traditionsschichten[45]. Daraus erklärt sich, daß auch in den Hymnen und im Schlußpsalm trotz des radikalen sola gratia die Sektenexistenz nicht durchbrochen wird, daß trotz des Schöpfungsgedankens und der Kategorie des ‚Menschen' keine Ansätze für eine universale Auffassung vom Heil zu finden sind. Auch die Völker bleiben Statisten und gehören letztlich zur massa perditionis[46].

Selbst im Verhältnis zu Israel läßt sich nachweisen, wie sich das Verständnis immer mehr verengt[47], sodaß im Endstadium fast aller aufgefundenen Schriften die Gemeinde an die Stelle Israels getreten ist[48]. Soweit wir sehen, ist keine Sorge um Israel vorhanden[49], und die Arkandisziplin verbietet die Mission selbst gegenüber dem eigenen Volk[50]. Die sich entwickelnde Prädestinationslehre schlägt die Frage nach der Treue Gottes zu ganz Israel nieder und verhindert, daß aus den Niedrigkeitsdoxologien auch nur Ansätze einer Solidarität mit den Verlorenen entstehen[51]. Das solus deus bleibt ekklesiologisch gefangen.

Ein Widerspruch zwischen dem radikalen simul iustus et peccator und dem ausgeklügelten System von Stufen feststellbarer Reinheit und Heiligkeit und Erkenntnis scheint nicht empfunden worden zu sein[52]. Die „Verinnerlichung" und Radikalisierung des Sünden- und Heiligkeitsverständnis hat darum auch keinen

---

[45] Die Erforschung der Qumranschriften hat gezeigt, daß sie sehr unterschiedliche Stadien in der Entwicklung der Gemeinschaft repräsentieren. Doch sollte man nicht vergessen, daß sie auf engem Raum in *einer* Gruppe rezipiert und folglich bis zu einem gewissen Grade als Einheit empfunden wurden, vgl. Hengel, Judentum 406 A.674. Zu möglichen Entwicklungen im Gemeindeverständnis vgl. Maier, Begriff, und A. Denis, Entwicklung.

[46] Vgl. Becker, Heil 125; gegen Schulz, Rechtfertigung 183f.

[47] Entscheidendes Indiz für den Befund ist der Vergleich von 4 QMᵃ (nach Hunzinger) und 1 QM 14,5.8.12 (ausgewertet von v. d. Osten-Sacken, Gott 69, 100, 102, 105); anders interpretiert E. P. Sanders, Paul 251f.

[48] Vgl. G. Jeremias, Lehrer 273, 331f; zu 1 QS: Guilbert 27 A.45, „Die Gruppe fühlt sich nicht als Konventikel, sondern als wahre Repräsentantin der gesamten jüdischen Kultgemeinde" (Weise 74; so schon Seidensticker, Gemeinschaftsformen 173f). Sie will ecclesia sein und nicht ecclesiola! Vgl. Hengel, Judentum 404, 413f; O. Betz, Rechtfertigung u. Heiligung 34f. Koffmann 440f und Fabry 288f geben daher der Wahl des Begriffes jaḥad programmatische Bedeutung.

[49] Auch 1 QS 8,10 dürfte kein Beleg dafür sein; vgl. West 99f; Maier, Gottesvolk 135.

[50] S.o. Kap. 2, A.55; weiter Hengel, Qumran 372; Lichtenberger, Menschenbild 204f. Ein sehr viel offeneres Bild des jaḥad als „a reform movement within Judaism" (71) zeichnet Wernberg-Møller, Nature 68ff. Dagegen spricht nach Maier, Begriff 166, alles für die Existenz als „isolierte Sondergruppe".

[51] S. Becker, Heil 125, der auf das Motiv des Hasses gegen Außenstehende verweist (dazu auch Lichtenberger, aaO 212—214); doch vgl. auch die einfühlende theologische Interpretation bei Limbeck, Ordnung 121—129.

[52] Nicht nur in 1 QS 5,23ff (dazu Lichtenberger, aaO 216), sondern auch 1 QH 14,18ff. Mag zunächst der Vergleich mit dem „Maß des Glaubens" bei Paulus naheliegen, so zeigt die Wendung „lieben entsprechend der Größe seines Erbteils" (1 QH 14,19) den Unterschied. Doch vgl. andrerseits auch 1 QS 2, 25—3,12!

Einfluß auf die Begrenzung der èschatologischen Heilsgemeinde durch „äußerli-
che" Reinheitsvorschriften und Heiligkeitsbedingungen ausgeübt[53].

Paulus und Qumran sind sich einig in dem Bemühen, das Leben einer Gemeinschaft im Dienst der Gerechtigkeit aufgrund der Treue Gottes zu bestimmen und
zu gestalten, wobei auch in Qumran das sola ecclesia nicht als Garantie des Heils
verstanden wurde[54]. Weil aber bei Paulus die Erkenntnis der Gerechtigkeit Gottes nicht in einer auf dem Gesetz begründeten Gemeinde verwahrt ist, sondern in
Christus für alle offenbart wurde, kann er auch im Verständnis der Gemeinde –
nach außen und innen – das sola gratia festhalten[55].

---

[53] Vgl. 1 QSa 1,19ff und 4 QD^b (zu CD 15,15–17, nach Milik, Ten Years 114)
und dazu G. Jeremias, Lehrer 339. Zum Gesamtproblem vgl. Forkman 39–86.
[54] Eine garantierte Absicherung durch das Kollektiv gibt es nicht. Vgl. den
Fluch über die Heuchler 1 QS 2,11–18 (Lichtenberger, Menschenbild 106–118)
und die Mahnung zur Umkehr 1 QS 5,13f. Es gibt nicht nur Umkehr *zum*
jaḥad, sondern auch Umkehr *im* jaḥad (Fabry 292, der auf die Selbsbezeichnun-
gen „Umkehrende in der Wüste" [4 QpPs 37,3,1] und „Umkehrende Israels"
[CD 4,2; 6,5] verweist). Vgl. Becker, Heil 166; G. Jeremias, Lehrer 332. So
kann O. Betz, Rechtfertigung und Heiligung 37, von einer „kritischen Funktion
der Gemeinde" sprechen, wobei das qumranische „in ecclesia" eine ähnliche
Rolle gewinnt, wie das ntl. „in Christo".
[55] Die Frage, ob die Gemeinde in Qumran analog einem hellenistischen Verein
organisiert war (so Bardtke, Rechtsstellung; C. Schneider 305ff; Dombrowsky;
Tyloch; Hengel, Judentum 446ff, Qumran 342ff – hier mit einer ausführlichen
Darstellung des soziologischen und rechtlichen Status –), dürfte für das Selbstverständnis der Gemeinde keine Rolle gespielt haben (Bardtke, aaO 104 A.76;
Hengel, Judentum 448, Qumran 349). Sie darf also nicht im negativen Sinn ausgewertet werden. Sie unterliegt im übrigen den gleichen grundsätzlichen Fragen,
wie das Problem des Vereinscharakters der urchristlichen Gemeinden.

5. KONSEQUENZEN DER PAULINISCHEN EKKLESIOLOGIE

Aktuelle Überlegungen zu einer historischen Untersuchung[1]

5.1 Die soziale Dimension des Rechtfertigungsgeschehens

5.1.1 Die Gemeindetheologie des Missionars Paulus und das Gemeinschaftsverhalten Jesu erweisen sich nicht als unversöhnliche Gegensätze, sondern im Licht der Rechtfertigungsbotschaft als verschiedene Formen der im Evangelium begründeten Sozialisation. Sie bezeugen Zuspruch und Anspruch der Gegenwart Gottes in der sozialen Dimension[2].

5.1.2 Daß Rechtfertigung des Gottlosen Rechtfertigung des Glaubenden ist und umgekehrt, markiert den Spannungsbogen, in dem Kirche ihre Gestalt gewinnen muß. Dies muß die Volkskirche davor bewahren, „Religion ohne Entscheidung" durch Berufung auf die iustificatio impii zu rechtfertigen, und die Freikirche davor warnen, Gemeinde der Gläubigen zum „Verein der religiös Qualifizierten" werden zu lassen[3].

5.1.3 Der viel beklagte Hiat zwischen Bekenntnis zur Rechtfertigung aus Glauben und faktischer Werkgerechtigkeit im Protestantismus mit all seinen verhängnisvollen Folgen läßt sich nur überwinden, wenn die

---

[1] Die folgenden knappen Thesen sollen andeuten, welche Konsequenzen sich mir aus dem Befund bei Paulus für die Kirche heute ergeben. (Vgl. den ähnlichen Versuch von Glaser, Lebensraum Gnade, in lutherischer Sicht „die Bedeutung des Rechtfertigungsgeschehens für Leben und Sendung der Kirche heute" zu umreißen.) Eine ausführliche Diskussion der angeschnittenen Probleme ist im Rahmen dieser Arbeit nicht möglich. Die Anmerkungen beschränken sich auf wenige Hin- und Nachweise.
[2] Zum Fragenkreis „Jesus und die Kirche" vgl. zuletzt Trilling.
[3] Die Stichworte stammen aus dem Titel des Buches von Wölber und von M. Weber, Protest. Sekten 290. Zur Sache vgl. Glaser 82ff, 90ff; Küng, Kirche 151—160; Moltmann 344ff.

soziale Dimension der Rechtfertigung erkannt wird und dem einzelnen
durch die Gemeinschaft und in der Gemeinschaft Zeichen der Versöhnung und Annahme durch Gott gegeben werden.

Im Gespräch mit entsprechenden gruppendynamischen Bemühungen
wäre von Paulus aus darauf zu verweisen, daß „Annahme" im paulinischen Sinne immer Annahme durchs Kreuz hindurch bedeutet, was
Gericht und Schuld impliziert, und daß dort, wo eine Gemeinschaft
dem einzelnen das extra nos des Heils verleiblicht, deutlich bleibt,
daß auch sie ihr extra nos in Christus hat.

5.2 Die kritische Funktion der Rechtfertigungslehre

5.2.1 Die Bedeutung der Rechtfertigungslehre für die Ekklesiologie
ist nicht an ein bestimmtes Ordnungsmodell gebunden. Sie kann und
muß kritisches Ferment sein, wo immer rechtliche Absicherung an
die Stelle eines Lebens aus dem Glauben tritt[4]. Dies trifft nicht nur
die klassischen Formen der Bindung an apostolische Sukzession oder
hierarchische Ordnung, sondern auch ihre moderne Spielart, die ihr
Vertrauen auf die Lückenlosigkeit des bürokratischen Reglements
setzt.

5.2.2 Eine gesetzliche Institutionalisierung der Struktur paulinischer
Gemeinden wäre unpaulinisch. Charismatische Gemeindeordnung entsteht nicht durch Nachahmung der Verhältnisse von Korinth oder
des Modells, das Paulus für diese Gemeinde vor Augen stand. Dennoch
ist die Frage nach der rechten Ordnung der Kirche nicht für irrelevant
erklärt. Es gibt Ordnungen, die den Geist dämpfen, und solche, die
seinem Wirken Raum geben[5].

5.2.3 Autorität in der Kirche ist frag-würdig im tieferen Sinn des
Wortes. Sie ist nötig, muß aber begründet sein im geschehenden
Dienst, der transparent ist für das Wirken der Gnade. Kirchliche Ordnungen und Entscheidungen stehen also unter Begründungs-„zwang".
Dies gilt auch für Entscheidungen, die demokratisch durch Mehrheits-
entscheid zustandegekommen sind. Das demokratische Verfahren
macht zwar die Verantwortung aller für die Kirche deutlich, garan-

---

4 Vgl. Luz, Rechtfertigung 380.
5 Mit unterschiedlichen Ergebnissen gehen dieser Frage Ritter, Frühchristl. Gemeinde; Wedderburn, New Testament Church; Kearney; Punge; Schürmann,
Kirche als offenes System, nach.

tiert aber ebenso wenig wie irgendein anderes die permanente Übereinstimmung mit dem Willen Gottes und macht darum kritische Begleitung und Prüfung von der Rechtfertigungsbotschaft her nicht überflüssig[6].

5.2.4 Die Notwendigkeit, kirchliche Autorität immer wieder neu zu begründen, darf nicht verwechselt werden mit dem Legitimationszwang, dem viele Pfarrer und kirchliche Mitarbeiter unterliegen. „Im Drang, sich selbst zu rechtfertigen durch korrektes theologisches Denken, aufopferndes Tätigsein für andere und Verzicht auf eigene Wünsche", leiden sie am „Widerspruch zwischen der offiziell verkündigten Rechtfertigungslehre und der tatsächlichen Realität"[7]. Solcher Zwang wird nicht aufgehoben durch strengere Verpflichtung auf die Lehre, sondern nur dadurch, daß das gnadenlose Gegenüber von hauptamtlichen Mitarbeitern und passiver Gemeinde aufgelöst wird und Formen des Miteinander gefunden werden, durch die der einzelne spüren kann, daß sein Dienst anerkannt und sein Versagen getragen wird.

5.2.5 Daß alles kirchliche Handeln im Evangelium gegründet sein muß, führt zu immer neuem Fragen nach dem Zeugnis der Schrift. Wenn solches Rückfragen mehr sein soll als nachträgliche Legitimation bestehender Verhältnisse, muß es sich methodisch von dem heute leitenden Interesse distanzieren können. Historisch-kritische Exegese kann insofern die kritische Funktion der Rechtfertigungslehre wahrnehmen. Sie wird sich aber auch ihrerseits fragen lassen müssen, ob sie ihre Methode in den Dienst der Kritik an falscher Sicherheit oder des Strebens nach Emanzipation von der Autorität des Evangeliums stellt[8]. Daß auch das Handwerk der wissenschaftlichen Theologie in den Bereich der Charismen gehört, die in Freiheit und Verantwortung in der Kirche gelebt werden, sollte Gegenstand erneuter Besinnung auf das Verhältnis von Theologie und Gemeinde werden.

5.3 Der ökumenische und missionarische Horizont der Rechtfertigungsbotschaft

5.3.1 Sichtbare Einheit der Kirche und Wahrheit des Evangeliums waren schon für Paulus und seine Zeit konkurrierende Leitlinien

---

6 Vgl. Schürmann, Kirche 318; Glaser 88f.

7 Harsch 288.

8 Zu diesem Anliegen vgl. Stuhlmacher, NT und Hermeneutik, der 28—31 auch die wichtigsten Äußerungen Bultmanns, Käsemanns und Ebelings zu dieser Fragestellung zitiert.

kirchlicher Arbeit. Paulus hat sich bis zur Aufopferung seines Lebens dagegen gestemmt, daß dieser Konflikt nur dadurch zu lösen sei, indem man das eine oder das andere Ziel vernachlässigt. Das Hören auf Paulus wird das ökumenische Gespräch vordergründig schwieriger machen, ihm letztlich aber entscheidenden Tiefgang verleihen.

5.3.2 Die Feststellung, daß Gott nicht nur der Gott der Juden, sondern auch der Heiden ist, „richtet sich der Sache nach ... auch gegen alle Tendenzen in der Kirche, diese als gegenüber der nichtchristlichen ,Welt' abgegrenzte, ihr gegenüber religiös privilegierte Gruppe zu verstehen"[9]. Die Kirche ist aber ihrem Gesprächspartner immer das Zeugnis schuldig, daß Gottes Universalität sich dem Menschen im Tode Jesu von Nazareth auftut. Sie wird das um so glaubwürdiger tun können, je weniger sie das Kreuz über anderen schlägt oder aufrichtet und je mehr sie selber ihr Kreuz auf sich nimmt und Jesus nachfolgt.

5.3.3 Es läßt sich nicht leugnen, daß die paulinischen Vorstellungen einer nüchternen Einschätzung der Realität oft utopisch erscheinen müssen. Doch entspringt dies nicht einem enthusiastischen Chiliasmus, sondern einem aus dem Rechtfertigungsglauben gespeisten „Optimismus der Gnade"[10]. Wir werden aber bei einer weitergehenden Besinnung über Wesen und Gestalt der Kirche Jesu Christi heute auch auf die anderen Stimmen im Neuen Testament und die Erfahrungen in der Geschichte zu hören haben, um von ihnen zu lernen, wie sich Gemeinde unter den Gegebenheiten dieser Zeit gestalten kann. Was man jedoch nicht kann – und das sollte diese Arbeit gezeigt haben –, ist, sich in der Soteriologie auf Paulus zu berufen und ihn in der Ekklesiologie für überholt zu halten. Dazu hängt beides zu eng zusammen. Unüberholbar ist jedenfalls der Grundsatz, daß Kirche nicht um ihrer selbst willen existiert, sondern allein dazu, daß Christus in dieser Welt Gestalt gewinnt.

---

[9] Wilckens, Röm 251.
[10] Dieses Schlagwort wird gerne benutzt, um die Eigenart der methodischen Tradition zu kennzeichnen; vgl. A. Outler, Evangelisation im Geiste Wesleys, Zürich o.J., 56.

LITERATURVERZEICHNIS

Dieses Verzeichnis dient vor allem dem Nachweis der zitierten Literatur. *Monographien und Aufsätze* werden in den Anm. mit dem Namen des Verfassers zitiert; ist er mit mehreren Arbeiten vertreten, wird ein Stichwort aus dem Titel mitgenannt. Bei *Kommentaren* tritt zum Verfassernamen die Abkürzung des biblischen Buches (in eindeutigen Fällen u.U. nur der Vermerk z.St. = im Kommentar des Genannten zur betreffenden Stelle). Zitiert wird nach dem jeweils letztgenannten Erscheinungsort, es sei denn, dieser stehe in Klammern. *Textausgaben, Übersetzungen, Hilfsmittel* wie Wörterbücher, Konkordanzen, Grammatiken werden nur aufgeführt, soweit ausdrücklich in einer Anmerkung auf sie hingewiesen wurde. *Aufsatzsammlungen* einzelner Verfasser werden jeweils beim ersten Aufsatz ausführlich bibliographiert, *Festschriften* und andere *Sammelwerke* sind jeweils mit Titel und dem Namen des Geehrten bzw. des Herausgebers und dem Erscheinungsjahr aufgeführt. Mit Verweisen auf frühere Erscheinungsorte mußte aus Platzgründen sparsam umgegangen werden. Deshalb konnten auch *Lexikon- und Wörterbuchartikel* nicht aufgeführt werden. *Abkürzungen* nach dem Verzeichnis der TRE, gelegentlich ergänzt aus RGG und ThWNT.

Agnew, F. H., Apostleship in the New Testament: A survey and evaluation of modern critical literature, Diss. Fribourg 1965; Teildruck Fribourg 1973.

Aland, K., Die Entstehung des Corpus Paulinum. In: Neutestamentliche Entwürfe, ThB 63, 1979, 302—350.

—, Der Schluß und die ursprüngliche Gestalt des Römerbriefes, ebd. 284—301.

Allo, E. B., Saint Paul, Première Épître aux Corinthiens, ÉtB 1956[2].

Alt, A., Micha 2,1—5. ΓΗΣ ΑΝΑΔΑΣΜΟΣ in Juda. In: Kleine Schriften zur Geschichte des Volkes Israels III, 1959, 373—381.

—, Die Ursprünge des israelitischen Rechts. In: Kleine Schriften I, 1963[3], 278—332.

Althaus, P., Der Brief an die Römer, NTD 6, 1970[11].

—, Paulus und Luther über den Menschen, SLA 14, 1958[3].

Anderson, G. W., Israel: Amphictyony: 'AM; ḴĀHAL; 'ĒDÂH. In: Translating and Understanding the Old Testament. FS H. G. May, ed. H. Th. Frank, Nashville 1970, 135—151.

Andresen, C., Zum Formular frühchristlicher Gemeindebriefe, ZNW 56, 1965, 233—259.

Arrington, F. L., Paul's Aeon Theology in I Corinthians, Washington 1978.

Asting, R., Die Heiligkeit im Urchristentum, FRLANT 46 (NF 29), 1930.

—, Die Verkündigung des Wortes im Urchristentum, 1939.

Aulén, G., (u.a.), Ein Buch von der Kirche, 1950.

Bachmann, Ph., Der erste Brief des Paulus an die Korinther, KNT 7, 1936[4].

—, Der zweite Brief des Paulus an die Korinther, KNT 8, 1922[4].

Baltzer, K., Das Bundesformular, WMANT 4, 1964².

Balz, H. R., Heilsvertrauen und Welterfahrung. Strukturen der paulinischen Eschatologie nach Römer 8,18—39, BevTh 59, 1971.

Banks, R., Paul's Idea of Community, Exeter 1980.

Barbour, R., Wisdom and the Cross in 1 Corinthians 1 und 2. In: Theologia crucis, signum crucis. FS E. Dinkler, 1979, 57—71.

Bardtke, H., Das Ich des Meisters in den Hodayot von Qumran, WZ 6, 1956/57. GS 1, 93—104.

—, Die Rechtsstellung der Qumran-Gemeinde, ThLZ 86, 1961, 93—104.

Barr, J., Bibelexegese und moderne Semantik, 1965.

—, Some Semantic Notes on the Covenant. In: Beiträge zur alttestamentlichen Theologie. FS Walther Zimmerli, 1977, 23—38.

Barrett, Ch. K., The Allegory of Abraham, Sarah, and Hagar in the Argument of Galatians. In: Rechtfertigung. FS E. Käsemann, 1976, 1—16.

—, A commentary on the Epistle to the Romans, BNTC 1962² (= 1967).

—, A commentary on the First Epistle to the Corinthians, BNTC 1971².

—, A commentary on the Second Epistle to the Corinthians, BNTC 1973.

—, Conversion and Conformity: the Freedom of the Spirit in the Institutional Church. In: Christ and Spirit in the NT. FS C. F. D. Moule, Cambridge 1973, 359—381.

—, From First Adam to Last. A Study in Pauline Theology, London 1962.

—, The Ministry in the New Testament. In: Dow Kirkpatrick (ed.), The Doctrine of the Church, New York/Nashville 1964, 39—63.

—, Paul's Address to the Ephesian Elders. In: God's Christ and his people. FS N. A. Dahl, Oslo 1977, 107—121.

—, The Signs of an Apostle, London 1970.

Bartchy, S. S., ΜΑΛΛΟΝ ΧΡΗΣΑΙ: First Century Slavery and the Interpretation of 1Cor 7,21, SBLDS 11, 1973.

Barth, G., Der Brief an die Philipper, ZBK NT 9, 1979.

—, Die Eignung des Verkündigers in 2Kor 2,14—3,6. In: Kirche. FS G. Bornkamm, 1980, 257—270.

—, Erwägungen zu 1.Kor 15,20—28, EvTh 30, 1970, 515—527.

—, Zwei vernachlässigte Gesichtspunkte zum Verständnis der Taufe im Neuen Testament, ZThK 70, 1973, 137—161.

Barth, K., Die Auferstehung der Toten, Zollikon—Zürich 1953⁴.

—, Die Ordnung der Gemeinde, 1955 (= KD IV, 2 § 67).

—, Rechtfertigung und Recht, ThSt (B) 1, 1948³.

—, Der Römerbrief. 10. Abdruck der neuen Bearbeitung, 1967.

Barth, M., Gottes und des Nächsten Recht. In: ΠΑΡΡΗΣΙΑ, Karl Barth zum 80. Geburtstag, 1966, 447—469.

Barthélemy, D. — J. T. Milik, Discoveries in the Judean Desert I, Oxford 1955 (DJD I).

—, Essenische und christliche Heiligkeit, FZPhTh 6, 1959, 249—263.

Bartsch, H. W., Die antisemitischen Gegner des Paulus im Römerbrief. In: Antijudaismus im Neuen Testament? Hg. v. W. Eckert, N. P. Levinson und M. Stöhr, 1967, 27—43.

—, Die Argumentation des Paulus in I Cor 15,3—11, ZNW 55, 1964, 261—274.

—, Die historische Situation des Römerbriefs, StEv IV = TU 102, 1968, 281—291.

Batiffol, P., Urkirche und Katholizismus, 1910.

Bauer, K. A., Leiblichkeit — das Ende aller Werke Gottes, StNT 4, 1971.

Bauer, W., Griechisch-deutsches Wörterbuch zu den Schriften des Neuen Testaments und der übrigen urchristlichen Literatur, 1971[6].

Baum, H., Mut zum Schwachsein in Christi Kraft, SIM 17, 1977.

Baumann, R., Mitte und Norm des Christlichen (Eine Auslegung von 1.Kor 1,1—3,4), NTA 5, 1968.

Baumbach, G., ,Volk Gottes' im Frühjudentum, Kairos 21, 1979, 30—47.

—, Die Zukunftserwartung nach dem Philipperbrief. In: Die Kirche des Anfangs. FS H. Schürmann, Leipzig 1977, 435—457.

Baumgarten, Jörg, Paulus und die Apokalyptik, WMANT 44, 1975.

Baumgarten, J. M., The Essenes and the Temple, Studies in Qumran Law, SJLA 24, 1977, 57—74.

—, The Exclusion of ,Netinim' and Proselytes in 4 Q Florilegium, ebd. 75—87.

Beasley-Murray, G. R., Die christliche Taufe, 1968.

—, The Righteousness of God in the History of Israel and the Nations: Romans 9—11, RExp 73, 1976, 437—450.

Becker, C. B., The Unity of the Church in Light of Eschatology in the Epistles of Paul, Diss. Drew Univ. 1967.

Becker, J., Auferstehung der Toten im Urchristentum, SBS 82, 1976.

—, Der Brief an die Galater, NTD 8, 1976[14], 1—85.

—, Erwägungen zur apokalyptischen Tradition in der paulinischen Theologie, EvTh 30, 1970, 593—609.

—, Das Heil Gottes, StUNT 3, 1964.

—, Die Testamente der zwölf Patriarchen. In: JSHRZ III, 1, 1974.

Benoit, P., L'Église Corps du Christ. In: Populus Dei. Studi in onore del Card. A. Ottaviani, Communio, 11, 1969, 971—1028.

Berger, K., Abraham in den paulinischen Hauptbriefen, MThZ 17, 1966, 47—89.

—, Almosen für Israel: Zum historischen Kontext der paulinischen Kollekte, NTS 23, 1977, 180—204.

—, Apostelbrief und apostolische Rede, ZNW 65, 1974, 190—231.

—, Neues Material zur Gerechtigkeit Gottes, ZNW 68, 1977, 266—275.

—, Die sog. „Sätze heiligen Rechts" im Neuen Testament, ThZ 28, 1972, 305—350.

—, Volksversammlung und Gemeinde Gottes, ZThK 73, 1976, 167—207.

—, Zu den sogenannten Sätzen Heiligen Rechts, NTS 17, 1970, 10—40.

Bergmeier, R./Pabst, H., Ein Lied von der Erschaffung der Sprache: Sinn und Aufbau von 1 Q Hodayot I, 27—31, RdQ 5, 1965, 435—439.

Best, E., Bishops and Deacons: Philippians 1,1, StEv IV = TU 102, 1968, 371—376.

—, A commentary on the first and second epistles to the Thessalonians, BNTC 1972 (= 1977).

—, One Body in Christ, London 1955.

Betz, H. D., Der Apostel Paulus und die sokratische Tradition. Eine exegetische Untersuchung zu seiner ,Apologie' 2.Kor 10—13, BHTh 45, 1972.

—, 2 Cor 6:14—7:1: An Anti-Pauline Fragment?, JBL 92, 1973, 88—108.

—, Geist, Freiheit und Gesetz. Die Botschaft des Paulus an die Gemeinden in Galatien, ZThK 71, 1974, 78—93.

—, Nachfolge und Nachahmung Jesu Christi im Neuen Testament, BHTh 37, 1967.

Betz, O., Felsenmann und Felsengemeinde, ZNW 48, 1957, 49—77.

—, Die heilsgeschichtliche Rolle Israels bei Paulus, ThBeitr 9, 1978, 1—21.

—, Offenbarung und Schriftforschung in der Qumransekte, WUNT 6, 1960.

—, Rechtfertigung in Qumran. In: Rechtfertigung. FS E. Käsemann, 1976, 17—36.

—, Rechtfertigung und Heiligung. In: Rechtfertigung — Realismus — Universalismus in biblischer Sicht. FS A. Köberle, 1978, 30—44.

Beutler, J., Glaube und Institution im Neuen Testament, ThPh 52, 1977, 1—22.

Beyer, K., Semitische Syntax im Neuen Testament, Band I: Satzlehre Teil 1, StUNT 1, 1962.

Beyschlag, K., I Clem 40—44 und das Kirchenrecht. In: Reformatio und Confessio. FS W. Maurer, 1965, 9—22.

Bieder, W., Ekklesia und Polis im Neuen Testament und in der alten Kirche, Diss. Basel 1941.

—, Die kolossische Irrlehre und die Kirche von heute, ThSt (B) 33, 1952.

Bjerkelund, C. J., „Vergeblich" als Missionsergebnis bei Paulus. In: God's Christ and his people. FS N. A. Dahl, Oslo 1977, 175—191.

Bilabel, F. (ed.), Pap. Baden = Veröffentlichungen aus den badischen Papyrussammlungen. II. Griechische Papyri, 1923, NS 1—45.

Billerbeck, P., Kommentar zum Neuen Testament aus Talmud und Midrasch, I—IV, 1969[5].

Binder, H., Der Glaube bei Paulus, 1968.

Black, M., The New Creation in I Enoch. In: Creation, Christ and Culture. FS T.F. Torrance, Edinburgh 1976, 13—21.

Blackmann, Ph., Mishnayoth, London 1951—55.

Bläser, P., Amt und Eucharistie im Neuen Testament. In: Amt und Eucharistie, 1973, 9—50.

—, Amt und Gemeinde im Neuen Testament und in der reformatorischen Theologie, Cath (M) 18, 1964, 167—192.

Blank, J., Erwägungen zum Schriftverständnis des Paulus. In: Rechtfertigung. FS E. Käsemann, 1976, 37—56.

—, Krisis. Untersuchungen zur johanneischen Christologie und Eschatologie, 1964.

—, Paulus und Jesus. Eine theologische Grundlegung, StANT 18, 1968.

Blass, F./Debrunner, A., Grammatik des neutestamentlichen Griechisch. Bearb. v. Friedrich Rehkopf, 1979[15].

Blum, G. G., Tradition und Sukzession. Studien zum Normbegriff des Apostolischen von Paulus bis Irenäus, AGTL 9, 1963.

Boer, W. P. de, The Imitation of Paul, Kampen 1962.

Boers, H., The Form-Critical Study of Paul's Letters: I Thessalonians as a Case Study, NTS 22, 1976, 140—158.

Bohatec, J., Inhalt und Reihenfolge der ‚Schlagworte der Erlösungsreligion' in 1.Kor 1,26—31, ThZ 4, 1948, 252—271.

Bohren, R., Das Problem der Kirchenzucht im NT, Zürich 1952.

Bonhoeffer, D., Sanctorum Communio, (1930) 1969[4].

Bonnard, P., L'Église corps de Christ dans le paulinisme, RThPh 3. Ser. 8, 1958, 268—282.

—, L'Épître de Saint Paul aux Galates, CNT IX, 1972[2].

—, L'Ésprit saint et l'Église selon le Nouveau Testament, RHPhR 37, 1957, 81—90.

Boobyer, G. H., „Thanksgivings" and the „Glory of God" in Paul, 1929.

Bormann, P., Die Heilswirksamkeit der Verkündigung nach dem Apostel Paulus, KKTS 14, 1965.

Bornkamm, G., Christus und die Welt in der urchristlichen Botschaft. In: Das Ende des Gesetzes, Gesammelte Aufsätze I (GA I), BevTh 16, 1966[5].

—, Enderwartung und Kirche im Matthäusevangelium. In: G. Bornkamm, G. Barth, H. J. Held, Überlieferung und Auslegung im Matthäusevangelium, WMANT 1, 1970[6], 13—47.

—, Herrenmahl und Kirche bei Paulus. In: Studien zu Antike und Urchristentum, Gesammelte Aufsätze II (GA II), BevTh 28, 1970[3], 138—176.

—, Der köstlichere Weg (1.Kor 13), GA I, 93—112.

—, Das missionarische Verhalten des Paulus nach 1.Kor 9,19—23 und in der Apostelgeschichte. In: Geschichte und Glaube, 2. Teil, Gesammelte Aufsätze IV (GA IV), BevTh 53, 1971, 149—161.

—, Die Offenbarung des Zornes Gottes, GA I, 9—33.

—, Paulus, Urban-Bücher 119, 1977[3].

—, Der Römerbrief als Testament des Paulus, GA IV, 120—139.

—, Zum Verständnis des Gottesdienstes bei Paulus. A. Die Erbauung der Gemeinde als Leib Christi; B. Das Anathema in der urchristlichen Abendmahlsliturgie, GA I, 113—132.

Borse, U., Die geschichtliche und theologische Einordnung des Römerbriefes, BZ NF 16, 1972, 70—83.

—, Der Standort des Galaterbriefes, BBB 41, 1972.

Bourke, M. M., Reflections on Church Order in the New Testament, CBQ 30, 1968, 493—511.

Bousset, W., Kyrios Christos, 1965[5].

Bouttier, M., Complexio Oppositorum: sur les Formules de I Cor XII. 13; Gal III. 26—8; Col III. 10,11, NTS 23, 1976/77, 1—19.

—, En Christ, EHPhR 54, 1962.

Brandenburger, E., Adam und Christus, WMANT 7, 1962.

—, Fleisch und Geist. Paulus und die dualistische Weisheit, WMANT 29, 1968.

—, „Σταυρός, Kreuzigung und Kreuzestheologie", WuD NF 10, 1969, 17—43.

Braun, F.-M., Neues Licht auf die Kirche. Die protestantische Kirchendogmatik in ihrer neuesten Entfaltung, 1946.

Braun, H., Exegetische Randglossen zum 1. Korintherbrief. In: Gesammelte Studien zum Neuen Testament und seiner Umwelt, 1971[3], 178—204.

—, Gerichtsgedanke und Rechtfertigungslehre, UNT 19, 1930.

—, Röm 7,7—25 und das Selbstverständnis des Qumranfrommen, Gesammelte Studien 100—119.

Brekelmanns, C. H. W., The Saints of the Most High and their Kingdom, OTS 14, 1965, 305—329.

Brockhaus, U., Charisma und Amt, 1972.

Brosch, J., Charismen und Ämter in der Urkirche, 1951.

Brox, N., Der erste Petrusbrief, EKK 21, 1979.

—, Historische und theologische Probleme der Pastoralbriefe des Neuen Testaments, Kairos 11, 1969, 81—94.

—, Die Pastoralbriefe, RNT 7, 1969.

Budillon, J., La première épître aux Corinthiens et la controverse sur les ministères, Istina 16, 1971, 471—488.

Büchsel, F., ,In Christus' bei Paulus, ZNW 42, 1949, 141—158.

Bultmann, R., Adam und Christus nach Römer 5. In: Exegetica, 1967, 424–444.

–, Der Begriff des Wortes Gottes, Glauben und Verstehen, Gesammelte Aufsätze I (GuV I), 1966[6], 268–293.

–, Die Christologie des Neuen Testaments, GuV I, 245–267.

–, ΔΙΚΑΙΟΣΎΝΗ ΘΕΟΎ, JBL 83, 1964, 12–16 = Exegetica 470–475.

–, Exegetische Probleme des zweiten Korintherbriefes, Exegetica 298–322.

–, Die Geschichte der Synoptischen Tradition, FRLANT 29 (NF 12), 1970[8].

–, Geschichte und Eschatologie, 1964[2].

–, Geschichte und Eschatologie im Neuen Testament, GuV III, 1965[3], 91–106.

–, Heilsgeschehen und Geschichte, Exegetica 356–368.

–, Kirche und Lehre im Neuen Testament, GuV I, 153–187.

–, Der Mensch zwischen den Zeiten nach dem Neuen Testament, GuV III, 35–54.

–, Der Stil der paulinischen Predigt und die kynisch-stoische Diatribe, FRLANT 13, 1910.

–, Der zweite Brief an die Korinther, hg. v. E. Dinkler, KEK (Sonderbd.) 1976.

–, Theologie des Neuen Testaments, hg. v. O. Merk, UTB 630, 1977[7].

–, Die Wandlung des Selbstverständnisses der Kirche in der Geschichte des Urchristentums, GuV III, 131–141.

Buonainti, E., Christologie und Ekklesiologie bei S. Paulus, ErJb 1940/41 (Zürich 1942), 295–335.

Burchard, Ch., Formen der Vermittlung christlichen Glaubens im Neuen Testament, EvTh 38, 1978, 313–340.

–, Paulus in der Apostelgeschichte, ThLZ 100, 1975, 881–895.

–, Untersuchungen zu Joseph und Aseneth, WUNT 8, 1965.

Buscemi, A. M., Libertà e Huiothesia. Studio esegetico di Gal 4,1–7, SBFLA 30, 1980, 93–136.

Byrne, B., ‚Sons of God‘ – ‚Seed of Abraham‘, AnBib 83, 1979.

Cambier, J., La Chair et l'Esprit en I Cor 5,5, NTS 15, 1969, 221–232.

Campbell, J. Y., ΚΟΙΝΩΝΙΑ and its Cognates in the New Testament. In: Three New Testament Studies, Leiden 1965, 1–28.

–, The Origin and Meaning of the Christian Use of the Word ἐκκλησία, ebd. 41–54.

Campenhausen, H. Frhr. v., Die Begründung kirchlicher Entscheidungen beim Apostel Paulus, SHAW 1965[2].

–, Das Bekenntnis im Urchristentum, ZNW 63, 1972, 210–253.

–, Kirchliches Amt und geistliche Vollmacht in den ersten drei Jahrhunderten, BHTh 14, 1963[2].

–, Das Problem der Ordnung im Urchristentum und in der alten Kirche. In: Tradition und Leben, 1960, 157–179.

–, Recht und Gehorsam in der ältesten Kirche. In: Aus der Frühzeit des Christentums, 1963, 1–29.

–, Tradition und Geist im Urchristentum, Tradition und Leben 1–16.

–, Der urchristliche Apostelbegriff. In: K. Kertelge (Hg.) Das kirchliche Amt im NT, WdF 439, 1977, 237–278.

Carrington, Ph., The Primitive Christian Catechism, Cambridge 1940.

Catchpole, D. R., Paul, James and the Apostolic Decree, NTS 23, 1977, 428–444.

Cerfaux, L., L'antinomie paulinienne et la vie apostolique. In: Recueil L. Cerfaux II, Louvain 1954, 455—467.

—, L'Église et le Règne de Dieu d'après Saint Paul, ebd. 366—372.

—, La Théologie de l'Église suivant Saint Paul, UnSa 10, 1965[3].

Chevallier, M. A., Esprit de Dieu, paroles d'hommes. Le rôle de l'esprit dans les ministères de la parole selon l'apôtre Paul, BT N 1966.

Clark, K. W., The Israel of God. In: Studies in NT and Early Christian Literature. FS Allen P. Wikgren, NT.S 33, 1972, 161—169.

Cohn, L./Heinemann, I., e.a., Philo von Alexandrien, Die Werke in deutscher Übersetzung, 7 Bde. 1909—1964.

Collange, J.-F., Énigmes de la deuxieme Épître de Paul aux Corinthiens. Étude Exegetique de 2Cor 2:14—7:4, NTS.MS 18, 1972.

Collins, A. Y., The Function of ‚Excommunication' in Paul, HThR 73, 1980, 251—263.

Collins, R. F., The Berîth-Notion of the Cairo Damascus Covenant and its Comparison with the New Testament, EThL 39, 1963, 555—594.

Conzelmann, H., Christus im Gottesdienst der neutestamentlichen Zeit. In: Theologie als Schriftauslegung, BevTh 65, 1974, 120—130.

—, Der erste Brief an die Korinther, KEK V, 1969.

—, Fragen an G. v. Rad, EvTh 24, 1964, 113—125.

—, Geschichte des Urchristentums, NTD Erg. Bd. 5, 1971[2].

—, Grundriß der Theologie des Neuen Testaments, 1976[3].

—, Heutige Probleme der Paulus-Forschung, EvEr 18, 1966, 241—252.

—, Paulus und die Weisheit, Theologie als Schriftauslegung 177—190.

—, Die Rechtfertigungslehre des Paulus: Theologie oder Anthropologie?, ebd. 191—206.

—, Zum Überlieferungsproblem im Neuen Testament, ebd. 142—151.

—, Zur Analyse der Bekenntnisformel 1.Kor 15,3—5, ebd. 131—141.

Cooper, C., Romans 11,25 and 26, RestQ 21, 1978, 84—94.

Coppens, J., Die Kirche als der neue Bund Gottes mit seinem Volk. In: Vom Christus zur Kirche, hg. v. Jean Giblet, Wien—Freiburg—Basel 1967, 7—19.

—, The Spiritual Temple in the Pauline Letters and its Background, StEv VI = TU 112, 1973, 53—66.

Cranfield, C. E. B., A Critical and Exegetical Commentary on the Epistle to the Romans, ICC Vol. I, 1975; Vol II, 1979.

—, Some Observations on the Interpretation of Romans 14,1—15,13, CV 17, 1974, 193—204.

Crone, T. M., Early Christian Prophecy: A Study of its Origin and Function, Baltimore 1973 = Diss. Tübingen 1973.

Cullmann, O., Der eschatologische Charakter des Missionsauftrags und des apostolischen Selbstbewußtseins bei Paulus. In: Vorträge und Aufsätze 1925—1962, (1966), 305—336.

—, Eschatologie und Mission im Neuen Testament, ebd. 348—360.

—, Heil als Geschichte, 1967[2].

—, Königsherrschaft Christi und Kirche im NT, ThSt (B) 10, 1941.

Dahl, N. A., Christ, Creation and the Church. In: The Background of the New Testament and its Eschatology. FS C. H. Dodd, Cambridge 1956, 422—443.

—, The Doctrine of Justification: Its Social Function and implications. In: Studies in Paul, Minneapolis 1977, 95—120.

276 Literaturverzeichnis

—, Formgeschichtliche Beobachtungen zur Christusverkündigung in der Gemeindepredigt. In: Neutestamentliche Studien für Rudolf Bultmann, BZNW 21, 1954, 3–9.
—, A Fragment and its Context: 2 Cor. 6:14–7:1. In: Studies in Paul, 1977, 62–69.
—, The Future of Israel, ebd. 137–158.
—, The Missionary Theology in the Epistle to the Romans, ebd. 70–94.
—, The One God of Jews and Gentiles, ebd. 179–191.
—, Paul and the Church at Corinth according to 1. Corinthians 1,10–4,21, ebd. 40–61.
—, Das Volk Gottes. Eine Untersuchung zum Kirchenbewußtsein des Urchristentums, 1963[2].
—, Der Name Israel I, Zur Auslegung von Gal 6,16, Jud. 6, 1950, 161–170.
Daines, B., Paul's Use of the Analogy of the Body of Christ, EvQ 50, 1978, 71–78.
Dautzenberg, G., Urchristliche Prophetie, BWANT 104, 1974.
—, Der Verzicht auf das apostolische Unterhaltsrecht, Bib. 50, 1969, 212–232.
—, Zum religionsgeschichtlichen Hintergrund der διάκρισις πνευμάτων, BZ 15, 1971, 93–104.
Davies, W. D., Paul und Rabbinic Judaism, London 1955[2].
—, Paul and the People of Israel, NTS 24, 1977, 4–39.
Deißmann, A., Licht vom Osten, 1923[4].
—, Die neutestamentliche Formel ‚in Christo Jesu', 1892.
Delling, G., Die Bezeichnung „Söhne Gottes" in der jüdischen Literatur der hellenistisch-römischen Zeit. In: God's Christ and his people. FS N. A. Dahl, Oslo 1976, 18–28.
—, Die Bezugnahme von neutestamentlichem εἰς auf Vorgegebenes. In: Verborum Veritas. FS G. Stählin, 1970, 211–225.
—, Die bleibende Bedeutung der Verkündigung des Anfangs im Urchristentum, ThLZ 95, 1970, 801–809.
—, Die Botschaft des Paulus, 1965.
—, Merkmale der Kirche nach dem Neuen Testament. In: Studien zum Neuen Testament und zum Hellenistischen Judentum, 1970, 371–390.
—, „Nahe ist dir das Wort". Wort — Geist — Glaube bei Paulus, ThLZ 99, 1974, 401–412.
—, Die „Söhne (Kinder) Gottes" im Neuen Testament. In: Die Kirche des Anfangs. FS H. Schürmann, Leipzig 1977, 615–631.
—, Der Tod Jesu in der Verkündigung des Paulus, Studien 336–346.
—, Die Zueignung des Heils in der Taufe, 1961.
—, Zeit und Endzeit, BSt 58, 1970.
—, Zur paulinischen Teleologie, Studien 311–317.
Delorme, J., Diversité et unité des ministères d'après le Nouveau Testament. In: J. Delorme (Hg.), Le ministère et les ministères, 1974, 283–346.
—, (Hg.), Le ministère et les minstères selon le Nouveau Testament, Paris 1974.
Del Verme, M., Le formule di ringraziamento postprotocollari nell'epistolario paolino, Presenza 5, Roma 1971.
Demke, C., „Ein Gott und viele Herren". Die Verkündigung des einen Gottes in den Briefen des Paulus, EvTh 36, 1976, 473–484.
Denis, A.-M., Die Entwicklung von Strukturen in der Sekte von Qumran. In: Vom Christus zur Kirche, hg. v. J. Giblet, 1967, 21–60.

Denis, H., Nouveau Testament, Église et ministères. In: J. Delorme (Hg.), Le ministère et les ministères, 1974, 418—450.

Dequeker, L., The „Saints of the Most High" in Qumran and Daniel, OTS 18, 1973, 108—187.

Descamps, A., Le Baptême, fondement de l'unité Chrétienne. In: Battesimo e Giutizia in Rom 6 e 8, Ben. MS.BES 2, Roma 1974, 203—234.

Dexinger, F., Henochs Zehnwochenapokalypse und offene Probleme der Apokalyptikforschung, StPB 29, 1977.

Dibelius, M., An die Thessalonicher I, II. An die Philipper, HNT 11, 1937[3].

Diem, H., Die Kirche und ihre Praxis. Theologie als kirchliche Wissenschaft III, 1963.

Dietrich, W., Kreuzesverkündigung, Kreuzeswort und Kreuzesepigraph: Randbemerkungen zum ‚Kreuz Christi' bei Paulus, Theokrateia II. FS Rengstorf, 1973, 214—231.

Dietzel, A., Beten im Geist. Eine religionsgeschichtliche Parallele aus den Hodajot zum paulinischen Gebet im Geist, ThZ 13, 1957, 12—32.

Dietzfelbinger, Ch., Heilsgeschichte bei Paulus?, ThEx 126, 1965.

—, Paulus und das Alte Testament, ThEx 95, 1961.

—, Was ist Irrlehre?, ThEx 143, 1967.

Dinkler, E., Römer 6,1—14 und das Verhältnis von Taufe und Rechtfertigung bei Paulus. In: Battesimo e Guitizia in Rom 6 e 8, Ben. MS.BES 2, Roma 1974, 83—103.

—, Die Taufterminologie in 2.Kor 1,21f. In: Signum Crucis, 1967, 99—117.

—, Die Verkündigung als eschatologisch-sakramentales Geschehen — Auslegung von 2.Kor 5,14—6,2. In: Die Zeit Jesu. FS H. Schlier, 1970, 169—189.

—, Zum Problem der Ethik bei Paulus — Rechtsnahme und Rechtsverzicht (1. Kor 6,1—11), Signum Crucis 204—240.

Djukanovic, S., Heiligkeit und Heiligung bei Paulus, Diss. Bern 1938 = Novi Sad 1939.

Dix, G., The Ministry in the Early Church. In: The Apostolic Ministry, ed. K. E. Kirk, 1946, 183—303.

Dobschütz, E. von, Die Thessalonicher-Briefe, KEK X, 1909[7].

Dodd, C. H., The Biblical Doctrine of the People of God. In: Dow Kirkpatrick (Hg.), The Doctrine of the Church, New York/Nashville 1964, 29—38.

—, ΕΝΝΟΜΟΣ ΧΡΙΣΤΟΥ. In: More New Testament Studies, Manchester 1968, 134—148.

—, The Epistle of Paul to the Romans. Moffat NTC, 1.A. 1932.

Dombois, H., Historisch-kritische Theologie, Recht und Kirchenrecht. In: Staatsverfassung und Kirchenordnung. FS Rudolf Smend, 1962, 287—307.

—, Juristische Bemerkungen zur Rechtfertigungslehre I, NZSTh 8, 1966, 169—183.

—, Das Recht der Gnade. Oekumenisches Kirchenrecht I, FBESG 20, 1969 (zit. RdG).

—, Rechtstheologische Erwägungen zur Grundstruktur einer Lex fundamentalis Ecclesiae, Conc (D) 5, 1969, 589—593.

—, (Hg.), Recht und Institution, 2. Folge, FBESG 24, 1969.

Dombrowski, B. W., היחד in 1 QS and τὸ κοινόν, HThR 59, 1966, 293—307.

Donfried, K. P., False Presuppositions in the Study of Romans. In: The Romans Debate, 1977, 120—148; dazu: Karris, Robert J., The Occasion of Romans: A Response to Professor Donfried, ebda. 149—151.

—, Justification and Last Judgement in Paul, ZNW 67, 1976, 90—110.

—, (Hg.), The Romans Debate, Minneapolis 1977.

—, A Short Note on Romans 16, Romans Debate 50—60.

Doskocil, W., Der Bann in der Urkirche, MThS III, 11, 1968.

Doty, W. G., Letters in Primitive Christianity, Philadelphia 1973.

Doughty, D. J., The Presence and Future of Salvation in Corinth, ZNW 66, 1975, 61—90.

—, The Priority of XAPIC, NTS 19, 1972/73, 163—180.

Dreier, R., Das Kirchliche Amt, JusEcc 15, 1972.

Dreyfus, F., Maintenant la foi, l'espérance et la charité demeurent toutes les trois (1 Cor 13,13), SPCIS 1961 = AnBib 17/18, Vol. I, 403—412.

Dupont-Sommer, A., Die essenischen Schriften vom Toten Meer, 1960.

Eckert, J., Der Gekreuzigte als Lebensmacht. Zur Verkündigung des Todes Jesu bei Paulus, ThGl 70, 1980, 193—213.

—, Paulus und Israel, TThZ 87, 1978, 1—13.

—, Die Verteidigung der apostolischen Autorität im Galaterbrief und im zweiten Korintherbrief, ThGl 65, 1975, 1—19.

—, Die urchristliche Verkündigung im Streit zwischen Paulus und seinen Gegnern nach dem Galaterbrief, BU 6, 1971.

—, Zeichen und Wunder in der Sicht des Paulus und der Apostelgeschichte, TThZ 88, 1979, 19—33.

—, Zu den Voraussetzungen der apostolischen Autorität des Paulus. In: J. Hainz (Hg.), Kirche im Werden, 1976, 39—55.

Eichholz, G., Bewahren und Bewähren des Evangeliums: Der Leitfaden von Philipper 1—2. In: Tradition und Interpretation, ThB 29, 1965, 138—160.

—, Der missionarische Kanon des Paulus. 1.Kor 9,19—23, ebd. 114—120.

—, Der ökumenische und missionarische Horizont der Kirche. Eine exegetische Studie zu Röm 1,8—15, ebd. 85—98.

—, Paulus im Umgang mit jungen Kirchen. Exegetische Beobachtungen zu 1.Kor 1,18—25, ebd. 99—113.

—, Die Theologie des Paulus im Umriß, 1972².

—, Verkündigung und Tradition, Tradition und Interpretation 11—34.

—, Was heißt charismatische Gemeinde?, ThExNF 77, 1960.

Elliger, K., Leviticus, HAT 4, 1966.

Ellis, E. E., ,Christ Crucified'. In: Prophecy and Hermeneutic in Early Christianity, WUNT 18, 1978, 72—79.

—, Exegetical Patterns in I Corinthiens and Romans, ebd. 213—220.

—, How the New Testament Uses the Old, ebd. 147—172.

—, Paul and his Co-Workers, ebd. 3—22.

—, ,Spiritual' Gifts in the Pauline Community, ebd. 23—44.

—, „Wisdom" and „Knowledge" in I Corinthians, ebd. 45—62.

Ernst, J., Das Amt im Neuen Testament — Gestalt und Gehalt, ThGl 70, 1980, 72—85.

—, Amt und Autorität im Neuen Testament, ThGl 58, 1968, 170—183.

—, Die Bedeutung des Eucharistischen Leibes Christi für die Einheit von Kirche und Kosmos, Conc (D) 4, 1968, 765—770.

—, Die Briefe an die Philipper, an Philemon, an die Kolosser, an die Epheser, RNT, 1974.

—, Von der Ortsgemeinde zur Großkirche — dargestellt an den Kirchenmodellen des Philipper- und Epheserbriefes. In: J. Hainz (Hg.), Kirche im Werden, 1976, 123—142.

Fabry, H.-J., Die Wurzel שוב in der Qumrânliteratur. In: M. Delcor (Hg.), Qumrân, BEThL 46, 1978, 285—293.

Fahlgren, K. HJ., ṣᵉdākā, nahestehende und entgegengesetzte Begriffe im Alten Testament, Diss. Uppsala 1932.

Falk, Z. W., Those Excluded from the Congregation (hebr.; engl. summary), Beth Mikra 62/3, 1975, 342—352.

Farrer, A. M., The Ministry in the New Testament. In: The Apostolic Ministry, ed. K. E. Kirk, 1946, 113—182.

Fee, G. D., II Corinthians VI. 14—VII.1 and Food offered to Idols, NTS 23, 1977, 140—161.

Feld, H., „Christus der Diener der Sünde". Zum Ausgang des Streites zwischen Petrus und Paulus, ThQ 153, 1973, 119—131.

Feuillet, A., Le Christ Sagesse de Dieu d'après les Épîtres Pauliennes, EtB 1966.

—, Le règne de la mort et le règne de la vie (Rom V, 12—21), RB 77, 1970, 481—520.

Fiedler, M. J., Δικαιοσύνη in der diasporajüdischen und intertestamentarischen Literatur, JSJ 1, 1970, 120—143.

Fischer, K. M., Die Bedeutung des Leidens in der Theologie des Paulus, Diss. Berlin, Humboldt-Univ. 1967 (masch.).

—, Tendenz und Absicht des Epheserbriefes, FRLANT 111, 1973.

Fitzmyer, J. A., The Gospel in the Theology of Paul, Interp. 33, 1979, 339—350.

—, Qumran and the Interpolated Paragraph in 2.Cor 6,14—7,1, CBQ 23, 1961, 271—280.

Ford, J. M., The Heavenly Jerusalem and Orthodox Judaism. In: Donum gentilicium. FS D. Daube, Oxford 1978, 215—226.

—, You are God's ‚Sukkah' (I Cor III 10—17), NTS 21, 1974/75, 139—142.

Forkman, G., The Limits of the Religious Community. Expulsion from the Religious Community Within the Qumran Sect, Within Rabbinic Judaism and Within Primitive Christianity, CB.NT 5, 1972.

Fraine, J. de, Adam und seine Nachkommen. Der Begriff der ‚korporativen Persönlichkeit' in der Heiligen Schrift, 1962.

Frankemölle, H., Das Taufverständnis des Paulus. Taufe, Tod und Auferstehung nach Röm 6, SBS 47, 1970.

Fridrichsen, A., Ackerbau und Hausbau, ThStKr 94, 1922, 185f.

—, Église et sacrement dans le Nouveau Testament, RHPhR 17, 1937, 337—356.

—, Exegetisches zu den Paulusbriefen, ThStKr 102, 1930, 291—301.

—, Die neutestamentliche Gemeinde. In: Ein Buch von der Kirche, ed. G. Aulén, 1950, 51—72.

Friedrich, G., Der Brief an die Philipper, NTD 8, 1976[14], 125—175.

—, Christus, Einheit und Norm der Christen. Das Grundmotiv des 1.Korintherbriefes. In: Auf das Wort kommt es an. Ges. Aufsätze, 1978, 147—170.

—, Freiheit und Liebe im ersten Korintherbrief, ebd. 171—188.

—, Geist und Amt, WuD 3, 1952, 61—85.

—, Die Kirche Gottes zu Korinth, Auf das Wort 132—146.

Friedrich, J., Gott im Bruder?, CThM A. 7, 1977.

Friedrich, J./Pöhlmann, W./Stuhlmacher, P., Zur historischen Situation und Intention von Röm 13,1—7, ZThK 73, 1976, 131—166.

280 Literaturverzeichnis

Friesen, I. I., The Glory of the Ministry of Jesus Christ. Illustrated by a Study of II Cor 2,14–3,18, ThDiss. 7, Basel 1972.
Fuchs, Eric, La faiblesse, gloire de l'apostolat selon Paul (Etude sur 2 Co 10–13), ETR 55, 1980, 231–255.
Fuchs, Ernst, Christus das Ende der Geschichte. In: Zur Frage nach dem historischen Jesus. Gesammelte Aufsätze II, 1965², 79–99.
–, Die Grenze der Kirche, EvTh 3, 1936, 41–57.
Fujita, Sh., The Metaphor of Plant in Jewish Literature of the Intertestamental Period, JSJ 7, 1976, 30–45.
Funk, R. W., The Apostolic Parousia: Form und Significance. In: Christian History and Interpretation. FS John Knox, Cambridge 1967, 249–268.
Furnish, V. P., Fellow Workers in God's Service, JBL 80, 1961, 364–370.
Gärtner, B., The Temple and the Community in Qumran and the New Testament, NTS.MS 1, 1965.
Gäumann, N., Taufe und Ethik, Studien zu Römer 6, BevTh 47, 1967.
Gager Jr., J. G., Functional Diversity in Paul's Use of End-Time Language, JBL 89, 1970, 325–337.
Galley, K., Altes und neues Heilsgeschehen bei Paulus, AzTh I, 22, 1965.
Galling, K., Das Gemeindegesetz in Deuteronomium 13. FS Alfred Bertholet, 1950, 176–191.
Garnet, P., Salvation and Atonement in the Qumran Scrolls, WUNT 2, 3, 1977.
Gaßmann, G., u.a. (Hg.), Um Amt und Herrenmahl, ÖkDok I, 1974.
Gaugler, E., Die Heiligung in der Ethik des Apostels Paulus, IKZ NF 15, 1925, 100–120.
–, Das Wort und die Kirche im Neuen Testament, IKZ NF 29, 1939, 1–27.
Georgi, D., Die Gegner des Paulus im 2. Korintherbrief, WMANT 11, 1964.
–, Die Geschichte der Kollekte des Paulus für Jerusalem, ThF 38, 1965.
Gese, H., Τὸ δὲ Ἁγὰρ Σινᾶ ὄρος ἐστὶν ἐν τῇ Ἀραβίᾳ (Gal 4,25). In: Vom Sinai zum Zion, 1974, 49–62.
Gewiess, J., Die neutestamentlichen Grundlagen der kirchlichen Hierarchie. In: K. Kertelge (Hg.), Das kirchliche Amt, WdF 439, 1977, 144–172.
Gibbs, J. G., Creation and Redemption, NT.S 26, 1971.
Giesriegl, R., Amt und Charisma nach dem ersten Korintherbrief des Apostels Paulus, Diss. theol. Salzburg 1969.
Gilmour, S. M., Church consciousness in the letters of Paul, JR 18, 1938, 289–302.
Glaser, K., Lebensraum Gnade. Die Bedeutung des Rechtfertigungsgeschehens für Leben und Sendung der Kirche heute, 1970.
Gloege, G., Reich Gottes und Kirche im Neuen Testament, NTF II, 4, 1929.
Gnilka, J., Geistliches Amt und Gemeinde nach Paulus, Kairos 11, 1969, 95–104.
–, Der Philipperbrief, HThK X/3, 1968.
–, II. Kor 6,14–7,1 im Lichte der Qumranschriften und der Zwölf-Patriarchen-Testamente. In: Neutestamentliche Aufsätze. FS J. Schmid, 1963, 86–99.
–, La relation entre la responsabilité communautaire et l'autorité d'après le NT, en tenant compte specialement du „corpus paulinum". In: Paul de Tarse, SM Ben. Sect. paul. I, 1979, 455–470.
Goedhart, H., De Slothymne van het Manual of Discipline. A theological-exegetical Study of 1 QS X,9–XI,22, Rotterdam 1965.
Goguel, M., L'Église primitive, Paris 1947.

—, Le problème de l'Église dans le christianisme primitif, RHPhR 18, 1938, 293–320.

—, Le Problème de l'Église, Paris 1947.

Goldberg, A. M., Der Heilige und die Heiligen, FJB 4, 1976, 1–25.

—, Die Heiligkeit des Ortes in der frühen rabbinischen Theologie, FJB 4, 1976, 26–31.

—, Schöpfung und Geschichte, Jud. 24, 1968, 27–43.

Goldstein, H., Paulinische Gemeinde im Ersten Petrusbrief, SBS 80, 1975.

Goppelt, L., Die apostolische und nachapostolische Zeit, KIG Bd. 1, Lf. A., 1962².

—, Der eucharistische Gottesdienst nach dem Neuen Testament, EuA 49, 1973, 435–447.

—, Kirchenleitung in der palästinischen Urkirche und bei Paulus. In: Reformatio und Confessio. FS W. Maurer, 1965, 1–8.

—, Paulus und die Heilsgeschichte. Schlußfolgerungen aus Röm 4 und 1.Kor 10,1–13. In: Christologie und Ethik, 1968, 220–233.

—, Tradition nach Paulus, KuD 4, 1958, 213–233.

Gräßer, E., Das eine Evangelium. Hermeneutische Erwägungen zu Gal 1,6–10. In: Text und Situation. Ges. Aufs. z. NT, 1973, 84–122.

Grass, H., Ostergeschehen und Osterberichte, 1971⁴.

Grau, F., Der neutestamentliche Begriff χάρισμα, Diss. Tübingen 1946 (masch.).

Greeven, H., Die Geistesgaben bei Paulus, WuD NF 6, 1959, 111–120.

—, Kirche und Parusie Christi, KuD 10, 1964, 113–135.

—, Die missionierende Gemeinde nach den apostolischen Briefen. In: Sammlung und Sendung. FS H. Rendtorff, 1958, 59–71.

—, Propheten, Lehrer, Vorsteher bei Paulus. In: K. Kertelge (Hg.), Das kirchl. Amt, WdF 439, 1977, 305–361.

Grelot, P., Les épîtres de Paul: La mission apostolique. In: J. Delorme (ed.), Le ministère et les ministères, 1974, 34–56.

—, La structure ministérielle de l'Église d'après saint Paul, Istina 15, 1970, 389–424.

—, Sur l'origine des ministères dans les églises pauliniennes, Istina 16, 1971, 453–469.

Grudem, W., A Response to Gerhard Dautzenberg on 1 Cor 12,10, BZ 22, 1978, 253–270.

Grundmann, S., Zur Einführung: Evangelisches Kirchenrecht. In: Abhandlungen zum Kirchenrecht, 1969, 1–17.

—, Das evangelische Kirchenrecht von Rudolph Sohm bis zur Gegenwart, ebd. 18–52.

—, Das Gesetz als kirchenrechtliches Problem, ebd. 53–67.

—, Das ‚Recht der Gnade‘ als Grundlage des ökumenischen Kirchenrechts (Rez. Dombois), ebd. 487–505.

Grundmann, W., Das Angebot der eröffneten Freiheit. Zugleich eine Studie zur Frage nach der Rechtfertigungslehre, Cath (M) 28, 1974, 304–333.

—, Der Lehrer der Gerechtigkeit von Qumran und die Frage nach der Glaubensgerechtigkeit in der Theologie des Apostels Paulus, RdQ 2, 1960, 237–259.

Güttgemanns, E., „Gottesgerechtigkeit" und strukturelle Semantik. Linguistische Analyse zu δικαιοσύνη θεοῦ (1969/70). In: studia linguistica neotestamentica, BevTh 60, 1971, 59–98.

—, Heilsgeschichte bei Paulus oder Dynamik des Evangeliums? Zur strukturellen

Relevanz von Röm 9–11 für die Theologie des Römerbriefes (1970), ebd. 34–58.

–, Der leidende Apostel und sein Herr, FRLANT 90, 1966.

Guilbert, P., La Règle de la Communauté. In: Les Textes de Qumran I, Paris 1961, 9–80.

Gulin, E. G., Das geistliche Amt im Neuen Testament, ZSTh 12, 1935, 296–313.

Gundry, R., Soma in Biblical Theology, with Emphasis on Pauline Anthropology, NTS.MS 29, 1976.

Gunther, J. J., St. Paul's Opponents and their Background, NT.S 35, 1973.

Gutierres, P., La Paternité spirituelle selon saint Paul, EtB 1968.

Gyllenberg, R., Rechtfertigung und Altes Testament bei Paulus, 1973.

Haacker, K., Die Berufung des Verfolgers und die Rechtfertigung des Gottlosen, ThBeitr 6, 1975, 1–19.

–, Exegetische Probleme des Römerbriefs, NT 20, 78, 1–21.

–, Paulus und das Judentum, Jud. 33, 1977, 161–177.

–, Was meint die Bibel mit Glauben?, ThBeitr 1, 1970, 133–152.

Haas, O., Paulus der Missionar, MüSt 11, 1971.

Häring, H., Kirche und Kerygma. Das Kirchenbild in der Bultmannschule, ÖF.E VI, 1972.

Hahn, F., Die alttestamentlichen Motive in der urchristlichen Abendmahlsüberlieferung, EvTh 27, 1967, 337–374.

–, Der Apostolat im Urchristentum, KuD 20, 1974, 54–77.

–, Das biblische Verständnis des Heiligen Geistes. In: C. Heitmann/H. Mühlen (Hg.), Erfahrung und Theologie des Heiligen Geistes, 1974, 131–147.

–, Charisma und Amt, ZThK 16, 1979, 419–449.

–, Einheit der Kirche und Kirchengemeinschaft in neutestamentlicher Sicht. In: F. Hahn/K. Kertelge/R. Schnackenburg, Einheit der Kirche, QuD 84, 1979, 9–51.

–, Genesis 15,6 im Neuen Testament. In: Probleme biblischer Theologie. FS Gerhard v. Rad, 1971, 90–107.

–, Das Gesetzesverständnis im Römer- und Galaterbrief, ZNW 67, 1976, 29–63.

–, Neutestamentliche Grundlagen für eine Lehre vom kirchlichen Amt. In: F. Hahn u.a., Dienst und Amt, 1973, 7–40.

–, Das Problem „Schrift und Tradition" im Urchristentum, EvTh 30, 1970, 449–468.

–, „Siehe, jetzt ist der Tag des Heils". Neuschöpfung und Versöhnung nach 2. Kor 5,14–6,2, EvTh 33, 1973, 244–253.

–, Taufe und Rechtfertigung. In: Rechtfertigung. FS E. Käsemann, 1976, 95–124.

–, Der urchristliche Gottesdienst, SBS 41, 1970.

–, Das Verständnis der Mission im Neuen Testament, WMANT 13, 1963.

Haible, E., Die Kirche als Wirklichkeit Christi im Neuen Testament, TThZ 72, 1963, 65–83.

Hainz, G., Das Problem der Kirchenentstehung in der deutschen protestantischen Theologie des 20. Jahrhunderts, TTS 4, 1974.

Hainz, J., Amt und Amtsvermittlung bei Paulus. In: J. Hainz (Hg.), Kirche im Werden, 1976, 109–122.

–, Die Anfänge des Bischofs- und Diakonenamtes, ebd. 91–107.

—, Ekklesia. Strukturen paulinischer Gemeinde-Theologie und Gemeinde-Ord-
nung, BU 9, 1972.
—, (Hg.), Kirche im Werden. Studien zum Thema Amt und Gemeinde im Neu-
en Testament, 1976.
—, Koinonia. „Kirche" als Gemeinschaft bei Paulus, Habil. Schrift München
1975 (nicht erreichbar).
Halter, H., Taufe und Ethos: paulinische Kriterien für das Proprium christlicher
Moral, FThS 106, 1977.
Hamilton, N. Q., The Holy Spirit and Eschatology in Paul, SJTh.OP 6, 1957.
Hanhart, R., Die Heiligen des Höchsten. In: Hebräische Wortforschung. FS
Walter Baumgartner, VT.S 16, 1967, 90—101.
Hanson, A. T., Studies in Paul's Technique and Theology, London 1974.
Harlé, P.-A., Le Saint-Esprit et l'Église chez saint Paul, VC 19/74, 1965, 13—
29.
Harnack, A. von, Entstehung und Entwicklung der Kirchenverfassung und des
Kirchenrechts, 1910.
—, Κόπος (κοπιᾶν, οἱ κοπιῶντες) im frühchristlichen Sprachgebrauch, ZNW 27,
1928, 1—10.
Harnisch, W., Eschatologische Existenz. Ein exegetischer Beitrag zum Sachan-
liegen von 1.Thess. 4,13—5,11, FRLANT 110, 1973.
Harsch, H., Berufsbild und Identität des Pfarrers als Beraters, WzM 25, 1973,
277—289.
Harvey, A. E., The Opposition to Paul, StEv IV = TU 102, 1968, 319—332.
Hasenhüttl, G., Charisma, Ordnungsprinzip der Kirche, ÖF.E 5, 1969.
—, Herrschaftsfreie Kirche. Sozio-theologische Grundlegungen, 1974.
Hasler, V., Glaube und Existenz. Hermeneutische Erwägungen zu Gal 2,15—21,
ThZ 25, 1969, 241—251.
Haufe, G., Taufe und Heiliger Geist im Urchristentum, ThLZ 101, 1976, 561—
566.
Havet, J., Christ collectif ou Christ individuel en I Cor XII, 12?, EThL 23,
1947, 499—520.
Hay, D. M., Paul's Indifference to Authority, JBL 88, 1969, 36—44.
Hegermann, H., Zur Ableitung der Leib-Christi-Vorstellung, ThLZ 85, 1960,
839—42.
Heine, S., Leibhafter Glaube. Ein Beitrag zum Verständnis der theologischen
Konzeption des Paulus, Wien 1976.
Hengel, M., Judentum und Hellenismus, WUNT 10, 1973[2].
—, Qumran und der Hellenismus. In: M. Delcor (Hg.), Qumrân, BEThL 46,
1978, 333—372.
Héring, J., La première épître de Saint Paul aux Corinthiens, CNT VII,1959[2].
Hermann, I., Kyrios und Pneuma. Studien zur Christologie der paulinischen
Hauptbriefe, StANT 2, 1961.
Hermann, R., Über den Sinn des Μορφοῦσθαι Χριστὸν ἐν ὑμῖν in Gal 4,19, ThLZ
80, 1955, 713—726.
Herold, G., Zorn und Gerechtigkeit Gottes bei Paulus. Eine Untersuchung zu
Röm 1,16—18, EHS.T 14, 1973.
Herten, J., Charisma — Signal einer Gemeindetheologie des Paulus. In: J. Hainz
(Hg.), Kirche im Werden, 1976, 57—89.
Hill, D., Christian Prophets as Teachers or Instructors in the Church. In: J.
Panagopoulos (ed.), Prophetic Vocation, NT.S XLV, 1977, 108—130.

—, Greek Words and Hebrew Meanings: Studies in the semantics of soteriological terms, NTS.MS 5, 1967.

—, On the Evidence for the Creative Rôle of Christian Prophets, NTS 20, 1973—74, 262—274.

Hoffmann, P., Die Toten in Christus, NTA NF 2, 1978[3].

Hofius, O., Der Christushymnus Philipper 2,6—11, WUNT 17, 1976.

—, Erwägungen zur Gestalt und Herkunft des paulinischen Versöhnungsgedankens, ZThK 77, 1980, 186—199.

—, „Gott hat unter uns aufgerichtet das Wort von der Versöhnung" (2.Kor 5, 19), ZNW 71, 1980, 3—20.

Holl, K., Der Kirchenbegriff des Paulus in seinem Verhältnis zu dem der Urgemeinde. In: Das Paulusbild in der neueren deutschen Forschung, hg. v. K. H. Rengstorf, WdF 24, 1964, 144—178.

Holm-Nielsen, S., Hodayoth. Psalms from Qumran, AThD 2, 1960.

—, „Ich" in den Hodajoth und die Qumrangemeinde. In: Qumran-Probleme, hg. v. H. Bardtke, SSA 42, 1963, 217—229.

Holmberg, B., Paul and Power. The Structure of Authority in the Primitive Church as Reflected in the Pauline Epistles, CB.NT 11, 1978 (zit. Holmberg).

—, Sociological versus Theological Analysis of the Question Concerning a Pauline Church Order. In: S. Pedersen (Hg.), Die Paulinische Literatur und Theologie, 1980, 187—200.

Holstein, G., Die Grundlagen des evangelischen Kirchenrechts, 1928.

Holtz, T., Die Bedeutung des Apostelkonzils für Paulus, NT 16, 1974, 110—148.

—, Das Kennzeichen des Geistes (1.Kor XII, 1—3), NTS 18, 1972, 365—376.

Honig, A. G., De kerk als lichaam van Christus voor de wereld. In: De knechtsgestalte van Christus. FS H. N. Ridderbos, Kampen 1978, 65—75.

Hooker, M. D., Philippians 2:6—11. In: Jesus und Paulus. FS W. G. Kümmel, 1975, 151—164.

Horsley, R. A., Consciousness and Freedom among the Corinthians: 1 Corinthians 8—10, CBQ 40, 1978, 574—589.

Horst, F., Das Eigentum nach dem Alten Testament. In: Gottes Recht, ThB 12, 1961, 203—221.

Howard, G., On the „Faith of Christ", HThR 60, 1967, 459—484.

—, Paul: Crisis in Galatia, NTS.MS 35, 1979.

—, Romans 3:21—31 and the Inclusion of the Gentiles, HThR 63, 1970, 223—233.

Hübner, H., Anthropologischer Dualismus in den Hodayoth?, NTS 18, 1971/2, 268—284.

—, Das Gesetz bei Paulus, FRLANT 119, 1978.

—, Pauli Theologiae Proprium, NTS 26, 1980, 445—473.

Hunzinger, C. H., Fragmente einer älteren Fassung des Buches Milḥamā aus der Höhle 4 von Qumran, ZAW 69, 1957, 131—151.

Jaubert, A., Les épîtres de Paul: Le fait communautaire. In: J. Délorme (ed.), Le ministère et les ministères, 1974, 16—33.

—, La notion d'alliance dans le judaisme aux abords de l'ère chrétienne, PatSor 6, 1963.

Iber, G., Zum Verständnis von 1 Cor 12,31, ZNW 54, 1963, 43—52.

Jeremias, G., Der Lehrer der Gerechtigkeit, StUNT 2, 1963.

Jeremias, J., Die Abendmahlsworte Jesu, 1967[4].
—, Chiasmus in den Paulusbriefen. In: Abba, 1966, 276—290.
—, Einige vorwiegend sprachliche Beobachtungen zu Röm 11,25—36. In: L. de Lorenzi (ed.), Die Israelfrage nach Röm 9—11, Ben.MS BES 3, 1977, 193—205.
—, Paul and James, ET 66, 1954/55, 368—371.
Jervell, J., Der Brief nach Jerusalem. Über Veranlassung und Adresse des Römerbriefes. In: K. P. Donfried (Hg.), The Romans Debate, 1977, 61—74.
—, Imago Dei. Gen 1,26f im Spätjudentum, in der Gnosis und in den paulinischen Briefen, FRLANT 76, 1960.
—, Der schwache Charismatiker. In: Rechtfertigung. FS E. Käsemann, 1976, 185—198.
—, Der unbekannte Paulus. In: S. Pedersen (Hg.), Die Paulinische Literatur und Theologie, 1980, 28—49.
—, Das Volk des Geistes. In: God's Christ and his people. FS N. A. Dahl, Oslo 1977, 87—106.
Jeske, R. L., The Rock was Christ: The Ecclesiology of 1 Corinthians 10. In: Kirche. FS G. Bornkamm, 1980, 245—253.
Jewett, R., The Agitators and the Galatian Congregation, NTS 17, 1971, 198—212.
—, The Form and Function of the Homiletic Benediction, AThR 51, 1969, 18—34.
—, Paul's Anthropological Terms, AGJU 10, 1971.
Internationale Theologenkommission, Der apostolische Charakter der Kirche und die apostolische Sukzession, IKaZ 4, 1975, 112—124.
Joest, W., Paulus und das Luthersche Simul Iustus et Peccator, KuD 1, 1955, 269—320.
Johanson, B. C., Tongues, a Sign for Unbelievers?, NTS 25, 1978/9, 180—203.
Johanson, N., Wer gehörte zur urchristlichen Kirche? In: Ein Buch von der Kirche, hg. v. G. Aulén, 1950, 158—181.
Jovino, P., La Chiesa comunita' di santi negli atti degli Apostoli e nelle lettere di San Paolo, Palermo 1975.
Judge, E. A., Christliche Gruppen in nichtchristlicher Gesellschaft. Die Sozialstruktur christlicher Gruppen im ersten Jahrhundert, 1964.
—, Die frühen Christen als scholatische Gemeinschaft. In: Zur Soziologie des Urchristentums, hg. v. W. A. Meeks, 1979, 131—164.
—, Paul's Boasting in Relation to Contemporary Professional Practice, ABR 16, 1968, 37—50.
—, St. Paul and Classical Society, JAC XV, 1972, 19—36.
Jüngel, E., Die Autorität des bittenden Christus. In: Unterwegs zur Sache, 1972, 179—188.
—, Das Gesetz zwischen Adam und Christus. Eine theologische Studie zu Röm 5,12—21, ebd. 145—172.
—, Ein paulinischer Chiasmus. Zum Verständnis der Vorstellung vom Gericht nach den Werken in Röm 2,2—11, ebd. 173—178.
—, Paulus und Jesus, HUTh 2, 1979[5].
Juncker, A., Neuere Forschungen zum urchristlichen Kirchenproblem, NKZ 40, 1929, 126—140, 180—213.
Käsemann, E., Amt und Gemeinde im Neuen Testament, Exegetische Versuche und Besinnungen I (EVB I), 1970[6], 109—134.

—, An die Römer, HNT 8a, 1974[3].

—, Die Anfänge christlicher Theologie, Exegetische Versuche und Besinnungen II (EVB II), 1970[4], 82—104.

—, Anliegen und Eigenart der paulinischen Abendmahlslehre, EVB I, 11—34.

—, Einheit und Vielfalt in der neutestamentlichen Lehre von der Kirche, EVB II, 262—267.

—, Erwägungen zum Stichwort „Versöhnungslehre im Neuen Testament". In: Zeit und Geschichte. FS R. Bultmann, 1964, 47—59.

—, Geist und Buchstabe, Paulinische Perspektiven, 1972[2], 237—285.

—, Der Glaube Abrahams in Römer 4, ebd. 140—177.

—, Gottesdienst im Alltag der Welt. Zu Röm 12, EVB II, 198—204.

—, Der gottesdienstliche Schrei nach der Freiheit, Paul. Persp. 211—230.

—, Gottesgerechtigkeit bei Paulus, EVB II, 181—193.

—, Grundsätzliches zur Interpretation von Römer 13, EVB II, 204—222.

—, Das Interpretationsproblem des Epheserbriefes, EVB II, 253—261.

—, Kritische Analyse von Phil. 2,5—11, EVB I, 51—95.

—, Konsequente Traditionsgeschichte?, ZThK 62, 1965, 137—152.

—, Die Legitimität des Apostels. In: Das Paulusbild in der neueren deutschen Forschung, hg. v. K. H. Rengstorf, WdF 24, 1964, 475—521.

—, Leib und Leib Christi, BHTh 9, 1933.

—, Eine paulinische Variation des „Amor fati". 1.Kor 9,14—18, EVB II, 223—239.

—, Paulus und der Frühkatholizismus, EVB II, 239—252.

—, Paulus und Israel, EVB II, 194—197.

—, Phil 2,12—18, EVB I, 293—298.

—, Rechtfertigung und Heilsgeschichte im Römerbrief, Paul. Persp. 108—139.

—, Sätze heiligen Rechtes im Neuen Testament, EVB II, 69—82.

—, Das theologische Problem des Motivs vom Leibe Christi, Paul. Persp. 178—210.

—, Zum Thema der urchristlichen Apokalyptik, EVB II, 105—131.

—, Zum Verständnis von Römer 3,24—26, EVB I, 96—100.

—, Zur paulinischen Anthropologie, Paul. Persp. 9—60.

Kahl, B., Traditionsbruch und Kirchengemeinschaft bei Paulus, 1977.

Kaiser, M., Die Einheit der Kirchengewalt nach dem Zeugnis des Neuen Testaments und der apostolischen Väter, MThS III, 7, 1956.

Kapelrud, A. S., Der Bund in den Qumranschriften. In: Bibel und Qumran, 1968, 137—149.

Karris, R. J., Rom 14:1—15:13 and the Occassion of Romans. In: K. P. Donfried (Hg.), The Romans Debate, 1977, 75—99.

Kasner, H., Bemerkungen zum paulinischen Verständnis der Kirche als „Leib Christi". In: Brüderliche Kirche — menschliche Welt. FS A. Schönherr, Berlin (Ost) 1972, 149—169.

Kaye, B. N., ‚To the Romans and Others' Revisited, NT 18, 1976, 37—77.

Kearney, P., Enthält das Neue Testament Anstöße zu einer anderen Kirchenordnung?, Conc (D) 8, 1972, 728—735.

Kertelge, K., Abendmahlsgemeinschaft und Kirchengemeinschaft im Neuen Testament und in der Alten Kirche. In: F. Hahn/K. Kertelge/ R. Schnackenburg, Einheit der Kirche, QD 84, 1979, 94—132.

—, Das Apostelamt des Paulus, BZ 14, 1970, 161—181.

—, Gemeinde und Amt im Neuen Testament, BiH 10, 1972.

−, (Hg.), Das kirchliche Amt im Neuen Testament, WdF 439, 1977.

−, Koinonia: „Gemeinschaft" in neutestamentlicher Sicht und ihre ökumenische Relevanz, ÖR 27, 1978, 445−458.

−, Offene Fragen zum Thema „Geistliches Amt" und das neutestamentliche Verständnis von der „repraesentatio Christi". In: Die Kirche des Anfangs. FS H. Schürmann, 1977, 583−606.

−, „Rechtfertigung" bei Paulus, NTA NF 3, 1972².

−, Verkündigung und Amt im Neuen Testament, BiLe 10, 1969, 189−198.

Kettunen, M., Der Abfassungszweck des Römerbriefes, Diss. Tübingen 1976/77.

Kieffer, R., Le primat de l'amour. Commentaire épistémologique de 1 Corinthiens 13, LeDiv 85, 1975.

Kirk, J. A., Apostleship since Rengstorf: Towards a Synthesis, NTS 21, 1975, 249−264.

Kirk, K. E., (Ed.), The Apostolic Ministry, London 1946.

Kišš, I., Der Begriff „Fluch" im Neuen Testament, CV 7, 1964, 87−94.

Kittel, H., Die Herrlichkeit Gottes, BZNW 16, 1934.

Klaiber, W., Eine lukanische Fassung des sola gratia. Beobachtungen zu Lukas 1,5−56. In: Rechtfertigung. FS E. Käsemann, 1976, 211−228.

Klein, G., Der Abfassungszweck des Römerbriefes. In: Rekonstruktion und Interpretation, BevTh 50, 1969, 129−144.

−, Apokalyptische Naherwartung bei Paulus. In: Neues Testament und christliche Existenz. FS H. Braun, 1973, 241−262.

−, Bibel und Heilsgeschichte, ZNW 62, 1971, 1−47.

−, Exegetische Probleme in Römer 3,21−4,25. Antwort an U. Wilckens, Rekonstruktion u. Interpretation 170−179 (mit einem Nachtrag).

−, Gottes Gerechtigkeit als Thema der neuesten Paulusforschung, ebd. 225−236.

−, Individualgeschichte und Weltgeschichte bei Paulus. Eine Interpretation ihres Verhältnisses im Galaterbrief, ebd. 180−224.

−, Präliminarien zum Thema „Paulus und die Juden". In: Rechtfertigung. FS E. Käsemann, 1976, 229−244.

−, „Reich Gottes" als biblischer Zentralbegriff, EvTh 30, 1970, 642−670.

−, Römer 4 und die Idee der Heilsgeschichte, Rekonstruktion und Interpretation 145−169.

Klinzing, G., Die Umdeutung des Kultus in der Qumrangemeinde und im Neuen Testament, StUNT 7, 1971.

Knoch, O., Die Ausführungen des 1. Clemensbrief über die kirchliche Verfassung im Spiegel der neueren Deutungen seit R. Sohm und A. Harnack, ThQ 141, 1961, 385−407.

−, Der Geist Gottes und der neue Mensch, 1975.

−, Die „Testamente" des Petrus und Paulus, SBS 62, 1973.

Knox, J., The Church and the Reality of Christ, New York 1962.

−, Romans, 15, 14−33 and Paul's Conception of his Apostolic Mission, JBL 83, 1964, 1−11.

Koch, K., sdq im Alten Testament. Diss. Heidelberg 1953 (masch.).

Koehnlein, H., La notion de l'Église chez l'apôtre Paul, RHPhR 17, 1937, 357−377.

Köster, H., Apostel und Gemeinde in den Briefen an die Thessalonicher. In: Kirche. FS G. Bornkamm, 1980, 287−298.

Koester, W., Die Idee der Kirche beim Apostel Paulus, 1928.

Koffmann, E., Rechtsstellung und hierarchische Struktur des jḥd in Qumran, Bib. 42, 1961, 433—442.

Kohlmeyer, E., Charisma oder Recht? Vom Wesen des ältesten Kirchenrechts, ZSRG 69, K 38, 1952, 1—36.

Koskenniemi, H., Studien zur Idee und Phraseologie des griechischen Briefes bis 400 n.Chr., AASF CII B, 2, 1956.

Kosmala, H., Hebräer — Essener — Christen, StPB 1, 1959.

Kraft, H., Die Anfänge des geistlichen Amts, ThLZ 100, 1975, 81—98.

Kramer, W., Christos — Kyrios — Gottessohn, AThANT 44, 1963.

Kraus, H.-J., Psalmen, BK XV, 1978[5].

Kredel, E. M., Der Apostelbegriff in der neueren Exegese, ZKTh 78, 1956, 169—193, 257—305.

Kremer, J., Das älteste Zeugnis von der Auferstehung Jesu, SBS 17, 1970[3].

Kritzinger, J. D. W., Qehal Jahwe, Kampen 1957.

Kruijf, Th. C. de, Das Volk Gottes im Neuen Testament, ThBer 3, 1975, 119—133.

Kühner, R. — Gerth, B., Ausführliche Grammatik der griechischen Sprache. Teil II: Satzlehre, 1. Bd., 1966 (= 1904[3]).

Kümmel, W. G., Die Bedeutung der Enderwartung für die Lehre des Paulus. In: Heilsgeschehen und Geschichte, MThSt 3, 1965, 36—47.

—, Einleitung in das Neue Testament, 1978[19].

—, „Individualgeschichte" und „Weltgeschichte" in Gal 2,15—21. In: Christ and Spirit in the NT. FS C. F. D. Moule, Cambridge 1973, 157—173.

—, Kirchenbegriff und Geschichtsbewußtsein in der Urgemeinde und bei Jesus, 1968[2].

—, Die Probleme von Römer 9—11 in der gegenwärtigen Forschungslage. In: L. de Lorenzi (Hg.), Die Israelfrage nach Röm 9—11, Ben.MS. BES 3, Rom 1977, 13—33.

—, Die Theologie des Neuen Testaments nach seinen Hauptzeugen. Jesus, Paulus, Johannes, NTD ErgR 3, 1976[3].

Küng, H., Die Kirche, ÖF.E 1, 1969[3] = Serie Piper 161, 1977.

—, Rechtfertigung. Die Lehre Karl Barths und eine katholische Besinnung, Horizonte 2, Einsiedeln 1957.

Kuhn, H.-W., Enderwartung und gegenwärtiges Heil. Untersuchungen zu den Gemeindeliedern von Qumran mit einem Anhang über Eschatologie und Gegenwart in der Verkündigung Jesu, StUNT 4, 1966.

—, Jesus als Gekreuzigter in der frühchristlichen Verkündigung bis zur Mitte des 2.Jahrhunderts, ZThK 72, 1975, 1—46.

Kuhn, K. G., Der Epheserbrief im Lichte der Qumrantexte, NTS 7, 1960/61, 334—346.

—, Πειρασμός — ἁμαρτία — σάρξ im Neuen Testament und die damit zusammenhängenden Vorstellungen, ZThK 49, 1952, 200—222.

—, Das Problem der Mission in der Urchristenheit, EMZ 11, 1954, 161—168.

—, Römer 6, 7, ZNW 30, 1931, 305—310.

—, Die Schriftrollen vom Toten Meer, EvTh 11, 1951, 72—75.

Kuss, O., Jesus und die Kirche im Neuen Testament. In: Auslegung und Verkündigung I, 1963, 25—77.

—, Paulus. Auslegung und Verkündigung III, 1976[2].

—, Der Römerbrief. Lfg. 1 und 2 (Röm 1,1—8,19), 1963[2]; Lfg. 3 (Röm 8,19—11,36), 1978.

Kutsch, E., Neues Testament — Neuer Bund? Eine Fehlübersetzung wird korrigiert, 1978.

Ladd, G. E., The Holy Spirit in Galatians. In: Current Issues in Biblical and Patristic Interpretation. FS M. C. Tenney, Grand Rapids 1975, 211—216.

—, Revelation and Tradition in Paul. In: Apostolic History and the Gospel. FS F. F. Bruce, Exeter 1970, 223—230.

Lamberigts, S., Le sens de qdwšym dans les textes de Qumran, EThL 46, 1970, 24—39.

Lambrecht, J., The Fragment 2 Cor VI 14—VII 1. A Plea for its Authenticity. In: Miscellanea neotestamentica, Vol. 2, NT.S 47. 48, 1978, 143—162.

—, The Line of Thought in Gal 2.14b—21, NTS 24, 1977/78, 484—495.

Lang, F., Abendmahl und Bundesgedanke im Neuen Testament, EvTh 35, 1975, 524—538.

—, Gesetz und Bund bei Paulus. In: Rechtfertigung. FS E. Käsemann, 1976, 305—320.

Larsson, E., Christus als Vorbild. Eine Untersuchung zu den paulinischen Tauf- und Eikontexten, ASNU 23, 1962.

Latte, K., Heiliges Recht. Untersuchungen zur Geschichte der sakralen Rechtsformen in Griechenland, 1920.

Laub, F., Eschatologische Verkündigung und Lebensgestaltung nach Paulus. Eine Untersuchung zum Wirken des Apostels beim Aufbau der Gemeinde in Thessalonike, BU 10, 1973.

—, Paulus als Gemeindegründer (1.Thess). In: J. Hainz (Hg.), Kirche im Werden, 1976, 17—38.

Lauterburg, M., Der Begriff des Charisma und seine Bedeutung für die praktische Theologie, BFchTh 2,1, 1898.

Leaney, A. R. C., The Righteous Community in St. Paul, StEv II = TU 87, 1964, 441—446.

Léenhardt, F. J., Le Baptême chrétien, son origine, sa signification, CThAP 4, 1946.

—, Études sur l'église dans le Nouveau Testament, RFTPG 6, 1940.

—, Réalité et caractères de l'église. In: La Sainte Eglise Universelle, CThAP.HS 4, 1948, 59—91.

Lehmann, K., Auferweckt am dritten Tag nach der Schrift, QD 38, 1968.

—, Zur Ausübung geistlicher Vollmacht. Einige Beobachtungen zum paulinischen Autoritätsverständnis, IKaZ 9, 1980, 394—398.

Lemaire, A., Les épitres de Paul: La diversité des ministères. In: J. Delorme (ed.), Le ministère et les ministères, 1974, 57—73.

—, Les ministères aux origines de l'Eglise, LeDiv 68, 1971.

—, The Ministries in the New Testament, BTB 3, 1973, 133—166.

Lemonon, J. P., Service apostolique et services dans les lettres pauliniennes, Diss. Lyon 1972.

Leuba, J. L., Institution und Ereignis, ThÖ 3, 1957.

Lichtenberger, H., Atonement and Sacrifice in the Qumran Community. In: William S. Green (ed.), Approaches to Ancient Judaism II, 1980, 159—171.

—, Studien zum Menschenbild in Texten der Qumrangemeinde, StUNT 15, 1979.

Liddell, H. G./R. Scott, A Greek — English Lexicon, Oxford 1968[9].

Liedke, G., Gestalt und Bezeichnung alttestamentlicher Rechtssätze, WMANT 39, 1971.

Lietzmann, H., An die Galater, HNT 10, 1978[4].

–, An die Römer, HNT 8, 1933[4].

–, An die Korinther I/II. Erg. von W. G. Kümmel, HNT 9, 1969[5].

Lifshitz, B., Papyrus grecs du désert de Juda, Aegyptus 42, 1962, 248–254.

Limbeck, M., Der Lobpreis Gottes als Sinn des Daseins, ThQ 150, 1970, 349–357.

–, Die Ordnung des Heils. Untersuchungen zum Gesetzesverständnis des Frühjudentums, 1971.

Lindeskog, G., Gottes Reich und Kirche im Neuen Testament. In: Ein Buch von der Kirche, hg. v. G. Aulén, 1950, 145–157.

–, Studien zum neutestamentlichen Schöpfungsgedanken I, UUA 11, 1952.

Linton, O., Das Problem der Urkirche in der neueren Forschung, UUA 1932.

Lippert, P., Leben als Zeugnis. Die werbende Kraft christlicher Lebensführung im Selbstverständnis neutestamentlicher Gemeinden, SBM 4, 1969.

Lips, H. v., Glaube – Gemeinde – Amt. Zum Verständnis der Ordination in den Pastoralbriefen, FRLANT 122, 1979.

Lisowsky, G., Jadajm (Hände). In: Die Mischna. VI. Seder: Toharot, 11. Traktat, 1956.

Lönning, I., Paulus und Petrus. Gal 2,11ff als kontroverstheologisches Fundamentalproblem, StTh 24, 1970, 1–69.

Löwe, H., Christus und die Christen. Untersuchungen zum Verständnis der Kirche in den großen Paulusbriefen und im Kolosser- und Epheserbrief. Diss. Heidelberg 1965 (masch.).

Lohfink, G., Die Normativität der Amtsvorstellungen in den Pastoralbriefen, ThQ 157, 1977, 93–106.

Lohmeyer, E., Die Briefe an die Philipper, an die Kolosser und an Philemon, KEK IX, 1964[13].

–, Grundlagen paulinischer Theologie, BHTh 1, 1929.

–, Kyrios Jesus: Eine Untersuchung zu Phil 2,5–11, SHAW.PH 1927/28,4; 1961[2].

Lohse, E., „Das Amt, das die Versöhnung predigt". In: Rechtfertigung. FS E. Käsemann, 1976, 339–350.

–, Die Entstehung des Bischofsamtes in der frühen Christenheit, ZNW 71, 1980, 58–73.

–, Die Gemeinde und ihre Ordnung bei den Synoptikern und bei Paulus. In: Jesus und Paulus. FS W. G. Kümmel, 1975, 189–200.

–, Die Gerechtigkeit Gottes in der paulinischen Theologie. In: Die Einheit des NT, 1973, 209–227.

–, Grundriß der neutestamentlichen Theologie, ThW 5, 1979[2].

–, Märtyrer und Gottes Knecht. Untersuchungen zur urchristlichen Verkündigung vom Sühnetod Jesu Christi, FRLANT 64, 1963[2].

–, Taufe und Rechtfertigung bei Paulus, Einheit des NT 228–244.

–, Die Texte aus Qumran, 1971[2].

Lorenzi, L. de, Paul „diakonos" du Christ et des chretiens. In: Paul de Tarse, SM Ben. Sect. paul. 1, 1979, 399–454.

Lührmann, D., Abendmahlsgemeinschaft? Gal 2,11ff. In: Kirche. FS G. Bornkamm, 1980, 271–286.

–, Der Brief an die Galater, ZBK.NT 7, 1978.

–, Christologie und Rechtfertigung. In: Rechtfertigung. FS E. Käsemann, 1976, 351–364.

—, Glaube im frühen Christentum, 1976.

—, Das Offenbarungsverständnis bei Paulus und in den paulinischen Gemeinden, WMANT 16, 1965.

—, Rechtfertigung und Versöhnung, ZThK 67, 1970, 437—452.

—, Tiefenpsychologische oder historisch-kritische Exegese? Identität und der Tod des Ich (Gal 2,19—20). In: Yorick Spiegel (Hg.), Doppeldeutlich, 1978, 227—233.

—, Wo man nicht mehr Sklave oder Freier ist. Überlegungen zur Struktur frühchristlicher Gemeinden, WuD NF 13, 1975, 53—83.

Luther, M., Vorlesung über den Römerbrief 1515/1516, 1960.

Luz, U., Der alte und der neue Bund bei Paulus und im Hebräerbrief, EvTh 27, 1967, 318—336.

—, Das Geschichtsverständnis des Paulus, BevTh 49, 1968.

—, Das Gottesbild in Christus und im Menschen im Neuen Testament, Conc (D) 5, 1969, 763—768.

—, Rechtfertigung bei den Paulusschülern. In: Rechtfertigung. FS E. Käsemann, 1976, 365—383.

—, Theologia crucis als Mitte der Theologie im Neuen Testament, EvTh 34, 1974, 116—141.

—, Zum Aufbau von Römer 1—8, ThZ 25, 1969, 161—181.

McDermott, M., The Biblical Doctrine of KOINΩNIA, BZ 19, 1975, 64—77, 219—233.

McEleney, N. J., Conversion, Circumcision and the Law, NTS 20, 1973/74, 319—341.

Mack, B. L., Logos und Sophia, StUNT 10, 1973.

McKelvey, R. J., The New Temple. The Church in the New Testament, Oxford 1969.

Mac Rae, G. W., Anti-Dualist Polemic in 2 Cor 4,6?, StEv IV = TU 102, 1968, 420—431.

Maier, J., Die Tempelrolle vom Toten Meer, UTB 829, 1978.

—, Die Texte vom Toten Meer, Bd. I, II, 1960.

—, Zum Begriff יחד in den Texten von Qumran, ZAW 72, 1960, 148—166.

—, Zum Gottesvolk- und Gemeinschaftsbegriff in den Schriften vom Toten Meer, Diss. Wien 1958 (masch.).

Malherbe, A. J., Soziale Ebene und literarische Bildung. In: W. A. Meeks (Hg.), Zur Soziologie des Urchristentums, 1979, 194—221.

Maly, K., 1.Kor 12,1—3. Eine Regel zur Unterscheidung der Geister? BZ 10, 1966, 82—95.

—, Mündige Gemeinde. Untersuchungen zur pastoralen Führung des Apostels Paulus im 1. Korintherbrief, SBM 2, 1967.

Manson, T. W., The Church's Ministry, London 1948.

—, The New Testament Basis of the Doctrine of the Church, JEH 1, 1950, 1—11.

—, The Significance of Christ in the Church. In: On Paul and John, SBT 1963, 66—79.

—, St. Paul's Letter to the Romans — and Others. In: K. Donfried (Hg.), The Romans Debate, 1977, 1—16.

Manson, W., Notes on the Arguments of Romans Chapters 1—8. In: New Testament Essays. Studies in Memory of T. W. Manson, Manchester 1959, 150—164.

292 Literaturverzeichnis

Mansoor, M., The Thanksgivings Hymns, STDJ 3, 1961.
Maron, G., Kirche und Rechtfertigung, KiKonf 15, 1969.
Marquardt, F. W., Die Juden im Römerbrief, ThSt (B) 107, 1971.
Marsch, W. D., Das Institutionen-Gespräch in der evangelischen Kirche. In: Zur
Theorie der Institution, hg. v. H. Schelsky, Interdisziplinäre Studien I, 1973²,
127—140.
Marshall, I. H., New Wine in Old Wine — Skins: V. The Biblical Usage of the
Word ‚Ekklesia', ET 84, 1973, 359—364.
Martin, R. P., Carmen Christi. Philippians II. 5—11 in recent Interpretation and
in the Setting of Early Christian Worship, NTS.MS 4, 1967.
Marxsen, W., Der erste Brief an die Thessalonicher, ZBK.NT 11.1, 1979.
—, Die Nachfolge des Apostels. In: Der Exeget als Theologe, 1968, 75—90.
Masson, Ch., L'Evangile et la Sagesse selon l'apôtre Paul. D'après I Corinthiens
1:17 à 3:23, RThPh III, 7, 1957, 95—110.
—, Les deux épîtres de Saint Paul aux Théssaloniciens, CNT XIa, 1957.
Mattern, L., Das Verständnis des Gerichtes bei Paulus, AThANT 47, 1966.
Matura, M. C., Le Qahal et son contexte cultuel. In: L'Église dans la Bible,
Studia 13, Bruges 1962, 9—18.
Maurer, Ch., Grund und Grenze apostolischer Freiheit. In: Antwort. Karl Barth
zum 70. Geburtstag, 1956, 630—641.
Maurer, W., Bekenntnis und Sakrament, 1939.
—, Vom Ursprung und Wesen kirchlichen Rechts. In: Die Kirche und ihr Recht,
IusEcc 23, 1976, 44—75.
Mauser, U., Gal 3,20: Die Universalität des Heils, NTS 13, 1966/67, 258—270.
Mayer, G., Aspekte des Abrahambildes in der hellenistisch-jüdischen Literatur,
EvTh 32, 1972, 118—127.
Meeks, W. A. (Hg.), Zur Soziologie des Urchristentums, ThB 62, 1979.
Menoud, Ph.-H., L'Église et les ministères selon le Nouveau Testament, CThAP
22, 1949.
Merk, O., Handeln aus Glauben. Die Motivierungen der paulinischen Ethik,
MThSt 5, 1968.
Merl ein, H., Christus und die Kirche: die theologische Grundstruktur des
Epheserbriefes nach Eph 2,11—18, SBS 66, 1973.
—, Die Ekklesia Gottes. Der Kirchenbegriff bei Paulus und in Jerusalem, BZ 23,
1979, 48—70.
—, Das kirchliche Amt nach dem Epheserbrief, StANT 33, 1973.
Merrill, E. H., Qumran and Predestination, STDJ 8, 1975.
Metzger, B. M., The New Testament View of the Church, ThTo 19, 1962, 369—
380 = The Teaching of the New Testament Concerning the Church, CThM
34, 1963, 147—155.
—, Der Text des Neuen Testaments, 1966.
—, A Textual Commentary on the Greek New Testament, Oxford 1971.
Meurer, S., Das Recht im Dienst der Versöhnung und des Friedens, AThANT
63, 1972.
Meuzelaar, J. J., Der Leib des Messias. Eine exegetische Studie über den Gedan-
ken vom Leib Christi in den Paulusbriefen, Amsterdam 1961.
Meyer, R. P., Kirche und Mission im Epheserbrief, SBS 86, 1977.
Meyer, U., Zur Herkunft und Überwindung des protestantischen Individualismus,
EvTh 24, 1964, 267—272.

Meyer, W., Der erste Korintherbrief (Prophezei). Erster Teil: Kapitel 1–10, Die Gemeinschaft der Heiligen, 1947. Zweiter Teil: Kapitel 11–16, Der Leib Christi, 1945.

Michel, H. J., Die Abschiedsrede des Paulus an die Kirche. Apg 20,17–38, StANT 35, 1973.

Michel, O., Der Brief an die Römer, KEK IV, 1978[14].

—, „Erkennen dem Fleisch nach" II. Kor 5,16, EvTh 14, 1954, 22–29.

—, Gnadengabe und Amt, DTh 9, 1942, 133–139.

—, Das Zeugnis des Neuen Testaments von der Gemeinde, FRLANT 57, (NF 39), 1941.

Milik, J. T., The Books of Enoch, Oxford 1976.

—, Ten Years of Discovery in the Wilderness of Judaea, SBT 26, 1963[2].

Minde, H.-J. v. d., Schrift und Tradition bei Paulus: Ihre Bedeutung und Funktion im Römerbrief, PaThSt 3, 1976.

—, Theologia crucis und Pneumaaussagen bei Paulus, Cath (M) 34, 1980, 128–145.

Minear, P. S., The Crucified World: The Enigma of Galatians 6,14. In: Theologia crucis, signum crucis. FS Dinkler, 1979, 395–407.

—, The Obedience of Faith. The Purposes of Paul in the Epistle to the Romans, SBT II, 19, 1971.

Mischnajoth, Die sechs Ordnungen der Mischna, 1924–1933, 1968[3];

Molland, E., Das paulinische Euangelion, Oslo 1934.

Moltmann, J., Kirche in der Kraft des Geistes, 1975.

Morawe, G., Aufbau und Abgrenzung der Loblieder von Qumrân, ThA 16, 1960.

Moule, C. F. D., The Judgment theme in the Sacraments. The Background of the New Testament and its Eschatology. FS C. H. Dodd, Cambridge 1956, 464–481.

Moxnes, H., Theology in Conflict. Studies in Paul's Understanding of God in Romans, NT.S 53, 1980.

Müller, Christian, Gottes Gerechtigkeit und Gottes Volk. Eine Untersuchung zu Römer 9–11, FRLANT 86, 1964.

Müller, Christoph Dietrich, Die Erfahrung der Wirklichkeit: hermeneutisch-exegetische Versuche mit besonderer Berücksichtigung alttestamentlicher und paulinischer Theologie, 1978.

Müller, K., 1.Kor 1,18–25. Die eschatologisch-kritische Funktion der Verkündigung des Kreuzes, BZ 10, 1966, 246–272.

Müller, U. B., Prophetie und Predigt im NT, StNT 10, 1975.

Müller-Fahrenholz, G. (Hg.), Accra 1974, ÖR.B 27, 1975.

Mumm, R. (Hg.), Ordination und kirchliches Amt, 1976.

Munck, J., Christus und Israel. Eine Auslegung von Röm 9–11, AJut. XXVIII, 3, 1956.

—, Paulus und die Heilsgeschichte, AJut XXVI, 1.T 6, 1954.

Mundle, W., Der Glaubensbegriff des Paulus, 1932.

—, Das Kirchenbewußtsein der ältesten Christenheit, ZNW 22, 1923, 22–42.

Murphy, J. L., „Ekklesia" and the Septuagint, AEcR 139, 1958, 381–390.

—, The Use of „Ekklesia" in the New Testament, AEcR 140, 1959, 250–259, 325–332.

Murphy-O'Connor, J., Die Gegenwart Gottes durch Christus in der Kirche und in der Welt, Conc (D) 5, 1969, 774–780.

−, (Ed.), Paul and Qumran, Studies in NT Exegesis, London 1968.

Mußner, F., Beiträge aus Qumran zum Verständnis des Epheserbriefes. In: Ntl. Aufsätze. FS J. Schmid, 1963, 185−198.

−, Der Galaterbrief, HThK 9, 1974.

−, „Ganz Israel wird gerettet werden" (Röm 11,26), Kairos 18, 1976, 241− 255.

−, Theologie der Freiheit nach Paulus, QD 75, 1976.

−, Wer ist „der ganze Samen" in Röm 4,16? In: Begegnungen mit dem Wort. FS Heinrich Zimmermann, 1980, 213−217.

−, „Das Wesen des Christentums ist συνεσθίειν". In: Mysterium der Gnade. FS Johann Auer, 1975, 92−102.

Muszyński, H., Fundament, Bild und Metapher in den Handschriften aus Qumran, AnBib 61, 1975.

Nababan, A. E. S., Bekenntnis und Mission in Römer 14 und 15, Diss. Heidelberg 1963.

Nestle/Aland, Novum Testamentum Graece, 1979[26].

Neuenzeit, P., Das Herrenmahl, StANT 1, 1960.

Neugebauer, F., In Christus ἐν Χριστῷ. Eine Untersuchung zum paulinischen Glaubensverständnis, 1961.

Neusner, J., The Idea of Purity in Ancient Judaism, SJLA 1, 1973.

Newbigin, L., The Household of God, London 1953.

Nickle, K., The Collection. A Study in Paul's Strategy, SBT 48, 1966.

Niederwimmer, K., Der Begriff der Freiheit im Neuen Testament, TBT 11, 1966.

−, Das Gebet des Geistes. Rm 8,26f, ThZ 20, 1964, 252−265.

−, Erkennen und Lieben. Gedanken zum Verhältnis von Gnosis und Agape im ersten Korintherbrief, KuD 11, 1965, 75−102.

Nielsen, H., Paulus' Verwendung des Begriffes Δύναμις. Eine Replik zur Kreuzestheologie. In: S. Pedersen (Hg.), Die Paulinische Literatur und Theologie, 1980, 137−158.

Noack, B., Current and Backwater in the Epistle to the Romans, StTh 19, 1965, 155−166.

Nötscher, F., Heiligkeit in den Qumranschriften. In: Vom Alten zum Neuen Testament, BBB 17, 1962, 126−174.

−, Schicksalsglaube in Qumran und Umwelt, ebd. 17−71.

Noth, M., Die Heiligen des Höchsten. In: Gesammelte Studien zum Alten Testament, ThB 6, 1966[3], 274−290.

Nygren, A., Christus und seine Kirche, 1956.

−, Corpus Christi. In: Ein Buch von der Kirche, hg. v. G. Aulén, 1950, 15−28.

−, Der Römerbrief, 1965[4].

O'Brien, P. Th., Introductory Thanksgivings in the Letters of Paul, NT.S 49, 1977.

−, Thanksgivings and the Gospel in Paul, NTS 21, 1974/75, 144−155.

Oepke, A., Der Brief des Paulus an die Galater, bearbeitet von Joachim Rohde, ThHK IX, 1973[3].

−, Δικαιοσύνη θεοῦ bei Paulus in neuer Beleuchtung, ThLZ 78, 1953, 257−264.

−, Leib Christi oder Volk Gottes bei Paulus, ThLZ 79, 1954, 363−368.

−, Die Missionspredigt des Apostels Paulus, MWF (L) 2, 1920.

−, Das neue Gottesvolk in Schrifttum, Schauspiel, bildender Kunst und Weltgestaltung, 1950.

Ollrog, W. H., Die Abfassungsverhältnisse von Röm 16. In: Kirche. FS G. Born-
    kamm, 1980, 221—244.
—, Paulus und seine Mitarbeiter, WMANT 50, 1979 (zit. Ollrog).
Ortkemper, F.-J., Das Kreuz in der Verkündigung des Paulus, SBS 24, 1968[2].
Osten-Sacken, P. v. d., Die Apologie des paulinischen Apostolats in 1 Kor 15,
    1—11, ZNW 64, 1973, 245—262.
—, Römer 8 als Beispiel paulinischer Soteriologie, FRLANT 112, 1975.
—, Erwägungen zur Abfassungsgeschichte und zum literarisch-theologischen Cha-
    rakter des Römerbriefes, ThViat 12, 1973/74, 109—120.
—, Gottes Treue bis zur Parusie. Formgeschichtliche Beobachtungen zu 1 Kor
    1,7b—9, ZNW 68, 1977, 176—199.
—, Gott und Belial. Traditionsgeschichtliche Untersuchungen zum Dualismus in
    den Texten aus Qumran, StUNT 6, 1969.
—, Das paulinische Verständnis des Gesetzes im Spannungsfeld von Eschatolo-
    gie und Geschichte, EvTh 37, 1977, 549—587.
—, Die paulinische theologia crucis als Form apokalyptischer Theologie, EvTh
    39, 1979, 477—496.
Panagopoulos, J. (Hg.), Prophetic Vocation in the New Testament and Today,
    NT.S 45, 1977.
Paulsen, H., Einheit und Freiheit der Söhne Gottes — Gal 3,26—29, ZNW 71,
    1980, 74—95.
Pedersen, S., Agape — der eschatologische Hauptbegriff bei Paulus. In: S. Peder-
    sen (Hg.), Die Paulinische Literatur und Theologie, 1980, 159—186.
—, „Mit Furcht und Zittern" (Phil 2,12—13), StTh 32, 1978, 1—32.
Percy, E., Der Leib Christi (Σῶμα Χριστοῦ) in den paulinischen Homologume-
    na und Antilegomena, LUA NF Aud. 1, Bd. 38,1, 1942.
Perels, O., ΧΑΡΙΣΜΑ im Neuen Testament, FuH 15, 1964, 30—45.
Perlitt, L., „Ein einzig Volk von Brüdern". Zur deuteronomischen Herkunft der
    biblischen Bezeichnung „Bruder". In: Kirche. FS G. Bornkamm, 1980, 27—52.
Pesce, M., „Christ did not send me to baptize but to evangelize" (1Co 1,17a).
    In: Paul de Tarse, SM Ben. Sect. paul. 1, 1979, 339—362.
Pesch, R., Nicht Herrschaft, sondern Dienst. Amtsstrukturen neutestamentlicher
    Gemeinde. In: Die Chance der brüderlichen Gemeinde, 1970, 9—17; ausführ-
    licher: Structures du ministère dans le Nouveau Testament, Istina 16, 1971,
    437—452.
Pesch, W., Der Sonderlohn für die Verkündiger des Evangeliums. In: Neutesta-
    mentliche Aufsätze. FS J. Schmid, 1963, 199—206.
Peterson, E., Die Kirche. In: Theologische Traktate, 1951, 409—429.
Pfammatter, J., Die Kirche als Bau. Eine exegetisch-theologische Studie zur Ek-
    klesiologie der Paulus-Briefe, AnGreg 110, 1960.
Pieper, K., Jesus und die Kirche, 1932.
Plag, Ch., Israels Weg zum Heil. Eine Untersuchung zu Römer 9—11, 1969.
Planer-Friedrich, G., Rechtfertigung und Kirchenrecht, ZdZ 34, 1980, 1—9.
Plöger, O., Das Buch Daniel, KAT XVIII, 1965.
Poland, F., Geschichte des griechischen Vereinswesens, 1909.
Prast, F., Presbyter und Evangelium in nachapostolischer Zeit. Die Abschieds-
    rede des Paulus in Milet (Apg 20,17—38) im Rahmen der lukanischen Kon-
    zeption der Evangeliumsverkündigung, FzB 29, 1979.
Pratscher, W., Der Verzicht des Paulus auf finanziellen Unterhalt durch seine
    Gemeinden: Ein Aspekt seiner Missionsweise, NTS 25, 1978/79, 284—298.

Preiss, Th., Vie en Christ et éthique sociale dans l'Épître à Philemon. In: La vie en Christ, BT(N) 1951, 65—73.

Punge, M., Kirchenleitung — Gemeindeleitung im Neuen Testament, ZdZ 22, 1968, 121—126.

Rad, G. v., Das fünfte Buch Mose — Deuteronomium, ATD 8, 1968[2].

Radermacher, L., Neutestamentliche Grammatik, HNT 1, 1925[2].

Raeder, W. M., Die Stadt Gottes in der Johannesapokalypse. Diss. Göttingen 1971.

Raiser, K., Löwen 1971, ÖR.B 18/19, 1971.

Ramaroson, L., „L'Église, corps du Christ" dans les écrits pauliniens: simples esquisses, ScEs 30, 1978, 128—143.

Reicke, B., Unité chrétienne et diaconie, Phil 2,1—11. In: Neotestamentica et Patristica. FS O. Cullmann, NT.S VI, 1962, 203—212.

Reiling, J., Prophecy, the Spirit and the Church. In: J. Panagopoulos (Ed.), Prophetic Vocation, NT.S XLV, 1977, 58—76.

Rengstorf, K. H., Das Ölbaum-Gleichnis in Römer 11,16ff. In: Donum gentilicium. FS D. Daube, Oxford 1978, 127—164.

—,/Lisowsky, G., Die Tosefta, Bd. 6,3, 1967.

Reuss, J., Die Kirche als „Leib Christi" und die Herkunft dieser Vorstellung bei dem Apostel Paulus, BZ NF 2, 1958, 103—127.

Reventlow, H. Graf, Rechtfertigung im Horizont des Alten Testaments, BevTh 58, 1971.

Rey, B., Créés dans le Christ Jésus. La création nouvelle selon Saint Paul, LeDiv 42, 1966.

Richardson, P., Israel in the Apostolic Church, NTS.MS 10, 1969.

—, Pauline Inconsistency: I Corinthians 9:19—23 and Galatians 2:11—14, NTS 26, 1980, 347—362.

Ridderbos, H., Paulus. Ein Entwurf seiner Theologie, 1970.

Rigaux, B., Paulus und seine Briefe, BiH 2, 1964.

—, L'anticipation du salut eschatologique par l'Esprit. In: M. Barth u.a., Foi et Salut selon S. Paul, AnBib 42, 1970, 101—130.

—, Saint Paul, Les épîtres aux Thessaloniciens, EtB, 1956.

Ritter, A. M., Amt und Gemeinde im Neuen Testament und in der Kirchengeschichte. In: A. M. Ritter/G. Lerch, Wer ist die Kirche?, 1968.

—, Die frühchristliche Gemeinde und ihre Bedeutung für die heutigen Strukturen der Kirche. In: Theologie und Wirklichkeit. FS W. Trillhaas, 1974, 123—144.

Robeck Jr., C. M., The Gift of Prophecy in Acts and Paul, SBTh 5,1, 1975, 15—38; 5,2, 1975, 37—54.

Roberts, J. H., e.a., Ministry in the Pauline Letters, Neotestamentica 10, Pretoria 1976.

Robinson, D. W. B., We are the Circumcision, ABR 15, 1967, 28—35.

Robinson, H. Wh., The Hebrew Conception of Corporate Personality. In: Werden und Wesen des Alten Testaments, ed. J. Hempel, BZAW 66, 1936, 49ff.

Robinson, J. A. T., The Body. A Study in Pauline Theology, SBT 5, 1952.

Robinson, W., The Biblical Doctrine of the Church, St. Louis 1948.

Robinson Jr., William C., Word and Power (1 Corinthians 1,17—2,5). In: Soli Deo Gloria. FS William Childs Robinson, Richmond 1968, 68—82.

Roetzel, C. J., Judgment in the Community. A Study of the Relationship between Eschatology and Ecclesiology in Paul, Leiden 1972.

Rogerson, J. W., The Hebrew Conception of Corporate Personality, JThSt NS 21, 1970, 1–16.
Rohde, J., Urchristliche und frühchristliche Ämter, ThA 33, 1976.
Roller, O., Das Formular der Paulinischen Briefe, BWANT IV, 6, 1933.
Roloff, J., Apostolat – Verkündigung – Kirche, 1965.
—, Die Paulus-Darstellung des Lukas, EvTh 39, 1979, 510–531.
Rost, L., Die Vorstufen von Kirche und Synagoge im Alten Testament, BWANT IV, 24, 1938.
Rudolph, W., Micha – Nahum – Habakuk – Zephania, KAT XIII, 3, 1975.
Ruether, R., Nächstenliebe und Brudermord. Die theologischen Wurzeln des Antisemitismus, 1978.
Ruppert, L., Der leidende Gerechte, FzB 5, 1972.
Saake, H., Pneumatologia Paulina, Cath (M) 26, 1972, 212–223.
Saillard, M., C'est moi qui, par l'Évangile, vous ai enfantés dans le Christ (1 Co 4,15), RSR 56, 1968, 5–41.
Sand, A., Anfänge einer Koordinierung verschiedener Gemeindeordnungen nach den Pastoralbriefen. In: J. Hainz (Hg.), Kirche im Werden, 1976, 215–237.
Sanders, E. P., The Covenant as a Soteriological Category and the Nature of Salvation in Palestinian and Hellenistic Judaism. In: Jews, Greeks and Christians. FS W. D. Davies, SJLA 21, 1976, 11–44.
—, Paul and Palestinian Judaism, London 1972.
—, Paul's Attitude Toward the Jewish People, USQR 33, 1978, 175–188; dazu: Stendahl, K., A Response, aaO 189–191.
Sanders, J. T., The Transition from Opening Epistolary Thanksgivings to Body in the Letters of the Pauline Corpus, JBL 81, 1962, 348–362.
Sandvik, B., Das Kommen des Herrn beim Abendmahl im Neuen Testament, AThANT 58, 1970.
Saß, G., Apostelamt und Kirche. Eine theologisch-exegetische Untersuchung des paulinischen Apostelbegriffs, FGLP 9,2, 1939.
Satake, A., Apostolat und Gnade bei Paulus, NTS 15, 1968/69, 96–107.
Scheffczyck, L., Die Christusrepräsentation als Wesensmoment des Priesteramtes, Cath (M) 27, 1973, 293–311.
Schein, B. E., Our Father Abraham. Ann Arbor, Mich.: Univ. Microfilms (1974) = New Haven, Yale Univ., Diss. 1972.
Schelkle, K. H., Die Gemeinde von Qumran und die Kirche des Neuen Testaments, 1965².
—, Charisma und Amt. In: Begegnungen mit dem Wort. FS Heinrich Zimmermann, 1980, 311–324.
Schenk, W., Die Gerechtigkeit Gottes und der Glaube Christi, ThLZ 97, 1972, 161–174.
—, Textlinguistische Aspekte der Strukturanalyse, dargestellt am Beispiel von 1.Kor XV 1–11, NTS 23, 1977, 469–477.
Schenke, H. M., Der Gott „Mensch" in der Gnosis, 1962.
Schenker, A., Gott als Vater – Söhne Gottes, FZPhTh 25, 1978, 3–55.
Schlatter, A., Der Glaube im Neuen Testament, 1963⁵.
—, Gottes Gerechtigkeit. Ein Kommentar zum Römerbrief, 1965⁴.
—, Paulus, der Bote Jesu. Eine Deutung seiner Briefe an die Korinther, 1970⁴.
—, Die Theologie der Apostel, 1922².
Schlatter, Th., Für Gott lebendig in Christi Kraft. Eine Studie zu den Selbstaussagen des Paulus, JThSB 1, 1930, 116–144.

—, Tot für die Sünde, lebendig für Gott. Das Urteil des Paulus über seine Gemeinden, JThSB 3, 1932, 19—58.

Schlier, H., Der Brief an die Epheser, 1958[6].

—, Der Brief an die Galater, KEK VII, 1971[14].

—, Doxa bei Paulus als heilsgeschichtlicher Begriff. In: Besinnung auf das Neue Testament. Exegetische Aufsätze und Vorträge II, 1968[2], 307—318.

—, Die Einheit der Kirche im Denken des Apostels Paulus. In: Die Zeit der Kirche, 1966[4], 287—299.

—, Ekklesiologie des Neuen Testaments. In: J. Feiner/M. Löhrer, Mysterium Salutis IV, 1, 1972, 101—222.

—, Εὐαγγέλιον im Römerbrief. In: Wort Gottes in der Zeit. FS K. H. Schelkle, 1973, 127—142.

—, Herkunft, Ankunft und Wirkungen des Heiligen Geistes im Neuen Testament. In: C. Heitmann/H. Mühlen (Hg.), Erfahrung und Theologie des Heiligen Geistes, 1974, 118—130.

—, Kerygma und Sophia — Zur neutestamentlichen Grundlegung des Dogmas, Zeit der Kirche 206—232.

—, Die „Liturgie" des apostolischen Evangeliums (Röm 15,14—21). In: Ende der Zeit. Exeg. Aufs. u. Vortr. III, 1971, 169—183.

—, Neutestamentliche Grundelemente des Priesteramtes, Cath (M) 27, 1973, 209—233.

—, Die neutestamentliche Grundlage des Priesteramtes. In: Der priesterliche Dienst I, QD 46, 1970, 81—114.

—, Die Ordnung der Kirche nach den Pastoralbriefen, Zeit der Kirche 129—147.

—, Der Römerbrief, HThK 6, 1977.

—, Über das Hauptanliegen des 1. Briefes an die Korinther, Zeit der Kirche 147—159.

—, Über das Prinzip der kirchlichen Einheit im Neuen Testament, Cath (M) 27, 1973, 91—110.

—, Vom Wesen der apostolischen Ermahnung nach Römer 12,1—2, Zeit der Kirche 74—89.

—, Zu den Namen der Kirche, Besinnung auf das NT 294—306.

—, Zur Freiheit gerufen. Das paulinische Freiheitsverständnis, Ende der Zeit 216—233.

Schmauch, W., Der Apostelbegriff des Paulus. In: ... zu achten aufs Wort. Ausgewählte Arbeiten, 1967, 26—36.

Schmid, H. H., Gerechtigkeit als Weltordnung, BHTh 40, 1968.

—, Rechtfertigung als Schöpfungsgeschehen. In: Rechtfertigung. FS E. Käsemann, 1976, 403—414.

Schmidt, K. L., Die Kirche des Urchristentums. In: Festgabe für A. Deißmann, 1927, 258—319.

Schmidt, T., Der Leib Christi (Σῶμα Χριστοῦ). Eine Untersuchung zum urchristlichen Gemeindegedanken, 1919.

Schmithals, W., Geisterfahrung als Christuserfahrung. In: C. Heitmann/H. Mühlen (Hg.), Erfahrung und Theologie des Heiligen Geistes, 1974, 101—117.

—, Die Gnosis in Korinth, FRLANT 48 (66), 1966[3].

—, Die Häretiker in Galatien. In: Paulus und die Gnostiker, ThF 35, 1965, 9—47.

—, Die historische Situation des 1. Thessalonicherbriefes, ebd. 89—157.

—, Die Irrlehrer des Philipperbriefes, ebd. 47—87.

—, Paulus und Jakobus, FRLANT 85, 1963.

—, Der Römerbrief als historisches Problem, StNT 9, 1975.

Schmitz, O., Abraham im Spätjudentum und im Urchristentum. In: Aus Schrift und Geschichte. FS A. Schlatter, 1922, 99—122.

—, Der Begriff δύναμις bei Paulus. In: Festgabe für Adolf Deißmann, 1927, 139—167.

—, Die Grenze der Gemeinde nach dem Neuen Testament, EvTh 14, 1954, 6—22.

Schnackenburg, R., Die Adam-Christus-Typologie (Röm 5,12—21) als Voraussetzung für das Taufverständnis in Röm 6,1—14. In: Battesimo e Giutizia in Rom 6 e 8, Ben. MS.BES 2, 1974, 37—55.

—, Apostolizität: Stand der Forschung. In: R. Groscurth (Hg.), Katholizität und Apostolizität, KuD B. 2, 1971, 51—73.

—, Befreiung nach Paulus im heutigen Fragehorizont. In: L. Scheffzyk (Hg.), Erlösung und Emanzipation, QD 61, 1973, 51—68.

—, Die Einheit der Kirche unter dem Koinonia-Gedanken. In: F. Hahn/K. Kertelge/R. Schnackenburg, Einheit der Kirche, QD 84, 1979, 52—93.

—, Die Kirche im Neuen Testament, QD 14, 1966[3].

—, Lukas als Zeuge verschiedener Gemeindestrukturen, BiLe 12, 1971, 232—247.

—, Ortsgemeinde und „Kirche Gottes" im 1. Korintherbrief. In: Ortskirche — Weltkirche. FS J. Döpfner, 1973, 32—47.

Schneider, C., Zur Problematik des Hellenistischen in den Qumrantexten. In: Qumran-Probleme, hg. v. H. Bardtke, 1963, 299—314.

Schneider, G., Neuschöpfung oder Wiederkehr? Eine Untersuchung zum Geschichtsbild der Bibel, 1961.

Schniewind, J., Aufbau und Ordnung der Ekklesia nach dem Neuen Testament. In: FS R. Bultmann, 1949, 203—207.

—, Die Leugner der Auferstehung in Korinth. In: Nachgelassene Reden und Aufsätze, 1952, 110—139.

—, Das Seufzen des Geistes (Röm 8,26.27), ebd. 81—103.

Schoeps, H.-J., Paulus, 1959.

Schottroff, L., Der Glaubende und die feindliche Welt. Beobachtungen zum gnostischen Dualismus und seiner Bedeutung für Paulus und das Johannesevangelium, WMANT 37, 1970.

Schrage, W., „Ekklesia" und „Synagoge". Zum Ursprung des urchristlichen Kirchenbegriffs, ZThK 60, 1963, 178—202.

—, Die konkreten Einzelgebote in der paulinischen Paränese, 1961.

—, Ist die Kirche das „Abbild des Todes"? In: Kirche. FS G. Bornkamm, 1980, 205—218.

—, Leid, Kreuz und Eschaton. Die Peristasenkataloge als Merkmale paulinischer theologia crucis und Eschatologie, EvTh 34, 1974, 141—175.

—, Die Stellung zur Welt bei Paulus, Epiktet und in der Apokalyptik. Ein Beitrag zu 1.Kor 7,29—31, ZThK 61, 1964, 125—154.

—, Theologie und Christologie bei Paulus und Jesus auf dem Hintergrund der modernen Gottesfrage, EvTh 36, 1976, 121—154.

—, Das Verständnis des Todes Jesu Christi im NT. In: Das Kreuz als Grund des Heils, 1967, 49—89.

Schreiber, A., Die Gemeinde in Korinth. Versuch einer gruppendynamischen Betrachtung der Entwicklung der Gemeinde von Korinth auf der Basis des 1. Korintherbriefes, NTA 12, 1977.

Schreiber, R., Der Neue Bund im Spätjudentum und Urchristentum, Diss. Tübingen 1954.

Schrenk, G., Geist und Enthusiasmus. In: Studien zu Paulus, AThANT 26, 1954, 107—127.

—, Die Geschichtsanschauung des Paulus, ebd. 49—80.

—, Der Römerbrief als Missionsdokument, ebd. 81—106.

—, Was bedeutet Israel Gottes?, Jud. 5, 1949, 81—94.

—, Der Segenswunsch nach der Kampfepistel, Jud. 6, 1950, 170—190.

Schröger, F., Die Verfassung der Gemeinde des 1. Petrusbriefes. In: J. Hainz (Hg.), Kirche im Werden, 1976, 239—252.

Schubert, P., Form and Function of the Pauline Thanksgivings, BZNW 20, 1939.

Schürer, E., Geschichte des jüdischen Volkes im Zeitalter Jesu Christi, 2. Band, 1886², 1907⁴.

Schürmann, H., Die Freiheitsbotschaft des Paulus — Mitte des Evangeliums? In: Orientierungen am NT. Exeget. Aufs. III, 1978, 13—49.

—, Die geistlichen Gnadengaben in den paulinischen Gemeinden. In: K. Kertelge (Hg.), Das kirchliche Amt im NT, WdF 439, 362—412.

—, Gemeinde als Bruderschaft. In: Ursprung und Gestalt, 1970, 61—73.

—, „Das Gesetz des Christus" (Gal 6,2). In: Neues Testament und Kirche. FS R. Schnackenburg, 1974, 282—300.

—, Kirche als offenes System, IKaZ 1, 1972, 306—323.

—, Die neubundliche Begründung von Ordnung und Recht in der Kirche, Orientierungen 50—63.

—, Das Testament des Paulus für die Kirche, Apg 20,18—35. In: Traditionsgeschichtliche Untersuchungen zu den synoptischen Evangelien, 1968, 310—340.

Schüssler-Fiorenza, E., Cultic Language in Qumran and in the NT, CBQ 38, 1976, 159—177.

—, Richten und Gericht in den Gemeinden des Neuen Testaments, Conc (D) 13, 1977, 426—430.

Schütte, H., Amt, Ordination und Sukzession im Verständnis evangelischer und katholischer Exegeten und Dogmatiker der Gegenwart sowie in Dokumenten ökumenischer Gespräche, 1974.

Schütz, J. H., Charisma und soziale Wirklichkeit im Urchristentum. In: W. A. Meeks (Hg.), Zur Soziologie des Urchristentums, 1979, 222—244.

—, Paul and the Anatomy of Apostolic Authority, NTS.MS 26, 1975.

Schulz, A., Leidenstheologie und Vorbildethik in den paulinischen Hauptbriefen. In: Neutestamentliche Aufsätze. FS J. Schmid, 1963, 265—269.

—, Nachfolgen und Nachahmen, StANT 6, 1962.

Schulz, S., Die Charismenlehre des Paulus. In: Rechtfertigung. FS E. Käsemann, 1976, 443—460.

—, Die Decke des Moses. Untersuchungen zu einer vorpaulinischen Überlieferung in II Cor 3,7—18, ZNW 49, 1958, 1—30.

—, Die Mitte der Schrift. Der Frühkatholizismus im Neuen Testament als Herausforderung an den Protestantismus, 1976.

—, Zur Rechtfertigung aus Gnaden in Qumran und bei Paulus, ZThK 56, 1959, 155—185.

Schulze-Kadelbach, G., Das Bild der paulinischen Gemeinden im Spiegel der Briefe des Apostels. In: Domine dirige me in verbo tuo / Herr leite mich nach deinem Wort! FS M. Mitzenheim, 1961, 68—88.

Schwantes, H., Schöpfung der Endzeit. Ein Beitrag zum Verständnis der Auferweckung bei Paulus, AzTh 12, 1963.

Schweitzer, A., Die Mystik des Apostels Paulus, 1954[2].

Schweizer, E., The Church as the Missionary Body of Christ. In: Neotestamentica. Aufsätze 1951–1963, Zürich–Stuttgart 1963, 317–329.

—, Erniedrigung und Erhöhung bei Jesus und seinen Nachfolgern, AThANT 28, 1962[2].

—, 1. Korinther 15,20–28 als Zeugnis paulinischer Eschatologie und ihrer Verwandtschaft mit der Verkündigung Jesu. In: Jesus und Paulus. FS W. G. Kümmel, 1975, 301–314.

—, Die „Elemente der Welt" Gal 4,3.9; Kol 2,8.20. In: Beiträge zur Theologie des NT, 1970, 147–163.

—, Geist und Gemeinde im Neuen Testament und heute, ThEx NF 32, 1952.

—, Gemeinde und Gemeindeordnung im Neuen Testament, AThANT 35, 1962[2].

—, Gesetz und Enthusiasmus bei Matthäus, Beiträge 49–70.

—, Die Kirche als Leib Christi in den paulinischen Homologumena. Die Kirche als Leib Christi in den paulinischen Antilegomena, Neotestamentica 272–316.

—, Leib Christi und soziale Verantwortung bei Paulus, ZEE 14, 1970, 129–132.

—, The Service of Worship. An Exposition of I Cor 14, Neotestamentica 333–343.

—, Zur Frage der Echtheit des Kolosser- und des Epheserbriefes, Neotestamentica 429.

—, Zur Interpretation des Römerbriefes, EvTh 22, 1962, 105–107.

Scroggs, R., The Last Adam. A Study in Pauline Anthropology, Philadelphia–London 1962.

Seeberg, A., Der Katechismus der Urchristenheit (Mit einer Einführung von F. Hahn), ThB 26, 1966 (= 1903[1]).

Seesemann, H., Der Begriff KOINΩNIA im NT, BZNW 14, 1933.

Seidensticker, Ph., Die Gemeinschaftsformen der religiösen Gruppen des Spätjudentums und der Urkirche, SBFLA 9, 1958/9, 94–198.

—, Lebendiges Opfer (Röm 12,1), NTA 20,1–3, 1954.

Seitz, G., Redaktionsgeschichtliche Studien zum Deuteronomium, BWANT 5, 13 (= 93), 1971.

Selwyn, E. G., The First Epistle of St. Peter, London 1947[2].

Senft, Chr., L'élection d'Israël et la justification „Romans 9 à 11". In: L'Évangile hier et aujord'hui. Mélanges offerts au Prof. F. J. Léenhardt, Genève 1968, 131–142.

Sesboüé, B., Ministères et structure de l'église. In: J. Delorme (Ed.), Le ministère 347–417.

Shedd, R. Ph., Man in Community. A Study of St. Paul's Application of Old Testament and Early Jewish Conception of Human Solidarity, London 1958.

Siber, P., Mit Christus leben. Eine Studie zur paulinischen Auferstehungshoffnung, AThANT 61, 1971.

Sjöberg, E., Neuschöpfung in den Toten-Meer-Rollen, StTh IX, 1956, 131–36.

—, Wiedergeburt und Neuschöpfung im palästinischen Judentum, StTh IV, 1951/2, 44–85.

Smalley, St. S., Spiritual Gifts and I Corinthians 12–16, JBL 87, 1968, 425–433.

Soden, H. Frhr. v., Sakrament und Ethik bei Paulus. In: Das Paulusbild in der neueren deutschen Forschung, hg. v. K. H. Rengstorf, WdF 24, 1964, 338–379.

Sohm, R., Kirchenrecht 1. Band: Die geschichtliche Grundlagen, Syst. Handbuch der Deutschen Rechtswissenschaft VIII, 1, 1892.
—, Wesen und Ursprung des Katholizismus, 1912².
Soiron, Th., Die Kirche als der Leib Christi, 1951.
Sommer, I. W. E., Thesen über die Kirche im Neuen Testament. In: Die Kirche im NT in ihrer Bedeutung für die Gegenwart, hg. v. F. Siegmund-Schultze, 1930, 97—106.
Souček, J. B., Der Bruder und der Nächste. Ein biblisch-theologischer Beitrag zur Frage der Grenzen von Kirche und Welt. In: Hören und Handeln. FS Ernst Wolf, 1962, 362—371.
—, Israel und die Kirche im Denken des Apostels Paulus, CV 14, 1971, 143—154.
Spicq, C., L'étreinte de la Charité (II Cor V, 14), StTh 8, 1954/55, 123—132.
Spörlein, B., Die Leugnung der Auferstehung. Eine historisch-kritische Untersuchung zu 1.Kor 15, BU 7, 1971.
Spörri, Th., Der Gemeindegedanke im ersten Petrusbrief, NTF II, 2, 1925.
Stalder, K., Autorität im Neuen Testament, IKZ 66, 1976, 163—175, 224—236; 67, 1977, 1—29.
—, Das Werk des Geistes in der Heiligung bei Paulus, Zürich 1962.
Stanley, D. M., „Become imitators of me". The Pauline Conception of Apostolic Tradition, Bib. 40, 1959, 859—877.
—, Reflections on the Church in the New Testament, CBQ 25, 1963, 387—400.
Stegemann, E., Alt und Neu bei Paulus und in den Deuteropaulinen, EvTh 37, 1977, 508—536.
Steichele, H., Geist und Amt als kirchenbildende Elemente in der Apostelgeschichte. In: J. Hainz (Hg.), Kirche im Werden, 1976, 185—203.
Steinmüller, W., Evangelische Rechtstheologie, FKRG 8, I + II, 1968.
Stendahl, K., The Apostle Paul and the Introspective Conscience of the West, HThR 56, 1963, 199—215.
—, Der Jude Paulus und wir Heiden: Anfragen an das abendländische Christentum, 1978.
—, Die biblische Auffassung von Mann und Frau. In: E. Moltmann-Wendel, Menschenrechte für die Frau, 1974, 147—161.
Stepień, J., L'Eglise et les églises dans la doctrine de St. Paul, StEv V = TU 103, 1969, 129—140.
Stollberg, D., Tiefenpsychologische oder historisch-kritische Exegese? Identität und der Tod des Ich (Gal 2,19—20). In: Yorick Spiegel (Hg.), Doppeldeutlich, 1978, 215—226.
Stoodt, D., Schrift und Kirchenrecht, ZevKR 8, 1962, 340—360.
—, Wort und Recht. Rudolf Sohm und das theologische Problem des Kirchenrechts, FGLP 10, XXIII, 1962.
Strecker, G., Befreiung und Rechtfertigung. Zur Stellung der Rechtfertigungslehre in der Theologie des Paulus. In: Eschaton und Historie, Aufsätze, 1979, 229—259.
Strobel, A., Baptisma und Basileia. In: Begründung und Gebrauch der heiligen Taufe, hrg. v. O. Perels, 1963, 94—109.
Stuhlmacher, P., Achtzehn Thesen zur paulinischen Kreuzestheologie. In: Rechtfertigung. FS E. Käsemann, 1976, 509—526.
—, „Das Ende des Gesetzes", ZThK 67, 1970, 14—39.
—, Erwägungen zum ontologischen Charakter der καινή κτίσις bei Paulus, EvTh 27, 1967, 1—35.

–, Erwägungen zum Problem von Gegenwart und Zukunft in der paulinischen Eschatologie, ZThK 64, 1967, 423–450.
–, Evangelium – Apostolat – Gemeinde, KuD 17, 1971, 28–45.
–, Gerechtigkeit Gottes bei Paulus, FRLANT 87, 1966[2].
–, Glauben und Verstehen bei Paulus, EvTh 26, 1966, 337–348.
–, Neues Testament und Hermeneutik – Versuch einer Bestandsaufnahme. In: Schriftauslegung auf dem Wege zur biblischen Theologie, 1975, 9–49.
–, Das paulinische Evangelium, I. Vorgeschichte, FRLANT 95, 1968.
–, Theologische Probleme des Römerbriefpräskripts, EvTh 27, 1967, 374–389.
–, Theologische Probleme gegenwärtiger Paulusinterpretation, ThLZ 98, 1973, 721–732.
–, Zur Interpretation von Römer 11,25–32. In: Probleme biblischer Theologie. FS Gerhard v. Rad, 1971, 555–570.
Suhl, A., Der konkrete Anlaß des Römerbriefs, Kairos 13, 1971, 119–130.
–, Paulus und seine Briefe. Beiträge zur paulinischen Chronologie, StNT 11, 1974.
Synofzik, E., Die Gerichts- und Vergeltungsaussagen bei Paulus, GTA 8, 1977.
Tannehill, R. C., Dying and Rising with Christ, BZNW 32, 1967.
Theissen, G., Legitimation und Lebensunterhalt: Ein Beitrag zur Soziologie urchristlicher Missionare. In: Studien zur Soziologie des Urchristentums, WUNT 19, 1979, 201–230.
–, Soziale Integration und sakramentales Handeln, ebd. 290–317.
–, Soziale Schichtung in der korinthischen Gemeinde, ebd. 231–271.
–, Soteriologische Symbolik in den paulinischen Schriften, KuD 20, 1974, 282–304.
–, Die Starken und Schwachen in Korinth, Studien 272–289.
Therrien, G., Le discernement dans les écrits Pauliniens, EtB, 1973.
Thiselton, A. C., Realized Eschatology at Corinth, NTS 24, 1977/78, 510–526.
Thornton, L. S., The Common Life in the Body of Christ, London 1944[2].
Thrall, M. E., The Problem of II Cor. vi. 14– vii. 1 in some Recent Discussion, NTS 24, 1977/78, 132–148.
Thüsing, W., Aufgabe der Kirche und Dienst in der Kirche, BiLe 10, 1969, 65–80.
–, Per Christum in Deum. Studien zum Verhältnis von Christozentrik und Theozentrik in den paulinischen Hauptbriefen, NTA NF. 1, 1969[2].
–, Dienstfunktion und Vollmacht kirchlicher Ämter nach dem Neuen Testament, BiLe 14, 1973, 77–88.
–, Rechtfertigungsgedanke und Christologie in den Korintherbriefen. In: NT und Kirche. FS R. Schnackenburg, 1974, 301–324.
Thyen, H., Zur Problematik einer neutestamentlichen Ekklesiologie. In: G. Liedke (Hg.), Frieden – Bibel – Kirche, 1972, 96–173.
Toit, A. B. du, Dikaiosyne in Röm 6, ZThK 76, 1979, 261–291.
Travis, S. H., Paul's Boasting in 2 Corinthians 10–12, StEv IV = TU 112, 1973, 527–532.
Trilling, W., „Implizite Ekklesiologie". Ein Vorschlag zum Thema „Jesus und die Kirche". In: Dienst der Vermittlung, EThSt 37, 1977, 149–164.
Trocmé, M. E., L'Épître aux Romains et la méthode missionaire de l'apôtre Paul, NTS 7, 1961, 148–153.
Trummer, P., Die Paulustradition der Pastoralbriefe, BBET 8, 1978.
Twisselmann, W., Die Gotteskindschaft der Christen nach dem Neuen Testament, BFchTh 41,1 1939.

Tyloch, W., Les thiases et la communauté de Qoumran. Fourth World Congress of Jewish Studies. Papers Vol. I, Jerusalem 1967, 225–228.

Ulonska, H., Die Doxa des Mose, EvTh 26, 1966, 378–88.

Unnik, W. C. van, La conception paulinienne de la Nouvelle Alliance, Sparsa Collecta I, NT.S 29, 1973, 174–193.

—, „With Unveiled Face", an Exegesis of II Cor III 12–18, ebd. 194–210.

Vanni, U., Ὁμοίωμα in Paolo (Rm 1,23; 5,14; 6,5; 8,3; Fil 2,7), Gr. 58, 1977, 321–345, 431–470.

Vielhauer, Ph., Geschichte der urchristlichen Literatur, 1975.

—, Gesetzesdienst und Stoicheiadienst im Galaterbrief. In: Oikodome. Aufsätze zum NT, Bd. 2, 1979, 183–195.

—, Oikodome. Das Bild vom Bau in der christlichen Literatur vom Neuen Testament bis Clemens Alexandrinus, ebd. 1–168.

—, Paulus und das Alte Testament, ebd. 196–228.

Vögtle, A., Exegetische Reflexionen zur Apostolizität des Amtes und zur Amtssukzession. In: Die Kirche des Anfangs. FS H. Schürmann, Leipzig 1977, 529–582.

—, Röm 8,19–22: Eine schöpfungstheologische oder anthropologisch soteriologische Aussage? In: Mélanges Bibliques en hommage du R. P. Béda Rigaux, 1970, 351–366.

—, Röm 13,11–14 und die „Nah"-Erwartung. In: Rechtfertigung. FS E. Käsemann, 1976, 557–573.

Vogel, H., Rechtfertigung des Gottlosen heute. In: Evangelische Freiheit und kirchliche Ordnung. Freundesgabe Th. Dipper, 1968, 55–59.

Volz, P., Die Eschatologie der jüdischen Gemeinde im neutestamentlichen Zeitalter . . ., 1934².

Vos, J. S., Traditionsgeschichtliche Untersuchungen zur paulinischen Pneumatologie, Assen–Neukirchen 1974.

Walter, N., Christusglaube und Heidnische Religiosität in Paulinischen Gemeinden, NTS 25, 1979, 422–442.

—, Die Philipper und das Leiden. In: Die Kirche des Anfangs. FS. H. Schürmann, Leipzig 1977, 417–434.

Weber, H.-R., Kreuz: Überlieferung und Deutung der Kreuzigung Jesu im neutestamentlichen Kulturraum, 1975.

Weber, M., Die protestantischen Sekten und der Geist des Kapitalismus. In: Die prot. Ethik I, Siebenstern-Tabu 53, 1973³, 279–317.

Wedderburn, A. J. M., A New Testament Church Today? ScJTh 31, 1978, 517–532.

—, Purpose and Occasion of Romans Again, ET 90, 1979, 137–141.

—, Romans 8,26 – Towards a Theology of Glossolalia?, ScJTh 28, 1975, 369–377.

Wegenast, K., Das Verständnis der Tradition bei Paulus und in den Deuteropaulinen, WMANT 8, 1962.

Weise, M., Kultzeiten und kultischer Bundesschluß in der „Ordensregel" vom Toten Meer, StPB 3, 1961.

Weiser, A., Das Buch der zwölf kleinen Propheten I, ATD 24, 1974⁶.

Weiß, H. F., „Volk Gottes" und „Leib Christi". Überlegungen zur paulinischen Ekklesiologie, ThLZ 102, 1977, 411–420.

Weiß, J., Der erste Korintherbrief, KEK V, 1910⁹. Neudruck 1970.

Weiß, K., Der doxologische Charakter der paulinischen Soteriologie, Theol. Versuche XI, 1979, 67–70.

—, Paulus — Priester der christlichen Kultgemeinde, ThLZ 79, 1954, 355—364.

Westermann, C., Das Buch Jesaja 40—66, ATD 19, 1966.

Wendland, H.-D., Geist, Recht und Amt in der Urkirche, AevKR 2, 1938, 289—300.

—, Gesetz und Geist, Fuldaer Hefte 6, 1952, 38—64.

—, Kirche und Welt im Neuen Testament. In: Die Kirche in der revolutionären Gesellschaft, 1967, 11—27.

—, Die Briefe an die Korinther, NTD 7, 1968[12].

—, Die Mitte der paulinischen Botschaft. Die Rechtfertigungslehre des Paulus im Zusammenhange seiner Theologie, 1935.

Wengst, K., Der Apostel und die Tradition, ZThK 69, 1972, 145—162.

—, Christologische Formeln und Lieder des Urchristentums, StNT 7, 1973[2].

—, Das Zusammenkommen der Gemeinde und ihr „Gottesdienst" nach Paulus, EvTh 33, 1973, 547—559.

Wenschkewitz, H., Die Spiritualisierung der Kultusbegriffe Tempel, Priester und Opfer im Neuen Testament, Angelos 4, 1932, 70—230.

Wernberg-Møller, P., The Manual of Discipline, STDJ 1, 1957.

—, The Nature of the yaḥad according to the Manual of Discipline and Related Documents. In: Dead Sea Scroll Studies 1969, ALUOS 6, 1966/68, 56—81.

West, J. K., Justification in the Qumran Scrolls, Diss. Nashville 1961.

White, J. L., The Form and Function of the Body of the Greek Letter, SBL.DS 2, 1972.

Whiteley, D. E. H., The Theology of St. Paul, Oxford 1964.

Wickert, U., Der Philemonbrief — Privatbrief oder Apostolisches Schreiben?, ZNW 52, 1961, 230—238.

Widmann, M., 1.Kor 2,6—16: Ein Einspruch gegen Paulus, ZNW 70, 1979, 44—53.

Wiefel, W., Fluch und Sakralrecht. Religionsgeschichtliche Prolegomena zur Frühentwicklung des Kirchenrechts, Numen 16, 1969, 211—233.

—, Die jüdische Gemeinde im antiken Rom und die Anfänge des römischen Christentums, Jud 26, 1970, 65—83 = K. P. Donfried (Hg.), The Romans Debate, 1971, 100—119 (engl.).

—, Die missionarische Eigenart des Paulus und das Problem des frühchristlichen Synkretismus, Kairos 17, 1975, 218—231.

Wikenhauser, A., Die Kirche als der mystische Leib Christi nach dem Apostel Paulus, 1940[2].

— /Schmid, J., Einleitung in das Neue Testament, 1973[6].

Wilcke, H.-A., Das Problem eines messianischen Zwischenreichs bei Paulus, AThANT 51, 1967.

Wilckens, U., Der Brief an die Römer, EKK 6,1, 1978.

—, Christus, der ‚letzte Adam‘, und der Menschensohn. In: Jesus und der Menschensohn. FS A. Vögtle, 1975, 387—403.

—, Eucharistie und Einheit der Kirche, KuD 25, 1979, 67—85.

—, Kreuz und Weisheit, KuD 3, 1957, 77—108.

—, Rechtfertigung als Freiheit. Paulusstudien, 1974.

—, Die Rechtfertigung Abrahams nach Römer 4, ebd. 33—49.

—, Über Abfassungszweck und Aufbau des Römerbriefs, ebd. 110—170.

—, Was heißt bei Paulus: „Aus Werken des Gesetzes wird kein Mensch gerecht"?, ebd. 77—109.

—, Weisheit und Torheit. Eine exegetisch-religionsgeschichtliche Untersuchung zu 1.Kor 1 und 2, BHTh 26, 1959.

–, Zu 1.Kor 2,1–16. In: Theologia crucis, signum crucis. FS Dinkler, 1979, 501–538.

–, Zu Römer 3,21–4,25. Antwort an G. Klein, Rechtfertigung 50–76.

Wiles, G. P., Paul's Intercessory Prayers, NTS.MS 24, 1974.

Williams, S. K., The „Righteousness of God" in Romans, JBL 99, 1980, 241–290.

Wilson, R. Mc. L., Gnostics – in Galatia?, StEv IV = TU 102, 1968, 358–367.

Wilson, St. G., The Portrait of Paul in Acts and the Pastorals, SBL 112, 76, 397–412.

Windisch, H., Die Sprüche vom Eingehen in das Reich Gottes, ZNW 27, 1928, 163–192.

–, Der zweite Korintherbrief, KEK VI, 1924[9], Neudruck 1970.

Winter, J. G. (Hg.), P. Mich III = Papyri in the University of Michigan Collection. Micellaneous Papyri, Univ. of Mich. Studies. Humanistic Serie 40, Ann Arbor 1936, 131–221.

Winter, M., Pneumatiker und Psychiker in Korinth. Zum religionsgeschichtlichen Hintergrund von 1.Kor 2,6–3,4, MThSt 12, 1975.

Wischmeyer, O., Der höchste Weg. Das 13. Kapitel des 1. Korintherbriefs, StNT 13, 1980.

Wissmann, E., Das Verhältnis von Πίστις und Christusfrömmigkeit bei Paulus, FRLANT NF 23 (41), 1926.

Wölber, H.-O., Religion ohne Entscheidung, 1959.

Wohlenberg, G., Der erste und zweite Brief des Paulus an die Thessalonicher, KNT XII, 1909[2].

Wolf, Erik, Ordnung der Kirche, 1961.

–, Recht des Nächsten. Ein rechtstheologischer Entwurf, PhA XV, 1958.

–, Rechtsgedanke und biblische Weisung. In: Forschungen der Evangelischen Akademie 5, 1948.

Wolf, Ernst, Zum protestantischen Rechtsdenken. In: Peregrinatio II, 1965, 191–206.

Wolff, H. W., Dodekapropheton 1, Hosea, BK XIV, 1, 1976[3].

Wolter, M., Rechtfertigung und zukünftiges Heil: Untersuchung zu Röm 5,1–11. BZNW 43, 1978.

Wuellner, W., Paul's Rhetoric of Argumentation in Romans. In: K. P. Donfried (Hg.), The Romans Debate, 1971, 152–174.

–, The Sociological Implications of I Corinthians 1,26–28 Reconsidered, StEv IV = TU 112, 1973, 666–672.

–, Ursprung und Verwendung der σοφός – δυνατός – εὐγενής-Formel in 1.Kor 1,26. In: Donum gentilicium. FS D. Daube, Oxford 1978, 165–184.

Zahn, Th., Der Brief des Paulus an die Römer, KNT VI, 1925[3].

Zeller, D., Juden und Heiden in der Mission des Paulus. Studien zum Römerbrief, FzB 1, 1973.

Ziebarth, E., Das griechische Vereinswesen, 1896.

Ziesler, J. A., The Meaning of Righteousness in Paul, NTS.MS 20, 1972.

Zimmerli, W.; „Heiligkeit" nach dem sogenannten Heiligkeitsgesetz, VT 30, 1980, 493–512.

Zmijewski, J., Der Stil der paulinischen „Narrenrede", BBB 52, 1978.

Paulusstudien

– in den „Forschungen zur Religion und Literatur des Alten und Neuen Testaments"

Vandenhoeck & Ruprecht in Göttingen und Zürich

Peter Stuhlmacher

Versöhnung, Gesetz und Gerechtigkeit

Aufsätze zur biblischen Theologie
320 Seiten, kartoniert

Studien zur biblischen Theologie, die in der Verklammerung von Altem und Neuem Testament die Themen Versöhnung, Gesetz und Gerechtigkeit untersuchen. Erstmalig erscheinen drei Beiträge über ‚Gerechtigkeit' in der Jesusverkündigung, bei den vorpaulinischen Missionsgemeinden und bei Paulus.

Inhalt: Jesus als Versöhner. Überlegungen zum Problem der Darstellung Jesu im Rahmen einer biblischen Theologie des Neuen Testaments / Existenzstellvertretung für die Vielen: Mk 10,45 (Mt 20,28) / Die neue Gerechtigkeit in der Jesusverkündigung / Jesu Auferweckung und die Gerechtigkeitsanschauung der vorpaulinischen Missionsgemeinden / Die Gerechtigkeitsanschauung des Apostels Paulus / Zur neueren Exegese von Röm 3,24–26 / Das Gesetz als Thema biblischer Theologie / „Das Ende des Gesetzes". Über Ursprung und Ansatz der paulinischen Theologie / Achtzehn Thesen zur paulinischen Kreuzestheologie / Zur paulinischen Christologie / „Er ist unser Friede" (Eph 2,14). Zur Exegese und Bedeutung von Eph 2,14–18 / Schriftauslegung in der Confessio Augustana. Überlegungen zu einem erst noch zu führenden Gespräch / Adolf Schlatter als Bibelausleger.

Rechtfertigung

Festschrift für Ernst Käsemann zum 70. Geburtstag
Hrsg. von Johannes Friedrich, Wolfgang Pöhlmann und Peter Stuhlmacher
VIII, 650 Seiten, 1 Bild, Leinen (Gemeinsam mit J.C.B. Mohr)

Beiträge von Charles Kingsley Barrett, Otto Betz, Josef Blank, Hartmut Gese, Erich Grässer, Ferdinand Hahn, Martin Hengel, Jacob Jervell, Leander E. Keck, Walter Klaiber, Günter Klein, Klaus Koch, Werner Georg Kümmel, Otto Kuss, Friedrich Lang, Friedrich Gustav Lang, Eduard Lohse, Dieter Lührmann, Ulrich Luz, Karl Hermann Schelkle, Hans Heinrich Schmid, Wolfgang Schrage, Siegfried Schulz, Eduard Schweizer, Georg Strecker, Peter Stuhlmacher, Hartwig Thyen, Philipp Vielhauer, Anton Vögtle, Walther Zimmerli.

Vandenhoeck & Ruprecht in Göttingen und Zürich